SUR LE SACERDOCE

SOURCES CHRÉTIENNES

Directeurs-fondateurs : H. de Lubac, s.j., et † J. Daniélou, s.j.
Directeur : C. Mondésert, s.j.

N° 272

JEAN CHRYSOSTOME

SUR LE SACERDOCE
(Dialogue et Homélie)

INTRODUCTION, TEXTE CRITIQUE,
TRADUCTION ET NOTES

PAR

Anne-Marie MALINGREY

PROFESSEUR HONORAIRE
A L'UNIVERSITÉ DE LILLE III

*Cet ouvrage est publié avec le concours
du Centre National des Lettres*

LES ÉDITIONS DU CERF, 29, Bd DE LATOUR-MAUBOURG, PARIS-7ᵉ
1980

La publication de cet ouvrage a été préparée avec le concours
de l'Institut des Sources Chrétiennes
(E.R.A. 645 du Centre National de la Recherche Scientifique).

INTRODUCTION
AU DIALOGUE SUR LE SACERDOCE

Le *De sacerdotio* est une des œuvres les plus connues de Jean Chrysostome et, cependant, la présenter au lecteur n'est pas chose facile : les circonstances et les personnages soulèvent des difficultés historiques, la date à laquelle les événements se sont déroulés est incertaine, le texte se développe avec tant de liberté qu'il est difficile d'en préciser le plan, le genre littéraire est complexe, l'authenticité des faits a été mise en question. L'ouvrage ne peut donc se lire avec fruit sans que tous ces problèmes aient été évoqués, sinon résolus.

Les circonstances et les personnages

La première partie du *De sacerdotio* fait entrer le lecteur dans l'intimité de Jean et d'un ami qu'il nomme Basile. Il expose les circonstances qui ont fait naître leur amitié[1], les raisons qui ont troublé la parfaite harmonie de leurs rapports[2]. La lecture du texte nous apprend qu'ils avaient envisagé de se retirer dans la solitude, mais que Jean était moins fervent que Basile, qu'il restait attaché au monde,

---

1. *De sacerd.* I, 1, 9-12. — Désormais, nous renverrons au texte de la présente édition sans répéter le titre de l'ouvrage.
2. I, 2, 1-10.

qu'il fréquentait même avec ardeur le tribunal et le théâtre[1].
A cela s'ajoute l'intervention de sa mère qui veut l'empêcher de la quitter[2]. Cependant, Basile allait réussir, grâce
à son insistance, à persuader son compagnon, lorsqu'ils
apprennent qu'on veut les élever « à la dignité du sacerdoce[3] ». Ici se place le drame. Tout en ayant conscience
de son indignité, Jean a promis que rien ne le séparerait
de son ami, s'ils étaient contraints d'accepter. Fort de
cette assurance, Basile se laisse ordonner, tandis qu'on lui
affirme, pour le décider, que Jean, de son côté, « a cédé
au jugement des Pères[4] ». En réalité, il a reculé devant les
responsabilités et les charges qu'entraînerait son ordination et il s'est enfui[5]. A cette nouvelle, sous le coup de
l'indignation, Basile vient trouver son ami et l'accuse de
l'avoir trompé. Reproches de l'un, réponse de l'autre, tel
est le contenu du dialogue.

La personnalité de Jean est bien connue. Il n'en est pas
de même pour son ami Basile que les commentateurs se sont
efforcés d'identifier, non sans peine. Trois noms ont été
proposés.

Le premier est celui de Basile le Grand, évêque de Césarée
de Cappadoce de 370 à 379. En tenant compte de l'incertitude des données chronologiques, la consécration de
Basile pourrait, à la rigueur, correspondre avec celle de
l'ami de Jean. Un passage de l'historien Socrate où se trouve
soulignée l'amitié qui unissait Jean, évêque de Constantinople, et Basile, évêque de Césarée[6], a contribué à rendre

1. I, 2, 20-21.
2. I, 2, 30-96.
3. I, 3, 5-6.
4. I, 3, 36.
5. A propos de la contrainte exercée sur les candidats au sacerdoce
qui s'y refusent par humilité, voir ÉVAGRE, *Practicos*, SC 171, p. 530
et note 13, et CALLINICOS, *Vie d'Hypatios*, 11, 8, SC 177, p. 114 et
note 3.
6. SOCRATE, *HE* VI, 3, *PG* 67, 668.

plausible l'assimilation des personnages. La tradition manuscrite l'admet volontiers, puisque certains copistes joignent au nom de Basile l'épithète de μέγας[1]. Mais si l'on place dans les années 327-331 la naissance de Basile de Césarée (on voit qu'entre ces dates extrêmes subsiste une certaine imprécision) et si l'on peut faire remonter la date de naissance de Jean jusqu'en 345[2], on aboutit, pour l'âge des deux amis, à un écart de quatorze ans. Ce décalage concorde mal avec les données du *De sacerdotio* qui font supposer entre eux une complète égalité : « Nous nous sommes adonnés aux mêmes études, nous avons eu les mêmes maîtres[3]. » Le nom de Basile le Grand a été définitivement écarté par la critique moderne.

Photius identifie l'ami de Jean avec Basile de Séleucie. Il souligne la similitude de forme et de pensée qu'on remarque dans les commentaires de l'Écriture faits par Chrysostome et ceux de Basile de Séleucie, qui semblent « puiser à la même source[4] ». Mais il est peu probable que ce Basile ait été contemporain de Jean, car il est présent au concile de Constantinople de 448 et, s'il avait été dans sa jeunesse son compagnon, il aurait eu alors quatre-vingt-dix ans environ. Si flottantes que soient les données chronologiques, elles invitent à exclure ces deux personnages.

Au contraire, il y a de sérieuses présomptions en faveur de Basile, évêque de Raphanée, ville située sur la route

---

1. Par exemple le *Paris. gr.* 492.

2. Voir J. Dumortier, « La valeur historique de Palladius et la chronologie de S. Jean Chrysostome », *MSR*, VIII, 1951, p. 51-56. Sur le même sujet, mais proposant la date de 349, voir E. Carter, « The chronology of saint John Chrysostom's early life », *Traditio*, XVIII, 1962, p. 357-364. Quant à Montfaucon, il suggère « vers 347 » sans autre preuve, *S. Joannis Chrysostomi... Opera*, t. I, *Monitum*, p. 361 (= *PG* 48, 622).

3. I, 1, 9-10.

4. *Bibl. graeca*, cod. 168, éd. Henry, t. II, Paris 1960, p. 161, témoignage cité par Savile, *S. Ioannis Chrysostomi Opera*, t. VIII, p. 156.

d'Émèse à Antioche[1]. Les tenants de cette hypothèse[2] s'appuient sur les dernières lignes du *De sacerdotio* où Jean réconforte Basile en ces termes : « Je serai présent et je te consolerai et rien ne te manquera de ce qui est en mon pouvoir[3]. » Il faut donc une proximité de lieu pour justifier ces paroles et Raphanée est dans ce cas. Mais l'ami de Jean peut avoir été ordonné prêtre au moment où se déroule le *Dialogue* et nommé quelques années plus tard évêque de Raphanée, puisqu'on trouve un Basile de Raphanée au synode de Constantinople en 381. En somme, devant l'absence de renseignements venus de source sûre, il faut reconnaître qu'il est difficile de savoir qui était cet ami si cher. Cette question n'a d'ailleurs qu'un intérêt secondaire.

Les dates

Nous parlerons de *dates*, au pluriel, car on est amené à dissocier la date de l'événement qui a bouleversé la vie des deux amis et le moment où Jean l'a raconté.

Sur l'un et l'autre point, peu de renseignements dans l'œuvre elle-même. Étroitement unis par l'amitié, Jean et Basile avaient envisagé un moment d'embrasser la vie des solitaires, mais Jean, cédant à des sollicitations extérieures, a hésité ; puis, il a accepté. C'est à ce moment que Basile vient annoncer à son ami le choix dont ils sont l'objet. L'un et l'autre étaient encore jeunes, μειράκια[4], puisque leurs détracteurs les opposent à « ceux qui ont

1. L'hypothèse, suggérée par Baronius, est adoptée par Hoeschel, Tillemont, Montfaucon et les critiques modernes.
2. Précisons qu'ils ont en vue une accession directe à l'épiscopat qui leur est suggérée par la lecture ἐπισκοπῆς du texte de B (voir note et apparat *ad* I, 3, 5). Le cas d'Ambroise de Milan passant du catéchuménat à l'épiscopat demeure exceptionnel. Si pareille chose était arrivée à Jean et à son ami, les historiens l'auraient sans doute mentionnée.
3. VI, 13, 91-92.
4. I, 4, 38.

versé tant de sueurs pour le bien de l'Église[1] ». Sur l'âge
des deux jeunes gens, le *De sacerdotio* ne nous donne pas
plus de précisions.

On ne peut donc s'appuyer sur des faits qui ne sont pas
datés de façon certaine. Ceux qu'on ne met pas en doute sont
la promotion de Jean au diaconat en 381 et son ordination
en 386 par Flavien. Avant son diaconat, il a passé six ans
dans la solitude aux environs d'Antioche[2]. Cet éloignement
de la ville peut se situer entre les années 372 et 378. Jean
raconte dans le *De sacerdotio* un événement qui se place
à un moment où il a accepté de suivre son ami, mais où
ils n'ont pas encore réalisé leur projet[3]. On aboutit à
l'année 370 ou 371.

Quant à la date où le *De sacerdotio* a été composé, elle
est fort discutée. Certains la placent pendant le temps où
Jean vécut solitaire[4], donc entre 372 et 378 ; d'autres la
placent pendant son diaconat[5], entre 381 et 386. Nairn,
le dernier éditeur, n'accepte ni l'une ni l'autre de ces hypothèses et nous partageons son avis. Il propose une date

---

1. II, 7, 45-46.
2. Palladios, *Dialogus de vita S. Ioannis Chrysostomi*, cap. V,
éd. Coleman-Norton, Cambridge 1928, p. 28, li. 18-21.
3. I, 2, 1-3.
4. Par exemple, Siméon Métaphraste, cité par Savile, t. VIII,
p. 378 : ... ἐν ταύτῃ τῇ φιλησύχῳ διαγωγῇ. Il est à peine besoin de
souligner l'invraisemblance de cette hypothèse, de même que celle
de Baronius qui semble placer la composition du *De sacerdotio* aussitôt
après la fuite de Jean : « Chrysostomus fugam arripiens in sui excusa-
tionem commentarium illum tam celebrem *De Sacerdotio* elaboravit »,
Annales, t. V, éd. Pagi, Lucae 1739, année 382, paragr. 62, p. 546.
5. Par exemple, Socrate, *HE* VI, 3, *PG* 67, 669 et Georges
d'Alexandrie, *Vita*, cité par Savile, t. VIII, p. 176. Jean a reçu
le diaconat en 380 ou 381 au plus tard, car cette année-là Mélèce
partit pour Constantinople assister au concile convoqué par Théodose. Il mourut dans l'été de 381. Cette année proposée pour l'élévation de Jean au diaconat concorde avec les données de Palladios,
Dialogus, V, éd. Coleman-Norton, p. 29, li. 8-9, qui fixe à cinq ans
la durée de son diaconat.

plus tardive, en s'appuyant sur des arguments qui nous paraissent convaincants.

Le premier est fourni par Jean lui-même. Dans la Vᵉ *Homélie sur Ozias*, parlant du sacerdoce, il annonce qu'il a l'intention de s'étendre plus longuement une autre fois sur le sujet[1]. On peut donc penser qu'il a réalisé son intention dans le *De sacerdotio*. Dès lors, la date assignée à la composition de ce dialogue dépend étroitement de celle de la Vᵉ *Homélie sur Ozias*. Bien que l'année où celle-ci a été prononcée ne soit pas fixée de façon certaine, elle prend place dans une série que les commentateurs situent entre 388 et 389[2].

Cependant, nous hésitons à suivre Nairn dans son ultime conclusion. En effet, dans la période 386-390 qu'il assigne avec raison à la composition du *De sacerdotio*, il préfère la première partie à la seconde, « c'est-à-dire peu après 386 ou plus probablement dans l'année 387[3] ». Il pense qu'après son ordination, Jean a éprouvé le besoin de faire une sorte de « profession de foi » et aussi de justifier sa conduite passée. Mais les rapports étroits qui apparaissent à la première lecture entre la Vᵉ *Homélie sur Ozias* et le *De sacerdotio* invitent plutôt à reculer la composition de ce dernier entre 388 et 390. D'ailleurs, bien que les années du diaconat (381-386) aient pu lui faire pressentir ce qu'était le sacerdoce, il est difficile d'admettre qu'il en ait eu, dès le moment de son ordination, la connaissance intime, détaillée et concrète dont il fait preuve ici. Lorsqu'il expose « les difficultés du saint ministère », on a l'impression qu'il parle d'expérience et l'on serait tenté de croire que cette expérience s'appuie sur des faits précis. A la fin du *De sacer-*

---

1. *In illud : Vidi Dominum hom.* V, 1, *P G* 56, 131 : Ἀλλὰ περὶ μὲν ἱερωσύνης καὶ ὅσον τῆς ἀξίας μέγεθος ἐν ἑτέρῳ καιρῷ δηλώσομεν.

2. Voir J. Dumortier, *Homélies sur Ozias*, Introduction (à paraître dans la collection *SC*).

3. *De sacerdotio*, éd. J. Arbuthnot Nairn, Cambridge 1906, Introduction, p. xv [en anglais].

dotio, il dit encore : « Toutes ces épreuves, nous les avons énumérées, mais quel tort elles causent on ne pourrait le savoir sans en avoir fait l'expérience[1]. » Pourtant, le texte n'est pas décisif, car Jean, qui était bon psychologue, avait pu observer et deviner bien des choses pendant son diaconat, avant d'avoir à les pratiquer ou à les subir lui-même.

D'autre part, il n'est pas possible de placer la composition de cet ouvrage après 392, date à laquelle Jérôme atteste, dans le *De viris illustribus*, qu'il a lu lui-même l'œuvre de Jean[2]. Le temps nécessaire pour qu'elle lui soit parvenue en ramène la composition aux années 388-390, auxquelles nous sommes arrivés en nous appuyant sur d'autres indices. Malgré tant d'incertitudes, nous proposons donc la date de 390. Toutefois, faute de points de repère aussi sûrs que celui de Jérôme, cette date, comme l'identification de Basile, reste dans le domaine des hypothèses.

Le plan de l'œuvre

La division de l'œuvre en six *logoi* qui date de la période byzantine n'est guère satisfaisante, car elle ne concorde pas exactement avec la progression de la pensée. Celle de Jean est animée d'un tel dynamisme qu'elle défie souvent l'analyse. Elle jaillit dans des directions diverses, touche à plusieurs sujets, abandonne l'un pour revenir à l'autre qui a déjà été abordé et franchit allégrement les bornes établies par les éditeurs. Nous essayons d'en donner ici un

---

1. VI, 3, 34-35.
2. *De viris illustr.* 129 : « Iohannes... multa composuisse dicitur de quibus Περὶ ἱερωσύνης tantum legi. » Cette phrase de Jérôme réduit à néant l'hypothèse de T. SINKO qui avance la date de 404 dans l'*Annuaire de l'Institut de philologie et d'histoire orientales* (Paris), 1949, p. 531-545.

plan qui permette d'avoir une idée d'ensemble de l'ouvrage :

Si insuffisant que soit notre plan, parce qu'il ne peut suivre un exposé trop riche, il permet cependant de faire trois remarques : *a*) L'auteur oscille constamment entre un double problème personnel, celui de Basile et le sien, et des considérations générales sur le sacerdoce. *b*) On voit que la division de l'œuvre en six parties est souvent aberrante. La défense de Jean qui débute dans la première partie continue dans la seconde, mais, interrompue par un exposé sur le sacerdoce, elle se prolonge à la fin de la seconde partie et au début de la troisième. A partir du chapitre 4 de cette troisième partie, ce sont de nouveau des considérations générales sur les responsabilités du prêtre qui sont développées ; le deuxième chapitre de la quatrième partie ramène au cas précis de Jean, tandis que les suivants et la cinquième partie entière traitent de l'art de la parole. Les chapitres 2 à 9 de la sixième partie offrent une comparaison entre le moine et le prêtre, mais les chapitres 10 à 13 ne concernent que Jean lui-même qui s'efforce, dans le dernier chapitre, de prodiguer à son ami des encouragements. *c*) Malgré les sinuosités de la pensée, on remarquera que le plus beau passage sur le sacerdoce (III⁽ᵉ⁾ partie, chap. 4 à 6) se trouve au cœur de l'ouvrage, tel un soleil qui éclaire de son rayonnement le texte tout entier.

Le genre littéraire

Le *De sacerdotio* est un dialogue où les étapes de l'entretien sont marquées par le changement d'interlocuteur. Les sophistes avaient depuis longtemps considéré ce genre littéraire comme un instrument privilégié de discussion, et Platon lui a donné un lustre incomparable. Les chrétiens, à leur tour, n'ont pas manqué de s'en servir pour exposer ou défendre leur foi[1].

1. Par exemple, JUSTIN, *Dialogue avec Tryphon* ; MÉTHODE D'OLYMPE, *Aglaophon* ou *Sur la résurrection* ; GRÉGOIRE DE NYSSE, *Dialogue sur l'âme et la résurrection* ; PALLADIOS, *Dialogue sur la vie de S. Jean Chrysostome*.

Parmi les définitions qu'en donnent les Anciens, nous retiendrons celle de Diogène Laërce : « Voici ce que c'est qu'un dialogue : c'est un sujet philosophique ou politique, traité sous forme de questions et de réponses, avec des paroles appropriées au caractère des interlocuteurs et un style élégant[1]. » Les études de rhétorique auxquelles Jean s'était adonné avec tant de passion lui permettaient d'adopter ce genre difficile et de s'acquitter de sa tâche avec aisance. Ce qui importe ici, c'est de voir dans quelle mesure le *De sacerdotio* s'inspire d'une tradition bien établie et dans quelle mesure il s'en affranchit.

Il va de soi que, chez les chrétiens, le sujet n'est ni philosophique, ni politique, mais religieux. On ne saurait trop insister sur cette différence fondamentale dont on verra plus loin les conséquences ; elle n'empêche pas que subsistent à travers les siècles les autres caractéristiques du dialogue. Comme Platon, Jean présente les personnages au début de l'ouvrage et l'introduit par le récit des circonstances qui les ont amenés à se rencontrer. Les vocatifs traditionnels ne manquent pas[2], ni les tournures de la conversation[3]. Quant au dialogue lui-même, il n'a sans doute pas le mordant et la verve de certaines œuvres de Platon. Les interventions de Basile sont peu nombreuses par rapport à celles de Jean. Mais si l'on n'assiste pas, comme dans les dialogues socratiques, à de véritables joutes oratoires, on remarquera que c'est dans un passage dialogué que se trouve exprimé l'essentiel du sujet :

« JEAN. A bon droit, certes, le Seigneur a dit que le zèle témoigné à ses brebis était une preuve de l'amour qu'on a pour lui.

« BASILE. Alors, dit-il, tu n'aimes donc pas le Christ ?

---

1. DIOGÈNE LAËRCE, *Vitae*, III, 48.
2. Voir p. 94, note 1.
3. Nous les avons signalées chaque fois dans une note.

« JEAN. Si, je l'aime et je ne cesserai de l'aimer, mais je crains d'offenser celui que j'aime[1]. »

Comme chez Platon, le dialogue des deux amis se déroule avec souplesse : un thème apparaît, par exemple, le sacerdoce preuve d'amour donnée par le Christ, puis disparaît pour faire place à un autre, celui des responsabilités et des devoirs qu'entraîne cette charge, lequel s'efface pour laisser Jean confesser son indignité. Ces thèmes se succèdent et s'entrelacent, et si celui de l'indignité vient à s'estomper, il se fait toujours entendre, à la manière d'un fond sonore.

Comme le Socrate de Platon, Jean est très conscient du but vers lequel il achemine son interlocuteur. Il procède par une sorte de maïeutique où le partenaire est amené à envisager les différents aspects de l'unique vérité, grâce à un nouvel éclairage. Par exemple, ce thème : que la tromperie n'est pas toujours un mal, est d'abord illustré par des exemples, puis envisagé sous son aspect d'utilité, non seulement pour ceux qui trompent, mais pour ceux qui sont trompés ; enfin, il faut parler de prévoyance et de sagesse, puisque Basile a été ainsi amené à répondre au Christ par le don total de lui-même. Il est donc obligé d'admettre que la tromperie dont il se croit victime est, en réalité, pour lui un bien véritable[2]. La répétition de la même idée peut sembler lassante, à la longue. Elle est destinée à emporter l'assentiment que donne l'interlocuteur, non sans passer, comme ceux de Socrate, par un certain désarroi : « Je ne sais plus où j'en suis, dit Basile, tellement ces paroles m'ont plongé dans la crainte et le tremblement[3]. » Peu importe ; l'accord final est acquis, ou du moins l'optimisme de Jean le présente comme tel. C'est un dernier

1. II, 4, 62-64 ; 5, 1-5. De même, c'est sous une forme dialoguée qu'est posé le problème personnel de Basile, II, 6, 56-61.
2. I, 6-7.
3. IV, 1, 156-158.

trait qui apparente le *De sacerdotio* aux dialogues plato-
niciens[1].

Et cependant, à y regarder de près, on s'aperçoit qu'entre
les deux auteurs les différences qui tiennent à leur personnalité, au sujet, aux circonstances sont beaucoup plus
nombreuses que les ressemblances. Tout d'abord, l'occasion du dialogue. Ce qui a motivé la venue de Basile auprès
de Jean, ce n'est pas le hasard d'une rencontre sur l'agora
ou bien une visite amicale, c'est un drame personnel, un
drame de conscience, un drame religieux. Les deux interlocuteurs l'ont vécu de façon diverse, mais ils l'ont vécu
l'un et l'autre. L'émotion qu'ils en ont ressentie se répercute
tout au long de l'œuvre et lui donne une sorte de vibration
où le sacré fait entendre constamment sa note grave. On
est loin des dialogues où la plaisanterie, le pastiche, l'ironie
accompagnent des affrontements parfois gratuits.

Une autre différence avec les dialogues de Platon réside
dans le rapport des personnages entre eux. Socrate feint
de ne pas savoir, alors qu'il sait, ce qui lui donne sur ses
auditeurs une indéniable supériorité. Dans le *De sacerdotio*
les personnages discutent d'égal à égal. Basile n'a sur son
ami que l'avantage d'avoir été sa victime. D'où la nécessité
pour Jean de se défendre. La tradition manuscrite ne s'y
est pas trompée en désignant souvent cette œuvre par
l'expression ἀπολογητικὸς λόγος[2]. Il ne s'agit donc pas de se
livrer à une dialectique subtile. Ici, chacun s'engage à fond ;
l'un accuse, l'autre tente de se justifier. Jean puise la force
de sa défense dans l'énergie avec laquelle il arrive à prouver
la grandeur du sacerdoce dont il se juge indigne. Ainsi
les très longs exposés de forme didactique, trop longs au
gré du lecteur, se trouvent enracinés dans une réalité
personnelle, singulière.

---

1. Voir A. Cognet, *De Johannis Chrysostomi Dialogo qui inscri-
bitur* Περὶ ἱερωσύνης λόγοι ἕξ, Paris 1900.

2. Par exemple, dans les mss que nous avons utilisés pour l'apparat
critique, sauf B et E.

Enfin, le *consensus* des interlocuteurs sur lequel doit se clore un dialogue, l'ὁμολογία, n'est ici que partiel. Si Jean est arrivé à justifier sa fuite, il ne laisse pas Basile dans l'euphorie d'une persuasion intellectuelle dont les disciples de Socrate font hommage à leur maître, mais dans la conscience angoissée du redoutable honneur qui lui a été imposé. Ses dernières paroles sont un appel au secours, et si l'accord s'établit entre les deux amis, ce n'est pas au plan des idées, mais dans le plus profond du cœur et dans la confiance en Dieu.

Fiction ou réalité ?

Dans sa définition du dialogue, Diogène Laërce souhaite que les paroles soient appropriées aux personnages. Le souci de vraisemblance est un aveu implicite du caractère artificiel de ce genre littéraire. Ceci nous amène à poser, à propos du *Dialogue sur le sacerdoce*, la question de son authenticité. Les événements qui en forment la trame sont-ils pure fiction ou correspondent-ils à une réalité historique ?

Pour répondre à cette question, il faudrait pouvoir s'appuyer sur des données chronologiques certaines. Or, on a vu combien il était difficile de fixer la date où le dialogue a été composé en se tenant au texte lui-même. L'embarras est aussi grand lorsqu'on essaie de situer l'épisode dans la vie de Jean. S'il analyse avec beaucoup de finesse l'évolution de Basile, ses propres résistances et enfin leur accord devant la perspective de renoncer au monde, il ne donne aucune précision sur la durée de ces débats. Ils se sont déroulés entre les deux amis au moment où, après avoir quitté leurs maîtres, ils ont été amenés à se demander « quelle était la meilleure route à choisir[1] ». Pour l'instant, Jean avoue qu'il a peu de goût pour les veilles, les jeûnes,

1. I, 1, 14-15.

les mortifications[1], mais il vit « dans une petite chambre, inaccessible, sans compagnie, insociable[2] ». Ce sont les seules indications données par le dialogue lui-même. Elles invitent à placer l'épisode avant le départ de Jean vers la solitude.

On a objecté que les historiens anciens ne font aucune allusion à ce choix dont il fut l'objet et qui semble l'avoir si profondément bouleversé. Il est vrai que son principal biographe, Palladios, a surtout voulu défendre la mémoire de son maître et ami contre les attaques dont celui-ci avait été l'objet, quand il fut évêque de Constantinople. Une ligne à peine sur les origines de Jean, sur son éducation et l'on passe aussitôt à l'influence que l'évêque Mélèce a exercée sur lui, à son baptême, à sa charge de lecteur. Ses autres biographes, Socrate et Sozomène, ne font pas davantage allusion à l'épisode qui nous intéresse. Dès lors, on peut conclure à une habile mise en scène qui n'a aucun fondement dans la réalité, mais qui donne à Jean l'occasion de composer un « traité du sacerdoce », comme on l'a nommé bien à tort[3].

Cependant, il est difficile de croire que tout ceci est invention pure. Plus on lit le texte, moins on est disposé à lui prêter ce caractère factice. Les détails, si peu nombreux qu'ils soient, concourent à donner une impression de vraisemblance. Ne sont-ils pas un écho lointain de la réalité ? Le récit d'une jeunesse heureuse, l'entretien d'une mère avec un fils à qui elle a tout sacrifié, les angoisses d'une vocation qui se cherche, le prix inestimable de l'amitié qui peut unir deux jeunes gens, leurs personnalités qui se dessinent et se précisent et s'opposent peu à peu, tout cela se présente avec tant de naturel qu'il est difficile de ne pas croire que Jean rapporte le souvenir de choses vécues.

1. III, 10, 114-117.
2. VI, 12, 58-59.
3. Ainsi l'a fait M. Jeannin dans sa traduction française des *Œuvres complètes de S. Jean Chrysostome*, t. I, Bar-le-Duc 1863.

On peut seulement admettre que ces discussions se trouvent présentées dans un cadre qui les met en valeur, sans compromettre la sincérité de leur témoignage.

Dans une étude sur l'authenticité des faits racontés dans le *Dialogue*, on ne saurait esquiver le problème des rapports entre le *De sacerdotio* et l'*Apologeticos*[1] de Grégoire de Nazianze qui pourrait avoir été son modèle littéraire. Il ne s'agit plus maintenant de genre, puisque l'un est un dialogue et l'autre un discours, mais de l'inspiration profonde de l'un par l'autre qui peut amener à mettre en question l'originalité de Chrysostome. Grégoire a été ordonné prêtre, contre son gré, par son père, évêque de Nazianze, en 362. Peu après, effrayé devant ses nouvelles responsabilités, il s'est enfui dans la solitude. Lorsqu'il revient, à Noël, au milieu du peuple chrétien, il prononce cette *Apologia de fuga* où il justifie ses réactions premières en exposant la grandeur de cette dignité à laquelle il aurait préféré échapper. On voit que, pour l'essentiel, les situations sont analogues : même conception du sacerdoce, même conviction chez l'un et l'autre de son indignité personnelle, même fuite devant une charge trop lourde.

Étant donné les relations qui existaient sûrement entre les diocèses voisins de Cappadoce et de Syrie, il est impossible que Jean n'ait pas eu connaissance de l'attitude de Grégoire et du discours par lequel celui-ci s'est justifié. La comparaison détaillée des deux textes a été faite avec beaucoup de soin[2]. Les rapprochements possibles sont

1. L'*Apologeticos de fuga* est le *Discours* II de GRÉGOIRE DE NAZIANZE (*PG* 35, 408-513) qui vient d'être édité par J. Bernardi, *SC* 247, Paris 1978, p. 84-240, avec une présentation, p. 29-50.
2. La question a été étudiée par J. VOLK, « Die Schutzrede des Gregor von Nazianz und die Schrift über das Priestertum von Johannes Chrysostomus », dans *Zeitschrift für praktische Theologie*, t. XVII, 1895, p. 56-63 et récemment, de façon plus détaillée, par R. F. MARTIN, *Étude parallèle de l'Apologeticus de fuga de S. Grégoire de Nazianze et du De sacerdotio de S. J. Chrysostome*, Mémoire de maîtrise, Université de Lille III, 1973 (exemplaire dactylographié).

nombreux. Mais l'œuvre de Jean Chrysostome tout entière
est là pour attester la vigueur de sa pensée personnelle.
S'il a trouvé chez Grégoire des arguments qui faisaient
écho à ses propres convictions, nous pensons qu'il faut y
voir la preuve de l'estime où les chrétiens fervents tenaient,
à cette époque, le sacerdoce, plutôt qu'un plagiat.

Le style

Il n'est pas question ici de s'engager, sur ce point, dans
une étude technique. Elle a été réalisée avec un grand luxe
d'exemples et d'une manière quasi exhaustive[1]. Nous vou-
drions simplement mettre le lecteur en garde contre la
tentation de renoncer à lire le *De sacerdotio*, parce que
celui-ci se présente à travers une rhétorique complètement
étrangère à notre temps.

Tout d'abord, on devra garder constamment présent
à l'esprit que le genre littéraire adopté relève du style
parlé[2]. Certaines phrases, trop longues à la lecture, ne
trouvent leur rythme que si elles sont prononcées à haute
voix. D'autres ne sont compréhensibles que si l'on y met
l'intonation voulue.

Il est à peine besoin de signaler le nombre des tournures
interrogatives qu'on trouve dans ce texte. Adverbes et
pronoms se succèdent, précipités, haletants. On ne verra
pas là uniquement un procédé oratoire, mais on reconnaîtra qu'ils apparaissent, en général, chaque fois que l'un des
interlocuteurs veut susciter chez l'autre un choc émotif,
en faisant appel tantôt à son affection, tantôt à son admiration, tantôt à son attention, ou lorsqu'il veut donner
libre cours à sa propre indignation.

1. W. A. MAAT, *A rhetorical study of J. Chrysostom's De sacerdotio*,
Washington 1944 (*Patristic studies*, vol. LXXI).
2. C'est la raison pour laquelle nous avons essayé d'en conserver
les caractéristiques dans la traduction.

On ne s'étonnera pas non plus, dans cette atmosphère passionnée, de trouver des exclamations qui jaillissent tout naturellement de la bouche de l'auteur, soit pour exprimer un vœu ardent, soit pour rendre gloire à Dieu, soit pour faire monter vers lui sa reconnaissance. On a tendance à considérer ces interrogations, ces exclamations comme de simples artifices littéraires. En réalité, elles témoignent d'une sensibilité très vive, qui est un trait dominant du caractère de Jean.

Il y a dans ce texte un nombre inaccoutumé de phrases construites sous forme de parenthèse[1]. Cette tournure de style peut se justifier par la situation dramatique où leur rencontre a placé les deux amis. Dans le trouble qui les assaille, les idées se pressent. Ils abandonnent l'une pour saisir l'autre au passage et l'expriment dans une parenthèse. Jean surtout use de ce procédé, parce qu'il est le plus souvent en état de défense et que les arguments lui viennent en foule à l'esprit pour prévenir une objection ou pour étayer son apologie.

Enfin, une lecture suivie du *De sacerdotio* fait apparaître un schéma stylistique dont la répétition incessante est une véritable épreuve pour le traducteur : une affirmation générale suivie d'une proposition qui débute par γάρ. Cette manière de parler s'explique par la nécessité où se trouve constamment chacun des interlocuteurs d'amener l'autre à sa façon de voir. Celle-ci est d'abord énoncée, puis immédiatement justifiée, car il s'agit toujours d'obtenir un assentiment.

Dans une situation qui ne cesse d'être tendue, Jean ne se contente pas d'utiliser les formes d'expression qu'elle impose, il fait aussi appel à ces ornements du discours que sont, entre autres, l'image, la métaphore, la comparaison[2] ;

1. Nous en avons signalé trente-trois par l'emploi de tirets longs.
2. Voir H. DEGEN, *Die Tropen der Vergleichung bei Johannes Chrysostomus. Beitrag zur Geschichte von Metaphor, Allegorie und Gleichnis in der griechischen Prosaliteratur*, Diss. Olten 1921, et

mais c'est pour exercer sur son ami ce qu'il appelle lui-
même un charme, ἐπῳδή. Ce Syrien hellénisé ne saurait parler sans images, sans métaphores. On en trouve à chaque
ligne, pour ainsi dire. Dans les passages les plus solennels,
comme la description du sacrifice eucharistique, elles
l'aident à exprimer l'inexprimable.

Mais ce qui déconcerte le plus un lecteur moderne et le
lasse très vite, ce sont les comparaisons longues et, en
apparence, artificielles. De fait, elles relèvent d'une méthode
d'enseignement que Jean a pratiquée toute sa vie : pour
rendre accessible une idée morale ou une réalité spirituelle, il n'emploie jamais d'autre procédé qu'une comparaison très simple, prise dans la vie de tous les jours. C'est
dans cette perspective qu'il faut lire l'histoire du préten-
dant de la belle princesse promise à un homme de basse
condition[1] ou du jeune berger mis à la tête d'une armée
prodigieuse, dans une bataille sanglante[2]. Aucun terme
ne paraît assez fort à l'auteur pour faire comprendre son
désarroi devant la perspective d'être ordonné. De même,
la description, haute en couleur, des combats livrés aux
âmes par le démon[3]. Elle repose certainement sur une
expérience personnelle que Jean veut transmettre sous
une forme frappante. Dans sa vie de solitaire et dans sa
vie de prêtre, il a été amené à connaître « ces défaillances
spirituelles », « ces blessures graves », auprès desquelles
les guerres que se livrent les hommes ne sont que « jeux
d'enfants ».

Bien des questions sur la chronologie et les circonstances

---

l'*Ad Theodorum lapsum* en particulier, J. Dumortier, « Comparaisons
et métaphores chrysostomiennes », *Mélanges Coppin*, dans *MSR*,
XXIII, 1966, p. 31-38. Voir aussi Sister Mary Albania Burns,
*St John Chrysostom's Homilies on the statues. A study of their rhetorical
qualities and form*, Washington 1930 (*Patristic studies*, vol. XII).

1. VI, 12, 101-120.
2. VI, 12, 122-174.
3. VI, 13, 6-70.

où a été écrit le *De sacerdotio* qui restent sans réponse, un rythme de pensée qui ne suit pas toujours les lois de la logique, un dialogue qui se transforme souvent en monologue, une histoire qui n'est peut-être qu'affabulation, un style marqué par son époque à tel point qu'il risque de décourager le lecteur moderne, tel est le bilan de cette première approche. Mais l'essentiel de l'œuvre n'est pas là. On le trouvera dans le témoignage sur le sacerdoce, don de l'Esprit et fondement de l'Église, rendu par une âme toute donnée à Dieu[1].

---

1. Sur l'aspect proprement théologique du *De sacerdotio*, on lira avec intérêt H. DE LUBAC, « Le Dialogue sur le sacerdoce de saint Jean Chrysostome », dans *Nouvelle Revue théologique*, 100, nov.-déc. 1978, p. 822-831.

HISTOIRE DU TEXTE

I. TRADITION MANUSCRITE

Le *De sacerdotio* n'a pas seulement une valeur auto-biographique ; il est aussi une charte définissant la nature du sacerdoce chrétien et les devoirs qui incombent au prêtre et à l'évêque. C'est pourquoi une telle œuvre a été considérée pendant toute la période byzantine comme un texte de grande importance. Il a donc été souvent recopié. Les nombreux manuscrits conservés jusqu'à nos jours, malgré les multiples causes de destruction, témoignent de l'intérêt qu'il a suscité puisque, même après l'invention de l'imprimerie, les érudits en ont fait à la main des copies très soignées[1]. Bien que nous n'ayons pas la prétention d'avoir dénombré tous les manuscrits actuellement existants, voici la liste de ceux que nous avons pu identifier :

---

1. *Paris. gr.* 808 copié par Olymbrius. *Paris. gr.* 809 copié par Arsène de Monembasie (Fontebl.-Reg. 1560). *Paris. gr.* 810 copié en partie en 1540 (Fontebl.-Reg. 2341). *Paris. gr.* 1025 copié par Ange Vergèce en 1563. Nous avons étudié ce ms. dans un article de *Traditio*, « Pour une édition critique du *De sacerdotio* de Jean Chrysostome », XXXII, 1976, p. 347-352.

1. Table des manuscrits

1. A Sinaiticus gr. 375   IXᵉ s.
2. B Basileensis gr. 39 (B.II.15)
3. C Parisinus gr. 492   Xᵉ s.
4. D Patmiacus 138
5. E Parisinus Coislin. gr. 246 (anc. 361)
6. F Atheniensis Bibl. nat. 265
7. G Hierosolymitanus Bibl. patr. S. Sabae 36
8. H Vaticanus gr. 1526
9. J Mosquensis Bibl. syn. gr. 232 (Vlad. 165)   Xᵉ-XIᵉ s.
10. K Atheniensis Bibl. nat. 414
11. Genuensis Bibl. Franz. Miss. urb. gr. 11
12. Oxoniensis Bodleianus Cromwell 20
13. Vaticanus Palatinus gr. 72[1]
14. Ambrosianus D 23 sup.   XIᵉ s.
15. Angelicus gr. 110[2]
16. Athous Kausok. 1
17. Athous Koutl. 15
18. Athous Pantocr. 23
19. Dominomontanus (S'-Heerenberg) gr. 58 (189)
20. Hierosolymitanus Bibl. patr. S. Sabae 4
21. Hierosolymitanus Bibl. patr. S. Sepulcri 10
22. Laurentianus Plut. XI. cod. 9   ann. 1029
23. Marcianus gr. 105
24. Marcianus gr. 107
25. Monacensis gr. 354
26. Mosquensis Bibl. syn. gr. 118 (Vlad. 168)
27. Oxoniensis Bodleianus Canonici gr. 76
28. Oxoniensis New College gr. 79
29. Parisinus gr. 800
30. Parisinus gr. 801
31. Parisinus gr. 802

---

1. Des recherches ultérieures nous permettent d'ajouter ici le Vaticanus gr. 1920 (xᵉ-xiᵉ s.).

2. Ce ms. est désigné dans la réédition de Montfaucon par les Bénédictins et dans Nairn par le terme *Passioneus*. Il faisait en effet partie de la bibliothèque du cardinal Passionei, comme l'atteste l'analyse de C. SAMBERGER, *Catalogi codicum graecorum qui in minoribus bibliothecis italicis asservantur*, t. II, Leipzig 1968, p. 152 qui signale une marque de possesseur f. 2ʳ.

32. Parisinus gr. 803
33. Parisinus gr. 804
34. Parisinus gr. 805   ann. 1064
35. Parisinus gr. 807
36. Parisinus gr. 812
37. Parisinus gr. 813, I-III, frg. VI
38. Parisinus Coislin. gr. 245
39. Sinaiticus gr. 378
40. Sinaiticus gr. 379
41. Vaticanus Ottobon. gr. 11
42. Vaticanus Palatinus gr. 15
43. Vaticanus Palatinus gr. 1803
44. Vindobonensis Theol. gr. 148, II-VI
45. Vindobonensis Suppl. gr. 165
46. Constantinopolitanus Bibl. patr. (sans cote)
47. Athous Lavra Γ 65   XIIe s.
48. Athous Lavra Γ 124
49. Athous Pantocr. 12
50. Berolinensis gr. 403 (Ham. 354)
51. Messanensis Bibl. univ. S. Salvatore gr. 72
52. Mosquensis Bibl. syn. gr. 133 (Vlad. 172)
53. Parisinus gr. 799
54. Parisinus gr. 806
55. Parisinus gr. 1024
56. Patmiacus 170
57. Scorialensis Ω.II.2 (gr. 519)
58. Taurinensis Bibl. nat. 164
      (B.III.38, Pasinus gr. 145)
59. Berolinensis gr. 38 (Phill. 1442)   XIIe-XIIIe s.
60. Parisinus gr. 1181
61. Vaticanus gr. 828   XIIIe-XIVe s.
62. Laurentianus Plut. VII, cod. 14   XIVe s.
63. Marcianus gr. 108
64. Oxoniensis Corpus Christi College 21
65. Parisinus gr. 912
66. Vaticanus gr. 498
67. Vaticanus gr. 539
68. Oxoniensis Bodleianus Barocci 172   XIVe-XVe s.
69. Vaticanus gr. 536
70. Vindobonensis Theol. gr. 64
71. Constantinopolitanus Bibl. patr. S. Trini-
      tatis 128   XVe s.
72. Mutinensis Estense gr. 70 (W.2.5)
73. Neapolitanus II.A.31

74. Sinaiticus gr. 1607
75. Athous Koutl. 107   XVIᵉ s.
76. Neapolitanus II.A.33
77. Parisinus gr. 808
78. Parisinus gr. 809
79. Parisinus gr. 810   ann. 1540
80. Parisinus gr. 1025   ann. 1563
81. Scorialensis Ω.II.16 (gr. 533)
82. Taurinensis Bibl. nat. 374
        (C. VII.8, Pasinus gr. 154)
83. Vaticanus gr. 1564[1]

2. Divisions et sommaires

Ces manuscrits posent à l'éditeur plusieurs questions auxquelles il doit s'efforcer de répondre pour expliquer l'état dans lequel le texte nous est parvenu.

Le *De sacerdotio* appartient à un genre bien déterminé. C'est un dialogue enchâssé dans un récit, à la manière platonicienne, où les étapes de la discussion sont marquées par le changement d'interlocuteur[2]. Ces relais sont les seuls qui nous paraissent authentiques. Mais le texte est

---

1. Nous n'avons pas mentionné dans cette liste les mss du *De sacerdotio* qui ne contiennent qu'un ou deux « livres », ni l'*Oxoniensis Bodleianus Auctarium* E.4.3. qui est une copie par Savile de l'édition Hoeschel. En revanche, il faut joindre aux mss grecs les mss syriaques. Leur apport s'est révélé précieux, comme on le verra dans les notes. Nous l'avons étudié en détail dans un article des *Mélanges Graffin* : « La tradition syriaque du *Dialogue sur le sacerdoce*, de Jean Chrysostome », recueil publié dans *Parole de l'Orient*, Jouniéh (Liban) 1975.

2. Les paroles de Basile sont introduites de trois manières, soit par la simple incise : φησί ou ἔφη, soit par l'annonce qu'il va parler : Καὶ ὁ Βασίλειος, soit par une phrase brève indiquant son état d'esprit : Καὶ ἐρυθριάσας ὁ Βασίλειος. Quant à celles de Jean, elles se présentent soit accompagnées de la simple incise ἔφην, soit sans aucune mention de l'interlocuteur, puisqu'il fait lui-même le récit. L'indication du nom de celui qui parle dans la marge correspond à une étape postérieure.

long. Bien qu'il soit sans doute destiné à être lu d'affilée,
on a très vite éprouvé le besoin de le morceler, pour le
rendre plus assimilable. C'est ainsi qu'il a été divisé en
six *logoi*. On sait combien le mot est vague et s'applique
à des genres différents. Les traducteurs parlent ici de
livres[1]. On reconnaîtra que dans un texte qui veut être
l'écho fidèle d'un dialogue animé, le terme est particulièrement impropre. Celui de *parties* nous semble plus accep-
table, faute de mieux. Ces parties elles-mêmes n'ont pas
été considérées comme une division suffisante pour éviter
au lecteur de s'égarer dans un texte si long. Elles ont été
dotées de subdivisions que nous appellerons *chapitres*, bien
que le mot soit aussi impropre que celui de *parties*. Ces
chapitres sont résumés par des *képhalaia*, sommaires ou
têtes de chapitres, disposés en tableau au début de chaque
partie[2] et précédés d'une lettre-chiffre[3].

Mais ce travail de découpage, dont on sait combien il
est artificiel, s'accompagne de certaines anomalies qu'il
faut signaler. Nous nous trouvons d'abord devant un acci-
dent matériel : l'absence totale de *képhalaia* devant la
première partie dans la plupart des manuscrits, sauf dans le
Parisinus gr. 492, daté du Xe siècle et sa copie le *Parisinus
gr.* 810, daté du XVIe siècle. Ces deux derniers manuscrits
ont, avant la première partie, une table des *képhalaia* qui
offre ce trait caractéristique d'employer la première per-

---

1. Sur ce partage en *logoi*, voir ci-dessus, Introduction, p. 13.
Le cas est analogue à celui des *Dialogues* de Platon. Dans un domaine
voisin, on consultera avec intérêt H.-I. MARROU, « La division en
chapitres des livres de *La cité de Dieu* », dans *Mélanges de Ghellinck*
(*Museum Lessianum*, 13), Gembloux 1951, t. I, p. 235-249, article
reproduit dans *Patristique et humanisme* (*Patristica Sorbonensia*, 9),
Paris 1976, p. 253-265.

2. Nous avons étudié les variantes de ces *képhalaia* dans l'article
cité plus haut, p. 26, note 1.

3. Encore ces lettres ne figurent-elles pas dans tous les mss. Elles
sont absentes dans C FK.

sonne du pluriel, comme si l'auteur les avait rédigés en
parlant de lui-même et de son ami Basile[1].

Une seconde question soulevée par les manuscrits, c'est
la place de ces sommaires à l'intérieur du texte. Ici encore,
le *Parisinus gr.* 492 offre une solution originale. Alors que
dans l'ensemble des manuscrits chaque livre est écrit sans
aucune division intérieure et sans autre interruption que
le nom des interlocuteurs, le *Parisinus gr.* 492, après avoir
donné, au début de chaque livre, la liste des *képhalaia*,
les insère une nouvelle fois dans le cours du texte. Peut-on
conclure de là que ce manuscrit dérive d'un archétype
divisé par Jean lui-même en six parties, que la table des
sommaires devant chaque livre est son œuvre, comme le
suggère l'emploi de la première personne du pluriel, et que
la place où ils se trouvent à l'intérieur de l'ouvrage a été
choisie par l'auteur ? A cette tradition, la seule authentique, s'opposerait alors une tradition altérée représentée
par tous les autres manuscrits, avec la perte de la table des
chapitres de la première partie et l'absence de divisions
intérieures. L'hypothèse est contraire à ce que nous avons
dit plus haut sur la nature du dialogue. Cependant, puisque
le *Parisinus gr.* 492 nous restitue une table des chapitres
qui s'harmonise avec les autres, puisqu'il nous offre des
divisions intérieures correspondant, la plupart du temps,
au contenu du texte, on ne saurait négliger cet apport[2].

Enfin, une lecture du *De sacerdotio* révèle une troisième
anomalie. Dans les manuscrits grecs, le *logos* Γ´, c'est-à-dire
la troisième partie, offre une table de onze têtes de chapitres. Le *Parisinus gr.* 492 a adopté une solution diffé-

---

1. Tous les autres *képhalaia* de la première partie, qui ont été inven-
tés ensuite pour remédier à cette absence, sont rédigés à la troisième
personne. Nous devons cependant signaler le cas du *Laurentianus
Plut.* VII, cod. 14 qui possède des *képhalaia* rédigés à la première
personne. Nous en avons pris connaissance trop tard pour les étudier
dans l'article de *Traditio* cité plus haut.

2. Voir ci-dessous, Histoire des éditions, p. 49.

rente. Il possède les onze têtes de chapitres des autres manuscrits, mais il y ajoute deux titres brefs : *Sur les vierges, Sur la justice*[1], ce qui donne treize divisions pour la troisième partie[2].

Indépendamment de leurs variantes, les manuscrits du *De sacerdotio* présentent donc des irrégularités qui méritent d'être examinées. Nous verrons dans l'Histoire des éditions comment chaque éditeur a surmonté, pour son propre compte, ces difficultés.

3. Classement des manuscrits

L'étude des caractéristiques extérieures : intitulés, sommaires, n'a pu que suggérer des pistes de recherche[3]. Il nous faut maintenant voir ce qu'apporte l'étude du texte lui-même dans ses additions, ses omissions de mots et ses lacunes, ses variantes.

A. *Additions*

Voici les principales :

I,	2, 6	τὴν ἐμαυτοῦ] + ψυχὴν		D E F G H J (lac. de K)
	4, 12	που (φανέντα)] + τῆς ἡμέρας μέρος		A D E F G H J K
	4, 45	δεῖ] + αὐτούς		A D E F G H J K
II,	3, 52	ἀλλ'] + ἢ		A E G
	6, 19	χαρισμάτων] + τῶν Χριστοῦ μαθητῶν		C
III,	4, 23	διάνοιαν] + τῆς ψυχῆς + τῆς σαρκὸς		A C D E F G H J K
IV,	4, 64	δόγματα] + ἀκριβῶς		A D E F G H J

1. Ces titres sont intervertis dans un tableau récapitulatif des têtes de chapitres placé au début de l'ouvrage.

2. Dans les mss latins, on en trouve dix-sept ou dix-huit. On verra dans l'Histoire des éditions les raisons de ces différences et pourquoi nous en proposons quatorze.

3. Voir l'article signalé plus haut.

VI, 7, 32 τινα] + θαυμαστὴν   A C D E F G H J K
    7, 39 τοιούτων] + λόγων καὶ   A D E F G H J
  12, 165 αἱμάτων] + ὁμοῦ   A D E G

B. *Omissions et lacunes*

Un mot omis : article, adverbe, adjectif démonstratif ou indéfini, n'est pas un critère suffisant de classification. Il ne peut qu'apporter une confirmation à ce qui aura été établi par d'autres moyens.

Quant aux lacunes, c'est-à-dire aux passages de quelque importance absents de tel ou tel manuscrit, la plupart ne sont ici d'aucune utilité pour le classement des manuscrits, car elles ne se rencontrent pas aux mêmes endroits[1].

Voici les deux seuls cas susceptibles de fournir une indication :

III, 6, 54 ἐν τῷ ὀνόματι τοῦ Κυρίου   BC FK om. cett.
   6, 55-56 καὶ ἐγερεῖ αὐτὸν ὁ Κύριος   BC K om. cett.

Une première conclusion à tirer de cette double enquête c'est que le *De sacerdotio* a été copié avec beaucoup de respect et de soin, puisque les manuscrits ne se différencient guère par leurs additions ou leurs lacunes.

De plus, B n'est jamais apparu aux côtés des manuscrits qui offraient ces additions ou ces lacunes, mais C, tout en ayant une addition qui lui est propre, s'est souvent rangé aux côtés de B. Nous pouvons donc classer provisoirement B et C dans une famille que nous appellerons α en face des autres manuscrits que nous grouperons dans une famille β.

Enfin un groupe AEG ou ADEG est apparu, mais il faut attendre d'autres indications pour affirmer son existence.

---

1. Le détail en est donné dans la description des mss utilisés dans l'apparat critique, voir plus bas, p. 36-40.

C. *Variantes*

Si l'étude des additions et des lacunes est décevante, celle
des variantes permet-elle de former des groupes à l'intérieur des familles α et β et de préciser les rapports des
manuscrits entre eux ? Quelques exemples nous aideront
à répondre.

Dès l'abord, l'intitulé de B avait attiré notre attention
par sa simplicité[1]. La lecture de l'apparat critique montre
avec évidence que ce manuscrit donne souvent des variantes
uniques. Nous avons expliqué à mesure dans les notes les
raisons qui nous les avaient fait choisir de préférence au
reste de la tradition ou, au contraire, y renoncer.

Quant à C, bien que sa parenté avec B apparaisse clairement, il montre à l'égard de ce dernier une certaine indépendance, soit qu'il l'abandonne pour passer dans la
famille β, soit qu'il offre des variantes qui lui sont propres.
Par exemple :

I, 6, 7	κλοπῆς	: ἀπάτης	C
II, 4, 12-13	ἐπιτιμίαν	: ἐπιτίμησιν	C
III, 4, 28	ποιοῦσι	: βλέπουσι	C
6, 65	τιμὴν	: ἀρχὴν	C
9, 27	τὰ χείλη	: τὸ στόμα	C
VI, 12, 50	εὐδοκιμήσεις	: παρατροπαί	C

Parmi les manuscrits de la famille β, l'examen des additions avait fait apparaître un groupe AEG ou AEGD.
Celui des variantes confirme son existence. Par exemple :

I, 3, 43	ἐπηρείας	AEG D	ὀθυμίας	cett.
4, 22	μετρίως	AEG D	μετρίαν	cett.
II, 5, 31	εἰδὼς	AEG	ἰδὼν	cett.
III, 10, 171	ἀδυναμίαν	AEG D	δύναμιν	cett.

---

1. Voir l'étude des intitulés dans l'article déjà signalé.

13,	75	ἐπισκόπων	AEG	ἐπισκόπῳ	cett.
14,	79	ἀπονοίας		ἀπονοίᾳ	
		...φιλοδοξίας	AEG	... φιλοδοξίᾳ	cett.
IV,	1, 166	ἀθυμίαν	AEG D	ῥαθυμίαν	cett.
VI, 12,	79	ἐπαινῶν	AEG D	πενθῶν	cett.

On a pu remarquer que D disparaît parfois du groupe ADEG. C'est que ce manuscrit est instable et qu'il emprunte ses variantes tantôt au groupe AEG, tantôt au groupe FHJK ; il passe même parfois de la famille β à la famille α.

Restent les manuscrits FHJK. Ils sont un peu plus tardifs que les précédents et semblent, dans certains cas, avoir été corrigés sur eux. C'est ainsi que le manuscrit K a certainement connu la tradition de BC aux côtés duquel il se présente assez souvent dans l'apparat. Cependant, la plupart du temps, ces manuscrits forment un groupe qui s'oppose au reste de la tradition. Par exemple :

I, 6, 12	ἐλέγχωσιν	FHJK	ἔλωσιν	cett.
II, 1, 55	πόσον	FHJK	ὅσον	BC om. AEG lac. de D
1, 59	πράττειν	FHJK	πράττων	cett.
3, 64	ὅποι	FHJK	ὅπου	cett.
V, 6, 28	μόλις	FHJK	μόνον	cett.
VI, 2, 11	λιμένος	FHJK	λιμένων	cett.

Mais il arrive que certains éléments de ce groupe s'unissent pour former des sous-groupes attestant une parenté plus étroite. Plusieurs combinaisons se présentent alors[1], soit HJK qui sont les seuls à posséder trois additions caractéristiques (II, 7, 17 ; III, 4, 29 ; IV, 1, 142) ou des variantes qui s'opposent au reste de la tradition (IV, 2, 52 ; V, 6, 12), soit FJK (VI, 2, 26), soit FJ qui sont les seuls à posséder un texte développé en II, 3, 5-6.

Les observations que nous venons de faire nous permettent donc de constituer, à l'intérieur des familles α et β, les groupes suivants :

BC   AEG   FHJK

---

1. Ces sous-groupes n'ayant qu'un intérêt mineur, nous ne donnons pas le texte des exemples cités. On le trouvera dans l'apparat critique.

D empruntant ses variantes tantôt à un groupe, tantôt à un autre, comme nous l'avons indiqué dans le stemma ci-dessous.

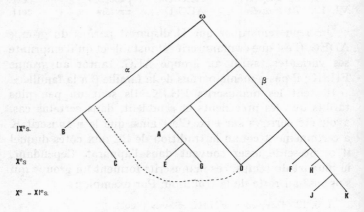

4. Description des manuscrits utilisés dans l'apparat critique[1].

1. *Sinaiticus gr.* 375 : **A**, Mont Sinaï, Bibl. mon., ixe s., parch., in-fol., 437 ff., 2 col., 32 li.

De sacerdotio I-VI, ff. 208-280v
Le texte est écrit d'une écriture droite parfaitement régulière. Le titre principal et la mention de chaque partie sont présentés dans un encadrement d'entrelacs bicolore. L'annonce des *képhalaia* est écrite en belle onciale.

Voir V. BENEŠEVIČ, *Catalogus cod. manuscr. graec. qui in mon. S. Catharinae in monte Sina asservantur*, t. I, St-Pétersbourg 1911, p. 210-213.

---

1. Nous signalons ici la place du *De sacerdotio* dans chaque ms., mais non pas le contenu de chacun d'eux. En effet, l'étude des séquences amène à constater qu'en dehors d'un groupe stable signalé dans la description du *Paris. Coislin. gr.* 246, les autres textes qui accompagnent le *De sacerdotio* sont trop variés pour fournir une indication valable dans le classement des mss.

2. *Basileensis gr.* 39 (B.II.15) : **B**, Bâle, Bibl. univers., IXe s., parch., 360 × 225 mm, 417 ff., pleine page, 34 li.

De sacerdotio I-VI, ff. 173-211

Ce ms. occupe une place privilégiée dans la tradition des œuvres chrysostomiennes par la richesse de son contenu, la beauté de son écriture et la qualité de son texte.

Voir E. CARTER, *Codices chrysostomici graeci*, t. III, Paris 1970, p. 66 et G. MEYER et M. BURCKHARDT, *Die mittelalterlichen Handschriften der Universitätsbibliothek Basel*, Abt. B, vol. I, Bâle 1960, p. 150-169.

3. *Parisinus gr.* 492 : **C**, Paris, Bibl. nat., année 942, parch., 265 × 185 mm, 316 ff., pleine page, 30 li. (Fontebl.-Reg. 2290).

De sacerdotio I-VI, ff. 240-316[v]

Ce ms. ne contient que le commentaire de Basile *In Isaiam prophetam* et le *De sacerdotio* dont le texte est écrit d'une très belle écriture droite. Il doit être considéré comme un témoin original de la tradition, puisqu'il est le seul[1], parmi les mss du *De sacerdotio*, à fournir en tête de l'œuvre un tableau complet des *képhalaia*, à les placer ensuite devant chaque *logos* et à les insérer enfin à l'intérieur du texte à la place qui leur convient. Ils se trouvent ainsi répétés trois fois[2]. Contrairement à la plupart des mss, ces *képhalaia* ne portent pas de numéro d'ordre.

Voir H. OMONT, *Inventaire sommaire des manuscrits de la Bibliothèque nationale*, 1re partie, Ancien fonds grec, Paris 1886, p. 59.

4. *Patmiacus* 138 : **D**, Patmos, mon. S. Jean le Théologien, année 988, parch., 300 × 235 mm, ff. A' - B' + 170 + a' - b', 2 col., 38-42 li.[3]

_____

1. Mentionnons toutefois le *Paris. gr.* 810, qui en est la copie.

2. Comme le texte C des *képhalaia* offre des variantes, nous les avons signalées dans l'apparat critique en les affectant de l'exposant 1, si elles se trouvent dans le tableau en tête de chaque *logos*, de l'exposant 2, si elles se trouvent dans les *képhalaia* placés à l'intérieur du texte, de l'exposant 3, si elles se trouvent dans la récapitulation initiale.

3. Ce ms. m'a été signalé par Mme G. Astruc-Morize, attachée à l'Institut de Recherche et d'Histoire des Textes (Paris). Il a été obli-

De sacerdotio I-VI, ff. 143-168

Lacune : I, 7, 39 à II, 8, 34 : ἐξέφυγε κίνδυνον — ἀμφοτέρων τὸ μέσον. Cette lacune, qui nous prive de la fin de la première partie et de la totalité de la seconde, doit correspondre à la chute d'un quaternion.

Voir J. Sakkelion, Πατμιακὴ Βιβλιοθήκη..., Athènes 1890, p. 78 et A. D. Kominis, *Fac. sim. des mss datés de Patmos*, Athènes 1968, p. 3.

5. *Parisinus Coislin. gr.* 246 (anc. 361) : **E**, Paris, Bibl. nat., xᵉ s. (ff. 224-233 xvᵉ s.), parch., 235 × 170 mm, ff. 275 + i, pleine page, 27-29 li.

De sacerdotio I-VI, ff. 1-79
Adv. Iudaeos I-VI, ff. 80-188
De incomprehensibili I-VII, ff. 188ᵛ-274

Nous donnons ici le contenu de ce ms. pour attirer l'attention sur le groupement de ces textes qui se retrouvent constamment dans les mss du *De sacerdotio* et forment un ensemble parfaitement stable, auquel viennent s'adjoindre d'autres textes qui varient selon les recueils.

Voir R. Devreesse, *Le Fonds Coislin*, Paris 1945, p. 227.

6. *Atheniensis* 265 : **F**, Athènes, Bibl. nat., xᵉ s., parch., 345 × 245 mm, ff. 295 + i, 2 col., 32 li.

De sacerdotio I-VI, ff. 227ᵛ-295ᵛ, des. mut. VI, 13, 85 : ... βραχύτατον.

Le parchemin de ce ms., dont l'écriture est fine et régulière, est souvent gondolé sous l'effet de l'humidité qui a laissé des traces rendant la lecture de certains folios difficile, par exemple 271, 276ᵛ, 281, 282ᵛ. Les *képhalaia* ne sont pas numérotés. Chaque partie est surmontée d'un bandeau très simple.

Voir J. et A. Sakkelion, *Catalogue des manuscrits de la Bibliothèque nationale de Grèce* [en grec], Athènes 1892, p. 47. Une description détaillée de ce ms. a été faite par Mme E. Zizicas, attachée à l'Institut de Recherche et d'Histoire des Textes (Paris), où son travail peut être consulté.

7. *Hierosolymitanus S. Sabae* 36 : **G**, Jérusalem, Bibl.

geamment photographié par le Père Chrysostome Florentis, bibliothécaire du monastère de S. Jean le Théologien. Qu'ils trouvent ici l'un et l'autre mes remerciements.

patr., xe s., parch., 342 × 263 mm, 390 ff., pleine page, 32 li.

De sacerdotio I-VI, ff. 37-111ᵛ

Lacunes : I, 4, 63 à 108 : προ] τιμᾶν — τίνι κοι[νωσόμεθα.

VI, 5, 14 à 7, 15 : Ἐνταῦθα δὲ κα]θαρὰ τῆς ψυχῆς — μισότεκνος.

Voir A. Papadopoulos-Kérameus, Ἱεροσολυμιτικὴ Βιβλιοθήκη, t. II, St-Pétersbourg 1894, réimpression anastatique Bruxelles 1963, p. 80.

8. *Vaticanus gr.* 1526 : **H**, Cité du Vatican, Bibl. Vat., xe s., parch., 225 × 163 mm, ff. i-ii + 294, 2 col., 35 li.

De sacerdotio I-VI, ff. 1-53ᵛ

Lacune : III, 5, 27 à 6, 62 : οὕτως εἰς — τῶν εἰρημένων.

Ce beau ms., précédé d'une table des matières qui analyse minutieusement son contenu, débute par le texte du *De sacerdotio*. L'intitulé est surmonté d'un bandeau richement orné et l'initiale du texte est enluminée. Malheureusement, le recto du premier folio a été détérioré par l'humidité, ce qui rend la lecture très difficile.

Voir C. Giannelli, *Codices Vaticani graeci*, Cité du Vatican 1950, p. 82.

9. *Mosquensis gr.* 232 (Vladimir 165) : **J**, Moscou, Musée historique, Bibl. syn., x^e-xie s., parch., 320 × 270 mm, 271 ff., 2 col., 32 li.

De sacerdotio I-VI, ff. 177-245

Lacune : III, 7, 14 à 9, 9 : βουληθείς — Εἰ δὲ καὶ τὴν...

Beau ms. d'écriture régulière avec iotas adscrits. Chaque partie du *De sacerdotio* est précédée d'un bandeau placé après les *képhalaia*, ce qui tendrait peut-être à souligner que ce sont des éléments étrangers au texte primitif, puis vient le rappel du nom de l'auteur et du titre de l'ouvrage, enfin la formule Κύριε εὐλόγησον.

Voir Archimandrite Vladimir, *Catalogue systématique des mss de la Bibliothèque synodale* [en russe], t. I, Moscou 1894, p. 178-179.

10. *Atheniensis* 414 : **K**, Athènes, Bibl. nat., x^e-xie s., parch., 360 × 270 mm, 322 ff., 2 col., 33 li.

De sacerdotio I-VI, ff. 3-66

Lacunes : I, 1, 10 à 2, 14 : τοῖς αὐτοῖς — σφοδρότητα ἐπι[δειξάμενος.

2, 27 à 2, 76 : ἵνα τὴν οἰκίαν — μίαν αἱ[τῶ...

2, 88 à 3, 16 : προστῆναι — ἐλέσθαι δέοι...

III, 10, 166 à 10, 219 : γὰρ πρὸς ἀπόνοιαν ... ἅπαντες. Καὶ...

IV, 6, 79 à 7, 39-40 : κεφάλαιον — ἕως ἄν...

L'intitulé du manuscrit est encadré par une pylè très détériorée. On distingue cependant après le titre la mention Κύριε εὐλόγησον. Les ff. 3, 4 et 5 ont été à moitié déchirés, si bien qu'on ne lit plus que des fragments de la seconde colonne au recto et de la première colonne au verso. La première lettre des différents *képhalaia* ressort dans la marge, mais ils ne sont pas précédés d'un numéro d'ordre.

Voir J. et A. SAKKELION, *Catalogue... Grèce, op. cit.*, p. 72-73.

II. HISTOIRE DES ÉDITIONS

Il n'est pas utile de donner ici une liste complète des multiples éditions du *De sacerdotio*. Qu'il nous suffise d'indiquer les étapes les plus importantes de leur histoire.

A. *Texte latin*

Nous ne possédons plus de manuscrits grecs du *De sacerdotio* qui remontent au-delà du IXe siècle, mais nous savons que de nombreuses traductions en ont été faites en latin, parmi lesquelles l'une d'elles pourrait dater du Ve siècle et serait peut-être l'œuvre d'Anien[1]. Faute d'avoir pu être identifié avec certitude, son auteur est appelé *vetus interpres latinus* par son premier éditeur : *Liber dyalogorum*

---

1. Pour l'affirmer, il faudrait avoir établi une édition critique de ce texte et voir si les caractéristiques du style d'Anien s'y retrouvent. Le travail a été fait pour d'autres textes de Jean Chrysostome, *De laudibus Pauli* par exemple, par A. PRIMMER, *Antidosis (Festschrift Walter Kraus, Wiener Studien*, Beiheft 5.), Vienne 1972, p. 278-289 et par H. MARTI, « Übersetzer der Augustin-Zeit », *Studia et testimonia antiqua*, XIV, 1974, p. 304. On a proposé aussi le nom de Mucien (vers 550) qui a traduit, entre autres, les trente-quatre homé-

Sancti Johannis crisostomi constantinopolitani Episcopi et sancti basilii cesariensis episcopi college beati nazianzeni. De dignitate sacerdocii. Coloniae (Ulr. Zell) [circa 1470][1]. Incipit : Michi quidem multi fuerunt amici... Le texte est divisé en six « livres ». Le livre I ne comporte pas de divisions intérieures, le livre II en a sept, le livre III dix-huit, le livre IV six ; le livre V huit et le livre VI treize[2]. Ces livres ne sont séparés que par l'*explicit* et l'*incipit* et n'ont aucun tableau des têtes de chapitres, alors qu'on les trouve dans les manuscrits latins, sauf devant le livre I. En tous cas, nous avons dans cet incunable un témoin précieux d'une des versions latines antérieures à l'édition d'Érasme[3].

En 1526, paraissent deux traductions latines faites sur le texte grec publié par Érasme en 1525. L'une, qui n'a traduit que les « livres » I et II, a pour intitulé : *Divi Ioannis Chrysostomi de Sacerdotio sive quod magnae sit dignitatis sed difficile episcopum agere dialogi duo interprete Jacobo Ceratino.* Antverpiae apud Michaelem Hillenium MDXXVI. Incipit : Equidem amicos habui... A la fin, dans une adresse au lecteur, Jacob Teyng, dit Ceratinus, dénonce l'habitude prise par les éditeurs des siècles précédents de partager les textes, surtout les dialogues, en plusieurs chapitres. L'auteur refuse de s'y conformer[4].

lies *In epistulam ad Hebraeos, PG* 63, 237-456, sur la demande de Cassiodore. Voir édit. Bengel du *De sacerdotio*, p. xxxiii-xxxiv. Mais, là aussi, un travail de critique textuelle est à faire avant de se prononcer sur cette attribution.

1. Voir Hain, *Repertorium bibliographicum*, t. II, n° 5048 et E. Voulliéme, *Der Buchdruck Kölns bis zum Ende des fünfzehnten Jahrhunderts* (*Gesellschaft für rheinische Geschichtskunde*, 24), Bonn 1903, n° 645.

2. Ces divisions, qui se trouvent dans les mss latins, deviendront traditionnelles, tout en étant sujettes à quelques modifications, comme on le verra plus loin.

3. La Bibliothèque nationale de Paris en possède trois exemplaires, Rés. C 1519, 1520, 1521.

4. « Non fuisse distinctum opus capitibus ab ipso autore facile deprehendet qui talium operum rationem maxime vero dialogorum

La même année 1526 voit paraître à Paris une traduction latine, cette fois du texte complet, avec un intitulé semblable, mais d'un auteur différent : ... *dialogus in sex libris partitus Germano Brixio... interprete*. Venumdatur Badio[1]. Incipit : Vere mihi olim amici complures... Aucune division intérieure, sauf celle des six « livres ». Cette traduction de Germain Brice restera en vigueur jusqu'en 1718 où elle sera remplacée par celle de Montfaucon.

En 1541, nous retrouvons la même édition, mais avec une notice supplémentaire : ... *dialogus in sex libris partitus... quibus additae sunt annotatiunculae velut rerum indices et singulis capitibus in quae totum opus ad graeci exemplaris formam divisimus, praefixa argumenta*[2], excudebat [Lugduni] Michael Sylvius MDXLI. Il s'agit, en fait, de divisions qui, sous prétexte de suivre le texte grec, partagent l'œuvre en autant de fragments qu'il y a de *képhalaia*, avec un numéro en chiffres romains au milieu de la page, mis en valeur par un grand espace blanc. Nous nous trouvons ici devant une solution extrême qui, heureusement, n'a plus jamais été adoptée par aucun éditeur.

En 1553, au contraire, dans une édition du texte de Germain Brice parue à Anvers, toutes les divisions ont disparu, sauf celle en six « livres ». On revient ainsi à la présentation souhaitée par Jacob Teyng, et désormais l'histoire des éditions latines se confond avec celle des éditions grecques.

---

cognitam habuerit aut perpenderit quorum naturae nihil repugnare magis videtur quam ejuscemodi sectiones quae tamen superioribus saeculis cum aliorum, tum ecclesiasticorum potissimum opera invaserunt » (f° 26).

1. Au feuillet 88 on trouve la mention « Sub prelo Ascensiano ad Nōn. Augusti 1526 ». Il s'agit donc bien d'un ouvrage imprimé à Paris par Josse Bade (Jodocus Badius Ascensius).

2. Dans l'*Argumentum*, l'auteur explique les raisons qui l'ont poussé à éditer le *De sacerdotio*. Il pense que les évêques de son temps auraient grand avantage à le prendre pour modèle. Or, non seulement ils ne ressemblent guère au portrait qu'on y trouve, mais ils veulent

B. *Texte grec*

En 1525, Érasme édite pour la première fois le texte grec du *De sacerdotio* : Ἰωάννου Χρυσοστόμου περὶ τοῦ ὅτι πολλοῦ μὲν ἀξιώματος, δύσκολον δὲ ἐπισκοπεῖν, τῶν εἰς ἓξ λόγος πρῶτος. Une note en grec sur la dernière page nous apprend que le texte a été édité chez Froben, à Bâle, au mois d'avril 1525. Érasme n'indique pas le manuscrit dont il s'est servi, mais la collation du *Basileensis gr.* 39 nous permet d'affirmer que ce manuscrit est à l'origine de l'*editio princeps*[1]. Elle en reproduit toutes les caractéristiques extérieures : intitulé, division en six *logoi*, absence de *képhalaia* devant le premier *logos* ; mais en tête des autres *logoi* on retrouve les *képhalaia* du *Basileensis* et dans le cours du texte, qui est aussi celui de ce manuscrit, on lit en marge les lettres-chiffres correspondant aux différentes divisions des *képhalaia* précédées de l'abréviation κεφ.

En 1529, paraît à Louvain une édition qui reproduit celle d'Érasme ; nous ne la mentionnerions pas si l'exemplaire possédé par la Bibliothèque nationale de Paris sous la cote C 2061 (2) n'offrait cette particularité d'avoir été corrigé à la main d'après la copie manuscrite d'Ange Vergèce[2].

---

délibérément offrir une image bien différente de celle qu'a laissée « le divin Chrysostome ».

1. C'est ainsi qu'on trouve dans l'édition d'Érasme des variantes uniques du *Basileensis gr.* 39, par exemple I, 3, 5 ἐπισκοπῆς B : ἱερωσύνης cett. ; II, 5, 17 αὐτὴν ἐξ ἀπροσεξίας B : ὑπὸ τῆς ἀπειρίας cett. ; III, 9, 14 ὀργαὶ B : εὐχαὶ cett. ; IV, 1, 68 προκοπὴν B : προτροπὴν cett. ; des mots qu'il est le seul à posséder, par exemple III, 7, 5 πλεονεκτήματα B : om. cett. ; des lacunes qu'il est le seul à présenter, IV, 8, 9-10 καὶ ἐπιστώθης — ἔμαθες om. B. En outre, il a assez souvent un ordre des mots qui lui est propre et que nous avons cru devoir retenir.

2. Voir ci-dessus, Tradition manuscrite, p. 26, note 1.

C. *Éditions gréco-latines*

En 1599, paraît la première édition gréco-latine : *S. Ioannis Chrysostomi De Sacerdotio libri VI graece et latine. DCC amplius locis emendati, aucti, illustrati, ope librorum mss ex bibliothecis Palatina et Augustana opera David Hoeschelii Aug.* Augustae V., E typographeio M. Mangeri. Cette édition d'Augsbourg marque une étape dans l'histoire du texte, non seulement par la présentation du grec et du latin réunis, mais par des détails plus importants. Alors que le texte grec n'avait pas de sommaires devant la première partie, on voit apparaître ici une série de neuf *képhalaia* qui seront reproduits dans la plupart des éditions et qu'on peut lire dans la *PG* 48, 623. Comme cette table ne se trouve, à notre connaissance, dans aucun manuscrit, tout porte à croire que le texte en a été inventé par Hoeschel lui-même. De plus, celui-ci a emprunté à deux auteurs la traduction latine, à Jacob Teyng, dit Ceratinus, celle des deux premiers *logoi*, à Germain Brice celle des quatre suivants avec, pour la troisième partie, la division en dix-sept chapitres désormais traditionnelle. Mais comme le *Basileensis gr.* 39 — et donc l'édition d'Érasme — n'offrent ici que onze têtes de chapitres, Hoeschel a pris soin d'ajouter dans la marge en face de la douzième : « Haec in graecis non leguntur ». Enfin, l'œuvre entière est assortie de numéros qui vont de 1 à 215, sans doute pour servir de points de repère. Quant au texte grec lui-même, Hoeschel a collationné deux nouveaux manuscrits dont il donne les variantes en marge : un *Palatinus* que le dernier éditeur, Nairn, dit n'avoir pu identifier[1] et un *Augustanus*, actuellement *Monacensis gr.* 354, du XIᵉ siècle.

---

1. Avec les variantes données en marge par Hoeschel, on pourrait probablement identifier ce *Palatinus* ou un ms. de la même famille, mais la collation n'offrirait que peu d'intérêt, car ce ms. se rattache à la famille β dont nous avons de nombreux témoins.

En 1612, sir Henry Savile donne à Eton la première édition en grec des œuvres complètes de Jean Chrysostome. Le tome VI contient le texte du *De sacerdotio*, p. 1 à 55 et le tome VIII les notes, col. 787-789. Savile a utilisé l'édition d'Hoeschel. Il a, en outre, collationné des manuscrits qu'il avait à sa disposition, l'*Oxoniensis New College gr.* 79 du xie siècle et l'*Oxoniensis Corpus Christi College* 21 du xive siècle. Il n'a pas jugé bon de reproduire les *képhalaia*[1], mais il a gardé la division en six *logoi*. A part cela, le texte se lit, comme dans les manuscrits, de façon continue, interrompu seulement par les changements d'interlocuteur, les noms étant mis en relief par des majuscules. Contrairement aux éditeurs de son temps, Savile ne joint pas de traduction latine.

Entre 1609 et 1624, Fronton du Duc a donné à Paris une édition gréco-latine des œuvres complètes de Jean Chrysostome. Le tome IV, édité en 1614, contient le *De sacerdotio*, p. 1 à 111 et, à la fin du volume, des notes avec une nouvelle pagination, p. 1 à 13. Fronton du Duc garde la traduction latine de Germain Brice, il utilise le sommaire de la première partie composé par Hoeschel, sa division de la troisième partie en dix-sept chapitres pour le latin, avec la mention devant le chapitre xii : « Haec in graecis non leguntur », mais à l'exemple de Savile, il donne le texte grec sans aucune division, chaque page n'ayant pour point de repère que les lettres A B C D placées en marge. Il a complété l'information d'Hoeschel par la consultation de trois manuscrits parisiens[2].

1. « Indicem τῶν κεφαλαίων in Augustana editione representatum aliumque plane diversum nostrorum manuscriptorum neutrum bono iudicio collectum in hac editione negleximus » (t. VIII, col. 788).
2. « Nos eas (varias lectiones) novis locupletavimus collectis ex duobus regiis libris calamo exaratis quorum alter Francisci I, alter Henrici II, Regum Christianorum aere coempti sunt et ex membranis nobilissimi viri Francisci Olivarii » (*Nota*, p. 1-2). Le premier ms. cité est actuellement le *Paris. gr.* 810, catalogué dans la Bibliothèque des mss de Fontainebleau sous la cote 498 et copié en partie en 1540 ;

Entre 1718 et 1738, Bernard de Montfaucon a publié à Paris une édition monumentale des œuvres de Jean Chrysostome. Le *De sacerdotio* se trouve au tome I, édité en 1718, p. 362-436. Montfaucon a utilisé le travail de ses prédécesseurs, mais il dit avoir consulté en outre dix manuscrits nouveaux[1]. Il semble, à première vue, que cette extension de l'enquête aurait dû apporter des éléments intéressants pour l'établissement du texte. En fait, l'éditeur ne signale que de façon très vague le ou les manuscrits dans lesquels il a lu telle ou telle variante, si bien qu'on ne saurait parler d'un apparat critique. Le texte grec reste sans divisions intérieures. Le texte latin reproduit la disposition adoptée par Fronton du Duc. Montfaucon a fait une traduction nouvelle qu'il prétend plus concise que celle de Germain Brice[2]. Si, dans l'ensemble, son édition apporte des compléments importants, on ne peut dire qu'elle améliore beaucoup le texte du *De sacerdotio*[3].

En 1725, Jean Albert Bengel en a donné une édition gréco-latine, cette fois indépendante : *Johannis Chrysostomi De sacerdotio libri sex graece et latine utrinque recogniti et notis indicibusque aucti... opera Io. Alberti Bengelii.* Stut-

---

le second est le *Paris. gr.* 809, catalogué dans la même bibliothèque sous la cote 502. Il date également du xvie s. et il a été copié par Arsène de Monembasie. Quant au ms. appelé *Olivarius*, du nom de son possesseur François Olivier, nous n'avons pu retrouver sa trace.

1. En voici la liste : *Paris. gr.* 801 (Colb. 974) ; 802 (Colb. 247); 803 (Colb. 248) ; 812 (Colb. 3055) ; 813 (Maz. Reg. 1973) tous du xie s. ; 806 (Hurault-Reg. 1819) et 1024 (Colb. 3061) du xiie s. ; 912 (Maz. Reg. 2294) du xive s. ; 809 (Fontebl.-Reg. 1960) du xvie s. ; enfin le *Coislin. gr.* 61[1] (anc. 262) du xie s. (ms. fragm.).

2. « Interpretationem Germani Brixii, licet aliquam elegantiae speciem prae se ferret, utpote paraphrasin spiret neque ita accurate concinnata esset rejecimus novamque paravimus » (*Monitum*, p. 361 = *PG* 48, 622*).

3. En 1834, paraît chez Gaume l'*editio parisina altera emendata et aucta* avec des améliorations réelles dans les notes et la liste des variantes des mss *Paris. gr.* 799, 492 et du *Passioneus* (= *Angelicus gr.* 110), p. 1065 à 1086 du tome I où se trouve le *De sacerdotio*.

gardiae apud I. B. Mezlerum et C. Erhardum MDCCXXV.
Faute d'avoir pu se procurer l'édition de Montfaucon,
Bengel a pris comme texte de base l'édition Hoeschel et,
comme ce dernier, il attache une grande importance au
Monacensis gr. 354. Il s'est intéressé au *vetus interpres
latinus* qu'il propose d'identifier avec tel ou tel personnage[1].
Cette attention portée à l'ancien texte latin du *De sacerdotio* explique le retour à la division de la troisième partie
en dix-huit chapitres, selon les manuscrits et l'incunable
de Cologne. La contribution la plus originale de cet éditeur,
sinon la plus heureuse, est d'avoir divisé l'œuvre tout
entière en six cent vingt-quatre paragraphes « pour permettre de mieux comprendre le plan de l'ouvrage et de s'y
référer plus souvent[2] ». Par toutes les informations qu'elle
donne sur des points divers et par des notes très nombreuses
dont nous avons fait notre profit, cette édition marque
une étape importante.

D. *Éditions modernes*

En 1906, J. Arbuthnot Nairn a publié, à Cambridge, le
texte grec du *De sacerdotio* avec une introduction, un apparat critique, des notes et des index. Son enquête est la
plus vaste qui ait jamais été faite, puisque la table des
manuscrits consultés en signale vingt-cinq, la plupart
appartenant à la Bibliothèque nationale de Paris. Nous
avions d'abord cru qu'il suffirait de donner une introduction et une traduction française de ce texte, sans remettre
en question son apparat critique. Mais un examen plus
approfondi nous a fait renoncer à une telle solution.

1. Voir ci-dessus, p. 40, note 1 et la Préface de Bengel, p. xxxiii-
xxxiv.
2. « Nos singula capita eorumque cohaerentiam observato ipsius
dialogi filo delineare conati sumus ut operis formam lectores planius
cognoscerent ac saepius respicerent » (p. 367).

La faiblesse évidente de ce travail est de n'avoir pas connu le *Basileensis gr.* 39 dont nous avons eu maintes fois l'occasion de constater la supériorité[1]. Nairn se trouvait cependant devant des éditions qui dérivent plus ou moins de l'*editio princeps*, laquelle reproduit fidèlement ce manuscrit, mais il semble avoir eu pour objectif de renouveler le texte en s'appuyant sur des manuscrits postérieurs appartenant à la famille β. De plus, le grand nombre de manuscrits qu'il a consultés et dont il veut rendre compte dans l'apparat aboutit à une présentation lourde et compliquée. Enfin, malgré l'insertion des numéros de Bengel, le texte présenté en continu, sans alinéas ou presque et sans aucun signe, lors du changement d'interlocuteur, se lit difficilement.

Pour ces raisons, nous avons décidé de reprendre l'enquête à la base, en faisant une lecture personnelle de tous les manuscrits sur lesquels nous établissons l'apparat critique. Il nous a semblé que notre travail, utilisant dix manuscrits des IXe et Xe siècles[2], n'était pas une entreprise vaine et permettait de trouver les ancêtres de ceux du XIe siècle sur lesquels Nairn a fait porter la presque totalité de son examen. Nous avons, en outre, supprimé les six cent vingt-quatre numéros que Nairn a eu la fâcheuse idée d'emprunter à Bengel et qui ponctuent inutilement son édition. Nous avons modifié le caractère des notes : celles de Nairn, qui a édité le texte seul, portent le plus souvent sur la traduction à donner de tel passage ; les nôtres sont destinées à faciliter l'interprétation du texte et signalent les rapprochements à faire avec les autres œuvres de Jean ou avec des passages d'auteurs païens qui sont sans doute chez lui à l'origine de réminiscences littéraires.

---

1. Voir les nombreuses notes où nous justifions notre choix du texte B.
2. Quatre manuscrits sont ici collationnés pour la première fois : *Patmiacus* 138, *Atheniensis Bibl. nat.* 265, *Hierosolymitanus Bibl. patr. S. Sabae* 36, et *Vaticanus gr.* 1526. Quant au *Basileensis gr.* 39, il n'avait pas été utilisé depuis Érasme.

Un des problèmes les plus irritants dans l'édition du *De sacerdotio* est une présentation conforme au genre dans lequel il entre : le dialogue. On a vu tout au long de l'histoire des éditions les solutions plus ou moins heureuses que chacun avait proposées. Entre les extrêmes, nous avons essayé de trouver un moyen terme. Puisque la division en six parties est un fait accompli sur lequel il n'y a pas à revenir, nous l'avons gardée, mais en la mentionnant simplement dans la marge, à gauche. D'autre part, comme il est difficile de lire un ouvrage si long sans points de repère et qu'il fallait mettre des manchettes dans la traduction française, nous avons fait confiance au *Paris. gr.* 492 qui nous fournissait non seulement des sommaires, mais encore l'indication de l'endroit où les placer à l'intérieur du texte. Certains concordent d'ailleurs avec les divisions des éditeurs précédents. Si nous nous sommes permis d'en proposer de nouvelles (IIIe partie, chap. 8, 11, 12 ; IVe partie, chap. 2 ; VIe partie, chap. 7), c'est parce qu'il nous a semblé que les anciennes ne correspondaient pas au contenu du texte. Dans la IIIe partie, le *Paris. gr.* 492 a groupé sous la rubrique *Au sujet des vierges* deux développements nettement différents : *Sur les veuves, Sur les vierges.* Nous les avons distingués par une division supplémentaire. Enfin, en signalant les changements d'interlocuteur par leurs noms, nous avons reproduit la présentation traditionnelle d'un dialogue. Ainsi, le lecteur pourra faire abstraction de toutes les divisions qu'il jugerait superflues, mais il sera peut-être heureux de trouver des indications qui le remettent dans le droit chemin, s'il lui arrive de s'égarer.

Telle une icône pieusement conservée sous des couches successives de vernis et dont les couleurs se sont peu à peu altérées, tel apparaît le *De sacerdotio* à travers le travail des éditeurs. En le décapant des éléments superflus accumulés par les siècles, en essayant de remonter le plus haut possible dans la tradition, nous avons tenté de lui rendre sa fraîcheur première.

J'ai plaisir à remercier ici le Père François Graffin qui a mis au service de ces textes sa grande expérience de la langue syriaque et le Père Louis Doutreleau qui m'a donné un avis autorisé sur certains points délicats de l'apparat critique ; mais je dois une reconnaissance toute spéciale à Mlle Marie-Louise Guillaumin pour sa participation efficace à l'élaboration de ce volume.

Table des principales éditions

ABRÉVIATIONS UTILISÉES

CUF   Collection des Universités de France, Paris 1920 s.
GCS   Die griechischen christlichen Schriftsteller der ersten
      drei Jahrhunderte, Berlin 1897 s.
HE   Histoire ecclésiastique
MSR   Mélanges de science religieuse, Lille 1944 s.
PG   Patrologia graeca, J.-P. Migne, 1-161, Paris 1857-
      1866
PGL   A Patristic Greek Lexicon, Oxford 1961-1968
RSR   Recherches de science religieuse, Paris 1910 s.
SC   Collection « Sources Chrétiennes », Paris 1942 s.
SVF   Stoicorum veterum fragmenta, J. von Arnim,
      Leipzig 1903-1905
TU   Texte und Untersuchungen, hg. von Gebhardt-
      Harnack-Schmidt, Leipzig-Berlin 1882 s.

INDEX SIGLORUM

A = Sinaiticus gr. 375   IXᵉ s.
B = Basileensis gr. 39 (B.II.15)
C = Parisinus gr. 492   Xᵉ s.
D = Patmiacus 138
E = Parisinus Coislin. gr. 246 (anc. 361)
F = Atheniensis Bibl. nat. 265
G = Hierosolymitanus Bibl. patr. S. Sabae 36
H = Vaticanus gr. 1526
J = Mosquensis Bibl. syn. gr. 232 (Vlad. 165)   Xᵉ-XIᵉ s.
K = Atheniensis Bibl. nat. 414

ΠΕΡΙ ΙΕΡΩΣΥΝΗΣ

Πίναξ καὶ κεφάλαια τῶν περὶ ἱερωσύνης λόγων

Τάδε ἔνεστιν ἐν τῷ Α΄ λόγῳ

α΄. Ἀπόδειξις τῆς εὐνοίας τοῦ μεγάλου Βασιλείου περὶ ἡμᾶς.

β΄. Τί τὸ κωλῦσαν ἡμῖν αὐτὸν συνοικῆσαι.

γ΄. Ἀπάτη παρ᾽ ἡμῶν ἐν τῷ συλληφθῆναι αὐτὸν γενομένη.

δ΄. Ἐγκλήματα παρ᾽ ἐκείνου τῆς ἀπάτης ἕνεκεν.

ε΄. Ἀπολογία ὑπὲρ τούτου ἡμετέρα.

ϛ΄. Ὅτι ἔστιν ἀπάτῃ πρὸς τὸ συμφέρον κεχρῆσθαι.

ζ΄. Ὅτι οὐδὲ ἀπάτην τὸ τοιοῦτο δεῖ καλεῖν ἀλλ᾽ οἰκονομίαν.

Τάδε ἔνεστιν ἐν τῷ Β΄ λόγῳ

α΄. Ὅτι μέγιστον ἡ ἱερωσύνη τεκμήριον τῆς εἰς τὸν Χριστὸν ἀγάπης.

β΄. Ὅτι ἡ ταύτης ὑπηρεσία μείζων τῶν ἄλλων.

γ΄. Ὅτι μεγάλης δεῖται ψυχῆς καὶ θαυμαστῆς.

Hanc tabulam solus praebet C³ (vide supra, p. 30-31), om. cett. qui κεφάλαια propria unicuique libro tantum praeponunt.

Τάδε ἔνεστιν ἐν τῷ Α΄ — οἰκονομίαν solus habet C.

Sub Α΄ λόγῳ numerales litteras addidi.

γ΄. ἐν C¹ : ἐπὶ C³ ‖ δ΄. ἕνεκεν C¹ : ἕνεκα C³ ‖ ζ΄. τὸ τοιοῦτο nos : τῷ τοιούτῳ codd.

SUR LE SACERDOCE

Tableau et sommaires des entretiens sur le sacerdoce

Voici le contenu de la Iʳᵉ partie :

1. Preuve de l'affection du grand Basile à notre égard.
2. Quel était l'obstacle qui l'empêchait de vivre avec nous.
3. Ruse que nous avons employée, lorsqu'on s'est emparé de lui.
4. Reproches qu'il nous a faits à propos de cette ruse.
5. Notre défense sur ce point.
6. Il est permis d'user de ruse pour le bien.
7. Il ne faut pas qualifier cela de ruse, mais de sage conduite.

Voici le contenu de la IIᵉ partie :

1. Le sacerdoce est une très grande preuve d'amour pour le Christ.
2. Le service du sacerdoce est plus grand que les autres.
3. Il exige une âme grande et admirable.

Τάδε — Β′ λόγῳ : Τὰ κεφάλαια τοῦ Β′ λόγου Κ.
Sub Β′ λόγῳ numerales litteras om. C FK.
α′. ἡ om. AG ‖ τὸν BC : om. cett. ‖ β′. ὑπηρεσία] + τῆς AEG FHJ ‖ μείζων τῶν ἄλλων B : τῶν ἄλλων μείζων [μείζω C¹] cett. ‖ γ′. ″Οτι μεγάλης ... sub littera δ′ B.

δ'. Ὅτι πολλῆς τὸ πρᾶγμα δυσκολίας γέμει καὶ κινδύνων.

ε'. Ὅτι τῆς εἰς τὸν Χριστὸν ἀγάπης ἕνεκεν τὸ πρᾶγμα ἐφύγομεν.

ϛ'. Ἀπόδειξις τῆς ἀρετῆς τοῦ Βασιλείου καὶ τῆς ἀγάπης τῆς σφοδρᾶς.

ζ'. Ὅτι οὐχ ὑβρίσαι βουλόμενοι τοὺς ψηφισαμένους ἐφύγομεν τὴν χειροτονίαν.

η'. Ὅτι καὶ μέμψεως αὐτοὺς ἀπηλλάξαμεν διὰ τῆς φυγῆς.

Τάδε ἔνεστιν ἐν τῷ Γ΄ λόγῳ

α'. Ὅτι οἱ ὑπονοήσαντες δι᾽ ἀπόνοιαν παρῃτῆσθαι ἡμᾶς τὴν ἑαυτῶν ὑπόληψιν ἔβλαψαν.

β'. Ὅτι οὐδὲ διὰ κενοδοξίαν ἐφύγομεν.

γ'. Ὅτι εἰ δόξης ἐπεθυμοῦμεν, ἑλέσθαι μᾶλλον τὸ πρᾶγμα ἐχρῆν.

δ'. Ὅτι φρικτὸν ἡ ἱερωσύνη καὶ πολὺ τῆς παλαιᾶς λατρείας ἡ καινὴ φρικωδεστέρα.

ε'. Ὅτι πολλὴ τῶν ἱερέων ἡ ἐξουσία καὶ ἡ τιμή.

ϛ'. Ὅτι τῶν παρὰ τοῦ Θεοῦ μεγίστων δωρεῶν εἰσι διάκονοι.

ζ'. Ὅτι καὶ Παῦλος περιδεὴς ἦν πρὸς τὸ μέγεθος τῆς ἀρχῆς ὁρῶν.

η'. Ὅτι πολλά τις ἁμαρτάνειν προάγεται εἰς τὸ μέσον ἐλθών, ἂν μὴ σφόδρα γενναῖος ᾖ.

θ'. Ὅτι κενοδοξίᾳ καὶ τοῖς ταύτης ἁλίσκεται δεινοῖς.

ι'. Ὅτι οὐχ ἡ ἱερωσύνη τούτων αἰτία, ἀλλ᾽ ἡ ἡμετέρα ῥαθυμία.

ια'. Ὅτι τὴν ἐπιθυμίαν τῆς φιλαρχίας ἐκβεβλῆσθαι δεῖ τῆς τοῦ ἱερέως ψυχῆς.

ιβ'. <Περὶ χηρῶν. >

δ'. Ὅτι πολλῆς ... sub littera γ' B om. K ‖ ε'. τὸν BC¹·³ : om.
cett. ‖ ἕνεκεν BC K : ἕνεκα cett. ‖ τὸ πρᾶγμα ἐφύγομεν : ἐφύγομεν
τὸ πρᾶγμα C¹·³ ‖ ϛ'. τοῦ] + μεγάλου C²·³ + θείου καὶ μεγάλου C¹ ‖
τῆς ἀγάπης τῆς σφοδρᾶς : τῆς σφοδρᾶς αὐτοῦ ἀγάπης C¹ τῆς σφοδρᾶς
ἀγάπης τῆς εἰς ἡμᾶς C³.

Τάδε — Γ' λόγῳ : Τὰ κεφάλαια τοῦ Γ' λόγου K.

Sub Γ' λόγῳ numerales litteras om. C F cap. 1-4 libri IV (omissis
cap. libri III) habet K.

α'. παρῃτῆσθαι B : παραιτῆσθαι C³ A F παραιτεῖσθαι cett. ‖
ὑπόληψιν : ὑπόνοιαν AEG D HJ ‖ β'. οὐδὲ BC¹·³ : οὐ cett. ‖ γ'. ἑλέσθαι

4. La chose est pleine de difficultés et de dangers.

5. C'est par amour pour le Christ que nous avons fui le sacerdoce.

6. Preuve de la vertu de Basile et de son ardente charité.

7. C'est en voulant ne pas faire affront à ceux qui nous ont élu que nous avons fui l'ordination.

8. Nous avons échappé à leurs reproches en prenant la fuite.

Voici le contenu de la IIIᵉ partie :

1. Ceux qui ont supposé que nous avions fui par orgueil se sont fait du tort à eux-mêmes par leur jugement précipité.

2. Nous n'avons pas fui non plus par vaine gloire.

3. Si nous désirions la gloire, mieux valait choisir cet office.

4. Le sacerdoce est redoutable et le culte nouveau inspire plus de crainte que l'ancien.

5. Grands sont le pouvoir et l'honneur accordés aux prêtres.

6. Ils sont les ministres des plus grands dons de Dieu.

7. Paul aussi était plein de crainte en voyant la grandeur de son autorité.

8. On est amené à commettre beaucoup de fautes, quand on est en vue, si l'on n'a pas une âme pleine de noblesse.

9. C'est par la vaine gloire et ses dangers qu'on se laisse prendre.

10. Le sacerdoce n'en est pas cause, mais notre négligence.

11. Il faut que le prêtre chasse de son âme la passion et l'amour de l'autorité.

12. ⟨Sur les veuves.⟩

μᾶλλον τὸ πρᾶγμα BC : τὸ πρᾶγμα ἑλέσθαι μᾶλλον F τὸ πρᾶγμα ἑλέσθαι cett. ‖ δ′. ἢ¹ om. C¹·² H ‖ ϛ′. τοῦ om. D ‖ διάκονοι BC : διακονίαι cett. ‖ ζ′. καὶ BC : om. cett. ‖ Παῦλος : ὁ Παῦλος E D FHJ ‖ ἀρχῆς : ἱερωσύνης A F ‖ ὁρῶν om. A ‖ η′. πολλά τις BC : πολλάκις cett. ‖ προάγεται BC Gᵖᶜ J : προσάγεται cett. ‖ ἂν BC² : ἐὰν cett. ‖ θ′. δεινοῖς BC : κακοῖς cett. ‖ ια′. ἐκβεβλῆσθαι : ἐκβεβλεῖσθαι C¹·² AE ‖ δεῖ BC : δεῖ ἀπὸ cett. ‖ ιβ′. περὶ χηρῶν addidi.

ιγ'. Περὶ παρθένων.
ιδ'. Περὶ κρίσεως.

Τάδε ἔνεστιν ἐν τῷ Δ' λόγῳ

α'. Ὅτι οὐ μόνον οἱ σπουδάζοντες ἐπὶ κλῆρον ἐλθεῖν, ἀλλὰ καὶ οἱ ἀνάγκην ὑπομένοντες ἐν οἷς ἂν ἁμάρτωσι σφόδρα κολάζονται.

β'. Ὅτι οἱ χειροτονοῦντες ἀναξίους τῆς αὐτῆς αὐτοῖς εἰσιν ὑπεύθυνοι τιμωρίας, κἂν ἀγνῶσι τοὺς χειροτονουμένους.

γ'. Ὅτι πολλῆς τῆς ἐν τῷ λέγειν δυνάμεως χρεία τῷ ἱερεῖ.

δ'. Ὅτι πρὸς τὰς ἁπάντων μάχας καὶ Ἑλλήνων καὶ Ἰουδαίων καὶ αἱρετικῶν παρεσκευάσθαι χρή.

ε'. Ὅτι σφόδρα ἔμπειρον εἶναι δεῖ τῆς διαλεκτικῆς.

ϛ'. Ὅτι τῷ μακαρίῳ Παύλῳ μάλιστα τοῦτο κατώρθωτο.

ζ'. Ὅτι οὐκ ἀπὸ τῶν σημείων μόνον λαμπρὸς ἐγένετο, ἀλλὰ καὶ ἀπὸ τοῦ λέγειν.

η'. Ὅτι καὶ ἡμᾶς τοῦτο βούλεται κατορθοῦν.

θ'. Ὅτι τούτου μὴ παρόντος τῷ ἱερεῖ, πολλὴν ἀνάγκη τοὺς ἀρχομένους ζημίαν ὑφίστασθαι.

Τάδε ἔνεστιν ἐν τῷ Ε' λόγῳ

α'. Ὅτι πολλοῦ πόνου καὶ σπουδῆς αἱ ἐν τῷ κοινῷ ὁμιλίαι δέονται.

β'. Ὅτι τὸν εἰς τοῦτο τεταγμένον καὶ ἐγκωμίων ὑπερορᾶν χρὴ καὶ δύνασθαι λέγειν.

γ'. Ὅτι ἂν μὴ ἀμφότερα ἔχῃ, ἄχρηστος ἔσται τῷ πλήθει.

δ'. Ὅτι μάλιστα βασκανίας τοῦτον δεῖ καταφρονεῖν.

ε'. Ὅτι ὁ λόγους εἰδὼς πλείονος δεῖται σπουδῆς ἢ ὁ ἀμαθής.

ιγ'. περὶ παρθένων C² : περὶ κρίσεως C³ om. cett. ‖ ιδ'. περὶ κρίσεως C² : περὶ παρθένων C³ om. cett.
Τάδε — Δ' λόγῳ : Τὰ κεφάλαια τοῦ Δ' λόγου K.
Sub Δ' λόγῳ numerales litteras om. C FK.
α'. οἱ² om. A ‖ ἁμαρτάνωσι D HJ ‖ δ'. παρασκευάσασθαι B ‖ χρή BC : δεῖ cett. ‖ ε'. εἶναι χρὴ ἔμπειρον C² ‖ ϛ'. μάλιστα τοῦτο BC² HJK : τοῦτο μάλιστα cett. ‖ κατώρθωτο BC¹ F : κατώρθωτο C²·³ K κατώρθωται [-ώρ- AG D J] cett. ‖ θ'. ὑφίστασθαι ζημίαν D F.

13. Sur les vierges.
14. Sur l'exercice de la justice.

Voici le contenu de la IVᵉ partie :

1. Non seulement ceux qui tâchent d'entrer dans le clergé, mais encore ceux qui supportent d'y être contraints, sont durement punis sur les points où ils sont en faute.

2. Ceux qui ordonnent des hommes indignes sont passibles d'un châtiment identique, même s'ils connaissaient mal ceux qu'ils ordonnent.

3. Il faut au prêtre une grande puissance d'expression.

4. Il faut être préparé à tous les combats contre Grecs, Juifs et hérétiques.

5. Il faut être rompu à la discussion.

6. Le bienheureux Paul excellait sur ce point.

7. Ce n'est pas seulement par des miracles qu'il s'illustra, mais encore par son éloquence.

8. Il veut que nous excellions, nous aussi, dans ce domaine.

9. Si ce talent manque au prêtre, ceux qui sont sous son autorité subissent nécessairement un grand dommage.

Voici le contenu de la Vᵉ partie :

1. Les homélies prononcées en public exigent bien du travail et du soin.

2. Celui qui est chargé de cet office doit dédaigner les éloges et aussi pouvoir parler.

3. S'il n'a pas ces deux avantages, il sera inutile à la multitude.

4. Il faut surtout qu'il méprise la jalousie.

5. Celui qui a fait des études a besoin de plus de zèle que celui qui n'a pas d'instruction.

Τάδε — Ε′ λόγῳ : Τὰ κεφάλαια τοῦ Ε′ λόγου K.

Sub Ε′ λόγῳ numerales litteras om. FK cap. libri VI (omissis cap. lib. V) habet C³.

δ′. τοῦτον : αὐτὸν C¹ ‖ ε′. λόγους : λέγειν HJK.

ς΄. Ὅτι τῆς ἀλόγου τῶν πολλῶν ψήφου οὔτε πάντη καταφρονεῖν, οὔτε πάντη φροντίζειν δεῖ.

ζ΄. Ὅτι πρὸς τὸ τῷ Θεῷ ἀρέσκον μόνον δεῖ τοὺς λόγους ῥυθμίζειν.

η΄. Ὅτι ὁ μὴ καταφρονῶν ἐπαίνων πολλὰ ὑποστήσεται δεινά.

Τάδε ἔνεστιν ἐν τῷ ς΄ λόγῳ

α΄. Ὅτι καὶ ταῖς εὐθύναις τῶν ἑτέροις ἁμαρτανομένων ὑπόκεινται οἱ ἱερεῖς.

β΄. Ὅτι τῶν μοναζόντων ἀκριβείας δέονται πλείονος.

γ΄. Ὅτι πλείονος εὐκολίας ἀπολαύει ὁ μονάζων παρὰ τὸν Ἐκκλησίας προεστῶτα.

δ΄. Ὅτι τῆς οἰκουμένης τὴν προστασίαν ἐμπιστεύεται ὁ ἱερεὺς καὶ ἕτερα πράγματα φρικτά.

ε΄. Ὅτι πρὸς πάντα ἐπιτήδειον εἶναι χρὴ τὸν ἱερέα.

ς΄. Ὅτι οὐχ οὕτω τὸ μονάζειν ὡς τὸ πλήθους προεστάναι καλῶς καρτερίας σημεῖον.

ζ΄. Ὅτι οὐχ ὑπὲρ τῶν αὐτῶν τῷ τε καθ᾽ ἑαυτὸν ὄντι καὶ τῷ ἐν μέσῳ στρεφομένῳ ἡ ἄσκησίς ἐστιν.

η΄. Ὅτι εὐκολώτερον τὴν ἀρετὴν οἱ καθ᾽ ἑαυτοὺς ὄντες ἢ οἱ πολλῶν φροντίζοντες κατορθοῦσιν.

θ΄. Ὅτι οὐ χρὴ καταφρονεῖν τῆς τῶν πολλῶν ὑπολήψεως, κἂν ψευδὴς οὖσα τύχῃ.

ι΄. Ὅτι οὐ μέγα σῶσαι ἑαυτόν.

ια΄. Ὅτι πολλῷ χαλεπωτέρα μένει τιμωρία τὰ τῶν ἱερέων ἁμαρτήματα ἢ τὰ τῶν ἰδιωτῶν.

ιβ΄. Ἐκ παραδειγμάτων παράστασις καὶ τῆς ὀδύνης τῆς διὰ τὴν προσδοκίαν τῆς ἱερωσύνης γενομένης καὶ τοῦ φόβου.

ιγ΄. Ὅτι παντὸς πολέμου χαλεπώτερος ὁ τοῦ διαβόλου πειρασμός.

ς΄. τῆς BC K : om. F τῆς τοῦ cett. ‖ ζ΄. ῥυθμίζων K ‖ η΄. ὁ om. AEG ‖ πολλὰ ὑποστήσεται δεινά : δεινὰ ὑποστήσεται πολλά C² δεινά om. E D F.

Τάδε — ς΄ λόγῳ : Τὰ κεφάλαια τοῦ ς΄ λόγου K.

Sub ς΄ [E΄ in C] λόγῳ numerales litteras om. C FK.

α΄. ἑτέρων A ‖ β΄. ἀκριβείας : βοηθείας C² ‖ ἀκριβείας δέονται πλείονος B : πλείονος δέονται ἀκριβείας cett. ‖ γ΄. πλείονος : μείζονος C² ‖ ἀπολαύει ὁ μονάζων BC² : ὁ μονάζων ἀπολαύει cett. ‖ δ΄. ἐμπε-

6. Il ne faut ni mépriser totalement le jugement irréfléchi de la foule, ni s'en préoccuper avant tout.

7. C'est seulement pour plaire à Dieu qu'il faut régler l'harmonie de ses discours.

8. Qui ne méprise pas les louanges sera exposé à bien des dangers.

Voici le contenu de la VIe partie :

1. Les prêtres sont responsables aussi des fautes commises par les autres.

2. Ils ont besoin de plus de discernement que les moines.

3. Le moine jouit d'une situation plus facile que celui qui est à la tête de l'Église.

4. Au prêtre est confiée la direction du monde entier et d'autres missions redoutables.

5. Il faut que le prêtre soit apte à tous les ministères.

6. Ce n'est pas tant mener la vie des moines que bien diriger le peuple qui est un signe de force d'âme.

7. L'ascèse ne porte pas sur les mêmes points pour celui qui vit retiré en lui-même et pour celui qui vit au milieu du monde.

8. Ceux qui vivent retirés en eux-mêmes pratiquent plus facilement la vertu que ceux qui ont le souci du grand nombre.

9. Il ne faut pas mépriser l'opinion de la foule, même quand elle se trouve être fausse.

10. Ce n'est pas rien de se sauver soi-même.

11. Les fautes des prêtres sont passibles d'un châtiment beaucoup plus grand que les fautes de ceux qui ne sont pas prêtres.

12. D'après des exemples, description du chagrin et de la crainte éprouvés dans l'attente du sacerdoce.

13. Être tenté par le diable est plus redoutable que toute guerre.

πίστευται C AG F ‖ εʹ. χρὴ εἶναι C³ ‖ ζʹ. τῶν... στρεφομένων A K ‖ ἔστιν BC : om cett. ‖ ιʹ. οὐ B : οὐδὲ C³ οὐδὲν cett. ‖ ιβʹ. παραδείγματος C² ‖ γενομένης B : γιγνομένης C AG F γινομένης cett. ‖ ιγʹ. πειρασμός B : πρὸς ἡμᾶς cett.

Τοῦ μακαρίου Ἰωάννου
ἀρχιεπισκόπου Κωνσταντινουπόλεως τοῦ Χρυσοστόμου
πρὸς τὸν ἐγκαλοῦντα
ἐπὶ τῷ διαφυγεῖν τὴν ἱερωσύνην

ΛΟΓΟΣ Α′   α′. Ἀπόδειξις   Ἐμοὶ πολλοὶ μὲν ἐγένοντο φίλοι
                 τῆς εὐνοίας   γνήσιοί τε καὶ ἀληθεῖς, καὶ τοὺς τῆς
         τοῦ μεγάλου Βασιλείου φιλίας νόμους καὶ εἰδότες καὶ φυλάτ-
   5   περὶ ἡμᾶς   τοντες ἀκριβῶς· εἷς δέ τις τουτωνὶ
                                  τῶν πολλῶν, ἅπαντας αὐτοὺς ὑπερ-
βαλλόμενος τῇ πρὸς ἡμᾶς φιλίᾳ, τοσοῦτον ἐφιλονείκησεν
ἀφεῖναι κατόπιν ἐκείνους ὅσον ἐκεῖνοι τοὺς ἁπλῶς πρὸς
ἡμᾶς διακειμένους. Οὗτος τῶν τὸν ἅπαντά μοι χρόνον
παρηκολουθηκότων ἦν· καὶ γὰρ μαθημάτων ἡψάμεθα τῶν

BC AEG D FHJK

Titulus. 1-2 Τοῦ μακαρίου Ἰῶ. ἀρχ. Κωνστ. τοῦ Χρυσ. B fº 4
[fº 173 autem Τοῦ αὐτοῦ] : Τοῦ ἐν ἁγίοις πατρὸς ἡμῶν Ἰῶ. ἀρχ. Κωνστ.
[ἀρχ. Κωνστ. om. EG D] τοῦ [τοῦ om. J] Χρυσ. cett. ‖ 2 Χρυσοστό-
μου] + περὶ ἱερωσύνης. Τάδε ἔνεστιν ἐν τῷ α′ λόγῳ. Ἀπόδειξις —
οἰκονομίαν (vide supra p. 52) C + περὶ ἱερωσύνης E + βιβλίον συντε-
ταγμένον περὶ ἱερωσύνης D ‖ 3-4 πρὸς — ἱερωσύνην om. E ‖ 3 πρὸς
τὸν ἐγκαλοῦντα BC D : πρὸς τοὺς ἐγκαλοῦντας AG FHJ ἀπολογητικὸς πρὸς τοὺς ἐγκαλοῦντας K ‖ 4 ἐπὶ — ἱερωσύνην : τὴν ἱερωσύνην
ἐκφυγεῖν· περὶ ἱερωσύνης. Κύριε εὐλόγησον K ‖ ἐπὶ τῷ B A : ἐπὶ τὸ
C G D τὸ FHJ ‖ διαφυγεῖν BC D : φεύγειν AG FHJ ‖ ἱερωσύνην] +

Du bienheureux Jean Chrysostome, archevêque de Constantinople, à l'adresse de celui qui lui reprochait d'avoir fui le sacerdoce

1. Preuve de l'affection du grand Basile à notre égard

J'ai eu beaucoup de bons et vrais amis, connaissant les lois de l'amitié et les observant scrupuleusement, mais un seul, dans ce grand nombre, les dépassait tous par son affection pour nous[1] ; il s'efforçait de laisser ceux-là loin derrière lui autant qu'ils dépassaient eux-mêmes ceux qui n'étaient pour nous que de simples relations. Lui, il était toujours parmi mes intimes ; en effet, nous nous sommes adonnés aux mêmes études, nous avons eu les mêmes

ἀπολογητικός C AG D FH + ἀπολογητικός. Κύριε εὐλόγησον J ‖ in extremo titulo λόγος α′ EG FH ante πρὸς τὸν ἐγκαλοῦντα transp. B α′ [λόγος om.] D λόγος πρῶτος A om. C JK.

ΛΟΓΟΣ Α′. α′. 1 πολλοὶ μὲν BC D : μὲν πολλοὶ EG FHJK πολλοὶ A ‖ 2 καὶ² om. FJ ‖ 4 τούτων C AEG H ‖ 5 πάντας C ‖ 7 ἐκείνους B : αὐτοὺς cett.

1. Le mélange de la 1ʳᵉ personne du singulier et de la 1ʳᵉ personne du pluriel est une habitude constante dans la littérature épistolaire à cette époque. On le retrouve dans toute la correspondance de Grégoire de Nazianze et de Basile aussi bien que dans celle de Libanios.

10 αὐτῶν καὶ διδασκάλοις ἐχρησάμεθα τοῖς αὐτοῖς, ἦν δὲ ἡμῖν
καὶ προθυμία καὶ σπουδὴ περὶ τοὺς λόγους οὓς ἐπονούμεθα
μία, ἐπιθυμία τε ἴση καὶ ἐκ τῶν αὐτῶν τικτομένη πραγμάτων·
οὐ γὰρ ὅτε εἰς διδασκάλους μόνον ἐφοιτῶμεν, ἀλλὰ καὶ
ἡνίκα ἐκεῖθεν ἐξελθόντας βουλεύεσθαι ἐχρῆν ὁποίαν ἑλέσθαι
15 τοῦ βίου βέλτιον ἡμῖν ὁδόν, καὶ ἐνταῦθα ὁμογνωμονοῦντες
ἐφαινόμεθα. Καὶ ἕτερα δὲ πρὸς τούτοις ἡμῖν τὴν ὁμόνοιαν
ταύτην ἐφύλαττεν ἀρραγῆ καὶ βεβαίαν· οὔτε γὰρ ἐπὶ πατρίδος
μεγέθει μᾶλλον ἕτερος ἑτέρου φρονεῖν εἶχεν, οὔτε ἐμοὶ μὲν
πλοῦτος ὑπέρογκος ἦν, ἐκεῖνος δὲ ἐσχάτῃ συνέζη πενίᾳ,
20 ἀλλὰ καὶ τὸ τῆς οὐσίας μέτρον τὸ τῆς προαιρέσεως ἰσοστά-
σιον ἐμιμεῖτο καὶ γένος δὲ ἡμῖν ὁμότιμον ἦν καὶ πάντα τῇ
γνώμῃ συνέτρεχεν.

β΄. Τί τὸ κωλῦσαν   Ἐπειδὴ δὲ ἔδει τὸν μακάριον τὸν
ἡμῖν αὐτὸν συνοικῆσαι   τῶν μοναχῶν μεταδιώκειν βίον καὶ
                        τὴν φιλοσοφίαν τὴν ἀληθῆ, καὶ
οὐκέτι ἡμῖν ὁ ζυγὸς οὗτος ἴσος ἦν, ἀλλ᾽ ἡ μὲν ἐκείνου πλάσ-

α΄ 10 - β΄ 14 τοῖς αὐτοῖς — σφοδρότητα ἐπι[δειξάμενος om. K ‖
11 ἐπονούμεθα BC : ἐποιούμεθα cett. ‖ 14 ποίαν AEG ‖ 16-17 τὴν ὁμόνοιαν ταύτην BC AG : om. cett. ‖ 17 ἐφύλαττεν BC : ἐφυλάττομεν
AEG ἐφυλάττετο D FHJ ‖ 17 καὶ BC AEG : τε καὶ D FHJ ‖ 17
βεβαίαν BC A : βέβαια cett. ‖ 18 μᾶλλον ἕτερος ἑτέρου BC A : ἕτερος
ἑτέρου μᾶλλον cett. ‖ 18 εἴχομεν AEG ‖ 21 δὲ : μὲν AEG.

β΄. 1 τὸν² : / / / B add. sup.l. A om. C ‖ 3-4 καὶ οὐκέτι BC :
οὐκέτι cett.

---

1. SOCRATE, parlant de Jean, nomme ces maîtres : « Son maître
fut le sophiste Libanios et il écouta les leçons du philosophe Andra-
gathios », HE VI, 3, PG 67, 665. Certains ont mis en doute cette information de Socrate. Le dernier en date, Paul PETIT, Les étudiants de
Libanios, Paris 1957, p. 41 et note 129, conclut que « la question est
insoluble scientifiquement ». Mais le simple bon sens invite à penser
qu'un jeune homme de famille riche a dû suivre les leçons du sophiste
en renom, puisqu'ils vivaient à Antioche à la même époque. Dans son
ouvrage Der heilige Johannes Chrysostomus und seine Zeit, Munich
1929, vol. I, p. 17-18, Chr. BAUR fait à ce propos des remarques tout
à fait judicieuses qui devraient contribuer à régler définitivement
la question.

maîtres[1] et nous nous appliquions avec la même ardeur et le même zèle à notre formation littéraire[2], passion égale, née des mêmes sujets d'intérêt ; cela, non seulement pendant le temps où nous fréquentions les mêmes maîtres, mais encore au moment où, après les avoir quittés, il fallait nous demander quelle était pour nous la meilleure route à choisir et, là aussi, il était clair que nous étions en plein accord de pensée. D'autres raisons s'ajoutaient pour préserver notre union sans faille et solide ; l'un n'avait pas à s'enorgueillir plus que l'autre de la grandeur de sa patrie, ma fortune n'était pas excessive, il ne vivait pas dans une extrême pauvreté, mais la mesure de notre bien reflétait l'identité de nos dispositions intérieures ; nous avions enfin, par notre naissance, le même rang et tout concourait à notre accord de pensée.

2. Quel était l'obstacle qui l'empêchait de vivre avec nous

Pourtant, le moment venu d'embrasser la vie bienheureuse des solitaires et la vraie philosophie[3], le fléau de la balance n'était plus pour nous au même niveau mais, de son côté, le plateau s'élevait, allégé[4], alors que moi qui

---

2. Le terme λόγοι comporte à la fois la culture générale, où est incluse la rhétorique, et la formation morale. Voir sur ce point A.-J. FESTUGIÈRE, *Antioche païenne et chrétienne*, Paris 1959, chap. III, p. 133 et chap. VI, p. 220-221. Plus loin, en II, 7, 48, Jean restreint le sens de λόγοι par l'expression οἱ ἔξωθεν, désignant ainsi l'éloquence des rhéteurs, et souligne la vanité des efforts qu'elle exige par le mot ματαιοπονία. Le rapprochement des mots formés sur πόνος nous a fait préférer la variante ἐπονούμεθα donnée par BC à celle, plus banale, des autres manuscrits.

3. Le mot φιλοσοφία est fréquemment employé dans notre texte. Il prend des nuances diverses selon qu'il se rapporte à des moines ou à des chrétiens vivant dans le monde. Sur ces nuances dans l'œuvre de Jean Chrysostome, voir A.-M. MALINGREY, « *Philosophia* ». *Étude d'un groupe de mots dans la littérature grecque, des Présocratiques au IVe s. après J.-C.*, Paris 1961, chap. VIII, p. 265-286.

4. On remarquera le goût de Jean pour les comparaisons empruntées à la vie quotidienne.

5 τιγξ ἐκουφίζετο μετέωρος, ἐγὼ δ᾽ ἔτι ταῖς τοῦ κόσμου
πεπεδημένος ἐπιθυμίαις καθεῖλκον τὴν ἐμαυτοῦ καὶ ἐβιαζόμην κάτω μένειν, νεωτερικαῖς αὐτὴν ἐπιβρίθων φαντασίαις,
ἐνταῦθα λοιπὸν ἡ μὲν φιλία βέβαιος ἔμενεν ἡμῖν καθάπερ
καὶ πρότερον, ἡ δὲ συνουσία διεκόπτετο· οὐ γὰρ ἦν τοὺς μὴ
10 περὶ τὰ αὐτὰ σπουδάζοντας κοινὰς ποιεῖσθαι τὰς διατριβάς.
Ὡς δέ ποτε καὶ αὐτὸς μικρὸν ἀνέκυψα τοῦ βιωτικοῦ κλύδωνος,
δέχεται μὲν ἡμᾶς ἄμφω τὼ χεῖρε, τὴν δὲ ἰσότητα οὐδὲ
οὕτως ἰσχύσαμεν φυλάξαι τὴν προτέραν. Καὶ γὰρ τῷ χρόνῳ
φθάσας ἡμᾶς καὶ πολλὴν τὴν σφοδρότητα ἐπιδειξάμενος,
15 ἀνωτέρω πάλιν ἡμῶν ἐφέρετο καὶ εἰς ὕψος ἤρετο μέγα.

Πλὴν ἀλλ᾽ ἀγαθός τε ὢν καὶ πολλοῦ τὴν ἡμετέραν τι-
μώμενος φιλίαν, ἁπάντων ἑαυτὸν ἀποστήσας τῶν ἄλλων, ἡμῖν
τὸν ἅπαντα χρόνον συνῆν, ἐπιθυμῶν μὲν τούτου καὶ πρότερον,
ὅπερ δὲ ἔφην, ὑπὸ τῆς ἡμετέρας κωλυόμενος ῥαθυμίας. Οὐ
20 γὰρ ἦν τὸν ἐν τῷ δικαστηρίῳ προσεδρεύοντα καὶ περὶ τὰς ἐν
τῇ σκηνῇ τέρψεις ἐπτοημένον συγγίνεσθαι πολλάκις τῷ
βίβλοις προσηλωμένῳ καὶ μηδὲ εἰς ἀγορὰν ἐμβαλόντι ποτέ.
Διὰ τοῦτο πρότερον διειργόμενος, ἐπειδή ποτε ἡμᾶς ἔλαβεν
εἰς τὴν αὐτὴν τοῦ βίου κατάστασιν, ἀθρόως ἦν πάλαι ὤδινεν

---

6 τὴν ἐμαυτοῦ BC A : τὴν ἐμαυτοῦ ψυχὴν cett. ‖ 8 ἔμεινεν AEG
D ‖ 8 ἡμῖν : ἐν ἡμῖν D J ‖ 11 ποτε BC : om. cett. ‖ 11 καὶ αὐτὸς
μικρὸν BC : μικρὸν καὶ αὐτὸς cett. ‖ 11 ἀνέκυψα : ἀνέψυξα C ‖
12 τὼ χεῖρε] + προτείνας add. sup.l. in B ‖ 13 Καὶ γὰρ] + καὶ A D
FHJ ‖ 14 προφθάσας C ‖ 14 ἐπιδεικνύμενος A ‖ 16 ἀλλ᾽ om. AEG D
‖ 20 τὸν om. AE ‖ 20 ἐν τῷ B : ἐν om. AE τῷ om. C ἐν τῷ om. G
D FHJK ‖ 20 προσεδρεύοντα BC : παρεδρεύοντα cett. ‖ 23 πρότερον BC : οὖν ἦν cett. ‖ 23 διειργόμενος BC : ἡμῶν add. cett. ‖ 23
ἐπειδή BC K : ἐπειδὴ δέ cett.

---

1. Certains mss du xiᵉ s. et d'autres postérieurs ajoutent προτείνας.
Nous avons rejeté cette addition (portée ultérieurement sur B) en
nous appuyant sur *In epist. I ad Thess. cap. 4, hom. IV, 5, PG 62,*
422, li. 40 où se trouve la même tournure, sans l'adjonction de προτείνας.

2. Le verbe προσεδρεύω implique une présence assidue. Cf. II, 3,
13 et III, 13, 20. On a conclu de ce passage que Jean se destinait à la
carrière d'avocat. Quant au verbe πτοέω qui indique l'état d'un

étais entravé par les passions du monde, j'entraînais le mien vers le bas et je le forçais à y rester, en le tenant enfoncé sous le poids d'idées qui sont le fait de la jeunesse. A partir de ce moment-là, notre amitié resta encore solide comme avant, mais notre intimité était brisée, car il n'était pas possible, sans avoir les mêmes sujets d'intérêt, de continuer à mener la vie commune. Cependant, à peine eus-je moi-même levé la tête au-dessus des flots agités de la vie, voici qu'il m'accueille des deux mains[1] ; toutefois, malgré nos efforts, nous n'avons pu conserver notre ancienne égalité. En effet, avec le temps, il nous avait devancé, car il avait montré un zèle ardent : il était de nouveau emporté plus haut que nous et entraîné vers les sommets.

Cependant, comme il était bon et qu'il faisait grand cas de notre amitié, bien qu'il se tînt lui-même à l'écart des autres, il restait tout le temps avec nous ; c'est ce qu'il désirait autrefois, comme je l'ai dit, mais ce dont notre insouciance l'avait empêché. Il n'était pas possible, en effet, que celui qui passait son temps[2] au tribunal et qui était fou des plaisirs éprouvés au théâtre vive en compagnie de quelqu'un qui était la plupart du temps rivé[3] à des livres et qui ne se laissait jamais entraîner vers l'agora. C'est pourquoi, séparé tout d'abord de nous, lorsqu'il nous eut amené à sa manière de vivre, alors il mit au jour, sans

homme saisi d'un transport de passion, il atteste son goût pour le théâtre. Les violentes diatribes qu'on trouve dans les homélies à ce sujet reposent donc sur une expérience personnelle. Jean ne faisait en cela que suivre le goût de ses compatriotes. Voir Libanios, *Antiochikos*, orat. XI, 218-219, éd. Foerster, tome I, p. 512-513.

3. Jean donne au mot προσηλόω un sens fort, cf. *Ab exil. epist.*, SC 103, 1, li. 2, rivé à la terre ; *Ad Olymp.*, SC 13 bis, XII (VI), 1, li. 13 ; XVII (IV), 3, li. 80, cloué au lit. De même *In Io. hom.* LXI, 3, *PG* 59, 340, li. 28, les femmes sont clouées à la maison par les soins domestiques. Jean utilise aussi le mot pour traduire l'état des gens passionnés de théâtre, *De prov. Dei*, SC 79, XIX, 11, li. 5. Tout le vocabulaire de ce passage veut traduire la violence des passions qui opposaient les deux jeunes gens.

25 ἐπιθυμίαν ἀπέτεκε τότε καὶ οὐδὲ τὸ βραχύτατον τῆς ἡμέρας
ἡμᾶς ἀπολιμπάνειν ἠνείχετο μέρος, διετέλει τε παρακαλῶν
ἵνα τὴν οἰκίαν ἀφέντες ἕκαστος τὴν ἑαυτοῦ κοινὴν ἀμφότεροι
τὴν οἴκησιν ἔχοιμεν· καὶ ἔπεισε καὶ τὸ πρᾶγμα ἦν ἐν
χερσίν.

30 Ἀλλά με αἱ συνεχεῖς τῆς μητρὸς ἐπῳδαὶ διεκώλυσαν
δοῦναι ταύτην ἐκείνῳ τὴν χάριν, μᾶλλον δὲ λαβεῖν ταύτην
παρ᾽ ἐκείνου τὴν δωρεάν. Ἐπειδὴ γὰρ ἤσθετο ταῦτα βουλευόμενον, λαβοῦσά με τῆς δεξιᾶς, εἰσήγαγεν εἰς τὸν ἀποτεταγμέ-
νον οἶκον αὐτῇ καὶ καθίσασα πλησίον ἐπὶ τῆς εὐνῆς ἧς ἡμᾶς
35 ὤδινε, πηγάς τε ἠφίει δακρύων καὶ τῶν δακρύων ἐλεεινότερα
προσετίθη τὰ ῥήματα, τοιαῦτα πρὸς ἡμᾶς ἀποδυρομένη.
« Ἐγώ, παιδίον, φησί, τῆς ἀρετῆς τοῦ πατρὸς τοῦ σοῦ οὐκ
ἀφείθην ἀπολαῦσαι ἐπὶ πολύ, τῷ Θεῷ τοῦτο δοκοῦν· τὰς γὰρ
ὠδῖνας τὰς ἐπὶ σοὶ διαδεξάμενος ὁ θάνατος ἐκείνου, σοὶ μὲν
40 ὀρφανίαν, ἐμοὶ δὲ χηρείαν ἐπέστησεν ἄωρον καὶ τὰ τῆς χηρείας
δεινὰ ἃ μόναι αἱ παθοῦσαι δύναιντ᾽ ἂν εἰδέναι καλῶς. Λόγος
γὰρ οὐδεὶς ἂν ἐφίκοιτο τοῦ χειμῶνος ἐκείνου καὶ τοῦ κλύδωνος
ὃν ὑφίσταται κόρη, ἄρτι μὲν τῆς πατρῴας οἰκίας προελθοῦσα
καὶ πραγμάτων ἄπειρος οὖσα, ἐξαίφνης δὲ πένθει τε ἀσχέτῳ
45 βαλλομένη καὶ ἀναγκαζομένη φροντίδων καὶ τῆς ἡλικίας καὶ
τῆς φύσεως ἀνέχεσθαι μειζόνων. Δεῖ γάρ, οἶμαι, ῥαθυμίας τε
οἰκετῶν ἐπιστρέφειν καὶ κακουργίας παρατηρεῖν, συγγενῶν
ἀποκρούεσθαι ἐπιβουλάς, τῶν τὰ δημόσια εἰσπραττόντων

26 μέρος ante ἡμᾶς transp. AEG D FHJK ‖ 27-76 ἵνα τὴν οἰκίαν
— μίαν αἱ[τῶ om. K ‖ 27 ἀμφότεροι BC : ἄμφω cett. ‖ 28 ἔχοιμεν :
ἔχομεν B ἔχωμεν C ‖ 28 ἔπεισε BC : ἔπεισέ γε cett. ‖ 30 Ἀλλ᾽ ἐμὲ
C J ‖ 35 τε BC : om. cett. ‖ 36 τὰ om. C G ‖ 45-46 φροντίδος ... μείζονος B -ας ... -ας C A ‖ 46 τε BC J : om. cett. ‖ 48 εἰσπραττόντων
BC : πραττόντων cett.

1. Comme le verbe ἐπᾴδω, le nom ἐπῳδή évoque l'idée d'un refrain
qu'on répète pour exercer une sorte de charme sur celui qui écoute.
Cf. BASILE DE SÉLEUCIE, Orat. VIII, PG 85, 121, li. 32 où Joseph se
sert de ce moyen pour résister aux entreprises de la femme du Pharaon : τοιαύταις ἐπῳδαῖς σωφροσύνης... χρώμενος.

réticence, le désir qu'il portait en lui depuis longtemps et il ne consentait pas à m'abandonner le moindre instant de la journée, ne cessant d'insister pour que, chacun d'entre nous ayant quitté sa propre maison, nous ayons tous deux une habitation commune ; de fait, il réussit à me persuader et l'affaire était en mains.

Mais les refrains que me chantait continuellement ma mère[1] m'empêchèrent de lui accorder cette grâce ou plutôt de recevoir de lui ce présent. En effet, lorsqu'elle s'aperçut de sa résolution, elle me prit par la main et m'emmena dans la chambre qui lui était réservée ; m'ayant fait asseoir auprès du lit où elle nous avait mis au monde, elle versait des torrents de larmes et y joignait les paroles plus émouvantes que les larmes, en se lamentant à côté de nous[2] : « Mon petit, dit-elle, il ne m'a pas été donné de jouir longtemps de la valeur de ton père, selon la volonté de Dieu ; car sa mort ayant suivi de près ta naissance, il nous a laissés trop tôt toi orphelin et moi veuve, sans compter les redoutables conséquences du veuvage ; celles-là seules qui les ont subies pourraient les bien connaître. En effet, nulle parole ne saurait décrire la tempête et les vagues auxquelles doit faire face une jeune femme qui vient de quitter la maison paternelle et qui n'a aucune expérience des affaires, frappée soudain par un chagrin qu'elle n'a jamais éprouvé et contrainte de porter des soucis trop grands pour son âge et pour sa nature. Il faut, je le sais par expérience[3], corriger la négligence des serviteurs et tenir en échec leur mauvaise volonté, repousser les intrigues des parents,

---

2. Tout le discours d'Anthousa offre un curieux mélange d'expérience vécue exprimée dans les termes de la rhétorique traditionnelle. Cf. Basile de Séleucie, *Orat.* X, 2, *PG* 85, 144 où la veuve de Naïn (*Lc* 7, 12-13) se lamente ainsi devant le cadavre de son fils qui ne sera plus là pour la protéger.

3. Le verbe οἶμαι traduit, non, comme le français *à mon avis*, la relativité de l'expérience personnelle, mais la force de cette expérience et la conviction qui en découle. Cf. III, 10, 24.

τὰς ἐπηρείας καὶ τὴν ἀπήνειαν ἐν ταῖς τῶν εἰσφορῶν κατα-
50 βολαῖς φέρειν γενναίως. Ἐὰν δὲ καὶ παιδίον καταλιπὼν ὁ
τεθνεὼς ἀπέλθῃ ,θῆλυ μὲν ὄν, πολλὴν καὶ οὕτω παρέξει τῇ
μητρὶ τὴν φροντίδα, ὅμως δὲ καὶ ἀναλωμάτων καὶ δέους
ἀπηλλαγμένην, ὁ δὲ υἱὸς μυρίων αὐτὴν φόβων καθ᾽ ἑκάστην
ἐμπίμπλησι τὴν ἡμέραν καὶ πλειόνων φροντίδων· τὴν γὰρ
55 τῶν χρημάτων ἐῶ δαπάνην ὅσην ὑπομένειν ἀναγκάζεται,
ἐλευθερίως αὐτὸν θρέψαι ἐπιθυμοῦσα.

Ἀλλ᾽ ὅμως οὐδέν με τούτων ἔπεισε δευτέροις ὁμιλῆσαι γά-
μοις, οὐδὲ ἕτερον ἐπεισαγαγεῖν νυμφίον τῇ τοῦ πατρὸς οἰκίᾳ
τοῦ σοῦ· ἀλλ᾽ ἔμενον ἐν τῇ ζάλῃ καὶ τῷ θορύβῳ, καὶ τὴν
60 σιδηρᾶν τῆς χηρείας οὐκ ἔφυγον κάμινον, πρῶτον μὲν ὑπὸ τῆς
ἄνωθεν βοηθουμένη ῥοπῆς. Ἔφερε δέ μοι παραμυθίαν οὐ
μικρὰν τῶν δεινῶν ἐκείνων καὶ τὸ συνεχῶς τὴν σὴν ὄψιν ὁρᾶν
καὶ εἰκόνα μοι τοῦ τετελευτηκότος φυλάσσεσθαι ἔμψυχον καὶ
πρὸς ἐκεῖνον ἀπηκριβωμένην καλῶς. Διά τοι τοῦτο καὶ ἔτι
65 νήπιος ὢν καὶ μηδὲ φθέγγεσθαί πω μαθών, ὅτε μάλιστα
τέρπουσι τοὺς τεκόντας οἱ παῖδες, πολλήν μοι παρεῖχες τὴν
παράκλησιν. Καὶ μὴν οὐδὲ ἐκεῖνο ἂν ἔχοις εἰπεῖν καὶ αἰτιάσασθαι ὅτι τὴν μὲν χηρείαν γενναίως ἠνέγκαμεν, τὴν δὲ οὐσίαν
σοι τὴν πατρῴαν ἠλαττώσαμεν διὰ τὴν τῆς χηρείας ἀνάγκην,
70 ὅπερ πολλοὺς τῶν ὀρφανίᾳ δυστυχησάντων οἶδα παθόντας
ἐγώ. Καὶ γὰρ καὶ ταύτην ἀκέραιον ἐφύλαξα πᾶσαν, καὶ τῶν
ὀφειλόντων εἰς τὴν εὐδοκίμησιν δαπανηθῆναι τὴν σὴν ἐνέλιπον
οὐδέν, ἐκ τῶν ἐμαυτῆς καὶ ὧν ἦλθον οἴκοθεν ἔχουσα δαπανῶσα
χρημάτων.

50-51 Ἐὰν ... ἀπέλθῃ G : εἰ ... ἀπέλθῃ BC εἰ ... ἀπέλθοι Aᵃᶜ ἐὰν ...
ἀπέλθοι cett. ‖ 51 τεθνεὼς BC : τεθνηκὼς cett. ‖ 52 ὅμως : ὁμοίως C
‖ 56 θρέψαι BC Aᵃᶜ : ἀναθρέψαι Aᵖᶜ cett. ‖ 62 τὴν : εἰς τὴν J ‖ 63 μοι]
+ λογίζεσθαι J ‖ 63 καὶ BC : om. cett. ‖ 64 ἐκείνην B AEG D ‖
67 ἐκεῖνο] + γε C ‖ 67 εἰπεῖν καὶ BC : om. cett. ‖ 70 ὀρφανίᾳ B F :
ὀρφανίαν cett. ‖ 72 ἐνέλιπον : ἔλειπον E ἔλιπον G D ‖ 73 οὐδέν post
ἐμαυτῆς transp. AEG D FH.

1. Ces notations précises sur la situation d'une jeune veuve éclairent
les propos tenus plus loin par Jean sur l'aide que l'évêque doit apporter
aux veuves privées de conseil et d'appui : III, 12, 1-112.

supporter courageusement les menaces de ceux qui per-
çoivent les revenus publics et leur dureté dans le recou-
vrement des impôts[1]. Si le défunt s'en va[2] en laissant un
enfant en bas âge et si c'est une fille, celle-ci pourra sans
doute donner à sa mère beaucoup de soucis et cependant
elle ne sera pas pour elle un sujet de dépenses et de crainte ;
au contraire, un fils la remplit chaque jour de mille frayeurs
et de soucis plus nombreux encore, sans parler des dépenses
d'argent qu'elle est obligée de faire, si elle veut l'élever
comme un enfant libre.

Et cependant rien de tout cela n'a pu m'inciter à
contracter un second mariage et à faire entrer un autre
époux dans la maison de ton père, mais je restais dans la
tempête et dans l'agitation, sans fuir la fournaise du veuvage, aidée tout d'abord par l'intervention d'en haut. Mais
ce qui m'apportait un grand réconfort dans mes épreuves,
c'était de voir sans cesse ton visage et de garder ainsi
l'image vivante et parfaitement ressemblante de celui qui
n'était plus. Voilà pourquoi, quand tu n'étais qu'un petit
bébé qui n'avait pas encore appris à parler, au moment
où les enfants donnent le plus de joie à leurs parents, tu
m'apportais beaucoup de consolation. Voici un langage que
tu ne pourrais tenir, m'accuser d'avoir, tout en supportant
vaillamment le veuvage, amoindri le bien de ton père par
suite des obligations qu'impose cet état, ce dont, je le sais,
sont souvent victimes ceux qui ont le malheur d'être
orphelins. En effet, je te l'ai gardé tout entier intact et je
n'ai reculé devant aucune dépense nécessaire pour faire de
toi un homme bien considéré, en prenant sur ma fortune
personnelle et sur ce que je possédais lorsque je quittai 'a
maison paternelle.

2. Il y a ici un flottement dans les mss entre l'emploi de εἰ ou de
ἐάν suivi du subjonctif ou de l'optatif. Nous adoptons la leçon de G
qui suit la règle classique, puisque celle-ci est observée dans de nombreux passages de ce texte. Sur l'expression ὁ τεθνεὼς ἀπέλθῃ, voir
p. 315, note 3.

75 Καὶ μή τοι νομίσῃς ὀνειδίζουσάν με ταῦτα λέγειν νῦν· ἀλλ᾽
ἀντὶ πάντων σε τούτων μίαν αἰτῶ χάριν, μή με δευτέρᾳ
χηρείᾳ περιβαλεῖν, μηδὲ τὸ κοιμηθὲν ἤδη πένθος ἀνάψαι
πάλιν, ἀλλὰ περίμεινον τὴν ἐμὴν τελευτήν· ἴσως μετὰ μικρὸν
ἀπελεύσομαι χρόνον. Τοὺς μὲν γὰρ νέους ἐλπὶς καὶ εἰς γῆρας
80 ἥξειν μακρόν· οἱ δὲ γεγηρακότες ἡμεῖς οὐδὲν ἕτερον ἢ τὸν
θάνατον ἀναμένομεν. Ὅταν οὖν με τῇ γῇ παραδῷς καὶ τοῖς
ὀστέοις τοῦ πατρὸς ἀναμίξῃς τοῦ σοῦ, στέλλου μακρὰς
ἀποδημίας καὶ πλέε θάλατταν ἣν ἂν ἐθέλῃς· τότε ὁ κωλύσων
οὐδείς. Ἕως δ᾽ ἂν ἐμπνέωμεν, ἀνάσχου τὴν μεθ᾽ ἡμῶν
85 οἴκησιν· μὴ προσκρούσῃς Θεῷ μάτην καὶ εἰκῇ, τοσούτοις
ἡμᾶς περιβάλλων κακοῖς ἠδικηκότας οὐδέν. Εἰ μὲν γὰρ ἔχεις
ἐγκαλεῖν ὅτι σὲ εἰς βιωτικὰς περιέλκω φροντίδας καὶ τῶν
πραγμάτων ἀναγκάζω προστῆναι τῶν σῶν, μὴ τοὺς τῆς
φύσεως νόμους, μὴ τὴν ἀνατροφήν, μὴ τὴν συνήθειαν, μηδὲ
90 ἄλλο μηδὲν αἰδεσθῇς, ὡς ἐπιβούλους φεῦγε καὶ πολεμίους·
εἰ δὲ ἅπαντα πράττομεν ὑπὲρ τοῦ πολλήν σοι παρασκευάσαι
σχολὴν εἰς τὴν τοῦ βίου τούτου πορείαν, εἰ καὶ μηδὲν ἕτερον,
οὗτος γοῦν κατεχέτω σε παρ᾽ ἡμῖν ὁ δεσμός. Κἂν γὰρ μυρίους
σε λέγῃς φιλεῖν, οὐδείς σοι παρέξει τοσαύτης ἀπολαῦσαι

76 ἀντὶ : ἄρτι C ‖ 83 ἐθέλοις C ‖ 85 μὴ B : μὴ δὴ [οὖν add. J] cett.
‖ 85 Θεῷ BC A : τῷ Θεῷ cett. ‖ 85 τοσούτοις BC : τοῖς τοσούτοις
cett. ‖ 88 — γ᾽ 16 προστῆναι — ἑλέσθαι δέοι om. K ‖ 88 προστῆναι
BC : φροντίζειν cett. ‖ 88 σῶν B : ἐμῶν cett. ‖ 90 αἰδεσθῇς BC FJ :
αἰδεσθείς cett. ‖ 90 ὡς : ἀλλ᾽ ὡς HJ ‖ 91 ὑπὲρ τοῦ BC : ὥστε cett.
‖ 93 ἡμῖν : ἡμῶν AEG.

1. Le participe γεγηρακότες est au masculin, bien que ce soit une
femme qui parle, mais elle se classe parmi les représentants de la race
humaine en général. — Quelle que soit la date de naissance de Jean
sur laquelle on discute (345, 347 ou 349) et bien que la moyenne d'âge
de la vieillesse se situe plus tôt dans l'Antiquité qu'à notre époque, sa
mère, qui était jeune lors de sa naissance, ne méritait guère, une
vingtaine d'années après, le qualificatif de γεγηρακότες. Dans le texte
Cum presbyter 1, li. 5, Jean cède à une exagération analogue en parlant de lui-même et en se présentant comme un μειρακίσκος, alors

Et ne pense pas qu'en te disant cela maintenant je te fais des reproches ; mais en échange de tous ces sacrifices, je ne te demande qu'une seule faveur, c'est de ne pas me précipiter dans un second veuvage et de ne pas rallumer une douleur maintenant apaisée. Attends patiemment ma fin. Peut-être m'en irai-je d'ici peu de temps. Les jeunes n'ont, en effet, la perspective d'arriver à la vieillesse qu'après de longues années ; quant à nous qui sommes des vieillards[1], nous n'attendons rien d'autre que la mort. Lorsque tu m'auras confiée à la terre et que tu auras mêlé mes os à ceux de ton père, entreprends de longs voyages et navigue sur la mer que tu voudras ; personne alors ne t'en empêchera. Mais tant que nous respirons, consens à demeurer avec nous ; n'offense pas Dieu inutilement et à la légère[2] en nous infligeant de si grands chagrins, nous qui ne t'avons fait aucun tort. Si tu peux me reprocher de t'entraîner vers les soucis du monde et de t'obliger à t'occuper de tes affaires[3], ne tiens pas compte des lois de la nature, des soins que je t'ai donnés, de notre intimité ni de rien d'autre ; fuis-nous comme quelqu'un qui te tendrait des pièges et te serait hostile ; mais si nous avons tout fait pour te préparer le mieux possible au voyage de la vie, que du moins ce lien, sinon un autre, te retienne auprès de nous. En effet, même si, selon tes dires, tu as de nombreux

qu'il avait plus de trente ans. On ne peut donc se fier à de tels passages pour avoir des indications chronologiques.

2. Jean utilise plusieurs expressions voisines (voir plus loin, p. 83, note 3 et p. 166, note 3), pour souligner qu'une chose est faite sans attention et sans le sérieux qui convient ou que le résultat est absolument vain.

3. Les mss donnent ici deux variantes qui sont chacune défendables. Si l'on adopte ἐμῶν, le pronom de la 1re personne donne à penser qu'Anthousa demande à son fils de rester auprès d'elle pour être son appui dans la gestion de la fortune qu'elle possède ; si l'on adopte σῶν, elle veut le retenir dans le monde pour qu'il puisse s'occuper de ses propres affaires. Dans l'hésitation, la qualité du ms. B, seul à posséder cette dernière variante, nous la fait choisir.

95 ἐλευθερίας, ἐπειδὴ μηδὲ ἔστι τις ὅτῳ μέλει τῆς σῆς εὐδοκι-
μήσεως ἐξ ἴσης ἐμοί. » Ταῦτα καὶ τὰ τούτων πλείονα πρὸς
ἐμὲ μὲν ἡ μήτηρ, ἐγὼ δὲ πρὸς τὸν γενναῖον ἔλεγον ἐκεῖνον·
ὁ δὲ οὐ μόνον οὐκ ἐδυσωπεῖτο τοῖς ῥήμασι τούτοις, ἀλλὰ καὶ
πλέον ἐνέκειτο, τὰ αὐτὰ ἀπαιτῶν ἅπερ καὶ πρότερον.

γ΄. Ἀπάτη παρ᾽   Ἐν τούτῳ δὲ ἡμῶν ὄντων καὶ τοῦ
ἡμῶν ἐν τῷ   μὲν συνεχῶς ἱκετεύοντος, ἐμοῦ δὲ
συλληφθῆναι αὐτὸν   οὐκ ἐπινεύοντος, ἄφνω τις ἐπιστᾶσα
γενομένη   φήμη διετάραξεν ἀμφοτέρους· ἡ δὲ
5   φήμη ἦν, εἰς τὸ τῆς ἱερωσύνης ἡμᾶς
ἀξίωμα μέλλειν παράγεσθαι. Ἐγὼ μὲν οὖν, ἅμα τῷ τὸν λόγον
ἀκοῦσαι τοῦτον, δέει τε καὶ ἀπορίᾳ συνειχόμην· δέει μέν, μή
ποτε καὶ ἄκων ἁλῶ, ἀπορίᾳ δέ, ζητῶν πολλάκις πόθεν ἐπῆλθε
τοῖς ἀνδράσιν ἐκείνοις ἐνθυμηθῆναί τι τοιοῦτο περὶ ἡμῶν·
10 εἰς γὰρ ἐμαυτὸν ἀφορῶν, οὐδὲν εὕρισκον ἔχοντα τῆς τιμῆς
ἄξιον ἐκείνης. Ὁ δὲ γενναῖος οὑτοσὶ προσελθών μοι κατ᾽
ἰδίαν καὶ κοινωσάμενος περὶ τούτων ὡς ἀνηκόῳ γε ὄντι τῆς
φήμης, ἐδεῖτο κἀνταῦθα καὶ πράττοντας καὶ βουλευομένους
ὀφθῆναι τὰ αὐτὰ καθάπερ καὶ πρότερον· ἕψεσθαι γὰρ αὐτὸν

---

95 τις] + τῶν ἄλλων C ‖ 96 Ταῦτα BC J : καὶ ταῦτα cett. ‖ 96 Ταῦτα]
+ μὲν EG D FHJ ‖ 99 τὰ αὐτὰ BC : ταὐτὰ cett.
    γ΄. 5 ἱερωσύνης : ἐπισκοπῆς B ‖ 6 παράγεσθαι BC A : προσάγεσθαι
E F προάγεσθαι cett. ‖ 9 τοιοῦτο B : τοιοῦτον cett.

---

1. La tradition manuscrite offre ici le choix entre deux variantes :
ἐπισκοπῆς ou ἱερωσύνης. Sur les dix témoins que nous avons utilisés,
seul le *Basileensis* donne ἐπισκοπῆς. Si l'on consulte la traduction
syriaque : « l-īqarâ d-kāhnutâ », et la traduction du *vetus interpres
latinus* : « ad dignitatem sacerdotii », on constate que le terme employé
dans les deux langues désigne le sacerdoce en général. Quand on se
réfère à l'usage de Jean, on s'aperçoit que, dans ses commentaires
des épîtres pauliniennes, il établit une équivalence entre les deux mots,
par exemple In Acta apost. hom. III, 2, *PG* 60, 35 : « Τὴν ἐπισκοπὴν
αὐτοῦ λαβέτω ἕτερος », τοῦτ᾽ ἔστι τὴν ἀρχήν, τὴν ἱερωσύνην. Il parle,
il est vrai, d'une époque où la distinction hiérarchique : diacre, prêtre,
évêque, n'est pas encore fixée. Mais le *Dialogue sur le sacerdoce* ne se
situe pas dans un contexte hiérarchique. D'autre part, on trouve

amis, personne ne te donnera de jouir d'une telle liberté, puisqu'il n'est personne autant que moi qui ait souci de ta bonne réputation. » Voilà les discours que me tenait ma mère et bien d'autres encore et moi je les rapportais à mon noble ami ; quant à lui, non seulement ces paroles ne le troublaient pas, mais il continuait à m'exprimer les mêmes désirs qu'auparavant.

3. Ruse que nous avons employée, lorsqu'on s'est emparé de lui

Nous en étions là, lui ne cessant de me supplier et moi de lui résister, lorsque soudain un bruit courut qui nous troubla tous les deux ; ce bruit, c'était que nous allions être promus à la dignité du sacerdoce[1]. Moi, lorsque j'entendis cette rumeur, je fus saisi de crainte et de perplexité ; de crainte, dans la perspective d'être un jour pris malgré moi ; de perplexité, me demandant souvent d'où avait pu venir à l'esprit de ces hommes vénérables une telle idée à notre sujet ; car, en m'examinant moi-même, je ne trouvais rien qui fût digne de cet honneur. Quant à mon noble ami, il vint me trouver en particulier et s'étant entretenu avec moi à ce sujet comme si je ne savais rien de cette rumeur, il me demandait de nous montrer, à cette occasion, unis dans nos actes et nos décisions comme auparavant : il était prêt à nous suivre quelle

---

plusieurs fois chez Jean l'expression τὸ τῆς ἱερωσύνης ἀξίωμα, entre autres dans *Adv. Judaeos* VI, 6, *P G* 48, 912, li. 35 et *In epist. I ad Tim. hom.* V, 1, *P G* 62, 525, li. 10 *a.i.* Enfin, c'est sous le titre περὶ ἱερωσύνης que le *Dialogue* est cité par Jérôme dès 392 (voir Introd., p. 13, note 2). La leçon du *Basileensis* εἰς τὸ τῆς ἐπισκοπῆς ἀξίωμα est probablement le résultat d'une correction de scribe devant les développements de la IIIᵉ partie, chap. 12, 13, 14 qui parlent des charges assumées spécialement par l'évêque. C'est de cette leçon, imprimée dans l'*editio princeps*, qu'on a indûment tiré les conclusions historiques sur l'accès direct des deux jeunes gens à l'épiscopat hiérarchique. Malgré l'autorité du *Basileensis*, nous choisissons la leçon donnée par l'ensemble des mss : εἰς τὸ τῆς ἱερωσύνης ἀξίωμα.

15 ἑτοίμως ἡμῖν καθ' ὁποτέραν ἂν ἡγώμεθα τῶν ὁδῶν, εἴτε
φυγεῖν, εἴτε ἑλέσθαι δέοι. Αἰσθόμενος τοίνυν αὐτοῦ τῆς
προθυμίας ἐγὼ καὶ ζημίαν ἡγησάμενος οἴσειν παντὶ τῷ κοινῷ
τῆς Ἐκκλησίας, εἰ νέον οὕτως ἀγαθὸν καὶ πρὸς τὴν τῶν πολλῶν
ἐπιστασίαν ἐπιτήδειον ἀποστεροίην τοῦ Χριστοῦ τὴν ἀγέλην
20 διὰ τὴν ἀσθένειαν τὴν ἐμαυτοῦ, οὐκ ἀπεκάλυψα τὴν γνώμην
ἣν εἶχον περὶ τούτων ἐκείνῳ, καίτοι γε μηδέποτε πρότερον
ἀνασχόμενος λαθεῖν τι τῶν βουλευμάτων αὐτὸν τῶν ἐμῶν,
ἀλλ' εἰπὼν δεῖν τὴν ὑπὲρ τούτων βουλὴν εἰς ἕτερον ἀναβάλλεσθαι καιρόν, οὐ γὰρ νῦν τοῦτο κατεπείγειν, ἔπεισά τε εὐθέως
25 μηδὲν ὑπὲρ τούτων φροντίζειν καὶ ὑπὲρ ἐμαυτοῦ παρέσχον
θαρρεῖν ὡς ὁμογνωμονήσοντος, εἴ ποτε συμβαίη τοιοῦτό τι
παθεῖν.

Χρόνου δὲ παρελθόντος οὐ πολλοῦ καὶ τοῦ μέλλοντος ἡμᾶς
χειροτονήσειν ἐλθόντος καὶ κρυπτομένου μου, μηδὲν τούτων
30 εἰδώς, ἄγεται μὲν ὡς ἐφ' ἑτέρᾳ προφάσει· δέχεται δὲ τὸν
ζυγόν, ἐλπίζων ἐξ ὧν ὑπεσχημένος ἤμην αὐτῷ καὶ ἡμᾶς
πάντως ἕψεσθαι, μᾶλλον δὲ νομίζων ἡμῖν ἀκολουθεῖν. Καὶ
γάρ τινες τῶν ἐκεῖ παρόντων, ἀσχάλλοντα πρὸς τὴν σύλληψιν
ὁρῶντες, ἠπάτησαν βοῶντες ὡς ἄτοπον εἴη τὸν μὲν θρασύ-
35 τερον εἶναι δοκοῦντα παρὰ πᾶσιν — ἐμὲ λέγοντες — μετὰ

---

15 εἴτε : ἢ C ‖ 16 φυγεῖν BC : φεύγειν cett. ‖ 18 πολλῶν BC : ἀνθρώπων cett. ‖ 20 ἀπεκάλυψα] + δὲ C ‖ 23 δεῖν : ἰδεῖν E om. B ‖ 24
ἀναβάλλεσθαι B D : ἀναλαβέσθαι E ἀναβαλέσθαι cett. ‖ 26 ποτε :
ποτε καὶ B ‖ 26 τοιοῦτό τι B : τοιοῦτον C τι τοιοῦτον [ante συμβαίη]
cett. ‖ 29 μου B : om. cett. ‖ 32 ἡμῖν] + ἤδη J ‖ 35 πᾶσιν : πάντας C.

---

1. L'expression, qui désigne l'ensemble des chrétiens, est inspirée
de l'évangile johannique, 10, 11-12, faisant lui-même écho à *Isaïe* 40,
11 et au psaume 22, 1.

2. Le verbe χειροτονέω et le nom χειροτονία sont utilisés, en grec
classique, pour désigner le vote à mains levées. Il est repris par les
chrétiens avec un sens général : *élire un candidat au sacerdoce, ordonner*.
Le *De sacerdotio* fournit des détails précieux sur les différents stades
d'une élection sacerdotale. Entrent en jeu : *a*) enquête sur tout ce qui
touche au candidat, II, 5, 58-59 ; *b*) expression de l'opinion publique,
II, 5, 57-58 ; *c*) présentation et inscription sur la liste des candidats,

que fût la route que nous allions prendre, qu'il fallût fuir ou accepter. Ainsi donc, comme je connaissais son ardeur, ayant pensé que je causerais un préjudice à toute la communauté de l'Église si, en raison de ma propre faiblesse, je privais le troupeau du Christ[1] d'un jeune homme si apte au gouvernement du peuple, je ne lui dévoilai pas ma pensée à ce sujet, moi qui jamais auparavant ne m'étais permis de lui cacher quoi que ce fût de mes résolutions, mais je lui dis qu'il fallait remettre à un autre moment la décision à prendre sur ce point, car cela ne pressait pas maintenant ; je le persuadai facilement de ne rien décider à ce sujet et, en ce qui me concernait, je promis d'avoir le courage de choisir le même parti que lui, si jamais il arrivait que nous subissions une contrainte quelconque.

Peu de temps s'était écoulé et le moment était venu de nous ordonner[2]. Je me cachai, sans qu'il le sût. On l'emmène sous un autre prétexte : il reçoit le joug[3], espérant, d'après ce que je lui avais promis que, nous aussi, nous marcherions à fond sur ses traces, ou plutôt pensant qu'il nous accompagnait. En effet, certains de ceux qui étaient là, le voyant se fâcher d'être pris, le trompèrent. Il serait anormal, s'exclamaient-ils, que celui qui paraissait plus intraitable aux yeux de tous — c'est de moi qu'ils par-

---

IV, 2, 21 ; *d*) vote à l'occasion duquel sont souvent fomentées des intrigues, III, 11, 8-13 ; *e*) imposition des mains, IV, 2, 26-27. Le verbe χειροτονέω et le nom χειροτονία peuvent aussi avoir le sens restreint d'*imposition des mains*, voir *In Acta apost. hom.* XIV, 3, *PG* 60, 116 : Καὶ προσευξάμενοι ἐπέθησαν αὐτοῖς τὰς χεῖρας, ἐχειροτονήθησαν διὰ προσευχῆς· τοῦτο γὰρ ἡ χειροτονία ἐστίν. Voir aussi B. Botte, « L'ordre d'après les prières d'ordination », dans *Études sur le sacrement de l'ordre*, ouvrage collectif, *Lex orandi* 22, Paris 1957, p. 13-41.

3. Expression imagée pour donner l'idée d'une lourde responsabilité dont le dialogue tout entier développe l'importance. Cf. *Cum presbyter* 4, li. 305 où le joug du sacerdoce est dit ἰσχυρὸν καὶ βαρύν. De même Jérôme, *Epist.* 125, 8, *CUF*, p. 121 : « Iugum Christi collo suo imposuit. »

πολλῆς τῆς ἐπιεικείας εἶξαι τῇ τῶν πατέρων κρίσει, ἐκεῖνον
δὲ τὸν πολὺ συνετώτερον καὶ ἐπιεικέστερον θρασύνεσθαι καὶ
κενοδοξεῖν σκιρτῶντα καὶ ἀποπηδῶντα καὶ ἀντιλέγοντα.
Τούτοις εἴξας τοῖς ῥήμασιν, ἐπειδὴ ἤκουσεν ὅτι διέφυγον,
40 εἰσελθὼν πρός με μετὰ πολλῆς τῆς κατηφείας, καθέζεται
πλησίον καὶ ἐβούλετο μέν τι καὶ εἰπεῖν, ὑπὸ δὲ τῆς ἀπορίας
κατεχόμενος καὶ λόγῳ παραστῆσαι τὴν βίαν ἣν ὑπέμεινεν
οὐκ ἔχων, ἅμα τῷ χᾶναι ἐκωλύετο φθέγξασθαι, τῆς ἀθυμίας
πρὶν ἢ τοὺς ὀδόντας ὑπερβῆναι διακοπτούσης τὸν λόγον.
45 Ὁρῶν τοίνυν ἐγὼ περίδακρυν ὄντα καὶ πολλῆς πεπληρωμένον τῆς ταραχῆς καὶ τὴν αἰτίαν εἰδώς, ἐγέλων τε ὑπὸ πολλῆς
ἡδονῆς καὶ τὴν δεξιὰν κατέχων ἐβιαζόμην καταφιλεῖν καὶ
τὸν Θεὸν ἐδόξαζον ὅτι μοι τὰ τῆς μηχανῆς τέλος εἶχε καλὸν
καὶ οἷον ηὐχόμην ἀεί. Ὡς δὲ εἶδε περιχαρῆ τε ὄντα καὶ φαι-
50 δρόν, καὶ πρότερον ἠπατημένος ὑφ᾽ ἡμῶν ᾔσθετο, μᾶλλον
ἐδάκνετο καὶ ἐδυσχέραινε.

δ΄. Ἐγκλήματα
παρ᾽ ἐκείνου
τῆς ἀπάτης
5   ἕνεκεν

Καί ποτε μικρὸν ἀπ᾽ ἐκείνου
καταστὰς τοῦ θορύβου τῆς ψυχῆς·
ΒΑΣ. Ἀλλ᾽ εἰ καὶ τὸ ἡμέτερον,
φησί, διέπτυσας καὶ λόγον ἡμῶν
ἔχεις οὐδένα λοιπόν, ὡς ἔγωγε οὐκ

41 ἀπορίας Β : ἐπηρείας cett. ‖ 43 φθέγξασθαι [-γγε- Β] : ὑπὸ τῆς
ἀθυμίας φθέγξασθαι AEG D ‖ 43 ἀθυμίας : ἐπηρείας AEG D ‖ 47
ἡδονῆς ΒC : τῆς ἡδονῆς cett. ‖ 47 καταφιλεῖν : φιλεῖν ΒC ‖ 48 τὰ : τὸ
C ‖ 50 μᾶλλον ΒC FJ : καὶ μᾶλλον cett.
        δ΄. 4 διέπτυσας Β : μέρος διέπτυσας cett.

1. Ce terme peut désigner deux catégories d'hommes : soit les
évêques de la province réunis autour de l'évêque d'Antioche (c'est ce
premier sens auquel le mot πατέρες fait d'abord penser) ; soit l'évêque
entouré de son *presbyterium* qu'Ignace d'Antioche appelle *une pré-
cieuse couronne spirituelle* (*Magn.* XIII, 1) ou *le sénat de Dieu* (*Trall.*
III, 1). Si l'on adopte le premier sens, on choisit *ipso facto* l'hypothèse
de l'épiscopat auquel Jean et Basile auraient été appelés ; mais nous
pensons que le second sens peut se justifier et qu'il se justifie, en fait,
par les raisons qui nous incitent à choisir l'hypothèse du sacerdoce et
non celle de l'épiscopat.

laient — ait cédé avec une grande docilité au jugement
de Pères[1] et que celui qui était beaucoup plus sage et plus
docile soit arrogant et épris de vaine gloire, se débattant,
prenant la fuite et contestant. Après avoir cédé à ces arguments, lorsqu'il apprit que je m'étais enfui, il vint me
trouver plein de tristesse[2]. Il s'assied près de moi ; il voulait parler, mais il était plongé dans l'embarras, il ne
pouvait décrire par la parole la violence qu'il avait subie ;
demeurant bouche bée, il n'arrivait pas à s'exprimer, le
chagrin lui coupait la parole avant qu'elle n'eût franchi
ses lèvres. Je le voyais inondé de larmes et profondément
troublé[3], mais je savais quelle en était la cause et je riais
de plaisir ; prenant sa main, je m'efforçais de lui témoigner
des marques d'amitié et je louais Dieu d'avoir, en ce qui
me concernait, mené à bonne fin le stratagème, comme je
l'avais toujours souhaité. En me voyant plein de joie et
rayonnant, lorsqu'il s'aperçut qu'il venait d'être abusé,
il était plus encore piqué au vif et mécontent.

**4. Reproches
qu'il nous a faits
à propos
de cette ruse**

Après un temps, le trouble de
son âme s'étant un peu apaisé :

BASILE. Même si tu as complètement dédaigné notre intérêt, dit-il,
et si tu ne tiens aucun compte de

---

2. Le mot κατήφεια désigne l'attitude de celui qui a les yeux
baissés soit par tristesse, c'est le cas ici, soit par honte, soit enfin par
recueillement et modestie, à la manière des moines, c'est le cas en
I, 4, 40.

3. Noter les termes qui décrivent l'émotion de Basile, χαίνω, περίδακρυς, ταραχή, et les rapprocher de ceux que Jean emploie plus haut
pour décrire l'émotion de sa mère. Cf. BASILE DE SÉLEUCIE, *Thècle*,
lib. I, *PG* 85, 499 où l'émotion du fiancé de Thècle est décrite en des
termes analogues : προσῆλθε δ'οὖν ὅμως τῇ παρθένῳ κατηφὴς καὶ περιδεὴς καὶ περίδακρυς. Ce sont les termes consacrés par les rhéteurs
pour décrire une telle situation. Ils sont empruntés au vocabulaire
de la tragédie ; περίδακρυς en particulier est à rapprocher de ἀμφι-
δάκρυτος, EURIPIDE, *Phénic.* 322.

οἶδα ἀνθ' ὅτου, τῆς γοῦν ὑπολήψεως ἔδει σε φροντίσαι τῆς
σῆς. Νῦν δὲ τὰ πάντων ἠνέῳξας στόματα καὶ δόξης σε ἐρῶντα
κενῆς τὴν λειτουργίαν ταύτην παρῃτῆσθαι λέγουσιν ἅπαντες·
ὁ δὲ ἐξαιρησόμενός σε τῆς κατηγορίας ταύτης οὐκ ἔστιν.
10 Ἐμοὶ δὲ οὐδὲ εἰς ἀγορὰν ἐμβαλεῖν ἀνεκτόν, τοσοῦτοι οἱ
προσιόντες ἡμῖν καὶ καθ' ἑκάστην ἐγκαλοῦντες ἡμέραν.
Ὅταν γὰρ ἴδωσι φανέντα που τῆς πόλεως, λαβόντες κατὰ
μόνας ὅσοι πρὸς ἡμᾶς οἰκείως ἔχουσι, τῷ πλείονί με τῆς
κατηγορίας ὑποβάλλουσι μέρει· Εἰδότα γὰρ αὐτοῦ τὴν γνώμην,
15 φασίν — οὐδὲ γὰρ ἄν σε ἔλαθέ τι τῶν ἐκείνου —, οὐκ ἀποκρύ-
ψασθαι, ἀλλ' ἡμῖν ἀνακοινώσασθαι ἐχρῆν, καὶ πάντως οὐκ
ἂν ἠπορήσαμεν πρὸς τὴν ἄγραν μηχανῆς. Ἐγὼ δὲ ὅτι μέν
σε οὐκ ᾔδειν ἐκ πολλοῦ ταῦτα βουλευόμενον αἰσχύνομαι καὶ
ἐρυθριῶ πρὸς ἐκείνους εἰπεῖν, μήποτε καὶ ὑπόκρισιν τὴν
20 ἡμετέραν εἶναι νομίσωσι φιλίαν. Εἰ γὰρ καὶ ἔστιν — ὥσπερ
οὖν καὶ ἔστιν καὶ οὐδ' ἂν αὐτὸς ἀρνηθείης ἐξ ὧν εἰς ἡμᾶς
ἔπραξας νῦν —, ἀλλὰ τοὺς ἔξωθεν καὶ μετρίαν γοῦν περὶ ἡμῶν
ἔχοντας δόξαν καλὸν τὰ ἡμέτερα κρύπτειν κακά. Εἰπεῖν μὲν
οὖν πρὸς αὐτοὺς τἀληθὲς καὶ ὡς ἔχει τὰ καθ' ἡμᾶς ὀκνῶ·
25 ἀναγκάζομαι δὲ λοιπὸν σιωπᾶν καὶ κύπτειν εἰς γῆν καὶ τοὺς
ἀπαντῶντας ἐκτρέπεσθαι καὶ ἀποπηδᾶν. Κἂν γὰρ τὴν
προτέραν ἐκφύγω κατάγνωσιν, ψεύδους ἀνάγκη με κρίνεσθαι
λοιπόν· οὐδὲ γὰρ ἐθελήσουσί μοι πιστεῦσαί ποτε ὅτι καὶ

---

8 παρῃτῆσθαι B K : παρῃτεῖσθαι C παραιτῆσθαι E παραιτήσασθαι
cett. ‖ 10 οὐδὲ BC K : οὔτε cett. ‖ 11 ἡμέραν : τὴν ἡμέραν cett. ‖
12 φανέντα om. E ‖ 12 φανέντα που BC : που φανέντα AG D FHJK
‖ 12 τῆς πόλεως BC : τῆς ἡμέρας μέρος τῆς πόλεως cett. ‖ 15 ἄν σε
ἔλαθέ τι BC : ἄν τί σε ἐλάνθανε cett. ‖ 15 οὐκ BC : οὐκ ἔδει cett. ‖
20 γὰρ] + οὖν AG D ‖ 21 αὐτὸς BC : post ὧν transp. cett. ‖ 22
μετρίαν : μετρίως AEG D ‖ 22 γοῦν ante καὶ transp. AEG D ‖ 24 πρὸς
αὐτοὺς om. C ‖ 28 ἐθέλουσιν AEG ‖ 28 μοι BC : om. cett. ‖ 28 ποτε
om. AEG D.

---

1. Le mot λειτουργία désigne essentiellement une *charge*, que
celle-ci soit assumée dans le domaine public ou privé. Mais cette
charge est toujours présentée par Jean comme un *service*.

nous, je ne sais pourquoi, il fallait du moins te préoccuper
de l'opinion qu'on a de toi. En fait, tu as délié toutes les
langues et tout le monde dit que tu as refusé cette charge[1]
parce que tu es passionné de vaine gloire[2], et il n'y a personne pour te soustraire à cette accusation. Quant à moi,
je ne peux plus passer sur la place publique, tant je rencontre chaque jour de gens qui me font des reproches.
Lorsqu'ils me voient dans un coin de la ville[3], ceux qui ont
des sentiments d'amitié à mon égard me prennent à part
et rejettent sur moi la plus grande partie de leurs accusations : Puisque tu étais au courant de sa résolution, disent-
ils — car rien de ce qui le concerne ne t'échappe —, il ne
fallait pas la cacher, mais nous en faire part, et nous n'aurions pas été embarrassés du tout pour déjouer son stratagème. Alors, j'ai honte et je rougis de leur dire que j'étais
loin de connaître tes intentions, de peur qu'ils ne considèrent notre amitié comme une hypocrisie. Si c'en est une
— comme en réalité c'en est une, tu ne saurais le nier
après ce que tu viens de nous faire —, il serait bon, du
moins, de cacher nos dissentiments aux étrangers qui ont
pour nous une certaine estime. Je redoute de leur dire la
vérité et ce qu'il en est de nos rapports ; je suis forcé désormais de me taire et de baisser la tête, de me détourner de
ceux que je rencontre et de les fuir. En effet, si j'échappe
à la condamnation précédente, je suis nécessairement considéré désormais comme un menteur, car ils ne voudront

---

2. On ne saurait assez souligner l'importance attachée par les deux
interlocuteurs à l'opinion publique, δόξα. Celle-ci leur fournit tour
à tour une des pièces maîtresses de leur argumentation : I, 3-4 ; III,
11 ; IV, 8. Le souci exagéré de la réputation, κενοδοξία, a été constamment dénoncé par Jean. Voir, en particulier, *Sur la vaine gloire et
l'éducation des enfants*, SC 188, Paris 1972. Mais à la fin du *De sacerdotio*, il explique avec beaucoup de sagesse qu'il ne faut pas mépriser
l'opinion publique : c'est elle qui fait les réputations.

3. Avant τῆς πόλεως l'ensemble des mss ajoute τῆς ἡμερᾶς μέρος.
Seuls les mss B et C omettent ce membre de phrase Nous les suivons
en supprimant ce qui nous paraît être une glose.

Βασίλειον μετὰ τῶν ἄλλων ἔταξας οἷς οὐ θέμις εἰδέναι
30 τὰ σά.

'Αλλὰ τούτων μὲν οὐ πολύς μοι λόγος, ἐπειδή σοι τοῦτο
γέγονεν ἡδύ· τὴν δὲ λοιπὴν πῶς οἴσομεν τὴν αἰσχύνην; Οἱ μὲν
γὰρ ἀπονοίας, οἱ δὲ φιλοδοξίας σε γράφονται· ὅσοι δέ εἰσιν
ἀφειδέστεροι τῶν αἰτιωμένων ταῦτά τε ἡμῖν ἀμφότερα ἐγκα-
35 λοῦσιν ὁμοῦ καὶ προστιθέασι τὴν εἰς τοὺς τετιμηκότας ὕβριν,
δίκαια πεπονθέναι λέγοντες αὐτοὺς καὶ εἰ μείζονα τούτων
ἀτιμασθέντες ἔτυχον παρ' ἡμῶν ὅτι τοσούτους καὶ τηλικού-
τους ἀφέντες ἄνδρας, μειράκια χθὲς καὶ πρώην ἔτι ταῖς τοῦ
βίου μερίμναις ἐγκαλινδούμενα, ἵνα χρόνον βραχὺν τὰς ὀφρῦς
40 συναγάγωσι καὶ φαιὰ περιβάλλωνται καὶ κατήφειαν ὑπο-
κρίνωνται, ἐξαίφνης εἰς τοσαύτην ἤγαγον τιμὴν ὅσην οὐδὲ
ὄναρ λήψεσθαι προσεδόκησαν. Καὶ οἱ μὲν ἐκ πρώτης ἡλικίας
εἰς ἔσχατον γῆρας τὴν ἑαυτῶν ἐκτείναντες ἄσκησιν ἐν τοῖς
ἀρχομένοις εἰσίν· ἄρχουσι δὲ αὐτῶν οἱ παῖδες αὐτῶν καὶ μηδὲ

32 τὴν δὲ λοιπὴν B : τῶν δὲ λοιπῶν cett. ‖ 34 ταῦτά τε BC : ταῦθ'
cett. ‖ 38 ἔτι : ἐπὶ A.

1. 'Απόνοια, orgueil, φιλοδοξία, amour de la gloire, ce sont les deux
accusations que Jean va s'employer à réfuter successivement : orgueil,
II, 7- III, 1 ; amour de la gloire III, 2-10. Les deux termes sont repris
en conclusion du développement : III, 14, 79. Sur les connotations
d'ἀπόνοια, voir *infra*, p. 115, note 4.

2. 'Εγκαλινδέομαι, littéralement *se rouler dans*. Voir *Ab exil. epist.*
6, 18, *SC* 103, p. 86, li. 18 et note 4.

3. C'est le costume des moines. Une enluminure d'un ms. de Jérusalem, *Bibl. patr.*, *Cod.* 14, f. 264ʳ, fournit un document précieux pour
illustrer ce passage. On y voit Grégoire de Nazianze s'éloignant de
Constantinople sur une barque et déjà revêtu du manteau des moines,
alors que les évêques le reconduisent portant le manteau pourpre
et l'omophorion, insigne de leur dignité.

4. Voir *supra*, p. 77, note 2.

5. Jean aime à présenter la communauté chrétienne dans un rapport d'autorité et d'obéissance. Ὁ ἄρχων, c'est celui qui exerce l'autorité, qui commande, l'évêque ; οἱ ἀρχόμενοι, ceux qui sont soumis à
l'autorité, qui obéissent, les chrétiens, les fidèles. Dans une société

jamais croire que tu as mis Basile au nombre de ceux auxquels il n'est pas permis de connaître tes affaires.

De cette dernière accusation, je ne tiens pas compte,
puisque cela te fait plaisir ; mais du reste, comment supporterons-nous la honte ? Car les uns t'accusent d'orgueil,
les autres d'amour de la gloire[1] ; ceux qui sont les plus
acharnés parmi nos détracteurs nous reprochent les deux
choses à la fois et ajoutent encore l'insolence à l'égard de
ceux qui nous ont fait honneur. Ils ont subi, disent-ils, le
châtiment qu'ils méritent et, même s'ils se trouvent avoir
reçu de notre part un affront plus grand que celui-là, puisque, après avoir laissé de côté des hommes de si grande
valeur, ils ont soudain élevé à un honneur auquel ils ne
s'attendaient pas même en rêve des jeunes gens qui, hier
encore et tout récemment, étaient plongés dans les soucis
de la vie[2], pourvu que ceux-ci froncent les sourcils depuis
quelque temps, se drapent dans des vêtements sombres[3]
et qu'ils jouent la comédie du recueillement[4]. Les uns,
qui se sont entraînés à l'ascèse dès leur plus tendre jeunesse jusqu'à une extrême vieillesse, sont parmi ceux qui
obéissent ; ceux qui leur commandent[5] ce sont leurs dis-

---

fortement structurée, il n'est pas étonnant de voir l'Église présentée
de préférence sous cette forme. Mais Jean a soin de rappeler le fondement spirituel de ces rapports en soulignant que l'évêque et le prêtre
exercent l'autorité au nom du Christ et par sa délégation (III, 5, 24-27).
Il n'a d'ailleurs pas minimisé les ravages que faisaient, dans le monde
clérical de son temps, la passion de l'autorité et le désir de l'acquérir
(III, 10, 36-45 et 282-284). Ce désir est à l'origine de toutes les intrigues
que Jean dénonce à l'occasion des élections. Voir A.-M. MALINGREY,
« Le clergé d'Antioche vu par S. Jean Chrysostome », dans les *Mélanges
Dauvillier*, Toulouse 1979, p. 507-515. Malgré la fréquence des mots
ἄρχων et ἀρχόμενοι employés par Jean dans ce sens, le *PGL* n'en
donne qu'un exemple emprunté aux *Constitutions apostoliques*. Il
semble que l'usage de ces termes chez Chrysostome, et spécialement
dans le *Dialogue*, aurait dû être signalé.

45 τοὺς νόμους ἀκηκοότες καθ᾿ οὓς ταύτην δεῖ διοικεῖν τὴν
ἀρχήν. Ταῦτα καὶ πλείονα τούτων λέγοντες συνεχῶς ἡμῖν
ἐπιφύονται.

Ἐγὼ δὲ ὅ τι μὲν ἀπολογήσομαι πρὸς ταῦτα οὐκ ἔχω, δέομαι
δὲ σοῦ· οὐ γὰρ ἁπλῶς οὐδὲ εἰκῇ ταύτην οἶμαί σε φυγεῖν τὴν
50 φυγὴν καὶ πρὸς ἄνδρας οὕτω μεγάλους τοσαύτην ἀναδέξασθαι τὴν ἔχθραν, ἀλλὰ μετά τινος λογισμοῦ καὶ σκέψεως
ἐπὶ τοῦτο ἐλθεῖν, ὅθεν καὶ λόγον ἕτοιμον εἶναί σοι πρὸς
ἀπολογίαν στοχάζομαι. Εἰπὲ εἴ τινα πρόφασιν δικαίαν πρὸς
τοὺς ἐγκαλοῦντας δυνησόμεθα λέγειν. Ὧν γὰρ αὐτὸς ἠδίκημαι
55 παρὰ σοῦ, οὐδένα ἀπαιτῶ λόγον, οὐχ ὧν ἠπάτησας, οὐχ ὧν
προὔδωκας, οὐχ ὧν ἀπέλαυσας παρ᾿ ἡμῶν ἅπαντα τὸν
ἔμπροσθεν χρόνον. Ἡμεῖς μὲν γὰρ καὶ τὴν ψυχὴν τὴν ἡμετέραν, ὡς εἰπεῖν, φέροντες ἐνεθήκαμέν σου ταῖς χερσί· σὺ δὲ
τοσαύτῃ πρὸς ἡμᾶς ἐχρήσω τῇ πανουργίᾳ ὅσηπερ ἂν εἰ
60 πολεμίους σοί τινας φυλάξασθαι προὔκειτο. Καίτοι γε ἐχρῆν,
εἰ μὲν ὠφέλιμον ταύτην ᾔδεις οὖσαν τὴν γνώμην, μηδὲ
αὐτῆς τὸ κέρδος φυγεῖν· εἰ δὲ ἐπιβλαβῆ, καὶ ἡμᾶς οὓς πάντων
ἀεὶ προτιμᾶν ἔλεγες ἀπαλλάξαι τῆς ζημίας. Σὺ δὲ καὶ ὅπως
ἐμπεσούμεθα, ἅπαντα ἔπραξας, καὶ δόλου σοι καὶ ὑποκρίσεως
65 ἐδέησεν οὐδὲν πρὸς τὸν ἀδόλως καὶ ἁπλῶς ἅπαντα καὶ λέγειν
καὶ πράττειν εἰωθότα πρὸς σέ.

45 δεῖ BC : δεῖ αὐτοὺς cett. ‖ 45 διοικεῖν BC : διέπειν cett. ‖
48 πρὸς ταῦτα om. AEG D ‖ 49 σοῦ BC : φράσαι μοι add. cett. ‖ 49
οὐ BC E : οὐδὲ cett. ‖ 53 Εἰπὲ] + οὖν AG D HJK ‖ 62 αὐτῆς : αὐτὸς
BC σεαυτὸν K ‖ 63-108 προ]τιμᾶν — κοι[νωσόμεθα om. G ‖ 65
οὐδὲν C : om. cett.

1. Le mot παῖδες accompagné d'un génitif est une tournure courante qui indique d'abord un état de dépendance : ἰατρῶν παῖδες, *les
disciples des médecins*, puis simplement, *les médecins* ; φιλοσόφων παῖδες,
les disciples des philosophes, puis simplement, *les philosophes*.

2. Le verbe ἐπιφύομαι s'emploie pour caractériser l'action des
chiens qui s'acharnent à poursuivre quelqu'un. Dans le même sens
imagé qu'ici, Jean l'emploie pour les hérétiques acharnés contre les
chrétiens, *In epist. ad Ephes. cap. 2, hom.* IV, 1, *P G* 62, 31, li. 33.

ciples[1], eux qui n'ont jamais entendu parler des lois
selon lesquelles il faut exercer l'autorité. Voilà ce qu'ils
s'acharnent[2] sans cesse à nous dire et bien d'autres choses
encore.

Que puis-je répondre à cela ? je te le demande, car je
pense que ce n'est pas sans raison et à la légère[3] que tu t'es
enfui ainsi et que tu as encouru une telle réprobation de
la part d'hommes si respectables, mais si tu en es arrivé là,
c'est après réflexion[4] et mûr examen, d'où je suppose que
tu as des arguments prêts pour ta défense. Dis-moi si nous
pouvons donner une raison valable à ceux qui nous accusent.
En effet, si j'ai subi du tort de ta part, je ne tiens aucun
compte ni de ce que tu nous as trompé, ni de ce que tu nous
as trahi, ni de ce que tu nous as constamment exploité
auparavant. Nous, en t'offrant notre âme, pour ainsi dire,
nous l'avons mise entre tes mains ; mais toi, tu as usé
envers nous d'autant de duplicité que si tu avais eu comme
objectif de te garder de certains ennemis. Certes, si tu
pensais que cette décision était utile, il ne fallait pas fuir
le bénéfice que tu pouvais en tirer ; mais si tu pensais
qu'elle était nuisible, il fallait nous préserver, nous aussi,
de ce fléau, nous que tu disais toujours préférer à tous les
autres. Mais tu as tout fait pour que nous tombions dans le
piège. Ruse et dissimulation, rien ne t'a manqué à l'égard
de celui qui avait l'habitude de tout dire et de tout faire
devant toi franchement et simplement.

---

3. Jean aime à employer cette double expression qui semble faire
pléonasme, mais qui, sous sa forme négative, est destinée à souligner
le sérieux de l'entreprise. Voir à l'index une expression analogue :
μάτην καὶ εἰκῇ.

4. Le mot λογισμός comporte très souvent chez Jean une nuance
péjorative. Il n'en est pas de même dans le De sacerdotio, ni dans ce
passage, ni en VI, 12, 25 et 44, où le mot est accompagné de l'adjectif
ὀρθός et forme une expression à résonance stoïcienne.

Ἀλλ' ὅμως, ὅπερ ἔφην, οὐδὲν τούτων ἐγκαλῶ νῦν, οὐδὲ
ὀνειδίζω τὴν ἐρημίαν εἰς ἣν κατέστησας ἡμᾶς, τὰς συνόδους
διακόψας ἐκείνας ἐξ ὧν καὶ ἡδονὴν καὶ ὠφέλειαν οὐ τὴν
70 τυχοῦσαν ἐκαρπωσάμεθα πολλάκις. Ἀλλὰ πάντα ταῦτα ἀφίημι
καὶ φέρω σιγῇ καὶ πράως· οὐκ ἐπειδὴ πράως εἰς ἡμᾶς
ἐπλημμέλησας, ἀλλ' ἐπειδὴ τοῦτον ἔθηκα ἐμαυτῷ τὸν νόμον
ἀπὸ τῆς ἡμέρας ἐκείνης ἧς τὴν φιλίαν ἔστερξα τὴν σὴν ὑπὲρ
ὧν ἂν θέλῃς ἡμᾶς λυπεῖν, μηδέποτέ σε εἰς ἀπολογίας ἀνάγκην
75 καθιστᾶν. Ἐπεὶ ὅτι γε οὐ μικρὰν τὴν ζημίαν ἡμῖν ἐπήγαγες,
οἶσθα καὶ αὐτός, εἴγε μέμνησαι τῶν ῥημάτων καὶ τῶν παρὰ
τῶν ἔξωθεν περὶ ἡμῶν καὶ τῶν ὑφ' ἡμῶν λεγομένων ἀεί·
ταῦτα δὲ ἦν ὅτι πολὺ κέρδος ἡμῖν ὁμοψύχοις εἶναι καὶ
φράττεσθαι τῇ πρὸς ἀλλήλους φιλίᾳ. Καὶ οἱ μὲν ἄλλοι πάντες
80 ἔλεγον καὶ ἑτέροις πολλοῖς οὐ μικρὰν ὠφέλειαν τὴν ἡμετέραν
οἴσειν ὁμόνοιαν, ἐγὼ δὲ ὠφέλειαν μὲν οὐδέποτε ἐνενόησα,
τό γε εἰς ἐμὲ ἧκον, παρέξειν τισίν· ἔλεγον δὲ ὅτι τοῦτο γοῦν
ἀπ' αὐτῆς κερδανοῦμεν κέρδος οὐ μικρόν, τὸ δυσχείρωτοι
γενέσθαι τοῖς καταγωνίσασθαι βουλομένοις ἡμᾶς.
85 Καὶ ταῦτά σε ὑπομιμνήσκων οὐκ ἐπαυσάμην ποτέ· χαλεπὸς
ὁ καιρός, οἱ ἐπιβουλεύοντες πολλοί, τὸ τῆς ἀγάπης γνήσιον
ἀπόλωλεν, ἀντεισῆκται δὲ ὁ τῆς βασκανίας ὄλεθρος, ἐν μέσῳ
παγίδων διαβαίνομεν καὶ ἐπὶ ἐπάλξεων πόλεων περιπατοῦμεν·
οἱ μὲν ἕτοιμοι τοῖς ἡμετέροις ἐφησθῆναι κακοῖς, εἴποτέ τι
90 συμβαίη, πολλοὶ καὶ πολλαχόθεν ἐφεστήκασιν· ὁ δὲ συναλ-
γήσων οὐδείς, ἢ καὶ εὐαρίθμητοι λίαν. Ὅρα μὴ διαστάντες
ποτὲ πολὺν τὸν γέλωτα ὄφλωμεν καὶ τοῦ γέλωτος μείζονα

---

67 τούτων om. AE D ‖ 74 θέλης B : ἐθέλης C ἠθέλησας cett. ‖ 75 οὐ
μικρὰν BC : οὐκ εἰς μακρὰν D K οὐκ εἰς μικρὰν cett. ‖ 78 ὁμοψύχοις
BC AE D : ὁμοψύχους cett. ‖ 78 καὶ BC D F : τε καὶ cett. ‖ 81
ὠφέλειαν post ἧκον transp. AE ‖ 82 γοῦν : μὲν AE D ‖ 84 γενέσθαι
B : γίνεσθαι C εἶναι cett. ‖ 84 ἡμῖν C ‖ 88 πόλεων : πόλεως C. ‖ 92
ὀφλήσομεν K.

1. Jean se sert volontiers de l'expression ὁ τυχών soit sous sa forme
positive, soit sous sa forme négative, comme ici. Sauf exception, nous
avons traduit la plupart des litotes par leur équivalent positif.

Toutefois, je l'ai dit, je ne te reproche rien de cela actuellement et je ne me répands pas en plaintes devant l'isolement dans lequel tu m'as laissé, devant ces entretiens que tu as interrompus et dont souvent nous avons tiré tant de plaisir et de profit[1]. Mais je laisse tout cela de côté et je le supporte en silence et avec douceur ; ce n'est pas que tu aies mis de la douceur en te rendant coupable envers moi, mais à partir du jour où j'ai été privé de ton amitié, je me suis imposé une loi, c'est de ne jamais t'obliger à te défendre sur des points où tu avais l'intention de me faire de la peine. D'ailleurs, le tort que tu m'as causé est grand, tu le sais toi-même, si du moins tu te souviens de ce que disaient de nous les étrangers et de ce que nous disions toujours nous-mêmes, à savoir que l'union de nos cœurs était un grand bien et que nous étions mutuellement protégés par notre amitié. Tout le monde disait aussi que l'harmonie de nos sentiments aurait à l'égard de beaucoup d'autres une grande utilité. Quant à moi, je n'ai jamais pensé, du moins en ce qui me concerne, être utile à quelqu'un, mais le principal bénéfice que nous en tirerons, me disais-je, c'est que, si nous sommes attaqués, ceux qui veulent nous combattre auront peine à triompher de nous.

Et je ne cessais de te le rappeler : les temps sont difficiles, nombreux sont ceux qui nous tendent des pièges, la vraie charité est morte et, à sa place, c'est la ruine née de la jalousie. Nous marchons au milieu des pièges et nous nous promenons sur les créneaux de la ville[2] ; ceux qui sont prêts à se réjouir de nos maux, s'il en arrive, surgissent nombreux et de partout ; mais il n'y a personne pour prendre part à nos peines ou du moins ceux-là sont bien faciles à compter. Prends garde que, si un jour nous n'étions pas d'accord, nous ne soyons exposés à la risée publique

2. Allusion scripturaire à *Sir.* 9, 13 : « Sache que tu marches au milieu des pièges et que tu te promènes sur les créneaux de la ville. » Jean adapte cette citation à son propos, avec sa liberté habituelle, en mettant le sujet au pluriel.

τὴν ζημίαν. « Ἀδελφὸς ὑπὸ ἀδελφοῦ βοηθούμενος ὡς πόλις
ὀχυρὰ καὶ ὡς μεμοχλευμένη βασιλεία[a]. » Μὴ δὴ διαλύσῃς
95 ταύτην τὴν γνησιότητα, μηδὲ διακόψῃς τὸν μοχλόν.

Ταῦτα καὶ τούτων πλείονα ἔλεγον συνεχῶς, οὐδὲν μέν ποτε
ὑποπτεύων τοιοῦτον, ἀλλὰ καὶ πάνυ σε τὰ πρὸς ἡμᾶς ὑγιαίνειν
νομίζων, ἐκ περιουσίας δὲ καὶ ὑγιαίνοντα θεραπεύειν βουλό-
μενος· ἐλάνθανον δέ, ὡς ἔοικε, νοσοῦντι τὰ φάρμακα ἐπιτι-
100 θείς, καὶ οὐδὲ οὕτως ὁ δείλαιος ὤνησα, οὐδὲ γέγονεν ἐμοί τι
πλέον ἐκ ταύτης τῆς ἄγαν προμηθείας. Πάντα γὰρ ἐκεῖνα
ῥίψας ἀθρόως καὶ μηδὲ εἰς νοῦν βαλλόμενος, ὥσπερ ἀνερμά-
τιστον πλοῖον εἰς πέλαγος ἡμᾶς ἄπειρον ἀφῆκας, οὐδὲν τῶν
ἀγρίων ἐκείνων ἐννοήσας κυμάτων ἅπερ ἡμᾶς ὑπομένειν
105 ἀνάγκη. Εἰ γάρ ποτε συμβαίη συκοφαντίαν ἢ χλευασίαν ἢ καὶ
ἄλλην τινὰ ὕβριν καὶ ἐπήρειαν ἐπενεχθῆναί ποθεν ἡμῖν — πολλάκις δὲ τὰ τοιαῦτα συμβαίνειν ἀνάγκη —, πρὸς τίνα κατα-
φευξόμεθα; τίνι κοινωσόμεθα τὰς ἡμετέρας ἀθυμίας; τίς
ἡμῖν ἀμῦναι θελήσει καὶ τοὺς μὲν λυποῦντας ἀνακόψει καὶ
110 ποιήσει μηκέτι λυπεῖν, ἡμᾶς δὲ παραμυθήσεται καὶ παρα-
σκευάσει τὰς ἑτέρων φέρειν ἀπαιδευσίας; Οὐκ ἔστιν οὐδείς,
σοῦ πόρρωθεν ἑστηκότος τοῦ δεινοῦ τούτου πολέμου καὶ μηδὲ
κραυγὴν ἀκοῦσαι δυναμένου. Ἆρα οἶδας ὅσον εἴργασταί σοι
κακόν; ἆρα νῦν γοῦν μετὰ τὸ πλῆξαι ἐπιγινώσκεις ὡς καιρίαν
115 ἡμῖν ἔδωκας τὴν πληγήν; Ἀλλὰ ταῦτα μὲν ἀφείσθω· οὐδὲ
γὰρ ἔστι τὰ γενόμενα ἀναλῦσαι λοιπόν, οὐδὲ πόρον τοῖς
ἀπόροις εὑρεῖν. Τί πρὸς τοὺς ἔξωθεν ἐροῦμεν; τί πρὸς τὰς
αἰτίας ἀπολογησόμεθα τὰς ἐκείνων;

94 δὴ B HJK : δὲ C om. cett. ‖ 100 ἐμοί B : μοι cett. ‖ 102 μηδὲ
BC : οὐδὲ cett. ‖ 102 βαλόμενος C ‖ 113 δυναμένου B : δυναμένου
ποτέ cett. ‖ 117 ἐροῦμεν om. AEG D.

a. Prov. 18, 19.

1. Littéralement : la barre qui ferme la porte (μοχλός). Cf. *De inani
gloria*, SC 188, paragr. 27, li. 369 et la note 3 de la page 114.
2. Sur l'ἀθυμία, voir *Lettres à Olympias*, SC 13 bis, Introd., p. 47-49.
3. Adage. Cf. ARISTOTE, *Eth. Nic.* VI, 2, 1139b : Τὸ δὲ γεγονὸς

et que le tort subi ne soit encore plus grand que les moqueries. « Un frère aidé par son frère est comme une ville fortifiée et comme un palais solidement barricadé[a]. » Ne mets
pas fin à cette amitié authentique et ne brise pas ce qui
nous protège[1].

Voilà ce que je disais constamment et bien d'autres choses
encore. Je ne soupçonnais rien de ce qui vient d'arriver,
mais je pensais que tu étais dans d'excellentes dispositions
à mon égard et qu'il était superflu de vouloir soigner quelqu'un qui se portait bien. Je ne m'apercevais pas que, selon
toute apparence, je donnais des remèdes à un malade.
Malheureux que je suis, je n'ai même pas pu, en agissant
ainsi, être efficace et ma sollicitude extrême ne m'a rien
rapporté. Tu as rejeté tout cela à la fois et, sans y faire
attention, tu nous as lancé sur l'océan infini, comme une
embarcation dépourvue de lest, sans penser à l'assaut des
flots sauvages qu'il nous faudrait affronter. Si jamais la
calomnie, la raillerie ou une insolence ou une insulte quelconque est dirigée contre nous — car cela se produit souvent, on n'y peut rien —, vers qui nous réfugierons-nous ?
avec qui partagerons-nous notre tristesse[2] ? qui voudra
nous protéger ? qui repoussera ceux qui nous causent du
chagrin et fera en sorte qu'ils ne nous en causent plus ? qui
nous consolera et qui nous préparera à supporter les gros-
sièretés des autres ? Il n'y a personne, si tu te tiens à l'écart
de ce redoutable champ de bataille et si tu ne peux même
pas entendre mes cris. Sais-tu combien tu m'as fait de mal ?
reconnais-tu du moins maintenant qu'après m'avoir frappé,
tu m'as donné le coup de grâce ? Mais laissons tout cela,
car il n'est plus possible désormais d'effacer le passé et de
trouver une issue à des chemins sans issue[3]. Que dirons-
nous aux étrangers ? que répondrons-nous pour nous
défendre devant leurs accusations ?

οὐκ ἐνδέχεται μὴ γενέσθαι. « Ce qui a été ne peut pas ne pas avoir
été. » On remarquera, de plus, le jeu de mots πόρος, ἄπορος.

ε΄. Ἀπολογία ὑπὲρ
τούτου ἡμετέρα

ΙΩ. Θάρσει, ἔφην ἐγώ· οὐ γὰρ
ὑπὲρ τούτων εἰμὶ μόνον ἕτοιμος
εὐθύνας ὑπέχειν, ἀλλὰ καὶ ὧν ἀνευ-
θύνους ἡμᾶς ἀφῆκας, καὶ τούτων πειράσομαί σοι δοῦναι λόγον
5 ὡς ἂν οἷός τε ὦ. Καὶ εἰ βούλει γε, ἀπ' αὐτῶν πρῶτον τῆς
ἀπολογίας ποιήσομαι τὴν ἀρχήν· καὶ γὰρ ἂν εἴην ἄτοπος καὶ
λίαν ἀγνώμων, εἰ τῆς παρὰ τῶν ἔξωθεν δόξης φροντίζων καὶ
ὅπως παύσωνται ἡμῖν ἐγκαλοῦντες πάντα ποιῶν, τὸν ἁπάντων
μοι φίλτατον καὶ τοσαύτῃ πρὸς ἡμᾶς αἰδοῖ κεχρημένον ὡς
10 μηδὲ ὑπὲρ ὧν ἠδικῆσθαί φησιν ἐγκαλέσαι θελῆσαι, ἀλλὰ παρ'
οὐδὲν τὰ αὑτοῦ θέμενον ἔτι τῶν ἡμετέρων φροντίζειν, μὴ
δυναίμην ὡς οὐκ ἀδικῶ πεῖσαι, ἀλλὰ μείζονι περὶ αὐτὸν
φαινοίμην κεχρημένος ῥαθυμίᾳ ἧς αὐτὸς περὶ ἡμᾶς ἐπεδείξατο σπουδῆς.

ϛ΄. Ὅτι ἔστιν
ἀπάτῃ πρὸς
τὸ συμφέρον
κεχρῆσθαι

Τί ποτ' οὖν σε ἠδικήκαμεν; ἐπειδὴ
καὶ ἐντεῦθεν ἐγνώκαμεν εἰς τὸ τῆς
ἀπολογίας ἀφεῖναι πέλαγος. Ἆρα
ὅτι σε παρεκρουσάμεθα καὶ τὴν
ἡμετέραν ἐκρύψαμεν γνώμην; ἀλλ'
ἐπὶ κέρδει καὶ τοῦ ἀπατηθέντος σου καὶ οἷς ἀπατήσαντές σε
προὐδώκαμεν. Εἰ μὲν γὰρ δι' ὅλου τὸ τῆς κλοπῆς κακὸν καὶ
οὐκ ἔστιν εἰς δέον αὐτῷ χρήσασθαί ποτε, δοῦναι ἕτοιμοι
δίκην ἡμεῖς ἣν ἂν αὐτὸς ἐθέλῃς· μᾶλλον δὲ σὺ μὲν οὐδέποτε
10 παρ' ἡμῶν ἀνέξῃ δίκην λαβεῖν, ἡμεῖς δὲ ἑαυτῶν καταγνω-

ε΄. 2 εἰμὶ om. BC A ‖ 3-4 ὧν ἀνευθύνους ἡμᾶς ἀφῆκας : ὧν ἂν ἡμᾶς
εὐθύνας ἀπαιτῶσιν AEG D ‖ 6 ἀπολογίας] + τῶν λόγων AG FHJK
+ τὸν λόγον E D ‖ 8 παύσωνται B : παύσαιντο cett. ‖ 10-11 παρ'
οὐδὲν BC : φρούδην AE D φροῦδα cett. ‖ 12 ἀλλὰ] + καὶ C K.
ϛ΄. 1 ἠδικήκαμεν BC : -σαμεν cett. ‖ 7 κλοπῆς : ἀπάτης C ‖ 8 αὐτῷ :
αὐτῇ C αὐτὸ E D ‖ 9 ἐθέλοις EG ‖ 9 σὺ post ἡμῶν transp. C.

1. Pour saisir le mouvement de la pensée, il faut se souvenir que
deux accusations ont été portées contre Jean par l'entourage des
deux amis : orgueil, amour de la gloire, I, 4, 31-35. Avant de les
réfuter, Jean relève le grief de ruse et de tromperie formulé par
Basile en I, 4, 64. Bien que celui-ci se soit borné à constater le fait,

5. Notre défense sur ce point

JEAN. Prends courage, lui dis-je, car non seulement je suis prêt à te rendre des comptes sur ces points, mais je m'efforcerai, autant que je le pourrai, de te donner la raison des actes dont tu nous as tenu quitte. Et si tu veux, c'est à leur propos que je commencerai par me défendre[1] ; je serais, en effet, absurde et tout à fait insensé, si je faisais tout pour mettre fin à leurs accusations, tandis que celui qui m'est le plus cher de tous et qui use envers nous d'une si grande délicatesse qu'il ne veut pas nous faire de reproches sur les points où il a, dit-il, été lésé et, sans tenir compte de ses propres affaires[2], veut encore s'occuper des miennes, si cet ami-là je ne pouvais le persuader que je ne lui fais pas de tort, mais si je paraissais user envers lui d'une négligence égale au zèle qu'il a montré à notre égard.

6. Il est permis d'user de ruse pour le bien

En quoi t'avons-nous fait du tort, puisque c'est dans cette direction que nous avons décidé de nous embarquer sur l'océan de notre défense. Est-ce parce que nous t'avons trompé et que nous t'avons caché notre décision ? mais c'était pour le bien et de toi qui étais trompé et des autres que nous avons trompés et auxquels nous t'avons livré. Si la dissimulation est toujours un mal et s'il n'est jamais permis d'en user pour le bon motif, nous sommes prêt à subir la peine que tu voudras ; bien plus, tu n'auras jamais à prendre l'initiative de notre punition, mais nous nous condamnerons à la peine

---

Jean veut d'abord s'expliquer sur ce point, d'où le développement qui s'amorce en I, 6 sur la légitimité de la tromperie.

2. Nous avons choisi la variante offerte par BC. C'est une expression (παρ' οὐδὲν) empruntée au vocabulaire des tragiques, soit avec ἄγω, SOPHOCLE, *Ant.* 35, soit avec τίθημι, EURIPIDE, *Iph. Taur.* 732. A l'époque romaine, elle est passée dans la prose, par exemple, PLUTARQUE, *Cato* 338a.

σόμεθα ταῦτα ἃ τῶν ἀδικούντων οἱ δικάζοντες ὅταν αὐτοὺς
ἕλωσιν οἱ κατήγοροι. Εἰ δὲ οὐκ ἀεὶ τὸ πρᾶγμα ἐπιβλαβές,
ἀλλὰ παρὰ τὴν τῶν χρωμένων προαίρεσιν γίνεται φαῦλον ἢ
καλόν, ἀφεὶς ἐγκαλεῖν τὸ ἠπατῆσθαι, δεῖξον ἐπὶ κακῷ τοῦτο
15 τεχνησαμένους· ὡς ἕως ἂν τοῦτο ἀπῇ, μὴ ὅτι μέμψεις καὶ
αἰτίας ἐπάγειν, ἀλλὰ καὶ ἀποδέχεσθαι τὸν ἀπατῶντα δίκαιον
ἂν εἴη τούς γε εὐγνωμόνως διακεῖσθαι βουλομένους. Τοσοῦτον
γὰρ ἔχει κέρδος εὔκαιρος ἀπάτη καὶ μετὰ τῆς ὀρθῆς γινομένη
διανοίας ὡς πολλοὺς ὅτι μὴ παρεκρούσαντο καὶ δίκην δοῦναι
20 πολλάκις.

Καὶ εἰ βούλει γε τῶν στρατηγῶν τοὺς ἐξ αἰῶνος εὐδοκιμή-
σαντας ἐξετάσαι, τὰ πλείονα αὐτῶν τρόπαια τῆς ἀπάτης
εὑρήσεις ὄντα κατορθώματα καὶ μᾶλλον τούτους ἐπαινουμένους ἢ τοὺς ἐκ τοῦ φανεροῦ κρατοῦντας. Οἱ μὲν γὰρ μετὰ
25 πλείονος τῆς δαπάνης καὶ τῆς τῶν χρημάτων καὶ τῆς τῶν
σωμάτων κατορθοῦσι τοὺς πολέμους, ὡς μηδὲν πλέον αὐτοῖς
ἀπὸ τῆς νίκης γίνεσθαι, ἀλλὰ παρ' οὐδὲν ἧττον τῶν ἡττω-
μένων τοὺς κρατήσαντας δυστυχεῖν, καὶ τῶν στρατευμάτων
ἀνηλωμένων καὶ τῶν ταμιείων κεκενωμένων. Πρὸς δὲ τούτοις
30 οὐδὲ τῆς ἐπὶ τῇ νίκῃ δόξης αὐτοὺς ἀφιᾶσιν ἀπολαῦσαι πάσης·
μέρος γὰρ αὐτῆς οὐ μικρὸν συμβαίνει καὶ τοὺς πεπτωκότας
καρποῦσθαι, διὰ τὸ ταῖς ψυχαῖς νικῶντας τοῖς σώμασιν
ἡττηθῆναι μόνοις, ὡς εἴγε ἐνῆν βαλλομένους μὴ πίπτειν, μηδὲ
ἐπελθὼν ὁ θάνατος αὐτοὺς ἔπαυσεν, οὐκ ἂν ἔστησαν τῆς
35 προθυμίας ποτέ. Ὁ δὲ ἀπάτῃ κρατῆσαι δυνηθεὶς οὐ συμφορᾷ

12 ἕλωσιν : ἐλέγχωσιν FHJK ‖ 17 γε B : τε C om. cett. ‖ 19
παρεκρούσαντο : χρήσαιντο A ‖ 24 ἐπαινοῦμεν C ‖ 27 ἧττον B : τὰ
cett. ‖ 28 κρατήσαντας BC : κρατοῦντας cett. ‖ 30 ἀφιᾶσιν BC :
ἀφίησιν cett. ‖ 33 ἡττηθῆναι BC : ἡττᾶσθαι cett.

1. Nous avons ici l'annonce du développement qui va suivre. On
remarquera l'importance du membre de phrase παρὰ τὴν τῶν χρωμένων
προαίρεσιν. Sur la justification d'une certaine duplicité, ἀπάτη, en
latin *dolus*, voir une intéressante contribution d'A.-M. LA BONNAR-
DIÈRE dans *Forma futuri. Studi in onore... Michele Pellegrino*, Turin
1975, p. 868-883, « Le dol et le jeu d'après saint Augustin ».

qu'imposent les juges à ceux qui ont mal agi, lorsque les accusateurs les ont pris en flagrant délit. Si, au contraire, la chose n'est pas toujours nuisible, mais si, selon l'intention de ceux qui l'utilisent, elle devient un mal ou un bien[1], cesse de me reprocher d'avoir été trompé et prouve-moi que nous avons inventé ce stratagème pour le mal ; tant que cette hypothèse est écartée, il n'y a pas lieu de me faire de reproches ni de m'accuser, mais il serait juste que ceux qui veulent se maintenir dans ces dispositions bienveillantes comprennent celui qui trompe. En effet, une tromperie faite à propos et dans une pensée droite présente un tel avantage que bien des gens ont souvent été punis pour n'avoir pas usé de fraude.

Si tu veux chercher ceux qui, dans l'Antiquité, se sont fait un nom parmi les généraux, tu trouveras que la plupart de leurs trophées sont des résultats de la ruse et qu'on les félicite plus que ceux qui triomphent au grand jour. En effet, les uns remportent la guerre à grands frais d'argent et d'hommes, si bien que leur victoire ne leur procure aucun avantage, mais la situation des vaincus n'est en rien pire que celle des vainqueurs[2] : leurs armées sont décimées, leurs greniers sont vides. En outre, on ne les laisse pas jouir complètement de la gloire qui résulte de leur victoire ; il arrive, en effet, que ceux qui sont tombés en ont une part non négligeable, car si leurs corps ont succombé, leurs âmes sont victorieuses ; c'est au point que, même s'il était possible qu'après avoir été frappés, ils ne soient pas tombés et si la mort survenant n'avait pas mis fin à leur vie, leur ardeur n'aurait jamais connu de bornes. Au contraire, celui

---

2. Voir l'oracle de la Sibylle d'Érythrée consultée au sujet de Philippe : Κλαίει ὁ κινήσας, ὁ δὲ κληθεὶς ἀπόλωλεν, « Celui qui a pris les armes pleure, mais celui qui est l'objet d'une malédiction meurt », *Corpus Paroemiographorum graecorum*, éd. Leutsch-Schneidewin, Gottingue 1839, Zenobius, Centurie IV, n° 78, p. 105. Philippe, vainqueur à Chéronée, fut tué aussitôt après par Pausanias.

μόνον, ἀλλὰ καὶ γέλωτι περιβάλλει τοὺς πολεμίους· οὐ γὰρ
ὥσπερ ἐκεῖ τοὺς ἐπαίνους ἐξ ἴσης ἀποφέρονται ἀμφότεροι
τοὺς ἐπὶ τῇ ῥώμῃ, οὕτω καὶ ἐνταῦθα τοὺς ἐπὶ τῇ φρονήσει,
ἀλλ᾽ ὅλον τῶν νικώντων ἐστὶ τὸ βραβεῖον καί, τὸ τούτων οὐκ
40 ἔλαττον, τὴν ἀπὸ τῆς νίκης ἡδονὴν ἀκέραιον τῇ πόλει φυλάτ-
τουσιν. Οὐ γάρ ἐστιν ὥσπερ ὁ τῶν χρημάτων πλοῦτος καὶ τὸ
τῶν σωμάτων πλῆθος, ἡ τῆς ψυχῆς φρόνησις· ἀλλ᾽ ἐκεῖνα
μὲν ὅταν τις αὐτοῖς ἐν τοῖς πολέμοις χρῆται συνεχῶς δαπανᾶ-
σθαι συμβαίνει καὶ ἀπολείπειν τοὺς ἔχοντας, αὕτη δὲ ὅσωπερ
45 ἄν τις αὐτὴν ἀνακινῇ τοσούτῳ μᾶλλον αὔξεσθαι πέφυκεν.
Οὐκ ἐν τοῖς πολέμοις δὲ μόνον, ἀλλὰ καὶ ἐν εἰρήνῃ πολλὴν καὶ
ἀναγκαίαν εὕροι τις ἂν τῆς ἀπάτης τὴν χρείαν· καὶ οὐ πρὸς τὰ
τῆς πόλεως πράγματα μόνον, ἀλλὰ καὶ ἐν οἰκίᾳ πρὸς γυναῖκα
ἀνδρὶ καὶ πρὸς ἄνδρα γυναικὶ καὶ πατρὶ πρὸς υἱὸν καὶ πρὸς
50 φίλον φίλῳ, ἤδη δὲ καὶ πρὸς πατέρα παισί. Καὶ γὰρ τῶν τοῦ
Σαοὺλ χειρῶν ἡ τοῦ Σαοὺλ θυγάτηρ οὐκ ἴσχυσεν ἂν ἑτέρως
ἐξελέσθαι τὸν ἄνδρα τὸν αὐτῆς, ἀλλ᾽ ἢ μετὰ τοῦ παραλο-
γίσασθαι τὸν πατέρα· ὁ ταύτης δὲ ἀδελφὸς τὸν ὑπ᾽ ἐκείνης
διασωθέντα σῶσαι βουλόμενος κινδυνεύοντα πάλιν τοῖς αὐτοῖς
55 ὅπλοις ἐχρῆτο οἷσπερ καὶ ἡ γυνή.

Καὶ ὁ Βασίλειος·

᾽Αλλ᾽ οὐδὲν τούτων πρὸς ἐμέ, φησίν· οὐδὲ γὰρ ἐχθρὸς ἐγὼ
καὶ πολέμιος, οὔτε τῶν ἀδικεῖν ἐπιχειρούντων, ἀλλ᾽ ἅπαν
τοὐναντίον· τῇ σῇ γνώμῃ τὰ ἐμαυτοῦ ἐπιτρέψας ἀεὶ ταύτῃ
60 εἰπόμην ᾗπερ ἐκέλευσας.

---

36 μόνον BC : μόνη cett. ‖ 37 ἀποφέρονται : φέρονται BC ‖ 45
τοσοῦτον C E τοσοῦτο F ‖ 51 ἂν B : om. cett. ‖ 55 ἐχρῆτο B : ἐκε-
χρῆτο C ἐχρήσατο cett. ‖ 56 Καὶ ὁ Βασίλειος om. H ‖ 58 ἀλλ᾽ ἅπαν
B : ἀλλὰ πᾶν cett. ‖ 59 ἐμαυτοῦ B : ἐμαυτοῦ πάντα cett. ‖ 59 ταύτῃ :
ταύτην BC D.

---

1. Persuadé de la nécessité de la tromperie lorsqu'il s'agit d'un
bien supérieur, Jean l'admet non seulement dans les affaires de l'État,

qui a pu vaincre par la ruse accable les ennemis non seulement de malheur, mais encore de ridicule, car si, dans l'autre cas, les uns et les autres reçoivent des éloges pour leur force, dans ce cas-ci c'est pour leur ingéniosité, mais le prix de la victoire reste tout entier au vainqueur et, ce qui n'est pas moins important, ils ménagent à leur ville la joie sans mélange qui résulte de la victoire. En effet, l'ingéniosité de l'esprit n'est pas comme l'abondance de la richesse et l'importance des troupes ; celles-ci, lorsqu'on les emploie continuellement dans les guerres, il arrive qu'on les épuise et que les gens qui les possédaient ne les aient plus, tandis que celle-là plus on y fait appel, plus d'ordinaire elle augmente. Ce n'est pas seulement à la guerre, mais aussi en temps de paix que l'utilité de la tromperie s'avère grande et nécessaire ; et non pas seulement quand il s'agit des affaires de la ville, mais encore à la maison, le mari à l'égard de sa femme, la femme à l'égard de son mari, le père à l'égard de son fils, l'ami à l'égard de son ami et même les enfants à l'égard de leur père[1]. En effet, la fille de Saül n'aurait pu arracher son mari aux mains de Saül si elle n'avait pas trompé son père[2], et son frère, lorsqu'il voulut sauver celui qu'elle avait déjà sauvé et qui était en danger, usa de nouveau des mêmes armes dont cette femme s'était servi[3].

Alors Basile :

Mais rien de tout cela ne me concerne, dit-il, car je ne suis ni un ennemi particulier, ni un ennemi de guerre, ni parmi ceux qui cherchent à faire du mal, mais tout le contraire ; ayant toujours confié mes affaires à ta décision, je suivais la route que tu avais tracée.

---

mais dans les familles. Ainsi saint Augustin absout Jacob et Rebecca. Voir « Le dol... » *(art. supra cit.)*, p. 880-881.

2. Sur Mikal, fille de Saül et femme de David, voir *I Sam.* 19, 11-18.

3. Sur son frère Jonathan, voir *I Sam.* 20, 4-42.

ζ΄. Ὅτι οὐδὲ
ἀπάτην τὸ
τοιοῦτο δεῖ
καλεῖν ἀλλ᾽
οἰκονομίαν

ΙΩ. Ἀλλ᾽ ὦ θαυμάσιε καὶ ἀγαθώ
τατε, διὰ τοῦτο γὰρ καὶ αὐτὸς φθά
σας εἶπον ὅτι οὐκ ἐν πολέμῳ μόνον,
οὐδ᾽ ἐπὶ τοὺς ἐχθρούς, ἀλλὰ καὶ ἐν
εἰρήνῃ καὶ ἐπὶ τοὺς φιλτάτους χρῆσθαι
ταύτῃ καλόν. Ὅτι γὰρ οὐ τοῖς
ἀπατῶσι μόνον, ἀλλὰ καὶ τοῖς ἀπατωμένοις τοῦτο χρήσιμον,
προσελθών τινι τῶν ἰατρῶν ἐρώτησον πῶς ἀπαλλάττουσι τῆς
νόσου τοὺς κάμνοντας, καὶ ἀκούσῃ παρ᾽ αὐτῶν ὅτι οὐκ ἀρκοῦνται τῇ τέχνῃ μόνῃ, ἀλλ᾽ ἔστιν ὅπου καὶ τὴν ἀπάτην παραλα-
βόντες καὶ τὴν παρ᾽ αὐτῆς βοήθειαν καταμίξαντες, οὕτως
ἐπὶ τὴν ὑγίειαν τοὺς ἀσθενοῦντας ἐπανήγαγον. Ὅταν γὰρ τὸ
δυσάρεστον τῶν ἀρρωστούντων καὶ τῆς νόσου δὲ αὐτῆς τὸ
δυστράπελον μὴ προσίηται τὰς τῶν ἰατρῶν συμβουλάς, τότε
τὸ τῆς ἀπάτης ὑποδῦναι προσωπεῖον ἀνάγκη, ἵν᾽ ὥσπερ ἐπὶ
τῆς σκηνῆς τὴν τῶν γινομένων ἀλήθειαν κρύψαι δυνηθῶσιν.

Εἰ δὲ βούλει, καὶ ἐγώ σοι διηγήσομαι δόλον ἕνα ἐκ πολλῶν
ὧν ἤκουσα κατασκευάζειν ἰατρῶν παῖδας. Ἐπέπεσέ ποτέ τινι
πυρετὸς ἀθρόως μετὰ πολλῆς τῆς σφοδρότητος καὶ ἡ φλὸξ
ᾔρετο καὶ τὰ μὲν δυνάμενα σβέσαι τὸ πῦρ ἀπεστρέφετο ὁ
νοσῶν, ἐπεθύμει δὲ καὶ πολὺς ἐνέκειτο, τοὺς εἰσιόντας πρὸς
αὐτὸν ἅπαντας παρακαλῶν, ἄκρατον ὀρέξαι πολὺν καὶ παρασχεῖν ἐμφορηθῆναι τῆς ὀλεθρίου ταύτης ἐπιθυμίας· οὐ γὰρ
τὸν πυρετὸν ἐκκαύσειν μόνον ἔμελλεν, ἀλλὰ καὶ παραπληξίᾳ

ζ΄. 5 χρῆσθαι BC : χρήσασθαι cett. ‖ 14 συμβουλείας C ‖ 16 τῆς
BC A : om. cett. ‖ 18 Ἐπέπεσε : ἔπεσε E FHJ.

1. Voici les différents vocatifs employés dans le *De sacerdotio* :
ὦ θαυμάσιε καὶ ἀγαθώτατε, I, 7, 1-2 ; ὦ μακάριε, III, 10, 176 ; ὦ πάντων
ἀγαθώτατε σύ, IV, 1, 30 ; ὦ γενναῖε, V, 6, 1 ; ὦ μακάριε σύ, VI, 8, 9 ;
ὦ φίλη κεφαλή, VI, 13, 90. Ces vocatifs contribuent à créer dans le
Dialogue une atmosphère platonicienne.
2. Platon avait déjà posé le problème en termes généraux, à propos
des légendes mythologiques, *Rep.* II, 382a. A la question : Quand le
mensonge est-il admissible ? il répond : Quand on est menacé de subir

7. Il ne faut pas qualifier cela de ruse, mais de sage conduite

JEAN. Mais, homme admirable et excellent[1], voilà pourquoi je me suis empressé de te dire que ce n'est pas seulement à la guerre, ni contre les ennemis, mais encore en temps de paix et avec les amis les plus chers qu'il est bon d'agir ainsi[2]. En effet, c'est un procédé utile non seulement à ceux qui trompent, mais à ceux qui sont trompés. Demande à des médecins que tu vas consulter comment ils délivrent les patients de leur maladie et tu apprendras d'eux que non seulement ils ne se contentent pas de leur art, mais qu'il y a des cas où, après avoir employé la tromperie et après y avoir joint le secours qu'elle apporte, ils ont pu ainsi ramener les malades à la santé[3]. Lorsque le dégoût qu'éprouvent les gens affaiblis et les mauvaises dispositions qu'engendre la maladie les empêchent d'accepter les conseils des médecins, alors il faut mettre le masque de la tromperie pour pouvoir, comme au théâtre, cacher la vérité des choses.

Si tu veux, je te raconterai une ruse parmi beaucoup d'autres, dont j'ai entendu dire qu'elle était employée par les médecins. La fièvre tomba un jour tout d'un coup sur un malade avec une grande violence et la température montait. Le malade refusait ce qui pouvait en calmer le feu, mais il désirait, insistant et suppliant tous ceux qui venaient le voir, qu'on lui donnât une bonne quantité de vin pur et qu'on lui permît de se gorger de ce qui était l'objet d'un désir pernicieux ; car non seulement cela devait attiser la fièvre, mais c'était le livrer à la paralysie, si on lui

les conséquences d'une mauvaise action, alors pour s'en préserver, il devient utile comme remède : Τότε ἀποτροπῆς ἕνεκα ὡς φάρμακον χρήσιμον γίγνεται.

3. Le thème de la tromperie employée par les médecins pour soigner leurs malades se trouve déjà chez CLÉMENT D'ALEXANDRIE, *Strom.* VII, ix, 53, 2, *GCS* 17, p. 39 et se retrouve chez BASILE DE CÉSARÉE, *Hom. in ps.* I, 1, *P G* 29, 212.

25 παραδώσειν τὸν δείλαιον, εἴ τις αὐτῷ πρὸς ταύτην εἶξε τὴν
χάριν. Ἐνταῦθα τῆς τέχνης ἀπορουμένης καὶ οὐδεμίαν
ἐχούσης μηχανήν, ἀλλὰ παντελῶς ἐκβεβλημένης, εἰσελθοῦσα
τοσαύτην ἐπεδείξατο τὴν αὐτῆς δύναμιν ἡ ἀπάτη ὅσην αὐτίκα
παρ' ἡμῶν ἀκούσῃ. Ὁ γὰρ ἰατρὸς ἄρτι τῆς καμίνου προελθὸν
30 ἄγγος ὀστράκου λαβὼν καὶ βάψας οἴνῳ πολλῷ, εἶτα ἀνασπάσας κενὸν καὶ πλήσας ὕδατος, κελεύει τὸ δωμάτιον ἔνθα
κατέκειτο ὁ νοσῶν συσκιάσαι παραπετάσμασι πολλοῖς ἵνα
μὴ τὸ φῶς ἐλέγξῃ τὸν δόλον καὶ δίδωσιν ἐκπιεῖν ὡς ἀκράτου
πεπληρωμένον. Ὁ δὲ πρὶν εἰς τὰς χεῖρας λαβεῖν ὑπὸ τῆς
35 ὀσμῆς προσπεσούσης εὐθέως ἀπατηθεὶς οὐδὲ πολυπραγμονεῖν
ἠνέσχετο τὸ δοθέν, ἀλλὰ ταύτῃ πειθόμενος καὶ τῷ σκότει
κλαπεὶς ὑπό τε τῆς ἐπιθυμίας ἐπειγόμενος ἔσπασε τὸ δοθὲν
μετὰ πολλῆς τῆς προθυμίας· καὶ ἐμφορηθεὶς ἀπετινάξατο τὸ
πνῖγος εὐθέως καὶ τὸν ἐπικείμενον ἐξέφυγε κίνδυνον. Εἶδες
40 τῆς ἀπάτης τὸ κέρδος; Καὶ εἰ πάντας βούλοιτό τις τῶν ἰατρῶν
καταλέγειν τοὺς δόλους, εἰς ἄπειρον ἐκπεσεῖται μῆκος ὁ λόγος.
Οὐ μόνον δὲ τοὺς τὰ σώματα θεραπεύοντας, ἀλλὰ καὶ τοὺς
τῶν ψυχικῶν νοσημάτων ἐπιμελομένους εὕροι τις ἂν συνεχῶς
τούτῳ κεχρημένους τῷ φαρμάκῳ. Οὕτω τὰς πολλὰς μυριάδας
45 ἐκείνας τῶν Ἰουδαίων ὁ μακάριος προσηγάγετο Παῦλος.
Μετὰ ταύτης τῆς προαιρέσεως τὸν Τιμόθεον περιέτεμε ὁ
Γαλάταις ἀπειλῶν ὅτι Χριστὸς οὐδὲν ὠφελήσει τοὺς περιτεμ-

---

28 αὐτῆς B F : ἑαυτῆς cett. ‖ 36 σκότει B A : σκότῳ cett. ‖ 37
ἔσπασε B FHJK : ἐσπούδασεν C σπουδάσαι AEG D ‖ 37 τὸ δοθὲν
B : τοῦ δοθέντος cett. ‖ 38 προθυμίας] + λαβεῖν C AEG D ‖ 39 —
B' η' 34 ἐξέφυγε — ἀμφοτέρων τὸ μέσον om. D ‖ 39 ἔφυγε B ‖ 39
κίνδυνον : θάνατον E ‖ 47 ἀπειλῶν BC : ἐπιστέλλων cett.

---

1. Dans sa XXXIVᵉ *Homélie sur les Actes*, paragr. 3, *P G* 60, 247,
Jean adopte l'explication de la circoncision de Timothée donnée en
Act. 16, 3 : « A cause des Juifs qui étaient en ces lieux », et il développe
cette raison quelques lignes plus bas : « Comme il se disposait à
annoncer le message (chrétien), c'était pour ne pas blesser doublement

faisait cette grâce. L'art du médecin étant impuissant, n'ayant plus aucun moyen d'action, on y avait complètement renoncé ; c'est alors que la tromperie, en intervenant, montra sa puissance dans une mesure aussi grande que tu vas bientôt nous l'entendre dire. En effet, le médecin prit un récipient sortant du four à poterie et le plongea dans le vin ; ensuite, l'ayant retiré et vidé, puis l'ayant rempli d'eau, il ordonne de faire l'obscurité dans la pièce où gisait le malade, au moyen de nombreuses tentures, pour que la lumière ne révèle pas la ruse, et il lui donne à boire, comme s'il s'agissait d'un récipient plein de vin. Le malade, avant de le prendre dans ses mains, trompé soudain par l'odeur qui s'en dégageait, n'eut pas la patience d'examiner ce qu'on lui donnait, mais cédant à cette odeur, abusé par l'obscurité, aiguillonné par son désir, il avala avec un grand empressement ce qu'on lui donnait ; s'en étant gorgé, il fut aussitôt débarrassé de son étouffement et échappa au danger qui le menaçait. Vois-tu le bénéfice de la tromperie ? Si l'on voulait énumérer les ruses des médecins, la liste serait d'une longueur infinie. On découvrirait que, non seulement ceux qui soignent le corps, mais encore ceux qui s'occupent des maladies de l'âme utilisent constamment ce remède. C'est ainsi que le bienheureux Paul gagna une foule de Juifs. Après un choix délibéré, il fit circoncire Timothée[1], lui qui menaçait les Galates en leur disant que le Christ ne serait d'aucune utilité aux circoncis[2]. C'est à

---

les Juifs, en paraissant mépriser la circoncision et vouloir ainsi abroger la Loi. » L'attitude de Paul est donc justifiée ici par ses visées essentiellement apostoliques.

2. Cf. *Gal.* 5, 2. Dans son commentaire de cette Épître, chap. 5, 3, Jean mentionne l'objection : « Eh quoi ! n'a-t-il pas prêché la circoncision ? n'a-t-il pas circoncis Timothée ? », puis il y répond : « Voyez la précision de son langage. Il n'a pas dit : je ne *pratique* pas la circoncision, mais : je ne la *prêche* pas. »

νομένους· διὰ τοῦτο ὑπὸ νόμον ἐγίνετο ὁ ζημίαν ἡγούμενος
μετὰ τὴν εἰς Χριστὸν πίστιν τὴν ἀπὸ τοῦ νόμου δικαιοσύνην.

50 Πολλὴ γὰρ ἡ τῆς ἀπάτης ἰσχύς, μόνον μὴ μετὰ δολερᾶς
προαγέσθω τῆς προαιρέσεως· μᾶλλον δὲ οὐδὲ ἀπάτην τὸ
τοιοῦτον δεῖ καλεῖν, ἀλλ' οἰκονομίαν τινὰ καὶ σοφίαν καὶ
τέχνην ἱκανὴν πολλοὺς πόρους ἐν τοῖς ἀπόροις εὑρεῖν καὶ
πλημμελείας ἐπανορθῶσαι ψυχῆς. Οὐδὲ γὰρ τὸν Φινεὲς
55 ἀνδροφόνον εἴποιμ' ἂν ἔγωγε, καίτοι γε μιᾷ πληγῇ δύο
σώματα ἀνεῖλεν· ὥσπερ οὐδὲ τὸν Ἠλίαν μετὰ τοὺς ἑκατὸν
στρατιώτας καὶ τοὺς τούτων ἡγεμόνας, καὶ τὸν πολὺν τῶν
αἱμάτων χειμάρρουν ὃν ἐκ τῆς τῶν ἱερωμένων τοῖς δαίμοσιν
ἐποίησε ῥεῦσαι σφαγῆς. Εἰ γὰρ τοῦτο συγχωρήσαιμεν καὶ τὰ
60 πράγματα τῆς τῶν πεποιηκότων προαιρέσεώς τις γυμνώσας
ἐξετάζοι καθ' ἑαυτά, καὶ τὸν Ἀβραὰμ παιδοκτονίας ὁ βουλόμενος κρινεῖ καὶ τὸν ἔγγονον τὸν ἐκείνου καὶ τὸν ἀπόγονον
κακουργίας καὶ δόλου γράψεται· οὕτω γὰρ ὁ μὲν τῶν τῆς
φύσεως ἐκράτησε πρεσβείων, ὁ δὲ τὸν τῶν Αἰγυπτίων
65 πλοῦτον εἰς τὸν τῶν Ἰσραηλιτῶν μετήνεγκε στρατόν. Ἀλλ'
οὐκ ἔστι ταῦτα, οὐκ ἔστιν. Ἄπαγε τῆς τόλμης· οὐ γὰρ μόνον
αὐτοὺς αἰτίας ἀφίεμεν, ἀλλὰ καὶ θαυμάζομεν διὰ ταῦτα ἐπεὶ
καὶ ὁ Θεὸς αὐτοὺς διὰ ταῦτα ἐπήνεσε. Καὶ γὰρ ἀπατεὼν
ἐκεῖνος ἂν εἴη καλεῖσθαι δίκαιος ὁ τῷ πράγματι κεχρημένος
70 ἀδίκως, καὶ πολλάκις ἀπατῆσαι δέον καὶ τὰ μέγιστα διὰ
ταύτης ὠφελῆσαι τῆς τέχνης· ὁ δὲ ἐξ εὐθείας προσενεχθεὶς
κακὰ μεγάλα τὸν οὐκ ἀπατηθέντα εἰργάσατο.

---

51 προαγέσθω B : προσαγέσθω cett. ‖ 57 ἡγεμόνα F ‖ 61 παιδοκτονίας : παιδοκτόνον F ‖ 62 βουλόμενος : ἀποφαινόμενος FJ ‖ 62
κρινεῖ BC K : κρίνοι AEG H ἐρεῖ FJ ‖ 69 δίκαιος : δικαίως C^{pc}.

---

1. Cf. *Phil.* 3, 5-7.
2. Phinées lutta, selon le désir de Moïse, contre l'influence des
cultes étrangers. Il châtia Zambi, de la tribu de Siméon, qui était
entré dans la tente de Cozbi, fille d'un prince madianite, et tua les
deux complices. Il en fut récompensé, dit Jean, par la dignité sacerdotale : *Adv. Judaeos hom.* IV, 2, *PG* 48, 874 : Ὁ γοῦν Φινεὲς δύο
φόνους ἐργασάμενος ἐν μιᾷ καίρου ῥοπῇ καὶ ἄνδρα μετὰ γυναικὸς

cause de cela qu'il se soumettait à la Loi, tout en pensant qu'après avoir donné sa foi au Christ, la justification obtenue par la Loi avait lieu en pure perte[1].

Grande est la puissance de la tromperie, pourvu qu'elle ne soit pas employée avec une volonté déterminée de ruse ; bien plus il ne faut pas appeler cela tromperie, mais prévoyance, sagesse, moyen capable de trouver des solutions dans des cas insolubles et de réparer la faute d'une âme. Quant à moi, je n'appellerais pas Phinées meurtrier, bien qu'il ait tué deux êtres humains d'un coup[2] ; je n'en dirais pas davantage d'Élie, après l'hécatombe qu'il fit des soldats et de leurs chefs et les flots de sang qu'il répandit par suite du meurtre des prêtres sacrifiant aux démons[3]. Si nous étions d'accord sur ce point et si l'on examinait les faits en eux-mêmes sans voir l'intention de ceux qui ont agi, chacun à son gré accusera Abraham d'avoir tué son enfant[4] et taxera son petit-fils[5] et l'un de ses descendants[6] de méchanceté et de ruse, car l'un s'est emparé du droit d'aînesse et l'autre a fait passer les richesses des Égyptiens dans le camp des Israélites. Or, cela n'est pas possible, ce n'est pas possible. Loin de nous cette audace ; en effet, nous ne les accusons pas, mais nous les admirons pour ces actes, puisque Dieu les en a félicités. Il serait donc juste d'appeler trompeur celui qui emploie ce moyen de façon injuste, alors qu'il est souvent nécessaire de tromper et que les plus grands avantages peuvent être obtenus par cet artifice ; mais il pourrait arriver que celui qui s'est laissé emporter par la franchise cause de grands maux à celui qu'il n'a pas trompé.

ἀνελών, ἱερωσύνη τιμᾶται. Ce texte est plus clair que celui du *De sacerdotio* qui parle simplement de δύο σώματα. Déjà PHILON, *Spec.* I, 54-56 et 316.

3. Il s'agit des prophètes de Baal. Voir *III Rois* 18, 40.

4. Cf. *Gen.* 22, 1-18.

5. Cf. *Gen.* 27. Il s'agit de Jacob.

6. Cf. *Ex.* 12, 35-36. Il s'agit de Moïse.

ΛΟΓΟΣ Β'   α'. Ὅτι μέγιστον
ἡ ἱερωσύνη
τεκμήριον τῆς
5   εἰς τὸν Χριστὸν
ἀγάπης

Ὅτι μὲν οὖν ἔστι καὶ ἐπὶ καλῷ τῇ
τῆς ἀπάτης κεχρῆσθαι δυνάμει, μᾶλλον δὲ ὅτι μηδὲ ἀπάτην δεῖ τὸ
τοιοῦτον καλεῖν, ἀλλ' οἰκονομίαν
τινὰ θαυμαστήν, ἐνῆν μὲν καὶ πλείονα
λέγειν· ἐπειδὴ δὲ καὶ τὰ εἰρημένα
πρὸς ἀπόδειξιν ἱκανὰ γέγονε, φορτικὸν καὶ ἐπαχθὲς περιττὸν
τῷ λόγῳ προστιθέναι μῆκος. Σὸν δ' ἂν εἴη δεικνύναι λοιπόν,
εἰ μὴ τῷ πράγματι τούτῳ πρὸς τὸ κέρδος ἐχρησάμεθα τὸ σόν.
10   Καὶ ὁ Βασίλειος·

Καὶ ποῖον κέρδος, φησίν, ἡμῖν ἐκ ταύτης γέγονε τῆς οἰκονομίας ἢ σοφίας ἢ ὅπως αὐτὴν χαίρῃς καλῶν, ἵνα πεισθῶμεν
ὅτι οὐκ ἠπατήμεθα παρὰ σοῦ;

ΙΩ. Καὶ τί τούτου τοῦ κέρδους, ἔφην, ἂν γένοιτο μεῖζον ἢ τὸ
15 ταῦτα φαίνεσθαι πράττοντας ἅπερ δείγματα τῆς εἰς τὸν
Χριστὸν ἀγάπης αὐτὸς ἔφησεν εἶναι ὁ Χριστός; Πρὸς γὰρ τὸν
κορυφαῖον τῶν ἀποστόλων διαλεγόμενος, « Πέτρε, φιλεῖς
με; » φησί· τούτου δὲ ὁμολογήσαντος, ἐπιλέγει· « Εἰ φιλεῖς
με, ποίμαινε τὰ πρόβατά μου[a]. » Ἐρωτᾷ τὸν μαθητὴν ὁ
20 διδάσκαλος εἰ φιλοῖτο παρ' αὐτοῦ, οὐχ ἵνα αὐτὸς μάθῃ — πῶς
γὰρ ὁ τὰς ἁπάντων ἐμβατεύων καρδίας; — ἀλλ' ἵνα ἡμᾶς διδάξῃ
ὅσον αὐτῷ μέλει τῆς τῶν ποιμνίων ἐπιστασίας τούτων. Τούτου
δὲ ὄντος δήλου, κἀκεῖνο ὁμοίως ἔσται φανερὸν ὅτι πολὺς καὶ
ἄφατος ἀποκείσεται μισθὸς τῷ περὶ ταῦτα πονουμένῳ ἃ
25 πολλοῦ τιμᾶται ὁ Χριστός. Εἰ γὰρ ἡμεῖς, ὅταν ἴδωμεν τῶν

ΛΟΓΟΣ Β'. α'. 3 ὅτι om. C ‖ 8 δεικνύναι om. Β ‖ 9 τὸ[1] om. C ‖
10 Καὶ ὁ Βασίλειος om. Η ‖ 11 Καὶ ποῖον [πόσον C] ΒC : ποῖον cett. ‖
12 ὅπως] + ἂν JK ‖ 12 χαίρῃς : χαίροις ΑΕG ‖ 18-19 Εἰ φιλεῖς με
om. ΑΕG F ‖ 22 τούτων om. C.

a. Cf. Jn 21, 15-17

1. Chrysostome aime à utiliser le mot κορυφαῖος, qui désigne le
chef d'un chœur, pour parler de Pierre. Cf. *Ad Olymp. epist.* X (III),
10, 15 ; *De prov. Dei* XVII, 8, 4. A la même époque, Τηέμιστιος
applique ce terme à l'empereur Constance dans le *Disc.* IV, 53b,

1. Le sacerdoce est une très grande preuve d'amour pour le Christ

Qu'il est donc permis, pour le bien, d'utiliser la tromperie comme un moyen et qu'il ne faut pas appeler cela tromperie, mais prévoyance admirable, on pourrait le développer encore bien davantage ; cependant, puisque nous en avons assez dit pour notre démonstration, il serait malséant et fastidieux de prolonger notre discours. Si nous n'avons pas employé ce moyen pour ton bien, c'est à toi qu'il appartiendrait maintenant d'en établir la preuve.

Alors Basile :

Et quel avantage, dit-il, est résulté pour nous de cette prévoyance, de cette sagesse, ou de n'importe quel nom que tu te plaises à l'appeler, de façon à nous persuader que tu ne nous as pas trompé ?

JEAN. Et quel plus grand avantage pourrait exister, dis-je, que celui d'apparaître comme faisant précisément ce que le Christ lui-même a dit être une preuve d'amour envers lui ? S'adressant au coryphée des apôtres[1] : « Pierre, dit-il, m'aimes-tu ? » et, lui ayant acquiescé, il ajoute : « Si tu m'aimes, pais mes brebis[a]. » Le maître demande au disciple s'il l'aime, non pour l'apprendre lui-même de sa bouche — comment l'aurait-il demandé, celui qui pénètre le cœur de tous[2] ? —, mais pour nous enseigner combien il se préoccupe de la surveillance de ces brebis[3]. Si cela est évident, il y a encore une chose qui sera également claire, c'est que la récompense sera abondante et inexprimable pour celui qui se sera efforcé d'accomplir ce à quoi le Christ attache un grand prix. Si, en effet, lorsque nous voyons des gens

où celui-ci est aussi appelé χορηγός du Sénat de Constantinople.

2. Le complément du verbe ἐμβατεύω se trouve dans la Septante soit précédé de εἰς (*I Macc.* 12, 25 ; 13, 20), soit, comme ici, suivi de l'accusatif (*Jos.* 19, 49.51), ce qui est une construction classique.

3. Le mot ποίμνιον, au singulier, désigne un troupeau, en particulier un troupeau de moutons. Ici, où il est employé au pluriel, il est clair qu'il désigne les éléments composant ce troupeau.

οἰκετῶν ἢ τῶν θρεμμάτων τῶν ἡμετέρων ἐπιμελουμένους
τινάς, τῆς περὶ ἡμᾶς ἀγάπης τὴν εἰς ἐκεῖνα σπουδὴν τιθέμεθα
σημεῖον, καίτοι γε ἅπαντα ταῦτα χρημάτων ἐστὶν ὠνητά, ὁ
μὴ χρημάτων μηδὲ ἄλλου τινὸς τοιούτου, ἀλλ' ἰδίῳ θανάτῳ
30 τὸ ποίμνιον πριάμενος τοῦτο καὶ τιμὴν τῆς ἀγέλης τὸ αἷμα
δοὺς τὸ ἑαυτοῦ, πόσῃ τοὺς ποιμαίνοντας αὐτὴν ἀμείψεται
δωρεᾷ; Διά τοι τοῦτο εἰπόντος τοῦ μαθητοῦ· « Σὺ οἶδας,
Κύριε, ὅτι φιλῶ σε[b] », καὶ μάρτυρα τῆς ἀγάπης αὐτὸν τὸν
ἀγαπώμενον καλέσαντος, οὐκ ἔστη μέχρι τούτων ὁ Σωτήρ,
35 ἀλλὰ καὶ τὸ τῆς ἀγάπης προσέθηκε σημεῖον. Οὐ γὰρ ὅσον
αὐτὸν ὁ Πέτρος ἐφίλει, τότε ἐπιδεῖξαι ἐβούλετο — καὶ γὰρ ἐκ
πολλῶν τοῦτο ἤδη γέγονεν ἡμῖν δῆλον —, ἀλλ' ὅσον αὐτὸς τὴν
Ἐκκλησίαν ἀγαπᾷ τὴν ἑαυτοῦ, καὶ Πέτρον καὶ πάντας ἡμᾶς
μαθεῖν ἠθέλησεν ἵνα πολλὴν καὶ ἡμεῖς περὶ ταῦτα εἰσφέρωμεν
40 τὴν σπουδήν. Διὰ τί γὰρ Υἱοῦ καὶ Μονογενοῦς οὐκ ἐφείσατο
ὁ Θεός, ἀλλ' ὃν μόνον εἶχεν ἐξέδωκεν; ἵνα τοὺς ἐχθρωδῶς
πρὸς αὐτὸν διακειμένους ἑαυτῷ καταλλάξῃ καὶ ποιήσῃ λαὸν
περιούσιον· διὰ τί καὶ τὸ αἷμα ἐξέχεεν; ἵνα τὰ πρόβατα κτήση-
ται ταῦτα ἃ τῷ Πέτρῳ καὶ τοῖς μετ' ἐκεῖνον ἐνεχείριζεν.
45 Εἰκότως ἄρα καὶ δικαίως ἔλεγεν ὁ Χριστός· « Τίς ἄρα ὁ
πιστὸς δοῦλος καὶ φρόνιμος ὃν κατέστησεν ὁ κύριος αὐτοῦ ἐπὶ

---

28 ἅπαντα ταῦτα BC : ταῦτα πάντα cett. ‖ 28 ὁ] + δὲ AEG ‖ 31
αὐτὴν BC : αὐτὸ cett. ‖ 32 τοι BC : om. cett. ‖ 34 τούτων BC :
τούτου cett. ‖ 36 φιλεῖ C ‖ 38 ἑαυτοῦ : αὐτοῦ BC ‖ 39 ταῦτα BC :
αὐτὰ cett. ‖ 41 ἐχθρωδῶς : ἐχθρῶς BC ‖ 43 αἷμα : πνεῦμα C AEG ‖
43 ἵνα] + καὶ C ‖ 46 φρόνιμος] + οἰκονόμος JK ‖ 46 κατέστησεν
B : καταστήσει cett.

b. Jn 21, 15

1. Cf. I Cor. 6, 20 et 7, 23.
2. Le thème du bon pasteur, qui a son fondement en *Jérémie*
(13, 20) et *Ézéchiel* (34, 1-31), est repris par le Christ (cf. *Jn* 10, 1-16).
Il entraîne tout un vocabulaire imagé dont Chrysostome use abondamment : ποιμήν, ποιμαίνω, ποίμνη, ποίμνιον, ἀγέλη, πρόβατον.
3. Nous n'adoptons pas ici la leçon de BC, ἐχθρῶς, car il semble que
Jean utilise plus volontiers ἐχθρωδῶς. Par exemple, *In Gen. hom.*

s'occuper de nos serviteurs ou de notre bétail, nous considérons que le soin qu'ils ont envers ceux-ci est un témoignage de l'affection qu'ils ont à notre égard, bien que tout ce
dont nous venons de parler soit susceptible d'être acheté
à prix d'argent, celui qui a acheté ce troupeau, non à prix
d'argent ou par un autre moyen analogue, mais par sa
propre mort et qui a donné son sang à lui comme prix de
son troupeau[1], quelle récompense accordera-t-il en retour
à ceux qui le soignent[2] ? C'est pourquoi, lorsque son disciple lui eut dit : « Seigneur, tu sais que je t'aime[b] », et
qu'il eut pris comme témoin de son amour celui qui l'aimait, le Sauveur ne s'en tint pas là, mais il ajouta encore
une preuve de son amour. Ce n'est pas qu'il voulût montrer
alors combien Pierre l'aimait — en effet bien des indices
nous l'ont déjà prouvé —, mais combien il aime son Église,
et il a voulu que Pierre et nous tous nous l'apprenions, afin
que nous aussi, dans ce domaine, nous apportions beaucoup
de zèle. Pourquoi donc Dieu n'a-t-il pas épargné son Fils,
son Unique, mais a-t-il donné le seul qu'il possédait ? Pour
s'attacher ceux qui étaient à son égard dans des dispositions
hostiles[3] et qu'il en fasse un peuple choisi[4]. Pourquoi a-t-il
versé son sang ? Pour acheter ces brebis qu'il confiait à
Pierre[5] et à ceux qui sont venus après lui[6]. C'est donc à juste
titre que le Christ disait : « Quel est le serviteur fidèle et

XXVII où le mot se trouve employé quatre fois en quatre pages :
6, *P G* 53, 248, li. 18 ; 7, *P G* 53, 250, li. 37 ; 8, *P G* 53, 251, li. 8 et li. 13
a.i.

4. Cf. *Tite* 2, 14. Chrysostome commentant ce texte, *In epist. ad
Titum hom.* V, 2, *P G* 62, 690, donne la définition du mot : περιούσιον,
τοῦτ' ἔστι ἐξειλεγμένον, οὐδὲν ἔχοντα κοινὸν πρὸς τοὺς λοιπούς, « c'est-
à-dire *choisi*, n'ayant rien de commun avec les autres ».

5. Sur ce thème, voir plus haut, note 2.

6. Jean ne manque jamais de souligner la réalité de la succession
apostolique et aussi le lien qui unit les fidèles de tous les temps aux
premiers disciples. Par exemple, *In Io. hom.* LXXXVII, 1, *P G* 59,
474 : « dans ce passage, il déclare bienheureux non pas les disciples
seuls, mais tous les croyants à venir ».

τὴν οἰκίαν αὐτοῦ^c; » Πάλιν τὰ μὲν ῥήματα ἀποροῦντος, ὁ δὲ
φθεγγόμενος αὐτὰ οὐκ ἀπορῶν ἐφθέγγετο· ἀλλ' ὥσπερ τὸν
Πέτρον ἐρωτῶν εἰ φιλοῖτο, οὐ μαθεῖν δεόμενος τοῦ μαθητοῦ
50 τὸν πόθον ἠρώτα, ἀλλὰ δεῖξαι βουλόμενος τῆς οἰκείας ἀγάπης
τὴν ὑπερβολήν, οὕτω καὶ νῦν λέγων· « Τίς ἄρα ὁ πιστὸς
δοῦλος καὶ φρόνιμος; » οὐ τὸν πιστὸν καὶ φρόνιμον ἀγνοῶν
ἔλεγεν, ἀλλὰ παραστῆσαι θέλων τὸ τοῦ πράγματος σπάνιον
καὶ τῆς ἀρχῆς ταύτης τὸ μέγεθος. Ὅρα γοῦν καὶ τὸ ἔπαθλον
55 ὅσον· « Ἐπὶ πᾶσι τοῖς ὑπάρχουσιν αὐτοῦ καταστήσει
αὐτόν^d. »

Ἔτι οὖν ἀμφισβητήσεις ἡμῖν τοῦ μὴ καλῶς ἠπατῆσθαι,
πᾶσι μέλλων ἐπιστήσεσθαι τοῦ Θεοῦ τοῖς ὑπάρχουσι καὶ
ταῦτα πράττων ἃ καὶ τὸν Πέτρον ποιοῦντα ἔφησε δυνήσεσθαι
60 καὶ τῶν ἀποστόλων ὑπερακοντίσαι τοὺς λοιπούς· « Πέτρε
γάρ, φησί, φιλεῖς με πλεῖον τούτων; » Καίτοι γε ἐνῆν εἰπεῖν
πρὸς αὐτόν· Εἰ φιλεῖς με, νηστείαν ἄσκει, χαμευνίαν, ἀγρυπνίας συντόνους, προΐστασο τῶν ἀδικουμένων, γίνου ὀρφανοῖς
ὡς πατὴρ καὶ ἀντὶ ἀνδρὸς τῇ μητρὶ αὐτῶν. Νῦν δὲ πάντα
65 ταῦτα ἀφεὶς τί φησι; « Ποίμαινε τὰ πρόβατά μου. »

β'. Ὅτι ἡ ταύτης
ὑπηρεσία μείζων
τῶν ἄλλων

Ἐκεῖνα μὲν γὰρ ἃ προεῖπον καὶ
τῶν ἀρχομένων πολλοὶ δύναιντ' ἂν
ἐπιτελεῖν ῥᾳδίως, οὐκ ἄνδρες μόνον,
ἀλλὰ καὶ γυναῖκες· ὅταν δὲ Ἐκκλη-
5 σίας προστῆναι δέῃ καὶ ψυχῶν ἐπιμέλειαν πιστευθῆναι
τοσούτων, πᾶσα μὲν ἡ γυναικεία φύσις παραχωρείτω τῷ

---

47 τῆς οἰκίας C A ‖ 55 ὅσον : πόσον FHJK om. AEG ‖ 56
αὐτόν] + φησί FHJ ‖ 59 πράττειν FHJK ‖ 61 τούτων] + ποίμαινε
τὰ πρόβατά μου AEG D FHJK ‖ 62 Εἰ φιλεῖς με om. C ‖ 63 ἀγρυπνίαν
συντόνως C ‖ 64 πάντα BC K : om. cett.

β'. 5 ἐμπιστευθῆναι K.

c. Matth. 24, 45   d. Matth. 24, 47

1. Huit de nos mss sur dix donnent la suite du texte. Il semble que
ces mots ont été ajoutés par un scribe.
2. Jean fait allusion à la fois aux exigences de la vie monastique et
aux diverses formes de bienfaisance assumées par le clergé (voir III,

avisé que le maître a établi sur sa maison[c] ? » Là encore, les
paroles sont celles de quelqu'un qui est dans le doute, mais
celui qui les prononce n'était pas dans le doute en les pro-
nonçant ; de même qu'en demandant à Pierre s'il l'aimait,
il posait la question non parce qu'il avait besoin de connaître
l'attachement de son disciple, mais pour montrer l'excès de
son propre amour, de même en disant maintenant : « Quel
est le serviteur fidèle et avisé ? » il disait cela, non parce
qu'il ignorait que celui-ci était fidèle et avisé, mais parce
qu'il voulait montrer la rareté de la chose et la grandeur
de cette autorité. Vois donc l'ampleur de la récompense :
« Il l'établira sur tous ses biens[d]. »

Contesteras-tu encore que j'ai bien fait de te tromper,
alors que tu es sur le point d'être à la tête de tous ceux qui
appartiennent à Dieu et que tu remplis l'office dont l'établissement par Pierre devait lui permettre de surpasser le
reste des apôtres ? « Pierre, lui dit-il, m'aimes-tu plus que
ceux-ci[1] ? » Cependant, il aurait pu lui dire : Si tu m'aimes,
entraîne-toi au jeûne, à coucher par terre, aux veilles pro-
longées, à défendre les opprimés, à être pour les orphelins
un père, à servir de protecteur à leur mère[2]. En réalité, que
dit-il ? « Pais mes brebis[3]. »

**2. Le service
du sacerdoce
est plus grand
que les autres**

Ces activités que je viens d'énumérer, beaucoup de ceux qui ont
pour rôle d'obéir pourraient les
accomplir facilement, non seulement les hommes, mais encore les
femmes ; au contraire, quand il s'agit d'être à la tête de
l'Église et de se voir confier le soin des âmes, que la femme,
étant donné sa nature[4], et que la plupart des hommes

12-13). Il n'en condamne aucune, mais il les subordonne à l'essentiel :
le soin des âmes, ἡ ψυχῶν ἐπιμέλεια, II, 2, 5.
3. Ces paroles du Christ (*Jn* 21, 17) sont à l'origine de tous les développements sur le thème du prêtre-pasteur.
4. On sait les multiples activités des diaconesses dans l'Église.
Ce que Jean leur refuse ici, c'est la προστασία, le gouvernement, qui
repose sur l'ἐξουσία, le pouvoir accordé par la grâce de l'Esprit.

μεγέθει τοῦ πράγματος, καὶ ἀνδρῶν δὲ τὸ πλέον. Ἀγέσθωσαν
δὲ εἰς μέσον οἱ πολλῷ τῷ μέτρῳ πλεονεκτοῦντες ἁπάντων,
καὶ τοσοῦτον ὑψηλότεροι τῶν ἄλλων κατὰ τὴν τῆς ψυχῆς ὄντες
10 ἀρετὴν ὅσον τοῦ παντὸς ἔθνους Ἑβραίων κατὰ τὸ τοῦ σώματος
μέγεθος ὁ Σαούλ, μᾶλλον δὲ καὶ πολλῷ πλέον. Μὴ γάρ μοι
μόνον ὑπερωμίας ἐνταῦθα ζητείσθω μέτρον, ἀλλ' ὅση πρὸς
τὰ ἄλογα τῶν λογικῶν ἀνθρώπων ἡ διαφορά, τοσοῦτον τοῦ
ποιμένος καὶ τῶν ποιμαινομένων ἔστω τὸ μέσον, ἵνα μὴ καὶ
15 πλέον τι εἴπω· καὶ γὰρ περὶ πολλῷ μειζόνων ὁ κίνδυνος.
Ὁ μὲν γὰρ πρόβατα ἀπολλὺς ἢ λύκων ἁρπασάντων ἢ λῃστῶν
ἐπιστάντων ἢ λοιμοῦ τινος ἢ καὶ ἄλλου συμπτώματος ἐπι-
πεσόντος, τύχοι μὲν ἄν τινος καὶ συγγνώμης παρὰ τοῦ κυρίου
τῆς ποίμνης· εἰ δὲ καὶ δίκην ἀπαιτοῖτο, μέχρι τῶν χρημάτων
20 ἡ ζημία. Ὁ δὲ ἀνθρώπους πιστευθείς, τὸ λογικὸν τοῦ Χριστοῦ
ποίμνιον, πρῶτον μὲν οὐκ εἰς χρήματα, ἀλλ' εἰς τὴν ἑαυτοῦ
ψυχὴν τὴν ζημίαν ὑφίσταται ὑπὲρ τῆς τῶν προβάτων
ἀπωλείας.

γ'. Ὅτι μεγάλης
δεῖται ψυχῆς καὶ
θαυμαστῆς

Ἔπειτα καὶ τὸν ἀγῶνα πολλῷ
μείζονα καὶ χαλεπώτερον ἔχει· οὐ
γὰρ αὐτῷ πρὸς λύκους ἡ μάχη,
οὐδὲ ὑπὲρ λῃστῶν δέδοικεν, οὐδὲ ἵνα
5 λοιμὸν ἀπελάσῃ τῆς ποίμνης φροντίζει. Ἀλλὰ πρὸς τίνας

---

10 τὸ om. C K ‖ 14 ἔστω : ἐστί C ‖ 15 τι om. BC ‖ 15 πολλοῦ μείζων
AEG.
γ'. 5-6 Ἀλλὰ — πάλη : ἀλλὰ ὅπως τοὺς πιστεύοντας διασώσῃ ἀπὸ
τῶν ἀεὶ ἐφεδρευόντων δαιμόνων· ὅτι δὲ πρὸς τούτους ὁ πόλεμος καὶ
μετὰ τούτων ἡ μάχη FJ.

---

1. Jean utilise volontiers le mot πρᾶγμα comme le français utilise
le mot *chose*, pour éviter une répétition. Cependant πρᾶγμα n'a pas
toujours en grec la banalité de notre mot *chose*, en particulier dans le
vocabulaire chrétien. Il peut désigner des réalités spirituelles, comme
ici, en référence à *Hébr.* 10, 1 où, dans les versets suivants, il est
question du *sacerdoce* du Christ. D'autre part, Jean utilise également
πρᾶγμα, *In epist. ad Rom. hom.* XXI, 1, *P G* 60, 602, pour préciser le
sens de διακονία, service auquel certains sont appelés : Καθολικὸν

s'effacent devant la grandeur de la réalité[1]. Qu'on mette
alors en avant ceux qui l'emportent de beaucoup sur tous
et dépassent les autres par la valeur de leur âme autant que
Saül dépassait l'ensemble du peuple hébreu par la hauteur
de sa taille et encore bien davantage. En effet, ne va pas
me chercher seulement de quelle hauteur la tête dépasse les
épaules[2], mais autant il y a de différence entre les bêtes
brutes et les hommes raisonnables, qu'aussi grande soit, et
je n'exagère pas, la distance entre le berger et ses brebis,
car ce sont des choses beaucoup plus importantes qui sont
en danger. En effet, celui qui laisse périr des brebis, que le
loup les ait ravies ou que les brigands les ait volées, ou que
la peste ou une autre maladie fonde sur eux, il se pourrait
qu'il obtienne un certain pardon de la part du maître du
troupeau, et si on lui réclamait un dédommagement,
l'amende se limiterait à de l'argent. Mais celui auquel on
a confié le troupeau raisonnable du Christ[3], d'abord il
n'aura pas à payer l'amende sur son argent, mais sur son
âme, à cause de la perte des brebis.

**3. Il exige
une âme grande
et admirable**
Ensuite, il doit livrer un combat
beaucoup plus important et beaucoup plus difficile, car il n'est pas
aux prises avec les loups, il ne
craint pas les brigands et il n'a pas le souci d'éloigner du
troupeau la maladie. Alors contre qui est-il en guerre ?

πρᾶγμα ἐνταῦθα τίθησι. « Il parle ici du *ministère* dans son ensemble. »
  2. Saül dépassait l'ensemble du peuple par la hauteur de sa taille.
Cf. *I Sam.* 9, 2. Le terme ὑπερωμία est un mot rare. Liddell-Scott
n'en donne comme exemple que ce passage du *Livre de Samuel* et le
PGL n'en cite qu'un exemple dans la *Chronographie* de Théophane
le Confesseur, éd. Paris 1665, p. 120 (*PG* 108, 336 C).
  3. Avec cette expression, Jean s'insère dans une tradition déjà
longue. On sait l'importance accordée au terme λογικός par les Apo-
logistes ; pour Justin, voir E. F. Osborn, *Justin martyr*, Tübingen
1973, p. 36-40. Cf. Eusèbe, *HE* VIII, xiii, 3, *SC* 55, p. 28 : ... θεο-
φιλεῖς τῶν λογικῶν Χριστοῦ θρεμμάτων ποιμένες et *De mart. Palest.* XII,
SC 55, p. 169 : ... ἀντὶ ποιμένων τῶν λογικῶν τοῦ Χριστοῦ προβάτων.

ὁ πόλεμος; μετὰ τίνων ἡ πάλη; Ἄκουε τοῦ μακαρίου Παύλου
λέγοντος· « Οὐκ ἔστιν ἡμῖν ἡ πάλη πρὸς αἷμα καὶ σάρκα,
ἀλλὰ πρὸς τὰς ἀρχάς, πρὸς τὰς ἐξουσίας, πρὸς τοὺς κοσμο-
κράτορας τοῦ σκότους τοῦ αἰῶνος τούτου, πρὸς τὰ πνευμα-
10 τικὰ τῆς πονηρίας, ἐν τοῖς ἐπουρανίοις[e]. » Εἶδες πολεμίων
πλῆθος δεινὸν καὶ φάλαγγας ἀγρίας, οὐ σιδήρῳ πεφραγμένας,
ἀλλ' ἀντὶ πάσης πανοπλίας ἀρκουμένας τῇ φύσει; Βούλει καὶ
ἕτερον στρατόπεδον ἰδεῖν ἀπηνὲς καὶ ὠμὸν ταύτῃ προσεδρεῦον
τῇ ποίμνῃ; Καὶ τοῦτο ἀπὸ τῆς αὐτῆς ὄψει περιωπῆς· ὁ γὰρ περὶ
15 ἐκείνων ἡμῖν διαλεχθείς, οὗτος καὶ τούτους ἡμῖν ὑποδείκνυσι
τοὺς ἐχθρούς, ὧδέ πως λέγων· « Φανερά ἐστι τὰ ἔργα τῆς
σαρκός, ἅτινά ἐστι πορνεία, μοιχεία, ἀκαθαρσία, ἀσέλγεια,
εἰδωλολατρεία, φαρμακεία, ἔχθραι, ἔρεις, ζῆλοι, θυμοί,
ἐριθεῖαι, καταλαλιαί, ψιθυρισμοί, φυσιώσεις[f] », καὶ ἕτερα
20 τούτων πλείονα· οὐ γὰρ πάντα κατέλεξεν, ἀλλ' ἐκ τούτων
ἀφῆκεν εἰδέναι καὶ τὰ λοιπά.

Καὶ ἐπὶ μὲν τοῦ ποιμένος τῶν ἀλόγων, οἱ βουλόμενοι
διαφθεῖραι τὴν ποίμνην, ὅταν ἴδωσι τὸν ἐφεστῶτα φεύγοντα,
τὴν πρὸς ἐκεῖνον μάχην ἀφέντες ἀρκοῦνται τῇ τῶν θρεμμάτων
25 ἁρπαγῇ· ἐνταῦθα δέ, κἂν ἅπασαν λάβωσι τὴν ποίμνην, οὐδ'
οὕτω τοῦ ποιμένος ἀφίστανται, ἀλλὰ μᾶλλον ἐφεστήκασι καὶ
πλέον θρασύνονται, καὶ οὐ πρότερον παύονται ἕως ἂν ἢ
καταβάλωσιν ἐκεῖνον ἢ νικηθῶσιν αὐτοί. Πρὸς δὲ τούτοις τὰ
μὲν τῶν θρεμμάτων νοσήματα καθέστηκε φανερά, κἂν λιμὸς
30 ᾖ, κἂν λοιμός, κἂν τραῦμα, κἂν ὁτιδηποτοῦν ἕτερον ᾖ τὸ
λυποῦν· οὐ μικρὸν δὲ τοῦτο δύναιντ' ἂν πρὸς τὴν τῶν ἐνο-
χλούντων ἀπαλλαγήν. Ἔστι δὲ καὶ ἕτερον τούτου μεῖζον,
τὸ ποιοῦν ταχεῖαν τῆς ἀρρωστίας ἐκείνης τὴν λύσιν. Τί δὲ

6 πάλη BC E : μάχη cett. ‖ 15 ἡμῖν[a] BC K : om. cett. ‖ 15 ὑπο-
δείνυσι BC : ὑποδεικνύει cett. ‖ 16 Φανερά B : φανερὰ δέ cett. ‖ 18
ἔχθραι : ἔχθρα C F [pc] ‖ 18 ἔρεις : ἔρις C FHJK [pc] ‖ 19 φυσιώσεις] +
ἀκαταστασίαι FHJK ‖ 23 ποίμνην BC : ἀγέλην cett. ‖ 26 ποιμένος
BC : ποιμαίνοντος cett. ‖ 29 μὲν om. C ‖ 29 θρεμμάτων BC : προβάτων
cett. ‖ 32 Ἔστι : ἔνι B [pc] ‖ 32 δὲ] + τι AE FHJK.

avec qui doit-il lutter ? Écoute le bienheureux[1] Paul
disant : « Nous n'avons pas à lutter contre le sang et la
chair, mais contre les Principautés, contre les Pouvoirs,
contre les Souverains de ce monde de ténèbres, contre les
esprits pervers dans les régions célestes[e]. » Vois-tu la foule
redoutable des ennemis, les phalanges sauvages non pas
bardées de fer, mais auxquelles leur nature tient lieu d'une
armure complète[2] ? Veux-tu connaître encore une autre
armée cruelle et féroce qui assiège sans cesse le troupeau ?
Tu la verras du même point d'observation, car celui qui
nous parlait précédemment de ces ennemis-là, nous montre
ceux que voici, disant à peu près : « Les œuvres de la chair
sont bien connues ; ce sont fornication, débauche, impureté,
impudence, idolâtrie, magie, haines, querelles, jalousies,
colères, chicanes, bavardages, médisances, insolences[f] »
et encore bien d'autres choses, car il n'a pas tout énuméré
mais, d'après certains termes, il a laissé imaginer le reste.

Quand il s'agit du berger des animaux, ceux qui veulent
détruire son troupeau, s'ils voient celui qui les conduit
s'enfuir, n'entrent pas en lutte avec lui, ils se contentent
de voler ses bêtes ; dans le cas dont nous parlons, quand
ils ont pris tout le troupeau, ils ne laissent même pas le
berger s'en aller, mais ils l'attaquent avec plus d'ardeur
et leur audace augmente et ils ne s'arrêtent pas tant qu'ils
ne l'ont pas pris ou qu'ils ne sont pas vaincus eux-mêmes.
De plus, les maladies des animaux sont faciles à déceler,
que ce soit la faim ou la peste ou une blessure ou n'importe
quoi d'autre qu'on ait à déplorer, et ce n'est pas un mince
avantage pour éloigner tout ce qui est nuisible. Il y a
encore autre chose pour faire cesser promptement ce mau-

e. Éphés. 6, 12   f. Gal. 5, 19-20 ; II Cor. 12, 20

1. Voir, sur ce mot, ci-dessous, p. 178, note 1.
2. Cf. VI, 13. Chrysostome attache une grande importance aux
esprits mauvais. Voir sur ce point trois homélies, dont deux sur l'action tentatrice du diable dans le monde, *P G* 49, 241-276 et *Ad Stagi-
rium a daemone vexatum*, *P G* 47, 423-494.

τοῦτό ἐστι; Μετὰ πολλῆς τῆς ἐξουσίας καταναγκάζουσι τὰ
35 πρόβατα οἱ ποιμένες δέχεσθαι τὴν ἰατρείαν ὅταν ἑκόντα μὴ
ὑπομένῃ· καὶ γὰρ δῆσαι εὔκολον ὅταν καῦσαι δέῃ καὶ τεμεῖν
καὶ φυλάξαι ἔνδον ἐπὶ χρόνον πολὺν ἡνίκα ἂν τοῦτο συμφέρῃ
καὶ ἑτέραν δὲ ἀνθ᾽ ἑτέρας προσαγαγεῖν τροφὴν καὶ ἀποκω-
λῦσαι ναμάτων, καὶ τὰ ἄλλα δὲ πάντα ὅσαπερ ἂν δοκιμάσωσι
40 πρὸς τὴν ἐκείνων ὑγίειαν συμβάλλεσθαι μετὰ πολλῆς προσά-
γουσι τῆς εὐκολίας.

Τὰς δὲ τῶν ἀνθρώπων ἀρρωστίας πρῶτον μὲν οὐκ ἔστιν
ἀνθρώπῳ ῥάδιον ἰδεῖν· « οὐδεὶς γὰρ οἶδε τὰ τοῦ ἀνθρώπου,
εἰ μὴ τὸ πνεῦμα τοῦ ἀνθρώπου τὸ ἐν αὐτῷ[g]. » Πῶς οὖν τις
45 προσαγάγοι τῆς νόσου τὸ φάρμακον ἧς τὸν τρόπον οὐκ οἶδε,
πολλάκις δὲ μηδὲ εἰ τυγχάνοι νοσῶν δυνάμενος συνιδεῖν;
Ἐπειδὰν δὲ καὶ καταφανὴς γένηται, τότε πλεῖον αὐτῷ παρέχει
τὴν δυσκολίαν· οὐ γάρ ἐστι μετὰ τοσαύτης ἐξουσίας ἅπαντας
θεραπεύειν ἀνθρώπους μεθ᾽ ὅσης τὸ πρόβατον ὁ ποιμήν.
50 Ἔστι μὲν γὰρ καὶ ἐνταῦθα καὶ δῆσαι καὶ τροφῆς ἀπεῖρξαι
καὶ καῦσαι καὶ τεμεῖν· ἀλλ᾽ ἡ ἐξουσία τοῦ δέξασθαι τὴν
ἰατρείαν οὐκ ἐν τῷ προσάγοντι τὸ φάρμακον, ἀλλ᾽ ἐν τῷ
κάμνοντι κεῖται. Τοῦτο γὰρ καὶ ὁ θαυμάσιος ἐκεῖνος ἀνὴρ
συνειδὼς Κορινθίοις ἔλεγεν· « Οὐχ ὅτι κυριεύομεν ὑμῶν τῆς
55 πίστεως, ἀλλὰ σύνεργοί ἐσμεν τῆς χαρᾶς ὑμῶν[h]. » Μάλιστα
μὲν γὰρ ἁπάντων χριστιανοῖς οὐκ ἐφεῖται πρὸς βίαν ἐπανορθοῦν τὰ τῶν ἁμαρτανόντων πταίσματα. Ἀλλ᾽ οἱ μὲν
ἔξωθεν δικασταὶ τοὺς κακούργους ὅταν ὑπὸ τοῖς νόμοις
λάβωσι πολλὴν ἐπιδείκνυνται τὴν ἐξουσίαν καὶ ἄκοντας τοῖς
60 τρόποις κωλύουσι χρῆσθαι τοῖς αὐτῶν· ἐνταῦθα δὲ οὐ βια-

40 συμβάλλεσθαι BC F : συμβαλέσθαι cett. ‖ 43 οἶδε BC K : οἶδεν
ἀνθρώπων cett. ‖ 44 τὸ² : τοῦ C τῷ E ‖ 47 πλείον᾽ B : πλείονα cett. ‖
48 δυσκολίαν BC E : δυσχέρειαν cett. ‖ 52 ἀλλ᾽] + ἢ AEG ‖ 54 συνειδὼς : συνειδὼν C συνιδὼν B ‖ 54 Οὐχ ὅτι B : οὐ γὰρ cett.

g. I Cor. 2, 11   h. II Cor. 1, 24

1. Malgré la banalité de cette comparaison, on reconnaîtra qu'elle
donne à l'auteur l'occasion d'analyser avec beaucoup de finesse les diffi-

vais état de santé. Qu'est-ce donc ? Les bergers, qui sont les plus forts, obligent les brebis à accepter leurs soins, lorsqu'elles ne le font pas de bon gré, car il est facile de les attacher, quand il faut cautériser ou couper, de les garder longtemps à l'étable, quand c'est nécessaire, de les mener aussi d'un pâturage à l'autre, de les empêcher de se noyer, de mettre tous ses soins à leur apporter ce qu'on juge nécessaire à leur bon état[1].

Au contraire, quand il s'agit des maladies des hommes, il n'est pas facile à un homme de les déceler, « car nul ne connaît les secrets de l'homme, sinon l'esprit de l'homme qui est en lui[g] ». Aussi, comment porterait-on remède à une maladie dont on ne connaît pas la nature et que souvent celui qui est malade ne peut même pas connaître ? Lorsqu'elle se révèle, alors elle cause plus d'embarras ; car il n'est pas possible de soigner tous les hommes avec la même efficacité que celle avec laquelle le berger soigne ses brebis. Dans ce dernier cas, on peut attacher, priver de nourriture, cautériser et couper ; au contraire ici, l'utilisation d'un remède ne dépend pas de celui qui l'offre, mais du malade. Il le savait bien, cet homme admirable[2], lui qui disait aux Corinthiens : « Ce n'est pas que nous soyons maîtres de votre foi, mais nous contribuons à votre joie[h]. » Et surtout, il n'est pas permis aux chrétiens de corriger de force les fautes de ceux qui les ont commises. Les juges païens, lorsqu'ils font tomber des malfaiteurs sous les coups de la loi, montrent leur pouvoir et les empêchent de continuer à agir comme ils en ont l'habitude, et cela en leur faisant violence ; dans le cas dont nous parlons, ce n'est pas sous la force de la contrainte, mais par la persuasion qu'il faut

cultés qui attendent le prêtre dans son apostolat. Ces réflexions supposent déjà une expérience pastorale étendue. Voir Introd., p. 12-13.

2. Il s'agit de saint Paul. Jean a pour lui une admiration sans bornes qu'il exprime par l'épithète θαυμάσιος, entre autres, à travers toute son œuvre et, en particulier, dans sept panégyriques, *PG* 50, 473-514.

ζόμενον, ἀλλὰ πείθοντα δεῖ ποιεῖν ἀμείνω τὸν τοιοῦτον. Οὔτε
γὰρ ἡμῖν ἐξουσία τοσαύτη παρὰ τῶν νόμων δέδοται πρὸς τὸ
κωλύειν τοὺς ἁμαρτάνοντας, οὔτε, εἰ καὶ ἔδωκαν, εἴχομεν
ὅπου καὶ χρησόμεθα τῇ δυνάμει, οὐ τοὺς ἀνάγκῃ τῆς κακίας,
65 ἀλλὰ τοὺς προαιρέσει ταύτης ἀπεχομένους στεφανοῦντος τοῦ
Θεοῦ. Διὰ τοῦτο πολλῆς χρεία τῆς μηχανῆς ἵνα πεισθῶσιν
ἑκόντες ἑαυτοὺς ὑπέχειν ταῖς παρὰ τῶν ἱερέων θεραπείαις
οἱ κάμνοντες, καὶ οὐ τοῦτο μόνον, ἀλλ᾽ ἵνα καὶ χάριν εἰδῶσι
τῆς ἰατρείας αὐτοῖς. Ἄν τε γάρ τις σκιρτήσῃ δεθείς — κύριος
70 γάρ ἐστι τούτου —, χεῖρον εἰργάσατο τὸ δεινόν· ἄν τε τοὺς
σιδήρου δίκην τέμνοντας λόγους παραπέμψηται, προσέθηκε
διὰ τῆς καταφρονήσεως τραῦμα ἕτερον καὶ γέγονεν ἡ τῆς
θεραπείας πρόφασις, νόσου χαλεπωτέρας ὑπόθεσις· ὁ γὰρ
καταναγκάζων καὶ ἄκοντα θεραπεῦσαι δυνάμενος οὐκ ἔστι.

δʹ. Ὅτι πολλῆς τὸ
πρᾶγμα δυσκολίας
γέμει καὶ κινδύνων

Τί οὖν ἄν τις ποιήσειε; Καὶ γὰρ
ἂν πραότερον προσενεχθῇς τῷ πολλῆς ἀποτομίας δεομένῳ καὶ μὴ δῷς
βαθεῖαν τὴν πληγὴν τῷ τοιαύτης
5 χρείαν ἔχοντι, τὸ μὲν περιέκοψας, τὸ δὲ ἀφῆκας τοῦ τραύμα-
τος· κἂν ἀφειδῶς τὴν ὀφειλομένην ἐπαγάγῃς τομήν, πολλάκις
ἀπογνοὺς πρὸς τὰς ἀλγηδόνας ἐκεῖνος, ἀθρόως ἅπαντα ῥίψας
καὶ τὸ φάρμακον καὶ τὸν ἐπίδεσμον, φέρων ἑαυτὸν κατεκρή-

---

64 ὅπου : ὅποι FHJK ‖ 65 ἀλλὰ τοὺς προαιρέσει ταύτης om. C ‖
65 ἀπεχομένους : ἐπ- C ‖ 66 πεισθῶσιν BC : πείσωσιν cett. ‖ 67
ἑκόντες B : ἑκόντας cett. ‖ 69 τις BC : ποτε cett. ‖ 70 γάρ : δέ BC.
δʹ. 4 πληγὴν BC : τομὴν cett. ‖ 6 ἐπαγάγοις C ‖ 7 ἅπαντα BC :
πάντα cett. ‖ 7 ῥίψας BC : ἀπορρίψας cett.

1. Nous trouvons ici pour la première fois le mot ἱερεύς. Il désigne
essentiellement celui auquel sont confiées les choses sacrées, τὰ ἱερά,
« qui ne s'accomplissent que par ces mains saintes » (celles du prêtre
ou de l'évêque), III, 6, 7-8. Cf. In epist. I ad Tim. 3, hom. XI, 1, P G 62,
553 : Διαλεγόμενος περὶ ἐπισκόπων... καὶ τὸ τῶν πρεσβυτέρων
τάγμα ἀφείς, εἰς τοὺς διακόνους μετεπήδησε. Τί δήποτε ; Ὅτι οὐ πολὺ
τὸ μέσον αὐτῶν καὶ τῶν ἐπισκόπων. Καὶ γὰρ καὶ αὐτοὶ διδασκαλίαν
εἰσὶν ἀναδεδεγμένοι καὶ προστασίαν τῆς Ἐκκλησίας. « Parlant
des évêques..., ayant laissé de côté l'ordre des prêtres, d'un bond il

rendre meilleur le coupable. En effet, nous n'avons pas un aussi grand pouvoir que les lois pour contraindre les pécheurs et s'il nous avait été donné, nous n'aurions pas la possibilité d'employer la force, car Dieu ne couronne que ceux qui s'éloignent du mal de leur plein gré. C'est pourquoi, il est besoin de beaucoup d'ingéniosité pour que les malades se persuadent d'accepter volontiers les soins du prêtre[1] et non seulement pour cela, mais pour qu'ils reconnaissent que c'est la grâce qui guérit. Si, en effet, quelqu'un qui a été lié se débat — car il est maître de le faire —, son mal empire ; s'il ne veut pas écouter les discours qu'on lui tient et qui font l'effet d'un bistouri, il ajoute, par son mépris, une nouvelle blessure à l'autre et ce qui devait être un motif de guérison devient une cause de maladie plus grave, car personne ne peut être soigné en se débattant et contre son gré[2].

4. La chose est pleine de diffcultés et de dangers

Cela étant, que pourrait-on faire? Car si l'on agit avec une certaine douceur à l'égard de celui qui a besoin d'une large incision et si l'on ne fait pas une plaie profonde à celui pour qui c'est nécessaire, on supprime une partie du mal et on laisse l'autre ; et si l'on fait sans ménagements l'entaille nécessaire, souvent le malade, hors de lui sous le coup de la douleur, repousse tout à la fois le remède et les bandages ; prenant son élan, il se jette dans un précipice, après avoir piétiné le

est passé aux diacres. Pourquoi donc ? C'est qu'il n'y a pas grande distance entre les prêtres et les évêques, car eux aussi (les prêtres) ont reçu la charge d'enseigner et de présider l'Église. » Voir le commentaire qui est donné de ce passage dans *Jean Chrysostome et Augustin*, Actes du Colloque de Chantilly (22-24 septembre 1974), Paris 1975, p. 76-77. De même, nous avons traduit ὁ ἱερωμένος (III, 4, 9) par *qui a été revêtu du sacerdoce*, sans préciser s'il s'agit du prêtre ou de l'évêque.

2. Sur l'usage de la liberté chez le chrétien, Jean Chrysostome a des vues intéressantes qui ont été bien analysées par L. MEYER, *Saint Jean Chrysostome, maître de perfection chrétienne*, Paris 1933, p. 108-129.

μνισε, συντρίψας τὸν ζυγὸν καὶ διαρρήξας τὸν δεσμόν. Καὶ
10 πολλοὺς ἂν ἔχοιμι λέγειν τοὺς εἰς ἔσχατα ἐξοκείλαντας κακὰ
διὰ τὸ δίκην ἀπαιτηθῆναι τῶν ἁμαρτημάτων ἀξίαν. Οὐ γὰρ
ἁπλῶς πρὸς τὸ τῶν ἁμαρτημάτων μέτρον δεῖ καὶ τὴν ἐπιτιμίαν ἐπάγειν, ἀλλὰ καὶ τῆς τῶν ἁμαρτανόντων στοχάζεσθαι
προαιρέσεως, μή ποτε ῥάψαι τὸ διερρωγὸς βουλόμενος χεῖρον
15 τὸ σχίσμα ποιήσῃς καὶ ἀνορθῶσαι τὸ καταπεπτωκὸς σπουδάζων μείζονα ἐργάσῃ τὴν πτῶσιν. Οἱ γὰρ ἀσθενεῖς καὶ
διακεχυμένοι καὶ τὸ πλέον τῇ τοῦ κόσμου προσδεδεμένοι
τρυφῇ, ἔτι δὲ καὶ ἐπὶ γένει καὶ δυναστείᾳ μέγα φρονεῖν
ἔχοντες, ἠρέμα μὲν καὶ κατὰ μικρὸν ἐν οἷς ἂν ἁμαρτάνωσιν
20 ἐπιστρεφόμενοι, δύναιντ' ἄν, εἰ καὶ μὴ τέλεον, ἀλλ' οὖν ἐκ
μέρους τῶν κατεχόντων αὐτοὺς ἀπαλλαγῆναι κακῶν· ἂν δὲ
ἀθρόον τις ἐπαγάγῃ τὴν παίδευσιν, καὶ τῆς ἐλάττονος αὐτοὺς
ἀπεστέρησε διορθώσεως. Ψυχὴ γὰρ ἐπειδὰν ἅπαξ ἀπερυθριᾶ-
σαι βιασθῇ, εἰς ἀναλγησίαν ἐκπίπτει, καὶ οὔτε προσηνέσιν
25 εἴκει λόγοις λοιπόν, οὔτε ἀπειλαῖς κάμπτεται, οὐκ εὐεργε-
σίαις προτρέπεται, ἀλλὰ γίνεται πολὺ χείρων τῆς πόλεως
ἐκείνης ἣν ὁ προφήτης κακίζων ἔλεγεν· « Ὄψις πόρνης
ἐγένετό σοι, ἀπηναισχύντησας πρὸς πάντας[i]. »
    Διὰ τοῦτο πολλῆς δεῖ τῆς συνέσεως τῷ ποιμένι καὶ μυρίων
30 ὀφθαλμῶν πρὸς τὸ περισκοπεῖν πάντοθεν τὴν τῆς ψυχῆς ἕξιν.
Ὥσπερ γὰρ εἰς ἀπόνοιαν αἴρονται πολλοὶ καὶ εἰς ἀπόγνωσιν
τῆς ἑαυτῶν καταπίπτουσι σωτηρίας, ἀπὸ τοῦ μὴ δυνηθῆναι

---

13 ἐπιτιμίαν : ἐπιτίμησιν C ‖ 17 προσδεδεμένοι BC : δεδεμένοι cett.
‖ 20 οὖν : γοῦν C ‖ 20-21 ἐκ μέρους : κατὰ μέρος C ‖ 21 ἂν B : ἢν
K ἐὰν cett. ‖ 25 οὐκ BC : οὔτε cett.

i. Jér. 3, 3

1. Réminiscence de *Jér.* 5, 5.
2. Cf. *Ad Theod. lapsum*, I, 15, *SC* 117, p. 170-176. Même mouvement, même idée et un vocabulaire voisin.
3. Remarquer l'importance accordée par Jean dans le *Dialogue* et
dans l'ensemble de son œuvre au mot σύνεσις. Ce mot implique, plus
que l'intelligence discursive, l'intuition, laquelle donne une connaissance intime des êtres et des choses. PLATON (*Cratyle* 412a) y voit une
démarche de l'âme qui *fait le chemin avec*, συμπορεύομαι (pour com-

joug et brisé le lien[1]. Je pourrais en citer beaucoup d'autres
qui sont tombés dans les derniers des maux pour avoir été
frappés du châtiment que méritaient leurs fautes. En effet,
il ne faut pas simplement infliger une peine proportionnée
à la faute, mais il faut chercher à connaître les dispositions
de ceux qui l'ont commise, de crainte qu'en voulant
recoudre la fente, on agrandisse la déchirure et qu'en voulant relever celui qui est tombé, on aggrave sa chute. En
effet, ceux qui sont faibles et découragés et qui, la plupart
du temps, sont retenus par la vie facile qu'on mène dans le
monde, eux qui peuvent garder un sentiment de supériorité
par suite de leur naissance ou de leur puissance, si on les
reprend doucement et peu à peu sur les points où ils sont
coupables, pourraient, sinon complètement, du moins en
partie, se dégager des maux qui les étreignent ; mais si l'on
déverse sur eux tout d'un coup les exhortations, on les
prive de la possibilité de s'amender, si minime soit-elle[2].
En effet, lorsqu'une âme est contrainte d'avoir honte, elle
tombe dans l'insensibilité et désormais elle ne cède plus
aux bonnes paroles, elle ne courbe plus la tête sous les
menaces, elle ne se laisse pas toucher par les bienfaits, mais
elle devient pire que cette ville dont parlait le prophète en
la maudissant : « Tu as désormais un visage de prostituée,
refusant de rougir devant tout le monde[i]. »

C'est pourquoi il faut beaucoup de compréhension[3] au
pasteur, qu'il ait des yeux partout pour discerner dans tous
les cas l'état de l'âme. En effet, de même que bien des gens
sont entraînés au désespoir[4] et vont jusqu'à perdre

prendre). Cette connotation permet au christianisme de charger le mot
d'un contenu très riche où se mêlent l'intelligence, la pénétration, la
compréhension éclairée par la charité. On ne s'étonnera donc pas de
voir Jean Chrysostome compter la σύνεσις parmi les éléments les plus
indispensables dans la vie du prêtre.

4. Le mot ἀπόνοια indique un dérèglement de l'esprit ; selon le
contexte, il peut signifier soit orgueil (par exemple, *In Matth. hom.*
LXV, 6, *P G* 58, 626 : ἐξ ἀπονοίας ἥμαρτεν ὁ πρῶτος ἄνθρωπος), soit
découragement et désespoir. C'est le cas ici.

πικρῶν ἀνασχέσθαι φαρμάκων, οὕτως εἰσί τινες οἳ διὰ τὸ μὴ
δοῦναι τιμωρίαν τῶν ἁμαρτημάτων ἀντίρροπον εἰς ὀλιγωρίαν
35 ἐκτρέπονται καὶ πολλῷ γίνονται χείρους καὶ πρὸς τὸ μείζονα
ἁμαρτάνειν προάγονται. Χρὴ τοίνυν μηδὲν τούτων ἀνεξέ-
ταστον ἀφεῖναι, ἀλλὰ πάντα διερευνησάμενον ἀκριβῶς καταλ-
λήλως τὰ παρ' ἑαυτοῦ προσάγειν τὸν ἱερωμένον ἵνα μὴ μάταιος
αὐτῷ γίνηται ἡ σπουδή.
40   Οὐκ ἐν τούτῳ δὲ μόνῳ, ἀλλὰ καὶ ἐν τῷ τὰ ἀπερρηγμένα τῆς
Ἐκκλησίας μέλη συνάπτειν πολλὰ ἴδοι τις ἂν αὐτὸν ἔχοντα
πράγματα. Ὁ μὲν γὰρ τῶν προβάτων ποιμὴν ἔχει τὸ ποίμνιον ἑπόμενον ᾗπερ ἂν ἡγῆται· εἰ δὲ καὶ ἐκτρέποιτό τινα τῆς
εὐθείας ὁδοῦ καὶ τὴν ἀγαθὴν ἀφιέντα νομὴν λεπτόγεα καὶ
45 ἀπόκρημνα βόσκοιτο χωρία, ἀρκεῖ βοήσαντα σφοδρότερον
συνελάσαι πάλιν καὶ εἰς τὴν ποίμνην ἐπαναγαγεῖν τὸ χωρι-
σθέν. Εἰ δὲ τῆς εὐθείας ἄνθρωπος ἀποπλανηθείη πίστεως,
πολλῆς δεῖ τῷ ποιμένι τῆς πραγματείας, τῆς καρτερίας, τῆς
ὑπομονῆς· οὐ γὰρ ἑλκύσαι πρὸς βίαν ἔστιν, οὐδὲ ἀναγκάσαι
50 φόβῳ, πείσαντα δὲ δεῖ πάλιν πρὸς τὴν ἀλήθειαν ἐπαναγαγεῖν
ὅθεν ἐξέπεσε τὴν ἀρχήν. Γενναίας οὖν δεῖ ψυχῆς ἵνα μὴ
περικακῇ, ἵνα μὴ ἀπογινώσκῃ τὴν τῶν πλανωμένων σωτηρίαν, ἵνα συνεχῶς ἐκεῖνο καὶ λογίζηται καὶ λέγῃ· « Μήποτε
δῷ αὐτοῖς ὁ Θεὸς ἐπίγνωσιν ἀληθείας καὶ ἀνανήψωσιν ἐκ
55 τῆς τοῦ διαβόλου παγίδοςʲ. » Διὰ ταῦτα τοῖς μαθηταῖς ὁ

40 μόνῳ B : μόνον cett. ‖ 50 ἐπαναγαγεῖν BC K : ἀγαγεῖν cett. ‖
52 πλανωμένων BC : πεπλανημένων cett. ‖ 54 ἐπίγνωσιν BC : μετάνοιαν εἰς ἐπίγνωσιν cett. ‖ 54 ἀνανήψωσιν ἐκ B : ἀπαλλαγῶσι cett.

j. II Tim. 2, 25-26

1. Allusion aux hérésies qui se sont multipliées dans les premiers
siècles de l'Église. Jean les présentera en détail plus loin, IV, 4 et 5,
en montrant comment le prêtre doit être armé pour les réfuter.
2. Dans certains cas, Jean invite les chrétiens à exercer sur leurs
frères une action contraignante. Par exemple, *In illud : « Si esurierit
inimicus »*, 3, *PG* 51, 176. On trouve au contraire ici un véritable
directoire de pastorale où la charité et la patience sont présentées
comme étant les plus conformes à l'esprit du Christ et à une saine
psychologie.

confiance en leur salut parce qu'ils n'ont pu supporter des remèdes amers, de même il y en a d'autres qui, ne pouvant subir un châtiment proportionné à leur faute, tombent dans la négligence, deviennent pires et sont amenés à commettre des fautes plus graves. Il faut donc que le prêtre ne néglige aucun de ces détails et, après avoir tout examiné avec soin, qu'il applique ses remèdes selon les besoins de chacun, pour que sa sollicitude ne soit pas vaine.

Ce n'est pas seulement dans ce domaine, mais encore pour rattacher à l'Église les membres séparés qu'il a beaucoup de soucis, chacun pourrait s'en apercevoir[1]. En effet, le berger a un troupeau qui le suit là où il le conduit ; si une brebis venait à se détourner du droit chemin et, négligeant le gras pâturage, paissait sur des sols maigres et escarpés, il suffit qu'on crie un peu fort pour qu'elle revienne et qu'on ramène la fugitive vers le troupeau. Mais si un homme s'éloigne de la foi droite, il faut au berger beaucoup d'habileté, d'énergie, de patience ; car celui-ci ne peut pas le tirer de force, ni le contraindre par la peur, mais il lui faut, par la persuasion, le ramener à la vérité qu'il a autrefois abandonnée[2]. Il faut donc une âme noble[3], pour ne pas se décourager, pour ne pas désespérer du salut de ceux qui s'égarent, pour y songer sans cesse et répéter : « Puisse Dieu leur donner un jour la connaissance de la vérité et de se dégager des filets du diable[j] ! » C'est pourquoi le

---

3. L'emploi de γενναῖος est fréquent dans le vocabulaire chrétien et chez Chrysostome en particulier, où il recouvre les principales valeurs morales impliquées dans cet adjectif chez les païens, mais en y ajoutant des résonances chrétiennes. Voir *Lettres à Olympias*, SC 13 bis, Introd., p. 63-64. Il semble que l'emploi de cet adjectif chez les chrétiens soit, en quelque façon, une réponse aux accusations de lâcheté portées contre eux par les ennemis du christianisme (TACITE, *Hist.* III, 75 ; SUÉTONE, *Dom.* 15, 1) et contre le Christ lui-même qui est dit ἀγεννής. Cf. ORIGÈNE, *Contra Celsum* I, 61, SC 132, p. 244, li. 32-35.

Κύριος διαλεγόμενος ἔφη· « Τίς ἄρα ὁ πιστὸς δοῦλος καὶ
φρόνιμος[k]; » Ὁ μὲν γὰρ ἑαυτὸν ἀσκῶν εἰς ἑαυτὸν μόνον
περιΐστησι τὴν ὠφέλειαν· τὸ δὲ τῆς ποιμαντικῆς κέρδος εἰς
ἅπαντα διαβαίνει τὸν λαόν. Καὶ ὁ μὲν χρήματα διανέμων τοῖς
60 δεομένοις ἢ καὶ ἑτέρως πως ἀδικουμένοις ἀμύνων ὤνησε
μέν τι καὶ οὗτος τοὺς πλησίον, τοσούτῳ δὲ ἔλαττον τοῦ
ἱερέως ὅσῳ τὸ μέσον σώματος πρὸς ψυχήν. Εἰκότως ἄρα τῆς
εἰς αὐτὸν ἀγάπης τὴν περὶ τὰ ποίμνια σπουδὴν ὁ Κύριος
ἔφησεν εἶναι σημεῖον.

ε'. Ὅτι τῆς εἰς τὸν
Χριστὸν ἀγάπης
ἕνεκεν τὸ
5 πρᾶγμα ἐφύγομεν

ΒΑΣ. Σὺ δέ, φησίν, οὐ φιλεῖς τὸν
Χριστόν;
ΙΩ. Καὶ φιλῶ καὶ φιλῶν οὐ παύ-
σομαί ποτε· δέδοικα δὲ μὴ παροξύνω
τὸν φιλούμενον ὑπ' ἐμοῦ.

ΒΑΣ. Καὶ τί τούτου γένοιτ' ἂν αἴνιγμα, φησίν, ἀσαφέστε-
ρον, εἰ ὁ μὲν Χριστὸς τὸν φιλοῦντα αὐτὸν ποιμαίνειν προσέ-
ταξεν αὐτοῦ τὰ πρόβατα, σὺ δὲ διὰ τοῦτο φῇς οὐ ποιμαίνειν
ἐπειδὴ τὸν τοῦτο προστάξαντα φιλεῖς;
10 ΙΩ. Οὐκ ἔστιν αἴνιγμα, ἔφην, ὁ λόγος, ἀλλὰ καὶ λίαν σαφὴς
καὶ ἁπλοῦς. Εἰ μὲν γὰρ ἱκανῶς ἔχων διοικῆσαι τὴν ἀρχὴν
ταύτην καθὼς ὁ Χριστὸς ἤθελεν, εἶτα ἀπέφυγον, ἔδει πρὸς τὸ
παρ' ἐμοῦ λεγόμενον ἀπορεῖν· ἐπειδὴ δὲ ἄχρηστόν με πρὸς τὴν
διακονίαν ταύτην ἡ τῆς ψυχῆς ἀσθένεια καθίστησι, ποῦ
15 ζητήσεως ἄξιον τὸ λεγόμενον; Καὶ γὰρ δέδοικα μὴ τὴν
ἀγέλην τοῦ Χριστοῦ σφριγῶσαν καὶ εὐτραφῆ παραλαβών,
εἶτα αὐτὴν ἐξ ἀπροσεξίας λυμηνάμενος, παροξύνω κατ'

57 ἑαυτον[1] BC A : ἑαυτῷ EG HK ἐν ἑαυτῷ FJ ‖ 60 ἐπαμύνων
K ‖ 62 ἱερέως] + καὶ τοῦ ἰδιώτου K ‖ 62 ὅσῳ B : ὅσον cett. ‖ 62 πρὸς
ψυχήν BC A K : καὶ ψυχῆς cett.
   ε'. 6 αἴνιγμα om. C ‖ 11 ἔχων : εἶχον J ‖ 12 ἤθελεν B K : ἠθέλησεν
C AEG H ἐκέλευσεν FJ ‖ 17 αὐτὴν ἐξ ἀπροσεξίας B : ὑπὸ τῆς ἀπειρίας cett.

k. Matth. 24, 45

Seigneur parlant à ses disciples disait : « Quel est donc le serviteur fidèle et avisé[k] ? » Car celui qui s'entraîne lui-même à la vertu en limite à lui seul l'utilité ; tandis que le bénéfice de l'art pastoral s'étend au peuple tout entier. Celui qui distribue ses richesses aux pauvres ou bien celui qui vient en aide d'une façon quelconque à ceux qui sont victimes de l'injustice, celui-là est utile à son prochain, mais moins que le prêtre et avec la distance qu'il y a du corps à l'âme. A bon droit, certes, le Seigneur a dit que le zèle témoigné à ses brebis était une preuve de l'amour qu'on a pour lui.

5. C'est par amour pour le Christ que nous avons fui le sacerdoce

BASILE. Alors, dit-il, tu n'aimes donc pas le Christ ?

JEAN. Si, je l'aime et je ne cesserai de l'aimer, mais je crains d'offenser celui que j'aime.

BASILE. Quelle énigme, dit-il, serait plus obscure, si le Christ a ordonné à celui qui l'aime de faire paître ses brebis et si toi, pour la même raison, tu refuses de les faire paître, parce que tu aimes celui qui t'a donné cet ordre ?

JEAN. Mes paroles ne sont pas une énigme, dis-je, elles sont claires et simples. Si, tout en étant capable de remplir cette charge comme le Christ le voulait, je m'étais dérobé, il y aurait lieu d'être embarrassé devant ce que je dis ; mais puisque la faiblesse de mon âme me rend inapte à ce ministère[1], pourquoi chercher davantage une explication à ce que je dis ? En effet, après avoir reçu le troupeau du Christ plein de vie et de force, puis après l'avoir fait dépérir par négligence, je crains d'exciter contre moi la colère de

---

1. Le mot διακονία, dont le sens premier est *service*, désigne le ministère de l'apôtre en *Rom.* 11, 13. On peut donc traduire soit par *ministère*, soit par *service* selon le contexte. Voir « Diversité et unité des ministères d'après le Nouveau Testament », dans *Le ministère et les ministères selon le Nouveau Testament*, ouvrage collectif, Paris 1974, p. 283-328.

ἐμαυτοῦ τὸν οὕτως αὐτὴν ἀγαπήσαντα Θεὸν ὡς ἑαυτὸν
ἐκδοῦναι διὰ τὴν ταύτης σωτηρίαν τε καὶ τιμήν.

20　ΒΑΣ. Παίζων λέγεις ταῦτα, φησίν· εἰ γὰρ σπουδάζων, οὐκ
οἶδα πῶς ἂν ἑτέρως μᾶλλον ἡμᾶς ἀπέδειξας δικαίως ἀλγοῦντας
ἢ διὰ τῶν ῥημάτων τούτων δι' ὧν ἀποκρούσασθαι τὴν ἀθυμίαν
ἐσπούδασας. Ἐγὼ γὰρ καὶ πρότερον εἰδὼς ὅτι με ἠπάτησας
καὶ προὔδωκας, νῦν δὲ πολλῷ πλέον ὅτε καὶ τὰ ἐγκλήματα
25　ἀποδύσασθαι ἐπεχείρησας, τοῦτο μανθάνω καὶ συνίημι καλῶς
οἷ τῶν κακῶν με ἤγαγες. Εἰ γὰρ διὰ τοῦτο σαυτὸν ὑπεξήγαγες
τῆς τοιαύτης λειτουργίας ὅτι συνεῖδες οὐκ ἀρκοῦσάν σου τὴν
ψυχὴν πρὸς τὸν τοῦ πράγματος ὄγκον, ἐμὲ πρότερον ἐξελέσθαι ἐχρῆν καὶ εἰ πολλὴν πρὸς τοῦτο ἐπιθυμίαν ἔχων
30　ἐτύγχανον, μὴ ὅτι καὶ πᾶσαν τὴν ὑπὲρ τούτων ἐπέτρεψά σοι
βουλήν. Νῦν δὲ τὸ σαυτοῦ μόνον ἰδὼν τὸ ἡμέτερον παρεῖδες·
εἴθε μὲν οὖν παρεῖδες, καὶ ἀγαπητὸν ἦν, σὺ δὲ καὶ ὅπως
εὐχείρωτοι γενώμεθα τοῖς βουλομένοις λαβεῖν ἐπεβούλευσας.
Οὐδὲ γὰρ εἰς ἐκεῖνο καταφυγεῖν ἔχοις ἂν ὅτι ἡ τῶν πολλῶν
35　δόξα ἠπάτησέ σε καὶ μεγάλα τινὰ καὶ θαυμαστὰ περὶ ἡμῶν
ὑποπτεύειν ἔπεισεν· οὔτε γὰρ τῶν θαυμαζομένων καὶ ἐπισή-
μων ἡμεῖς, οὔτε, εἰ καὶ τοῦτο οὕτως ἔχον ἐτύγχανε, τὴν τῶν
πολλῶν δόξαν τῆς ἀληθείας προτιμῆσαι ἐχρῆν. Εἰ μὲν γὰρ
μηδέποτέ σοι πεῖραν τῆς ἡμετέρας ἔδομεν συνουσίας, ἐδόκει
40　τις εἶναί σοι πρόφασις εὔλογος ἀπὸ τῆς τῶν πολλῶν φήμης
φέροντι τὴν ψῆφον· εἰ δὲ οὐδεὶς οὕτω τὰ ἡμέτερα οἶδεν, ἀλλὰ
καὶ τῶν γεγεννηκότων καὶ θρεψαμένων αὐτῶν τὴν ἡμετέραν

20 σπουδάζων ΒC : οὐ παίζων cett. ‖ 24 νῦν δὲ Β : om. cett. ‖ 24
καὶ² Β : om. cett. ‖ 26 οἷ τῶν κακῶν : εἰς οἷ [οἷον Cᵖᶜ] κακὸν C ‖
26 Εἰ γὰρ ... ὑπεξήγαγες om. C ‖ 26 σαυτὸν : ἑαυτὸν Α Κ ‖ 27 ὅτι
συνεῖδες ΒC : συνειδὼς cett. ‖ 29 ἐπιθυμίαν Β : τὴν ἐπιθυμίαν cett. ‖
30 ἐπέτρεψα ΒC Κ : ἔπραξα F ἔπραξας cett. ‖ 30 σοι ΒC : om. cett.
‖ 31 βουλήν ΒC Κ : σπουδήν cett. ‖ 31 ἰδὼν : εἰδὼς ΑΕG ‖ 32 ἦν Β :
ἂν ἦν cett. ‖ 38 μὲν om. ΑΕG ‖ 39 ἔδομεν ΒC Κ : ἐδώκαμεν cett. ‖ 42
αὐτῶν : om. Β ἡμᾶς add. Κ.

1. La construction des deux compléments unis par τε καὶ pourrait
suggérer de donner à τιμήν le sens d'*honneur*, en référence à *Hébr.* 2,
7-9. C'est ainsi que l'a compris le *vetus interpres* : « ut filium suum pro

ce Dieu qui l'aime au point de s'être livré lui-même pour
le sauver et en y mettant le prix[1].

BASILE. Tu plaisantes en disant cela, dit-il, car si tu
parles sérieusement, je ne vois pas de quelle autre façon tu
pourrais montrer plus justement notre faiblesse que par
les paroles grâce auxquelles tu t'es efforcé de dissiper notre
tristesse. Quant à moi, je savais déjà que tu m'avais
trompé et trahi, mais maintenant, devant les efforts que
tu fais pour te disculper, je comprends davantage et je
saisis bien à quel degré de misère tu m'as entraîné. Si c'est
à cause de cela que tu t'es dérobé à une si lourde charge,
parce que tu savais que ton âme ne suffisait pas à l'importance de la chose[2], il fallait d'abord m'en exempter moi-
même, si j'en avais un grand désir, puisque je t'ai entièrement confié le soin de prendre une décision à ce sujet. En
réalité, ne considérant que ton intérêt, tu as négligé le
nôtre ; et si tu l'avais négligé, ce serait encore admissible,
mais tu t'es arrangé pour que ceux qui le désiraient puissent
facilement s'emparer de nous. En effet, tu ne saurais avoir
comme excuse que la renommée publique t'a induit en
erreur et t'a persuadé d'avoir de nous une haute opinion,
pleine d'admiration ; car nous n'avons jamais été au nombre
des gens admirables et distingués et, si c'était mon cas, tu
n'aurais pas dû préférer l'opinion de la foule à la vérité.
Si nous ne t'avions jamais donné par nos relations quotidiennes l'occasion de nous connaître, tu aurais eu un prétexte valable pour régler ta décision sur l'opinion d'autrui ;
mais si personne ne sait aussi bien que toi ce qui nous
concerne, et si tu connais notre âme mieux que ceux qui

salute traderet et honore ». Mais il nous semble préférable d'éclairer
ce passage par celui de II, 1, 30 où τιμήν signifie *à prix d'argent*.
C'est ainsi que l'a compris Montfaucon en traduisant : « ... qui ita
ipsum amat ut ad eius salutem in pretium tradiderit ».

2. Jean souligne à plusieurs reprises ses insuffisances devant la
charge du sacerdoce. Voir III, 10, 14.45 ; IV, 2, 48. Sur le mot πρᾶγμα,
voir *supra*, p. 106, note 1.

μᾶλλον ἐπίστασαι ψυχήν, τίς οὕτως ἔσται σοι λόγος πιθανὸς
ὡς δυνηθῆναι πεῖσαι τοὺς ἀκούοντας ὅτι οὐχ ἑκὼν ἡμᾶς εἰς
45 τοῦτον ὦσας τὸν κίνδυνον; 'Αλλὰ γὰρ ταῦτα ἀφείσθω νῦν·
οὐδὲ γὰρ ὑπὲρ τούτων ἀναγκάζομέν σε κρίνεσθαι. Τί πρὸς
τοὺς ἐγκαλοῦντας ἀπολογησόμεθα; λέγε.

ΙΩ. 'Αλλ' οὐδὲ αὐτὸς πρότερον, ἔφην, ἐπ' ἐκεῖνα πορεύσο-
μαι ἕως ἂν διαλύσωμαι τὰ πρὸς σέ, κἂν μυριάκις αὐτὸς ἡμᾶς
50 τῶν ἐγκλημάτων ἐθέλῃς ἀπολύειν. Σὺ μὲν γὰρ ἔφης τὴν
ἄγνοιαν ἡμῖν φέρειν συγγνώμην καὶ πάσης ἂν ἡμᾶς ἀφεῖναι
κατηγορίας, εἰ μηδὲν τῶν σῶν εἰδότες εἶτά σε εἰς τὰ παρόντα
ἠγάγομεν· ἐπειδὴ δὲ οὐκ ἀγνοοῦντας προδοῦναι, ἀλλ' ἀκριβῶς
ἐπισταμένους τὰ σά, διὰ τοῦτο πᾶσαν ἡμῖν πρόφασιν εὔλογον
55 καὶ ἀπολογίαν ἀνῃρῆσθαι δικαίαν. 'Εγὼ δὲ πᾶν τοὐναντίον
φημί, ὅτι τὰ τοιαῦτα πολλῆς δεῖται τῆς ἐξετάσεως. Καὶ τὸν
μέλλοντα παραδώσειν τὸν εἰς ἱερωσύνην ἐπιτήδειον οὐ δεῖ
τῇ τῶν πολλῶν ἀρκεῖσθαι φήμῃ μόνον, ἀλλὰ μετ' ἐκείνης καὶ
αὐτὸν μάλιστα πάντων καὶ πρὸ πάντων ἐξητακέναι τὰ ἐκείνου.
60 Καὶ γὰρ ὁ μακάριος Παῦλος εἰπών· « Δεῖ δὲ αὐτὸν καὶ μαρτυρίαν ἔχειν καλὴν ἀπὸ τῶν ἔξωθεν[1] », οὐκ ἀναιρεῖ τὴν
ἀκριβῆ καὶ βεβασανισμένην ἔρευναν, οὐδ' ὡς προηγούμενον
τεκμήριον τοῦτο τίθησι τῆς τῶν τοιούτων δοκιμασίας· καὶ
γὰρ πολλὰ πρότερον διαλεχθείς, ὕστερον τοῦτο προσέθηκε,
65 δεικνὺς ὡς οὐκ ἂν αὐτῷ μόνον ἀρκεῖσθαι δεῖ πρὸς τὰς
τοιαύτας αἱρέσεις, ἀλλὰ μετὰ τῶν ἄλλων καὶ αὐτὸ παρα-
λαμβάνειν χρή. Συμβαίνει γὰρ πολλάκις τὴν τῶν πολλῶν
ψεύδεσθαι φήμην· τῆς δὲ ἀκριβοῦς ἐξετάσεως ἡγησαμένης,
οὐδένα ἐκ ταύτης κίνδυνόν ἐστιν ὑποπτεῦσαι λοιπόν. Διὰ

43 μᾶλλον ante αὐτῶν transp. C ‖ 50 ἐθέλῃς : ἐθέλοις E ἐθέλεις C A
‖ 55 δικαίαν BC : δίκαιον cett. ‖ 55 πᾶν : ἄπαν A HJK ‖ 56 φημί] +
διὰ τί ; C A H ‖ 56 ὅτι : διότι J ‖ 66 αὐτὸ : αὐτὸν C ‖ 69-70 Διὰ —
ἄλλα : διὰ τὰ μετὰ ταῦτα ἀλλὰ A.

1. I Tim. 3, 7

nous ont donné naissance et qui nous ont élevé, quel discours sera assez persuasif pour convaincre ceux qui
l'écoutent que tu ne nous as pas volontairement poussé dans
ce danger ? Mais laissons cela de côté maintenant ; car
nous ne t'obligeons pas à porter un jugement sur ces questions. Que répondrons-nous à ceux qui nous feront des
reproches ? dis-le-moi.

JEAN. Je ne m'engagerai pas dans cette voie, répondis-
je, tant que je ne me serai pas justifié à ton égard, même si,
de ton côté, tu veux toujours nous exempter de reproches.
Tu as dit que l'ignorance nous méritait le pardon et nous
mettait à l'abri de toute accusation, si c'est en ne sachant
rien de tes affaires que nous t'avons mis dans la situation
présente ; de fait, puisque je t'ai trahi, non par ignorance,
mais en les connaissant dans le détail, c'est à cause de cela
que j'ai supprimé tout prétexte valable et toute défense
justifiée. Or, moi je dis tout le contraire, parce qu'une
affaire de cette importance exige qu'on l'examine très
attentivement. Celui qui va présenter le candidat apte au
sacerdoce[1] ne doit pas se contenter de l'opinion publique,
mais en outre il doit l'examiner lui surtout et, avant tout,
ce qui le concerne. En effet, lorsque le bienheureux Paul
dit : « Il faut que ceux du dehors rendent de lui un bon
témoignage[1] », il ne supprime pas une enquête minutieuse
et approfondie et ne donne pas ce témoignage comme
l'emportant sur l'enquête précédente ; car après avoir
longuement parlé auparavant, il a ajouté cela en dernier
lieu, montrant qu'il ne faut pas s'en contenter dans de tels
choix, mais qu'après les autres éléments d'enquête il faut
aussi prendre celui-là en considération. Car il arrive souvent
que la renommée publique soit menteuse ; mais lorsqu'un
examen approfondi a eu lieu, il n'y a pas de danger à tenir
compte de cette renommée. C'est pourquoi le témoignage

---

1. La présentation du candidat, παραδιδόναι, est une des étapes
de l'ordination que nous avons énumérées (voir *supra*, p. 74, note 2).

70 τοῦτο μετὰ τὰ ἄλλα τὸ « παρὰ τῶν ἔξωθεν » αὐτὸ τίθησιν·
οὐ γὰρ ἁπλῶς ἔφησε· « Δεῖ δὲ αὐτὸν μαρτυρίαν ἔχειν καλήν »,
ἀλλὰ καὶ τὸ « παρὰ τῶν ἔξωθεν » παρενέβαλε, δηλῶσαι
βουλόμενος ὅτι πρὸ τῆς τῶν ἔξωθεν φήμης πρὸς ἀκρίβειαν
αὐτὸν διερευνήσασθαι δεῖ. Ἐπεὶ οὖν καὶ αὐτὸς ᾔδειν τὰ σὰ
75 τῶν γεγεννηκότων μᾶλλον, ὡς καὶ αὐτὸς ὡμολόγησας, διὰ
τοῦτο δίκαιος ἂν εἴην πάσης ἀφεῖσθαι αἰτίας.

ΒΑΣ. Δι' αὐτὸ μὲν οὖν τοῦτο, φησίν, οὐκ ἂν ἔφυγες, εἴ τίς σε
γράφεσθαι ἤθελεν. Ἢ οὐ μέμνησαι καὶ παρ' ἡμῶν ἀκούσας
καὶ πολλάκις καὶ διὰ τῶν ἔργων αὐτῶν διδαχθεὶς τὸ τῆς
80 ψυχῆς ἀγεννὲς τῆς ἐμῆς; οὐ διὰ τοῦτο εἰς μικροψυχίαν ἡμᾶς
διετέλεις σκώπτων ἀεὶ ὅτι καὶ ταῖς τυχούσαις φροντίσι
καταπίπτομεν εὐκόλως;

ς'. Ἀπόδειξις τῆς
ἀρετῆς τοῦ
Βασιλείου καὶ τῆς
5 ἀγάπης τῆς σφοδρᾶς

ΙΩ. Μέμνημαι μὲν καὶ ταῦτα
πολλάκις, ἔφην, ἀκούσας παρὰ σοῦ
τὰ ῥήματα καὶ οὐκ ἂν ἀρνηθείην·
ἐγὼ δέ σε εἴ ποτε ἔσκωπτον, παίζων,
οὐκ ἀληθεύων, τοῦτο ἐποίουν. Ἀλλ'
ὅμως οὐδὲν ὑπὲρ τούτων φιλονεικῶ νῦν· ἀξιῶ δὲ καὶ αὐτὸν
τὴν ἴσην μοι παρασχεῖν εὐγνωμοσύνην ὅταν θελήσω τινὸς
ἐπιμνησθῆναι τῶν σοι προσόντων ἀγαθῶν. Κἂν γὰρ ἐπι-
χειρήσῃς ἡμᾶς ἀπελέγξαι ψευδομένους, οὐ φεισόμεθα, ἀλλ'
10 ἀποδείξομεν μετριάζοντά σε μᾶλλον ἢ πρὸς ἀλήθειαν ταῦτα
φθεγγόμενον, ἑτέρῳ μὲν οὐδενὶ τοῖς δὲ λόγοις τοῖς σοῖς καὶ
ταῖς πράξεσι μάρτυσι κεχρημένοι πρὸς τὴν τῶν λεγομένων
ἀλήθειαν. Πρῶτον δέ σε ἐκεῖνο ἐρέσθαι βούλομαι· οἶσθα
πόση τῆς ἀγάπης ἡ δύναμις; Ὁ μὲν γὰρ Χριστὸς τὰ τεράστια
15 πάντα ἀφεὶς ἅπερ ἔμελλεν ὑπὸ τῶν ἀποστόλων τελεῖσθαι,
« ἐν τούτῳ, φησί, γνώσονται οἱ ἄνθρωποι ὅτι ἐμοί ἐστε

70 τὸ ... αὐτὸ B : τὰ ... αὐτὸ C EG FJK τοῦτο (post ἀλλὰ) A ‖ 72 καὶ
τὸ B : τὸ καὶ C FHJK καὶ AEG ‖ 72 παρὰ τῶν ἔξωθεν om. C ‖ 73
τῆς — φήμης : τῆς ἔξωθεν φωνῆς A ‖ 74 διερευνήσασθαι : διερευ-
νεῖσθαι C διερευνῆσθαι A ‖ 74 δεῖ BC : χρή cett. ‖ 77 ἔφυγες B E :
ἀπέφυγες cett. ‖ 79 καὶ¹ BC : om. cett.

« de ceux du dehors », il le place après le reste ; en effet, il n'a pas dit simplement : « Il faut qu'on rende de lui un bon témoignage », mais il a ajouté encore : « chez ceux du dehors », voulant montrer qu'il faut examiner le candidat avec soin avant de tenir compte de l'opinion de ceux du dehors. Donc, puisque je connaissais ce qui te regarde mieux que tes parents, comme tu en as convenu, il serait juste à cause de cela que j'échappe à toute accusation.

BASILE. Mais c'est justement pour cela, dit-il, que tu ne saurais t'en tirer, si quelqu'un voulait t'accuser. Ne te souviens-tu pas aussi de nous avoir entendu dire souvent et de l'avoir appris par les faits eux-mêmes, que mon âme n'a rien de noble ? n'est-ce pas à cause de cela que tu ne cessais de nous reprocher notre pusillanimité et que nous nous laissions facilement abattre par n'importe quels soucis ?

6. Preuve de la vertu de Basile et de son ardente charité

JEAN. Je me le rappelle souvent, dis-je, en entendant tes paroles et je ne saurais le nier ; mais si jamais je t'ai critiqué, c'est en plaisantant et non en disant la vérité que je le faisais. Et maintenant, je ne veux pas entrer en contestation à ce sujet ; en revanche, je trouve juste que tu me témoignes la même bienveillance, lorsque je voudrai rappeler à quelqu'un les qualités que tu possèdes. En effet, si tu entreprends de nous convaincre de mensonge, nous ne t'épargnerons pas, mais nous prouverons que tu te rabaisses plutôt que tu ne dis la vérité, et en nous servant uniquement comme témoin de tes paroles et de tes actions pour prouver la vérité de ce que je dis. Tout d'abord, je veux te demander une chose. Connais-tu la puissance de la charité ? En effet, le Christ, laissant de côté tous les prodiges qui devaient être accomplis par les apôtres, « à cela, dit-il, les hommes reconnaîtront que vous êtes mes dis-

---

ϛʹ. 6 αὐτὸν B : αὐτὸς C σεαυτὸν cett. ‖ 7 μοι παρασχεῖν : με παράσχου C ‖ 12 κεχρημένοι BC : χρώμενος cett.

μαθηταί, ἐὰν ἀγαπᾶτε ἀλλήλους[m]. » Ὁ δὲ Παῦλος πλήρωμα
τοῦ νόμου φησὶν αὐτὴν εἶναι καὶ ταύτης ἀπούσης οὐδὲν εἶναι
τῶν χαρισμάτων ὄφελος. Τοῦτο δὴ τὸ ἐξαίρετον ἀγαθόν, τὸ
20 γνώρισμα τῶν τοῦ Χριστοῦ μαθητῶν, τὸ τῶν χαρισμάτων
ἀνωτέρω κείμενον, εἶδον γενναίως ἐν τῇ σῇ πεφυτευμένον
ψυχῇ καὶ πολλῷ βρύον τῷ καρπῷ.

Καὶ ὁ Βασίλειος·

Ὅτι μὲν πολλή μοι, φησί, τοῦ πράγματος ἡ φροντὶς καὶ
25 μεγίστην ποιοῦμαι τὴν σπουδὴν ὑπὲρ ταύτης τῆς ἐντολῆς,
καὶ αὐτὸς ὁμολογῶ· ὅτι δὲ οὐδὲ ἐξ ἡμισείας αὐτὴν διηνύ-
σαμεν, καὶ αὐτὸς ἄν μοι μαρτυρήσῃς, εἰ τὸ πρὸς χάριν λέγειν
ἀφεὶς τιμῆσαι τἀληθὲς βουληθείης.

ΙΩ. Οὐκοῦν ἐπὶ τοὺς ἐλέγχους τρέψομαι, ἔφην, καὶ ὅπερ
30 ἠπείλησα ποιήσω νῦν, μετριάζειν μᾶλλον ἢ ἀληθεύειν βουλόμενον ἀποδείξας. Ἐρῶ δὲ πρᾶγμα ἄρτι συμβεβηκός, ἵνα
μή τις ὑποπτεύσῃ τὰ παλαιά με διηγούμενον τῷ πλήθει τοῦ
χρόνου τἀληθὲς ἐπισκιάζειν ἐπιχειρεῖν, τῆς λήθης οὐκ
ἀφιείσης ἐπισκῆψαί τι τοῖς πρὸς χάριν λεγομένοις παρ' ἡμῶν.
35 Ὅτε γὰρ τῶν ἐπιτηδείων τις τῶν ἡμετέρων, ἐπ' ἐγκλήμασιν
ὕβρεως καὶ ἀπονοίας συκοφαντηθείς, περὶ τῶν ἐσχάτων
ἐκινδύνευε, τότε οὔτε ἐγκαλοῦντός σοί τινος, οὔτε ἐκείνου
τοῦ κινδυνεύειν μέλλοντος δεηθέντος, εἰς μέσους σαυτὸν
ἔρριψας τοὺς κινδύνους· καὶ τὸ μὲν ἔργον τοῦτο ἦν. Ἵνα δέ
40 σε καὶ ἀπὸ τῶν ῥημάτων ἐλέγξωμεν, ἐπειδὴ γὰρ τὴν προθυμίαν ταύτην οἱ μὲν οὐκ ἀπεδέχοντο, οἱ δὲ ἐπῄνουν καὶ ἐθαύ-
μαζον, καὶ τί πάθω; πρὸς τοὺς ἐγκαλοῦντας ἔφης· ἑτέρως
γὰρ οὐκ οἶδα φιλεῖν ἀλλ' ἢ μετὰ τοῦ καὶ τὴν ψυχὴν ἐκδιδόναι
τὴν ἐμαυτοῦ ἡνίκα ἄν τινα τῶν ἐπιτηδείων κινδυνεύοντα

18 νόμου BC A : νόμου καὶ προφητῶν cett. ‖ 19 χαρισμάτων] +
τῶν Χριστοῦ μαθητῶν C ‖ 19-20 Τοῦτο — μαθητῶν om. C ‖ 21 γενναίως : τέως C ‖ 23 Καὶ ὁ Βασίλειος om. D F ‖ 24 Ὅτι μὲν om. A
μὲν om. C ‖ 27 μαρτυρήσῃς : μαρτυρήσεις BC ‖ 33 λήθης : ἀληθείας
B ‖ 34 τι B : om. cett. ‖ 40 ἐλέγξωμεν] + καὶ αὐτῶν τῶν εἰρημένων
σοι μνημονεύσωμεν [-σομεν J] FJ ‖ 43 ἐκδιδόναι : ἐπιδοῦναι C.

m. Jn 13, 35

ciples si vous vous aimez les uns les autres[m]. » Paul, de son
côté, dit qu'elle est la plénitude de la Loi, car si elle est
absente, les grâces extraordinaires ne servent à rien. Or,
ce bien suprême, ce caractère distinctif des disciples du
Christ, qu'il place plus haut que les grâces extraordinaires,
je l'ai vu noblement implanté dans ton âme et y portant
beaucoup de fruit.

Alors Basile :

J'en ai toujours grand souci, dit-il, et je suis tout plein
d'ardeur quand il s'agit de ce précepte, je le reconnais moi-
même, mais je ne suis pas encore arrivé à la perfection, pas
même à moitié chemin et tu en conviendrais si, au lieu de
parler par complaisance, tu voulais respecter la vérité.

JEAN. Eh bien ! je répondrai aux accusations, dis-je, et
ce dont je t'ai menacé, je vais le faire maintenant, après
avoir montré que tu préfères la modestie à la vérité. Je
raconterai une chose qui est arrivée récemment, pour que
personne ne me soupçonne de rappeler des histoires du
passé et de vouloir masquer la vérité à la faveur du temps,
sous prétexte que l'oubli ne permet pas de nous accuser de
parler par complaisance. Tandis qu'un de nos amis, dénoncé
sur l'inculpation de violence et d'emportement[1], était dans
un danger extrême, alors, sans que personne t'accuse et
sans que cet homme t'appelle au secours devant le danger
qui le menaçait, tu t'es jeté au milieu des dangers ; la
situation y invitait. Mais, pour te réfuter par tes paroles,
comme les uns n'approuvaient pas ton zèle et que les autres
le louaient et l'admiraient, que faire[2] ? dis-tu à ceux qui
t'adressaient des reproches ; je ne sais pas aimer autrement
qu'en donnant ma vie lorsqu'il faut sauver l'un de mes

---

1. Il existait à Athènes une loi dite γραφὴ ὕβρεως punissant de
mort, après un procès jugé par les thesmothètes, quiconque avait
exercé des sévices sur la personne d'un citoyen.

2. Cf. IV, 1, 42-43 et VI, 7, 30. L'expression τί πάθω ; marque toujours
un grand embarras qui a sa source dans le trouble où les circonstances
ont mis le personnage. Elle doit être traduite en fonction du contexte.

45 διασῶσαι δέῃ. Ῥήμασι μὲν ἑτέροις, διανοίᾳ δὲ τῇ αὐτῇ τὰ
τοῦ Χριστοῦ φθεγγόμενος ἃ πρὸς τοὺς μαθητὰς ἔλεγε, τῆς
τελείας ἀγάπης τοὺς ὅρους τίθείς· « Μείζονα γὰρ ταύτης
ἀγάπην οὐδεὶς ἔχει, φησίν, ἢ ἵνα τις τὴν ψυχὴν αὐτοῦ θῇ
ὑπὲρ τῶν φίλων αὐτοῦ[n]. » Εἰ τοίνυν μείζονα ταύτης οὐκ ἔστιν
50 εὑρεῖν, ἐπὶ τὸ τέλος αὐτῆς ἔφθασας, καὶ δι' ὧν ἔπραξας καὶ
δι' ὧν εἶπας τῆς κορυφῆς ἐπέβης αὐτῆς. Διὰ τοῦτό σε προὐδώκαμεν, διὰ τοῦτο τὸν δόλον ἐρράψαμεν ἐκεῖνον. Ἆρά σε
πείθομεν ὅτι οὔτε ἐκ κακονοίας, οὔτε εἰς κίνδυνον ἐμβαλεῖν
βουλόμενοι, ἀλλὰ χρήσιμον ἔσεσθαι εἰδότες, εἰς τὸ στάδιον
55 εἵλκομεν τοῦτο;

ΒΑΣ. Εἶτα ἀρκεῖν οἴει, φησί, πρὸς τὴν τῶν πλησίον διόρ-
θωσιν τὴν τῆς ἀγάπης δύναμιν;

ΙΩ. Μάλιστα μὲν πολὺ μέρος, ἔφην, πρὸς τοῦτο συμβάλλεσθαι δύναιτ' ἄν· εἰ δὲ βούλει καὶ τῆς φρονήσεως ἡμᾶς τῆς
60 σῆς δείγματα ἐξενεγκεῖν, καὶ ἐπὶ ταύτην βαδιούμεθα καὶ
δείξομεν συνετὸν ὄντα μᾶλλον ἢ φιλόστοργον.

Ἐπὶ τούτῳ ἐρυθριάσας ἐκεῖνος καὶ φοινιχθείς·

ΒΑΣ. Τὰ μὲν ἡμέτερα, φησί, παρείσθω νῦν· οὐδὲ γὰρ παρὰ
τὴν ἀρχήν σε τὸν ὑπὲρ τούτων λόγον ἀπήτουν. Εἰ δέ τι πρὸς
65 τοὺς ἔξωθεν δίκαιον ἔχεις εἰπεῖν, ἡδέως ἂν τοὺς ὑπὲρ τούτων
ἀκούοιμι λόγους. Διὸ τὴν σκιαμαχίαν ταύτην ἀφείς, εἰπὲ τί
πρὸς τοὺς λοιποὺς ἀπολογησόμεθα, καὶ τοὺς τετιμηκότας
καὶ τοὺς ὑπὲρ ἐκείνων ὡς ὑβρισμένων ἀλγοῦντας.

ζ'. Ὅτι οὐχ
ὑβρίσαι βουλόμενοι
τοὺς ψηφισαμένους
5 ἐφύγομεν τὴν
χειροτονίαν

ΙΩ. Καὶ αὐτὸς λοιπόν, ἔφην, πρὸς
τοῦτο ἐπείγομαι· ἐπειδὴ γὰρ ὁ πρός
σέ μοι διήνυσται λόγος, εὐκόλως καὶ
ἐπὶ τοῦτο τρέψομαι τῆς ἀπολογίας
τὸ μέρος. Τίς οὖν ἡ τούτων κατη-
γορία καὶ τίνα τὰ ἐγκλήματα;

---

45 δέῃ : δέοι C ‖ 59 συμβάλλεσθαι : συμβαλέσθαι E G H J ‖ 62 τούτῳ
B : τούτοις cett. ‖ 63 παρὰ om. A E G.

n. Jn 15, 13

1. Dans le vocabulaire chrétien, l'expression οἱ ἔξωθεν désigne,

amis en danger. C'étaient d'autres termes, mais c'était la même pensée que celle du Christ, lorsqu'il parlait à ses apôtres, fixant les bornes de la charité parfaite : « Personne n'a de charité plus grande, dit-il, que celui qui donne sa vie pour ses amis[n]. » S'il n'est pas possible de trouver de charité plus grande, tu es arrivé à la perfection de cette charité et, par tes actes aussi bien que par tes paroles, tu en as atteint le sommet. Voilà pourquoi nous t'avons trahi, voilà pourquoi nous avons ourdi cette ruse. T'avons-nous persuadé que ce n'est pas par malveillance, ni parce que nous voulons t'exposer au danger, mais en sachant l'utilité de notre démarche, que nous t'avons entraîné sur ce stade ?

BASILE. Alors, dit-il, tu penses que la force de la charité suffit pour amender le prochain ?

JEAN. Elle pourrait, dis-je, y contribuer dans une large part ; mais si tu veux que je t'apporte aussi des preuves de ta sagesse, nous marcherons dans cette voie et nous montrerons que tu es aussi averti que plein d'amour.

A ces mots ayant rougi et le visage empourpré :

BASILE. Laissons maintenant de côté, dit-il, ce qui me concerne, car dès le début je t'ai demandé de ne pas parler sur ce sujet. Si tu as quelque chose de juste à dire aux gens du monde[1], j'entendrais volontiers sur ce point ta réponse. C'est pourquoi, abandonnant cette vaine discussion, dis-moi quelle défense utiliser vis-à-vis de ceux qui nous ont fait cet honneur et vis-à-vis de ceux qui sont froissés de l'affront qui leur a été infligé.

7. C'est en voulant ne pas faire affront à ceux qui nous ont élu que nous avons fui l'ordination

JEAN. Eh bien ! moi aussi, dis-je, c'est vers ce but que je me hâte ; en effet, puisque j'ai fini de parler de ce qui te concerne, je me tournerai volontiers vers cette partie de ma défense. De quoi donc m'accuse-t-on et que me reproche-

selon le contexte, soit, comme ici, les gens du monde par rapport aux moines, soit les païens par rapport aux chrétiens.

Ὑβρίσθαι φασὶν ὑφ' ἡμῶν καὶ δεινὰ πεπονθέναι ὅτι τὴν τιμὴν
ἣν τιμῆσαι ἠθέλησαν, οὐκ ἐδεξάμεθα. Ἐγὼ δὲ πρῶτον μὲν
ἐκεῖνό φημι ὅτι οὐδένα λόγον ποιεῖσθαι δεῖ τῆς εἰς ἀνθρώπους
10 ὕβρεως ὅταν διὰ τῆς εἰς ἐκείνους τιμῆς ἀναγκαζώμεθα
προσκρούειν Θεῷ· οὐδὲ γὰρ τοῖς ἀγανακτοῦσιν αὐτοῖς τὸ δυσ-
χεραίνειν ἐπὶ τούτοις ἀκίνδυνον, ἀλλὰ καὶ πολλὴν ἔχει τὴν
ζημίαν. Δεῖ γάρ, οἶμαι, τοὺς ἀνακειμένους Θεῷ καὶ πρὸς
αὐτὸν βλέποντας μόνον, οὕτω διακεῖσθαι εὐλαβῶς ὡς μηδὲ
15 ὕβριν τὸ τοιοῦτο ἡγεῖσθαι, κἂν μυριάκις ἠτιμωμένοι τυγχά-
νοιεν. Ὅτι δὲ οὐδὲ μέχρι ἐννοίας τετόλμηταί τι τοιοῦτον
ἐμοί, δῆλον ἐκεῖθεν. Εἰ μὲν γὰρ ἀπονοίᾳ καὶ φιλοδοξίᾳ, ὡς
πολλάκις ἔφης τινὰς διαβάλλειν, ἐπὶ τοῦτο ἦλθον ἐγὼ ψηφί-
σασθαι τοῖς κατηγόροις, τῶν τὰ μέγιστα ἠδικηκότων ἂν
20 εἴην, ἀνδρῶν καταφρονήσας θαυμαστῶν καὶ μεγάλων καὶ
πρὸς τούτοις εὐεργετῶν. Εἰ γὰρ τὸ τοὺς μηδὲν ἠδικηκότας
ἀδικεῖν κολάσεως ἄξιον, τοὺς τιμῆσαι προελομένους ἀφ'
ἑαυτῶν πῶς τιμᾶν χρή; — οὐδὲ γὰρ τοῦτο ἔχοι τις ἂν εἰπεῖν
ὅτι εὖ παθόντες ἢ μικρὸν ἢ μέγα παρ' ἐμοῦ, τῶν εὐεργεσιῶν
25 ἐκείνων ἐξέτισαν τὰς ἀμοιβάς — πόσης οὖν οὐκ ἂν εἴη τιμωρίας ἄξιον τοῖς ἐναντίοις ἀμείβεσθαι; Εἰ δὲ τοῦτο μὲν οὐδὲ
εἰς νοῦν ἐβαλόμεθά ποτε, μεθ' ἑτέρας δὲ προαιρέσεως τὸ βαρὺ
φορτίον ἐξεκλίναμεν, τί παρέντες συγγινώσκειν, εἴ γε ἀποδέχεσθαι μὴ βούλοιντο, ἐγκαλοῦσιν ὅτι τῆς ἑαυτῶν ἐφεισά-
30 μεθα ψυχῆς;
Ἐγὼ γὰρ τοσοῦτον ἀπέσχον εἰς τοὺς ἄνδρας ὑβρίσαι
ἐκείνους ὅτι καὶ τετιμηκέναι αὐτοὺς φαίην ἂν τῇ παραιτήσει.

ζ'. 10 εἰς ἐκείνους B : ἐκείνων cett. ‖ 12 ἀκίνδυνον] + φαίην ἂν
HJK ‖ 12 ἔχειν HJ ‖ 15 ὕβριν BC : τὸ πρᾶγμα add. cett. ‖ 15 κἂν
B : καὶ εἰ cett. ‖ 17 ἐμοί] + ἢ ἕτερον HJK ‖ 21 τὸ om. BC K ‖ 22
ἀδικεῖν : δίκην C ‖ 23 πῶς τιμᾶν χρή B : om. cett. ‖ 25 οὖν B : om.
cett. ‖ 27 ἐβαλόμεθα : ἐμβαλλόμεθα C ‖ 32 αὐτοὺς om. C.

1. La pensée, présentée sous forme d'hypothèses que Jean donne
comme fausses, est quelque peu obscure. Elle s'éclaire par la phrase

t-on ? Ils ont reçu un affront de ma part, dit-on, et ils ont
subi un traitement indigne parce que nous n'avons pas
accepté l'honneur qu'ils voulaient nous faire. Mais moi,
voici tout d'abord ce que je dis : il ne faut tenir aucun
compte de cet affront fait à des hommes lorsque, pour
l'honneur qu'on leur fait, nous sommes forcés d'offenser
Dieu ; car se fâcher contre ceux qui vous insultent n'est pas
simplement sans danger, cela comporte un grand dommage.
En effet, il faut, à mon avis, que ceux qui sont consacrés à
Dieu et qui ne regardent que vers lui seul soient dans des
dispositions de piété telles qu'ils ne considèrent pas comme
un affront d'être souvent traités sans honneur. Quant à moi,
je n'ai même pas eu l'idée d'avoir la conduite qu'on me
prête, cela est évident. Si j'en étais venu à être taxé d'orgueil ou d'amour de la gloire par mes accusateurs, comme
tu as dit souvent qu'on me le reprochait, je serais parmi
ceux qui ont commis les plus graves injustices pour avoir
méprisé des hommes si admirables et si grands qui sont, en
outre, des bienfaiteurs. En effet, si commettre une injustice
envers des hommes innocents mérite un châtiment, comment faut-il honorer ceux qui ont choisi de leur plein gré
de nous accorder cet honneur ? — car personne ne pourrait
dire que c'est pour avoir reçu de moi un bienfait grand ou
petit qu'ils ont payé de cette façon leur dette de reconnaissance — quel châtiment donc mériterait le fait de leur
répondre par une attitude hostile ? Mais si une telle idée
ne nous est jamais venue et si c'est pour une tout autre
raison que nous avons refusé ce lourd fardeau, pourquoi,
au lieu de me pardonner, si du moins ils ne voulaient pas
l'admettre, me reprochent-ils d'avoir épargné leur âme[1] ?

En effet, j'ai été si loin de leur avoir fait affront que je
les ai, au contraire, traités avec honneur, dirais-je, par mon
refus. Et ne t'étonne pas si nous manions le paradoxe ;

_____

suivante, bien que celle-ci soit encore exprimée au moyen d'un nouvel
artifice littéraire : le paradoxe.

Καὶ μὴ θαυμάσῃς, εἰ παράδοξον τὸ λεγόμενον· ταχεῖαν γὰρ
καὶ τούτου τὴν λύσιν ἐπάξομεν. Τότε μὲν γάρ, εἰ καὶ μὴ
35 πάντες, ἀλλ' οἷς τὸ κακῶς ἀγορεύειν ἡδύ, πολλὰ ἂν εἶχον καὶ
ὑποπτεῦσαι καὶ εἰπεῖν περί τε τοῦ χειροτονηθέντος ἐμοῦ, περί
τε τῶν ἑλομένων ἐκείνων· οἷον ὅτι πρὸς πλοῦτον βλέπουσιν,
ὅτι λαμπρότητα γένους θαυμάζουσιν, ὅτι κολακευθέντες ὑφ'
ἡμῶν εἰς τοῦτο ἡμᾶς παρήγαγον· εἰ δὲ καὶ ὅτι χρήμασι πεισ-
40 θέντες, οὐκ ἔχω λέγειν, εἴ τις καὶ τοῦτο ὑποπτεύσων ἦν.
Καὶ ὁ μὲν Χριστὸς ἁλιεῖς καὶ σκηνοποιοὺς καὶ τελώνας ἐπὶ
ταύτην ἐκάλεσε τὴν ἀρχήν· οὗτοι δὲ τοὺς μὲν ἀπὸ τῆς ἐργα-
σίας τῆς καθημερινῆς τρεφομένους διαπτύουσιν, εἰ δέ τις
λόγων ἅψαιτο τῶν ἔξωθεν καὶ ἀργῶν τρέφοιτο, τοῦτον
45 ἀποδέχονται καὶ θαυμάζουσι. Τί γὰρ δήποτε τοὺς μὲν μυρίους
ἀνασχομένους ἱδρῶτας εἰς τὰς τῆς Ἐκκλησίας χρείας παρεῖδον,
τὸν δὲ οὐδέποτε τοιούτων γευσάμενον πόνων, πᾶσαν δὲ τὴν
ἡλικίαν ἐν τῇ τῶν ἔξωθεν λόγων ματαιοπονίᾳ καταναλώσαντα,
ἐξαίφνης εἰς ταύτην εἵλκυσαν τὴν τιμήν;

η'. Ὅτι καὶ
μέμψεως αὐτοὺς
ἀπηλλάξαμεν
διὰ τῆς φυγῆς
5

Ταῦτα καὶ πλείονα τούτων λέγειν
εἶχον ἄν, δεξαμένων ἡμῶν τὴν
ἀρχήν. Ἀλλ' οὐ νῦν· πᾶσα γὰρ
αὐτοῖς κακηγορίας ἐκκόπτεται πρόφασις καὶ οὔτε ἐμοὶ κολακείαν, οὔτε
μισθαρνίαν ἐκείνοις ἔχουσιν ἐγκαλεῖν, πλὴν εἴ τινες αὐτῶν
ἁπλῶς μαίνεσθαι βούλοιντο. Πῶς γὰρ ὁ κολακεύων καὶ
χρήματα ἀναλίσκων ἵνα τύχῃ τῆς τιμῆς, ἡνίκα ἔδει τυχεῖν,
ἑτέροις ἂν ἀφῆκεν αὐτήν; Ὅμοιον γὰρ ἂν εἴη τοῦτο ὥσπερ ἂν

34 ἐπάξομεν Β : ἐπάξωμεν C ἐπάξω J ἐπάγομεν AEG H ‖ 34 μὲν
om. C E ‖ 37 ἐκείνων om. K ‖ 37 ὅτι] + τε ΗΚ ‖ 46 παρίδων C.
η'. 2 δεξαμένων Β : ἀναδεξαμένων cett. ‖ 4 ἐκκόπτεται BC A F :
ἐκκέκοπται cett. ‖ 6 αὐτῶν BC : om. cett.

1. Pêcheurs, *Matth.* 4, 18-22 ; faiseurs de tentes, *Act.* 18, 3 ; publicains, *Matth.* 10, 3. Jean développe fréquemment ce thème pour
exalter l'œuvre de Dieu qui se sert des instruments les plus misérables. Cf. *De prov. Dei* III, 5, 36 ; XX, 10, 28. Dans d'autres textes
sur le même sujet, Jean se sert du mot σκηνορράφος, *De prov. Dei* XX,
10, 2 et 3 ; *Ad Olymp.* VII (I), 5, 20.

nous allons bientôt te donner la solution. Dans ce cas en effet, sinon tous, du moins ceux qui prennent plaisir à déblatérer contre les gens, auraient pu supposer et dire bien des choses et sur mon ordination et sur eux qui m'auraient choisi ; par exemple : ils tiennent compte de la fortune, ils admirent l'éclat de la naissance, c'est parce que nous les avons flattés qu'ils nous ont conduit jusque-là... mais que ce soit pour s'être laissé corrompre par de l'argent, je ne puis dire si quelqu'un serait capable de faire une telle supposition. Et encore : le Christ, lui, appela des pêcheurs, des faiseurs de tentes, des publicains[1], à exercer cette autorité ; mais eux ils crachent[2] sur les hommes qui se nourrissent au prix de leur travail quotidien, tandis que celui qui s'attache aux lettres profanes, celui qui est nourri à ne rien faire, celui-là, ils l'accueillent et l'admirent. Pourquoi donc ont-ils méprisé ceux qui ont versé tant de sueurs pour le bien de l'Église ? mais celui qui n'a jamais pris part à ces efforts-là, qui s'est donné un mal inutile pour cultiver les lettres profanes, pourquoi tout d'un coup l'ont-ils hissé jusqu'à cet honneur[3] ?

8. Nous avons échappé à leurs reproches en prenant la fuite Voilà ce qu'ils pourraient dire, sans parler du reste, si nous avions accepté d'exercer cette autorité. Mais maintenant, non ; tout prétexte de médisance leur est enlevé et ils ne peuvent reprocher ni à moi la flatterie, ni à ceux-là leur attitude de mercenaires, à moins que certains d'entre ces gens veuillent tout bonnement parler comme des fous. Comment, en effet, quelqu'un qui flatte et dépense ses richesses pour obtenir l'honneur[4] l'aurait-il cédé à d'autres, au moment de l'obtenir ? Ce serait comme si un homme,

---

2. Ce sont les ragots qui se propagent dans la foule. Nous leur avons gardé le ton vulgaire.

3. C'est-à-dire le sacerdoce.

4. Jean est tellement plein de son sujet qu'il ne donne pas d'autre précision sur le seul honneur dont il soit question ici : le sacerdoce.

10 εἴ τις πολλοὺς περὶ τὴν γῆν ἀνασχόμενος πόνους ἵνα βρίθηται
μὲν αὐτῷ τὸ λήϊον πολλῷ τῷ καρπῷ, οἴνῳ δὲ ὑπερβλύζωσιν
αἱ ληνοί, μετὰ τοὺς μυρίους ἱδρῶτας καὶ τὴν πολλὴν τῶν
χρημάτων δαπάνην, ἡνίκα ἂν καλαμᾶσθαι καὶ τρυγᾶν δέῃ,
τηνικαῦτα ἑτέροις τῆς τῶν καρπῶν ἐκσταίη φορᾶς. Ὁρᾷς
15 ὅτι τότε μὲν εἰ καὶ πόρρω τῆς ἀληθείας ἦν τὰ λεγόμενα, ἀλλ'
ὅμως εἶχον πρόφασιν οἱ βουλόμενοι διαβάλλειν αὐτοὺς ὡς
οὐκ ὀρθῇ κρίσει λογισμῶν τὴν αἵρεσιν πεποιημένους· ἡμεῖς δὲ
αὐτοῖς νῦν οὐδὲ χᾶναι, οὐδὲ ἁπλῶς διᾶραι τὸ στόμα συνε-
χωρήσαμεν. Καὶ τὰ μὲν παρὰ τὴν ἀρχὴν λεγόμενα τοιαῦτα
20 ἂν ἦν καὶ τούτων πλείονα.

Μετὰ δὲ τὸ τῆς διακονίας ἅψασθαι οὐκ ἂν ἠρκέσαμεν καθ'
ἑκάστην ἡμέραν τοῖς ἐγκαλοῦσιν ἀπολογούμενοι, εἰ καὶ πάντα
ἡμῖν ἀναμαρτήτως ἐπράττετο, μὴ ὅτι καὶ πολλὰ διαμαρτεῖν
ὑπό τε τῆς ἀπειρίας καὶ τῆς ἡλικίας ἠναγκάσθημεν ἄν· νῦν
25 δὲ καὶ ταύτης αὐτοὺς τῆς κατηγορίας ἀπηλλάξαμεν, τότε δὲ
μυρίοις ἂν αὐτοὺς περιεβάλομεν ὀνείδεσι. Τί γὰρ οὐκ ἂν
εἶπον; παισὶν ἀνοήτοις πράγματα οὕτω θαυμαστὰ καὶ
μεγάλα ἐπέτρεψαν· ἐλυμήναντο τοῦ Θεοῦ τὸ ποίμνιον· παίγνια
καὶ γέλως γέγονε τὰ χριστιανῶν. Ἀλλὰ νῦν « πᾶσα ἀνομία
30 ἐμφράξει τὸ στόμα αὐτῆς°. » Εἰ γὰρ καὶ διὰ σὲ ταῦτα λέγοιεν,
ἀλλὰ ταχέως αὐτοὺς διδάξεις διὰ τῶν ἔργων ὅτι οὐ χρὴ τὴν
σύνεσιν ἡλικίᾳ κρίνειν, οὐδὲ τὸν πρεσβύτην ἀπὸ τῆς πολιᾶς
δοκιμάζειν, οὐδὲ τὸν νέον πάντως ἀπείργειν τῆς τοιαύτης
διακονίας, ἀλλὰ τὸν νεόφυτον, πολὺ δὲ ἀμφοτέρων τὸ μέσον.

---

12 μυρίους B A : πόλλους cett. ‖ 13 ἂν om. BC A ‖ 19 συγχωρήσαιμεν C ‖ 21 ἤρκεσαν BC ‖ 23 διαμαρτεῖν BC : διαμαρτάνειν cett.
‖ 25 αὐτοὺς : αὐτῆς B ‖ 25 κατηγορίας BC A : κακηγορίας cett. ‖
26 περιέβαλον BC περιεβάλλομεν A ‖ 27 εἶπε B.

o. Ps. 106, 42

1. Le mot διακονία est pris ici non dans son sens restreint, tel
qu'il est employé en *Act.* 6, 2, le *service des tables*, mais dans son sens
large de *service de l'Église*, tel que nous l'avons indiqué *supra*, p. 119,
note 1. Jean présente volontiers le sacerdoce sous cet aspect.

après avoir péniblement travaillé la terre, afin que sa mois-
son soit chargée de grains lourds, que ses pressoirs regorgent
de vin, après avoir dépensé bien des sueurs et beaucoup
d'argent, lorsqu'il faut récolter et vendanger, cédait alors
à d'autres le produit de sa récolte. Tu vois que si les propos
tenus à ce moment étaient loin de la vérité, du moins ceux
qui voulaient calomnier ces hommes avaient cependant
un prétexte en les accusant d'avoir fait un choix qui n'était
pas conforme au jugement de la droite raison ; quant à
nous, maintenant, nous n'avons pas permis à ces gens-là
de rester bouche bée, ni même simplement d'ouvrir la
bouche. Voilà ce qu'on disait tout d'abord et bien d'autres
choses encore.

Après avoir accédé au service de l'Église[1], nous n'aurions
pas suffi à nous défendre contre ceux qui nous l'auraient
reproché chaque jour, même si nous avions agi en tout
correctement, à plus forte raison si nous avions été pris à
faire des erreurs à cause de notre inexpérience et de notre
âge ; dans la situation présente, nous les avons libérés de
cette accusation, tandis qu'alors nous aurions attiré à ces
hommes mille reproches. Que n'aurait-on pas dit ? C'est
à des enfants insensés qu'on a confié des choses si admirables et si grandes ! ils ont gâché le troupeau de Dieu !
c'est une plaisanterie et l'on se moque des chrétiens ! Mais
maintenant, « toute injustice aura la bouche fermée[o] ».
Car s'ils disaient de telles choses à cause de toi, tu leur
enseigneras bientôt par tes actes qu'il ne faut pas apprécier
l'intelligence d'après l'âge, ni juger les aptitudes du vieillard d'après ses cheveux blancs, ni écarter complètement
un jeune homme d'un tel service, mais un néophyte[2], et
qu'il y a une grande différence entre les deux.

2. Le mot νέος s'applique évidemment à Basile et νεόφυτος à Jean
qui emploie ce terme pour souligner son incapacité à remplir la charge
qu'on veut lui imposer.

ΛΟΓΟΣ Γ′

α′. Ὅτι οἱ
ὑπονοήσαντες
δι᾽ ἀπόνοιαν
5   παρῃτῆσθαι ἡμᾶς
τὴν ἑαυτῶν
ὑπόληψιν ἔβλαψαν

Τῆς μὲν οὖν ὕβρεως ἕνεκεν τῆς
εἰς τοὺς τετιμηκότας, καὶ ὅτι αὐτοὺς
οὐ καταισχῦναι βουλόμενοι ταύτην
ἐφύγομεν τὴν τιμήν, ταῦτα ἂν ἔχοιμεν λέγειν ἅπερ εἰρήκαμεν· ὅτι δὲ
οὐδὲ ὑπὸ ἀπονοίας τινὸς φυσηθέντες,
καὶ τοῦτο νῦν εἰς δύναμιν τὴν ἐμὴν

πειράσομαί σοι ποιῆσαι φανερόν. Εἰ μὲν γὰρ στρατηγίας ἡμῖν
ἢ βασιλείας αἵρεσις προὔκειτο, εἶτα ταύτην εἶχον τὴν γνώμην,
10 εἰκότως ἄν τις τοῦτο ὑπέλαβεν, ἢ τότε μὲν ἀπονοίας οὐδείς,
ἀνοίας δὲ πάντες ἂν ἡμᾶς ἔκριναν. Ἱερωσύνης δὲ προκειμένης
ἢ τοσοῦτον ἀνωτέρω βασιλείας ἔστηκεν ὅσον πνεύματος καὶ
σαρκὸς τὸ μέσον, τολμήσει τις ἡμᾶς ὑπεροψίας γράφεσθαι;
Καὶ πῶς οὐκ ἄτοπον τοὺς μὲν τὰ μικρὰ διαπτύοντας ὡς
15 παραπαίοντας αἰτιᾶσθαι, τοὺς δὲ ἐπὶ τῶν ἄγαν ὑπερεχόντων
τοῦτο ποιοῦντας τῶν μὲν τῆς παραπληξίας ἐγκλημάτων ἐξαι-
ρεῖν, ταῖς δὲ τῆς ὑπερηφανίας ὑποβάλλειν αἰτίαις; Ὥσπερ
ἂν εἴ τις τὸν ἀγέλης βοῶν καταφρονοῦντα καὶ μὴ βουλόμενον
εἶναι βουκόλον, εἰς ὑπερηφανίαν μὲν οὐδαμῶς, εἰς δὲ φρενῶν
20 ἔκστασιν αἰτιώμενος, τὸν ἁπάσης τῆς οἰκουμένης τὴν βασιλείαν καὶ τὸ γενέσθαι κύριον τῶν ἁπανταχοῦ στρατοπέδων
μὴ δεχόμενον ἀντὶ τοῦ μαίνεσθαι τετυφῶσθαι φαίη.

ΛΟΓΟΣ Γ′. α′. 4 τιμήν Β HJK : φυγήν cett. ‖ 6 ἀπονοίας : ἀνοίας
C ‖ 9 εἶτα : εἰ AEG F ‖ 10 τότε : ποτε A F ‖ 11 ἀνοίας BC HK :
ἀγνοίας cett. ‖ 11 ἔκριναν Β A : ἔκρινον cett. ‖ 12 τοσοῦτον ... ὅσον
BC : τοσούτῳ ... ὅσον AG F τοσούτῳ ... ὅσῳ cett. ‖ 13 γράφεσθαι ΒC
K : γράψασθαι cett. ‖ 15 ἐπὶ BC K : ὑπὲρ cett. ‖ 22 δεχόμενον ΒC
H : καταδεχόμενον cett. ‖ 22 φαίη om. A.

---

1. Après avoir écarté en II, 7 et 8 l'accusation d'insolence envers
ceux qui l'ont proposé pour être ordonné, Jean s'efforce de se disculper
maintenant sur deux points : orgueil, III, 1 ; vaine gloire, III, 2. La
pensée, qui est simple, et devrait être rendue claire par les exemples,
paraît compliquée, parce que Jean la présente sous forme d'hypothèses et de raisonnements par l'absurde, ce qu'il fait volontiers.
Cf. *supra*, p. 130, note 1.

1. Ceux qui ont supposé que nous avions fui par orgueil se sont fait du tort à eux-mêmes par leur jugement précipité

Sur l'outrage que nous avons fait à ceux qui nous ont honoré et sur l'idée que nous ne voulions pas leur faire injure en fuyant cet honneur, nous pourrions dire ce que nous avons déjà dit ; mais que ce n'est pas pour nous être gonflé d'orgueil, je m'efforcerai maintenant de le montrer dans la mesure de mon pouvoir[1]. Si l'on nous avait offert de choisir entre le commandement d'une armée ou celui d'un empire et si j'avais accepté cette proposition, c'est à juste titre qu'on supposerait une telle chose, ou bien personne alors ne nous accuserait d'orgueil, mais tous nous accuseraient de folie[2]. Mais si on me propose le sacerdoce qui est aussi élevé au-dessus du pouvoir royal[3] qu'il y a de distance entre l'esprit et le corps, qui osera nous accuser de dédain ? N'est-il pas étrange que les uns qui crachent sur des choses sans valeur soient accusés de perdre le sens et que les autres qui ont la même réaction devant des choses extrêmement importantes échappent au reproche de démence mais soient accusés d'orgueil ? C'est comme si celui qui dédaigne un troupeau de bœufs, parce qu'il ne veut pas être bouvier, on le traitait non pas d'orgueilleux, mais de fou, et si celui qui n'accepte pas d'être maître de la terre entière ou des armées venues de tous les points du monde, celui-là on disait qu'il est aveuglé par la prétention, et non pas qu'il est fou.

2. L'antithèse orgueil-folie est un thème d'autant plus aimé de Jean qu'il lui offre l'occasion d'un jeu verbal : ἀπόνοια et ἄνοια. Cf. πλοῦτος-πλῆθος, I, 6, 41-42 ; θυμός-ἀθυμία, III, 9, 13 ; ἀσχολία-δυσκολία, III, 14, 6 ; δουλεία-δειλία, VI, 12, 47.

3. Dès ses premières œuvres, Jean avait affirmé la supériorité d e ceux qui ont quitté le monde sur les rois eux-mêmes. Voir *Comparatio regis et monachi*, *P G* 47, 387-392 et *Adversus oppugnatores vitae monasticae* II, 6, *P G* 47, 341. Le premier texte est un exercice d'école dans la tradition de la seconde sophistique et le second est à replacer dans le contexte de l'époque.

'Αλλ' οὐκ ἔστι ταῦτα, οὐκ ἔστιν, οὐδὲ ἡμᾶς μᾶλλον ἢ ἑαυτοὺς
οἱ ταῦτα λέγοντες διαβάλλουσι· τὸ γὰρ ἐννοῆσαι μόνον ὅτι
25 δυνατὸν ἀνθρωπείᾳ φύσει τῆς ἀξίας ὑπερφρονῆσαι ἐκείνης,
δεῖγμα κατὰ τῶν ἐκφερόντων ἐστὶν ἧς ἔχουσι περὶ τοῦ
πράγματος δόξης· εἰ γὰρ μὴ τῶν τυχόντων αὐτὸ καὶ ὧν οὐ
πολὺς ὁ λόγος ἐνόμιζον εἶναι, οὐδ' ἂν ὑποπτεῦσαι τοῦτο
ἐπῆλθεν αὐτοῖς. Διὰ τί γὰρ περὶ τῆς τῶν ἀγγέλων ἀξίας
30 οὐδεὶς ἐτόλμησέ τι τοιοῦτον ὑποπτεῦσαί ποτε καὶ εἰπεῖν ὅτι
ἔστιν ἀνθρωπίνη ψυχὴ δι' ἀπόνοιαν οὐκ ἂν ἑλομένη ἐπὶ τὸ
τῆς φύσεως ἐκείνης ἀξίωμα ἐλθεῖν; Μεγάλα γάρ τινα φαντα-
ζόμεθα περὶ τῶν δυνάμεων ἐκείνων καὶ τοῦτο ἡμᾶς οὐκ
ἀφίησι πιστεῦσαι ὅτι δύναιτ' ἂν ἄνθρωπος τῆς τιμῆς φρονῆσαί
35 τι μεῖζον ἐκείνης, ὥστε αὐτοὺς μᾶλλον δικαίως ἄν τις
γράψαιτο ἀπονοίας τοὺς ἡμῶν τοῦτο κατηγοροῦντας· οὐ
γὰρ ἄν ποτε περὶ ἑτέρων τοῦτο ὑπέλαβον, εἰ μὴ πρότερον
αὐτοὶ τοῦ πράγματος, ὡς οὐδενὸς ὄντος, κατέγνωσαν.

β'. Ὅτι οὐδὲ
διὰ κενοδοξίαν
ἐφύγομεν

Εἰ δὲ πρὸς δόξαν ὁρῶντας τοῦτο
πεποιηκέναι φασί, περιπίπτοντες
ἑαυτοῖς ἐλεγχθήσονται καὶ μαχόμενοι φανερῶς· οὐδὲ γὰρ οἶδα ποίους
5 ἂν ἑτέρους πρὸ τούτων ἐζήτησαν λόγους, εἰ τῶν τῆς κενοδοξίας ἡμᾶς ἠθέλησαν ἀπαλλάξαι ἐγκλημάτων.

γ'. Ὅτι εἰ δόξης
ἐπεθυμοῦμεν,
ἑλέσθαι μᾶλλον
τὸ πρᾶγμα ἐχρῆν

Εἰ γὰρ οὗτός μέ ποτε εἰσῆλθεν
ὁ ἔρως, καταδέξασθαι μᾶλλον ἐχρῆν
ἢ φυγεῖν. Διὰ τί; Ὅτι πολλὴν ἡμῖν
τοῦτο τὴν δόξαν ἤνεγκεν ἄν· τὸ γὰρ
5 ἐν τούτῳ τῆς ἡλικίας ὄντα καὶ πρὸ
βραχέος ἀποστάντα τῶν βιωτικῶν φροντίδων, ἐξαίφνης οὕτω

24 μόνον : μᾶλλον C ‖ 28 ὁ B : om. cett. ‖ 31 ἂν ἑλομένη BC :
ἀνεχομένη cett. ‖ 34 δύναιτ' ἂν BC G F : δύναται cett.
β'. 2 φασί C G FK : φασίν B A φησίν E D φήσουσι HJ.
γ'. 6 τῶν om. A

1. Tout au long de sa prédication Jean a dénoncé avec force cette
passion des hommes pour la vaine gloire. Il montre combien le prêtre
y est exposé : III, 9, 6-9, et s'en accuse lui-même : VI, 12, 8. On rappro-
chera de ce passage un texte d'ÉVAGRE dans le *Practicos*, chap. 13,

Mais ce n'est pas possible, non ce n'est pas possible, et ceux qui émettent de telles absurdités, ce n'est pas nous qu'ils discréditent, mais plutôt eux-mêmes ; car la seule idée que la nature peut dédaigner ce rang élevé montre, de la part de ceux qui l'expriment, l'estime qu'ils ont pour la chose ; en effet, s'ils ne pensaient pas qu'elle est banale et qu'elle fait partie des éléments dont on ne tient pas compte, il ne leur viendrait même pas à l'esprit de la mépriser. Pourquoi donc aucun être humain n'a-t-il osé avoir un tel mépris quand il s'agit du rang élevé des anges et dire que l'âme humaine poussée par un sentiment d'orgueil ne saurait choisir d'accéder à la dignité de cette nature ? C'est que nous avons une haute idée de ces puissances et cela ne nous permet pas de croire qu'un homme pourrait imaginer quelque chose de plus grand que cet honneur. Ainsi, ce sont plutôt nos accusateurs qu'il faudrait taxer d'orgueil, car jamais ils n'auraient fait sur d'autres de telles suppositions, s'ils n'avaient auparavant considéré le sacerdoce comme n'ayant aucune valeur.

2. Nous n'avons pas fui non plus par vaine gloire

Mais si, au contraire, ils disent que nous avons visé à la gloire, ils tomberont sous les coups de leur argumentation, étant visiblement en contradiction avec eux-mêmes, car je ne sais quels autres propos ils auraient pu tenir, s'ils avaient voulu me mettre à l'abri de l'accusation de vaine gloire[1].

3. Si nous désirions la gloire, mieux valait choisir cet office

Si ce désir passionné m'était venu, j'aurais dû accepter plutôt que de m'enfuir. Pourquoi ? Parce que cela m'aurait procuré une grande gloire. Qu'un garçon de mon âge et qui vient de renoncer aux soucis du monde paraisse soudain aux yeux de tous digne d'admiration au point

SC 171, p. 528-531 où l'auteur montre le moine s'imaginant qu'il sera prêtre, qu'il va accomplir des actions vertueuses, des miracles. Voir la note qui donne une intéressante bibliographie.

δόξαι παρὰ πᾶσιν εἶναι θαυμαστὸν ὥστε τῶν τὸν ἅπαντα
χρόνον ἐν τοῖς τοιούτοις ἐξαναλωθέντων πόνοις προτιμηθῆναι
καὶ πλείονας ψήφους πάντων ἐκείνων λαβεῖν, θαυμαστά τινα
10 καὶ μεγάλα περὶ ἡμῶν πάντας ἂν ὑποπτεύειν ἔπεισε καὶ
σεμνοὺς ἂν ἡμᾶς καὶ περιβλέπτους κατέστησε. Νῦν δέ, πλὴν
ὀλίγων, τὸ πλέον τῆς Ἐκκλησίας μέρος οὐδὲ ἐξ ὀνόματος
ἡμᾶς ἴσασιν, ὥστε οὐδὲ ὅτι παρητήμεθα πᾶσιν ἔσται φανερόν,
ἀλλ' ὀλίγοις τισὶν οὓς οὐδ' αὐτοὺς οἶμαι τὸ σαφὲς εἰδέναι
15 πάντας· εἰκὸς δὲ καὶ τούτων πολλοὺς ἢ μηδ' ὅλως ἡμᾶς
ᾑρῆσθαι νομίσαι ἢ παρεώσασθαι μετὰ τὴν αἵρεσιν ἀνεπιτη-
δείους εἶναι δόξαντας, οὐχ ἑκόντας φυγεῖν.

ΒΑΣ. Ἀλλ' οἱ τἀληθὲς εἰδότες θαυμάσονται.

ΙΩ. Καὶ μὴν τούτους ἔφης ὡς κενοδόξους καὶ ὑπερηφάνους
20 διαβάλλειν ἡμᾶς. Πόθεν οὖν ἐστιν ἐλπίσαι τὸν ἔπαινον; Ἀπὸ
τῶν πολλῶν; ἀλλ' οὐκ ἴσασι τὸ σαφές. Ἀλλ' ἐκ τῶν ὀλίγων;
ἀλλὰ κἀνταῦθα ἡμῖν εἰς τοὐναντίον τὸ πρᾶγμα περιτέτραπ-
ται· οὐδὲ γὰρ ἑτέρου τινὸς ἕνεκεν ἐνθάδε εἰσῆλθες νῦν, ἀλλ'
ἵνα μάθῃς τί πρὸς ἐκείνους ἀπολογήσασθαι δέοι. Καὶ τί
25 τούτων ἕνεκεν ἀκριβολογοῦμαι νῦν; Ὅτι γάρ, εἰ καὶ πάντες
ᾔδεσαν τἀληθές, οὐδὲ οὕτως ἡμᾶς ἀπονοίας ἢ φιλοδοξίας
ἔδει κρίνειν, μικρὸν ἀνάμεινον καὶ τοῦτο εἴσῃ σαφῶς· καὶ
πρὸς τούτῳ πάλιν ἐκεῖνο ὅτι οὐ τοῖς ταύτην τολμῶσι τὴν
τόλμαν μόνον — εἴπερ τίς ἐστιν ἀνθρώπων, οὐ γὰρ ἔγωγε
30 πείθομαι —, ἀλλὰ καὶ τοῖς περὶ ἑτέρων ὑποπτεύουσι κίνδυνος
ἐπίκειται οὐ μικρός.

---

8 ἐξαναλωθέντων : -τα C ‖ 8 πόνοις : ἀπόνως C ‖ 10 ἔπεισε : ἔπεισαν
AEG D ‖ 13 ἔσται BC : ἐστι cett. ‖ 14 οὐδ' B : οὐδὲ cett. ‖ 15 εἰκὸς
δὲ B : ἀλλ' εἰκὸς cett. ‖ 15 τούτων : τοῦτο FJ ‖ 15 μηδ' B A : μηδὲ
cett. ‖ 15 ἡμᾶς : ἡμῖν C ‖ 16 παρεώσασθαι B : παρεῶσθαι C HJK
παρεωρᾶσθαι AEG D F ‖ 22 τὸ πρᾶγμα BC : ὁ λόγος cett. ‖ 24
τί² om. C ‖ 27 μικρὸν : καὶ μικρὸν C ‖ 28 τούτῳ : τοῦτο C E Dᵖᵉ
FH ‖ 31 ἐπίκεισεται B : ἀπο- cett.

1. Il s'agit des fatigues qu'entraîne la vie apostolique. Cf. *In I Cor.*
hom. III, 3, *P G* 61, 26.

d'être préféré à des hommes qui n'ont cessé de s'épuiser
dans de tels labeurs[1] et obtienne plus de suffrages qu'eux
tous, ce choix n'aurait-il pas incité tout le monde à se faire
de nous une idée pleine d'admiration et d'estime et ne nous
aurait-il pas rendu digne de respect et de considération ?
En réalité, la plus grande partie de l'Église, à part quelques-
uns, ne me connaît même pas de nom, si bien que la plupart
ne voient pas clairement la raison de mon refus, mais un
petit nombre seulement et, parmi eux, tous ne savent pas,
je pense, le fin mot de l'affaire ; il est probable, d'ailleurs,
que beaucoup d'entre eux croient que nous n'avons pas
du tout été choisi, ou bien qu'après l'élection nous avons
été écarté, parce que nous paraissions inapte et que nous
n'avons pas fui de notre plein gré.

BASILE. Mais ceux qui connaissent la vérité t'admireront.

JEAN. Cependant tu as dit que ces gens-là nous accusent
faussement d'être épris de vaine gloire et dédaigneux. D'où
puis-je donc espérer l'approbation ? De la foule ? mais ils
ne savent pas le fin mot de l'affaire. Du petit nombre ?
mais là encore, la chose[2] s'est retournée contre nous ;
c'est pourquoi tu n'es pas venu ici pour un autre motif que
pour apprendre ce qu'il fallait leur répondre. Et pourquoi
maintenant ces arguments subtils ? Même si tous savaient
la vérité, il ne faudrait pas pour autant m'accuser d'orgueil ou de vanité. Patiente un peu et tu le comprendras
clairement. Ajoute à cela que non seulement ils n'osent pas
avoir cette audace — si toutefois un homme pouvait l'avoir,
quant à moi je ne le crois pas —, mais que, de plus, ceux qui
se font sur les autres des idées fausses, un grand danger
les menace.

---

2. Les mss B et C donnent τὸ πρᾶγμα alors que les autres offrent la
variante ὁ λόγος. Hoeschel adopte πρᾶγμα et Montfaucon aussi, tandis
que Nairn, qui s'est trop souvent fié à des mss postérieurs, choisit
λόγος.

δ΄. Ὅτι φρικτὸν ἡ
ἱερωσύνη καὶ πολὺ
τῆς παλαιᾶς
λατρείας ἡ καινὴ
φρικωδεστέρα

Ἡ γὰρ ἱερωσύνη τελεῖται μὲν ἐπὶ
τῆς γῆς, τάξιν δὲ ἐπουρανίων ἔχει
πραγμάτων. Καὶ μάλα γε εἰκότως·
οὐ γὰρ ἄνθρωπος, οὐκ ἄγγελος, οὐκ
ἀρχάγγελος, οὐκ ἄλλη τις κτιστὴ
δύναμις, ἀλλ' αὐτὸς ὁ Παράκλητος

ταύτην διετάξατο τὴν ἀκολουθίαν καὶ ἔτι μένοντας ἐν σαρκὶ
τὴν τῶν ἀγγέλων ἔπεισε φαντάζεσθαι διακονίαν. Διὸ χρὴ τὸν
ἱερωμένον ὥσπερ ἐν αὐτοῖς ἑστῶτα τοῖς οὐρανοῖς μεταξὺ
10 τῶν δυνάμεων ἐκείνων οὕτως εἶναι καθαρόν. Φοβερὰ μὲν γὰρ
καὶ φρικωδέστατα καὶ τὰ πρὸ τῆς χάριτος, οἷον οἱ κώδωνες,
οἱ ῥοΐσκοι, οἱ λίθοι οἱ τοῦ στήθους, οἱ τῆς ἐπωμίδος, ἡ μίτρα,
ἡ κίδαρις, ὁ ποδήρης, τὸ πέταλον τὸ χρυσοῦν, τὰ Ἅγια τῶν
ἁγίων, ἡ πολλὴ τῶν ἔνδον ἠρεμία· ἀλλ' εἴ τις τὰ τῆς χάριτος
15 ἐξετάσειε, μικρὰ ὄντα εὑρήσει τὰ φοβερὰ καὶ φρικωδέστατα
ἐκεῖνα, καὶ τὸ περὶ τοῦ νόμου λεχθὲν κἀνταῦθα ἀληθὲς ὂν ὅτι
« Οὐ δεδόξασται τὸ δεδοξασμένον ἐν τούτῳ τῷ μέρει ἕνεκεν
τῆς ὑπερβαλλούσης δόξης[a]. » Ὅταν γὰρ ἴδῃς τὸν Κύριον

δ΄. 2 τῆς B : om. cett. ‖ 3 πραγμάτων BC : ταγμάτων cett. ‖ 7
διετάξατο : διέταξε C ‖ 8 τῶν B : om. cett. ‖ 9 οὐρανοῖς : οὐρανίοις
C E J ‖ 12 οἷ³ BC AE J : οἱ ἐπὶ FHK om. G D ‖ 17 ἐν τούτῳ τῷ
μέρει om. C AEG D F.

a. II Cor. 3, 10

1. Le mot ἱερωσύνη désigne ici le sacerdoce tel qu'il est exercé par
le prêtre aussi bien que par l'évêque au ivᵉ siècle. Par suite de la mul-
tiplication des lieux de culte, l'évêque accorde aux prêtres le pouvoir
de célébrer l'Eucharistie hors de sa présence, mais ceux-ci agissent
en communion avec lui et par délégation. Voir Pio-Gonçalo ALVES
DE SOUSA, El Sacerdotio ministerial, Pampelune 1975.
2. Le mot ἀκολουθία dérivé de ἀκόλουθος, qui accompagne, est
utilisé dans le vocabulaire philosophique pour traduire l'idée de consé-
quence et dans celui de la critique littéraire pour indiquer la suite des
idées, plus spécialement dans celui de l'exégèse, le commentaire de
l'Écriture (voir J. DANIÉLOU, « Ἀκολουθία dans Grégoire de Nysse »,
RSR 27, 1953, p. 219-249). Mais un autre aspect du mot suggère la

4. Le sacerdoce est redoutable et le culte nouveau inspire plus de crainte que l'ancien

En effet, le sacerdoce[1] s'exerce sur la terre, mais il se place parmi les choses célestes. Et c'est à juste titre ; car ce n'est pas un homme, ni un ange, ni un archange, ni aucune autre puissance créée, mais le Paraclet lui-même qui a institué cet ordre[2] en persuadant à des hommes qui sont encore dans la chair d'imiter le service des anges. C'est pourquoi il faut que celui qui a été revêtu du sacerdoce soit pur comme s'il se tenait dans les cieux au milieu de ces puissances. Ils étaient sans doute effrayants et inspiraient une très grande crainte[3] les insignes d'avant le temps de la grâce[4], par exemple les clochettes, les grenades, les pierres précieuses sur la poitrine, sur les épaules, la mitre, le diadème, la robe traînante, la plaque d'or[5], le Saint des Saints, le recueillement profond qui régnait à l'intérieur ; mais si l'on regarde ceux du temps de la grâce, on trouvera que ces signes effrayants et qui inspiraient beaucoup de crainte n'ont pas grande importance, tandis que les paroles prononcées à propos de la Loi restent toujours vraies : « Ce qui a été considéré de ce point de vue comme glorieux ne l'est plus à cause de la gloire qui le dépasse[a]. » En effet, lorsque tu vois le Seigneur

notion d'ordre dans cette suite, opposé à la fantaisie, au désordre. C'est ainsi qu'on trouve le mot rapproché de σταθμός, μέτρον, dans un commentaire du psaume 95, édité parmi les *spuria*, *PG* 55, 626, li. 12-13 : 'Οὐδὲν παρ' αὐτοῦ ἄνευ μέτρον, οὐδὲν ἄνευ σταθμοῦ, οὐδὲν ἄνευ ἀκολουθίας. Le mot grec correspond donc ici au latin *ordo*.

3. Sur le vocabulaire traduisant la terreur sacrée de l'homme devant la grandeur de Dieu, voir *Sur l'incompréhensibilité de Dieu*, SC 28 bis, Introd., p. 30-39.

4. L'opposition du temps de la grâce au temps d'avant la grâce a sa source en *Jn* 1, 17.

5. Sur le costume du grand prêtre, voir Philon, *De vita Mosis* II, 109-116 et, en particulier, 114, la description de la plaque d'or, πέταλον. Voir aussi Grégoire de Nysse, *De vita Moysis* II, 189-201, SC 1ter, p. 233-245.

τεθυμένον καὶ κείμενον, καὶ τὸν ἱερέα ἐφεστῶτα τῷ θύματι
20 καὶ ἐπευχόμενον, καὶ πάντας ἐκείνῳ τῷ τιμίῳ φοινισσομένους
αἵματι, ἆρα ἔτι μετὰ ἀνθρώπων εἶναι νομίζεις καὶ ἐπὶ τῆς
γῆς ἑστάναι, ἀλλ' οὐκ εὐθέως ἐπὶ τοὺς οὐρανοὺς μετανί-
στασαι καὶ πᾶσαν σαρκικὴν διάνοιαν ἐκβάλλων, γυμνῇ
τῇ ψυχῇ καὶ τῷ νῷ καθαρῷ περιβλέπεις τὰ ἐν οὐρανοῖς; Ὦ τοῦ
25 θαύματος· ὦ τῆς τοῦ Θεοῦ φιλανθρωπίας. Ὁ μετὰ τοῦ Πατρὸς ἄνω καθήμενος κατὰ τὴν ὥραν ἐκείνην ταῖς ἁπάντων
κατέχεται χερσὶ καὶ δίδωσιν αὐτὸν τοῖς βουλομένοις περι-
πτύξασθαι καὶ περιλαβεῖν, ποιοῦσι δὲ τοῦτο πάντες διὰ τῶν
ὀφθαλμῶν τότε. Ἆρά σοι τοῦ καταφρονεῖσθαι ταῦτα ἄξια
30 καταφαίνεται, ἢ τοιαῦτα εἶναι ὡς δυνηθῆναί τινα καὶ ἐπαρθῆναι κατ' αὐτῶν;

Βούλει καὶ ἐξ ἑτέρου θαύματος τῆς ἁγιαστίας ταύτης ἰδεῖν
τὴν ὑπερβολήν; Ὑπόγραψόν μοι τὸν Ἠλίαν τοῖς ὀφθαλμοῖς

19 καὶ κείμενον om. B ‖ 19 ἱερέα BC D : ἀρχιερέα cett. ‖ 20 τῷ
τιμίῳ φοινισσομένους BC HJK : τῷ θείῳ φοινισσομένους τιμίῳ AEG
D F ‖ 21 τῆς BC : om. cett. ‖ 23 διάνοιαν] + τῆς σαρκὸς Κ + τῆς
ψυχῆς sup. l. alt. manu B in textu cett. ‖ 23 ἐκβαλών C F ‖ 28
ποιοῦσι : βλέπουσι C ‖ 29 τότε : τῆς πίστεως HJK ‖ 30-31 τινα καὶ
ἐπαρθῆναι om. C H ‖ 32 ἁγιαστίας : ἁγιότητος C ἁγίας A.

1. Il semble que la variante ἀρχιερεύς donnée par les mss autres
que BC soit due à la correction d'un scribe qui a voulu rehausser par
ce mot appliqué au grand prêtre dans l'Ancien Testament la dignité
du célébrant. On le trouve, en effet, dans ce dernier sens à une époque
postérieure, chez Maxime le Confesseur, par exemple, *Mystagogia* 8,
PG 91, 688 C.

2. Cf. VI, 4, 33-35. Les termes employés dans tout ce passage
prouvent que Jean ne recule pas devant les expressions les plus réa-
listes pour affirmer sa foi en la présence réelle du Christ dans l'Eucharistie. Voir A.-M. Malingrey, « L'Eucharistie dans l'œuvre de saint
Jean Chrysostome », *Parole et Pain* 52, septembre-octobre 1972,
p. 338-345.

3. L'expression rappelle le texte du *Cheroubikon* : « Nous qui
figurons mystiquement les chérubins... laissons tous les soucis du
monde. » Texte grec dans F. E. Brightman, *Liturgies eastern and
western*, Oxford 1896, vol. I, p. 377. Ce passage est à verser au dossier
réuni à propos de la IVᵉ homélie *De incomprehensibili*, SC 28 bis,
p. 262, note 1. Quant à l'addition τῆς ψυχῆς, elle est présente dans

immolé et gisant et le prêtre[1] qui se tient debout penché
au-dessus de la victime en priant et tous empourprés de ce
sang précieux[2], penses-tu être encore parmi les hommes et
vivre sur la terre, mais ne crois-tu pas avoir émigré dans les
cieux et, repoussant toute pensée charnelle[3], ne vois-tu pas
autour de toi, avec ton âme seule et comme un pur esprit,
ce qu'on voit dans les cieux ? O merveille ! ô amour de
Dieu ! Celui qui siège à la droite de son Père, à cet instant,
tous le tiennent dans leurs mains, il se donne à ceux qui
veulent le saisir, le toucher et tous font alors ce geste entre
leurs yeux[4]. Est-ce que ces choses te paraissent susceptibles d'attirer le mépris ou de nature à pouvoir soulever
quelqu'un d'orgueil à leur propos ?

Veux-tu voir, pour passer à un autre sujet d'admiration,
la sublimité de ce rite sacré[5] ? Représente-toi Élie[6], à la

tous nos mss, mais elle est nettement ajoutée au-dessus de la ligne
en B. Nous nous autorisons de ce fait pour supprimer l'expression qui
paraît être une glose à côté de τῇ ψυχῇ qui suit.

4. Le génitif τῆς πίστεως qu'on trouve après διὰ τῶν ὀφθαλμῶν
dans les mss HJK est évidemment une addition postérieure. Il ne
s'agit pas d'un sens figuré : *les yeux de la foi*, mais d'un sens propre :
les yeux. Cette expression se retrouve, en effet, avec son sens concret
dans la traduction syriaque : « Or ils font cela, les fidèles, en l'appli-
quant à leurs yeux », *Londin. Add.* 14612, f. 74ʳ. Deux textes grecs
viennent confirmer cette interprétation : CYRILLE DE JÉRUSALEM,
Cat. myst. V, 21, *P G* 33, 1125 et *SC* 126, p. 171 : « Avec soin alors,
ayant sanctifié tes yeux par le contact du saint corps, prends-le et
veille à ne rien perdre. » Cf. THÉODORET DE CYR, *In cant. cant.* I, 1,
P G 81, 53 C qui utilise des termes analogues à ceux de Jean pour décrire
le rite de la communion : Καταφιλοῦμέν τε καὶ περιπτυσσόμεθα καὶ
τοῖς ὀφθαλμοῖς ἐπιτίθεμεν τῇ καρδίᾳ. « Nous le baisons, nous le
serrons dans nos mains, nous le plaçons sur nos yeux avec tendresse. »

5. Le mot ἁγιαστία peut avoir deux sens : 1) sainteté ; 2) rite, culte.
C'est le cas ici où il est très voisin du mot ἁγιαστεία qui peut désigner
soit les cérémonies païennes, soit les cérémonies juives, par exemple,
JEAN CHRYSOSTOME, *In epist. I ad Tim. hom.* VIII, 1, *P G* 62, 540 :
Τὰ τῆς ἁγιαστείας ἐν τῷ νάῳ ἐπιτελεῖν ἔδει, soit les cérémonies
chrétiennes, ISIDORE DE PÉLUSE, *Epist.* 3, 245, *P G* 78, 924, li. 20.

6. Allusion au sacrifice d'Élie sur le mont Carmel, *III Rois* 18, 22
et 30.

καὶ τὸν ἄπειρον ὄχλον περιεστῶτα καὶ τὴν θυσίαν ἐπὶ τῶν
35 λίθων κειμένην καὶ πάντας μὲν ἐν ἡσυχίᾳ τοὺς λοιποὺς καὶ
πολλῇ τῇ σιγῇ, μόνον δὲ τὸν προφήτην εὐχόμενον, εἶτα ἐξαίφνης τὴν φλόγα ἐκ τῶν οὐρανῶν ἐπὶ τὸ ἱερεῖον ῥιπτουμένην,
θαυμαστὰ ταῦτα καὶ πάσης ἐκπλήξεως γέμοντα. Μετάβηθι
τοίνυν ἐκεῖθεν ἐπὶ τὰ νῦν τελούμενα, καὶ οὐ θαυμαστὰ ὄψει
40 μόνον, ἀλλὰ καὶ πᾶσαν ἔκπληξιν ὑπερβαίνοντα· ἕστηκε γὰρ
ὁ ἱερεύς, οὐ πῦρ καταφέρων, ἀλλὰ τὸ Πνεῦμα τὸ ἅγιον, καὶ
τὴν ἱκετηρίαν ἐπὶ πολὺ ποιεῖται, οὐχ ἵνα τις λαμπὰς ἄνωθεν
ἀφεθεῖσα καταναλώσῃ τὰ προκείμενα, ἀλλ᾿ ἵνα ἡ χάρις
ἐπιπεσοῦσα τῇ θυσίᾳ δι᾿ ἐκείνης τὰς ἁπάντων ἀνάψῃ ψυχὰς
45 καὶ ἀργυρίου λαμπροτέρας ἀποδείξῃ πεπυρωμένου. Ταύτης
οὖν τῆς φρικωδεστάτης τελετῆς τίς μὴ μαινόμενος μηδὲ
ἐξεστηκὼς ὑπερφρονῆσαι δυνήσεται; ἢ ἀγνοεῖς ὅτι οὐκ ἄν
ποτε ἀνθρωπίνη ψυχὴ τὸ πῦρ ἐκεῖνο τῆς θυσίας ἐβάσταζεν,
ἀλλ᾿ ἄρδην ἂν ἅπαντες ἠφανίσθησαν, εἰ μὴ πολλὴ τῆς τοῦ
50 Θεοῦ χάριτος ἦν ἡ βοήθεια;

ε΄. ῞Οτι πολλὴ   Εἰ γάρ τις ἐννοήσειεν ὅσον ἐστὶν
τῶν ἱερέων   ἄνθρωπον ὄντα καὶ ἔτι σαρκὶ καὶ
ἡ ἐξουσία   αἵματι πεπλεγμένον τῆς μακαρίας
καὶ ἡ τιμή   καὶ ἀκηράτου φύσεως ἐκείνης ἐγγὺς
5   δυνηθῆναι γενέσθαι, τότε ὄψεται

---

43 ἀφεθεῖσα : κατιοῦσα C ‖ 46 φρικωδεστάτης : -τατα C ‖ 46 μαινόμενος : σφόδρα μαινόμενος HJ μεμεινὸς C ‖ 48 ἐβάσταζεν BC A K :
-σεν cett.
ε΄. 3 πεπλεγμένον : περι- J.

1. Cf. De sancta Pentecoste hom. I, 4, P G 50, 459, li. 3-5. Il s'agit de
l'épiclèse, dont le texte, encore en usage aujourd'hui, est donné par
BRIGHTMAN, loc. cit., « The liturgy of St Chrysostome », p. 386 :
῎Ετι προσφέρομέν σοι τὴν λογικὴν ταύτην καὶ ἀναίμακτον λατρείαν
καὶ παρακαλοῦμέν σε καὶ δεόμεθα καὶ ἱκετεύομεν· κατάπεμψον τὸ
Πνεῦμά σου τὸ ῞Αγιον ἐφ᾿ ἡμᾶς καὶ ἐπὶ τὰ προκείμενα δῶρα ταῦτα.
« Nous t'apportons de plus cette offrande spirituelle et non sanglante
et nous te demandons, nous te prions et nous te supplions d'envoyer
ton Esprit Saint sur nous et sur ces offrandes qui sont devant toi. »
Voir S. SALAVILLE : « L'épiclèse d'après saint Jean Chrysostome et
la tradition orientale », Échos d'Orient XI, 1908, p. 101-112, et

tête d'une foule innombrable et la victime gisant sur l'autel et tout le reste des assistants dans le calme et dans un grand silence, le prophète priant seul, puis la flamme qui descend soudain sur la victime, toutes choses qui suscitent l'étonnement et font naître une immense stupeur. De là, passe donc à ce qui s'accomplit maintenant et tu verras que ces choses ne sont pas seulement admirables, mais encore qu'elles dépassent toute impression de stupeur ; en effet, le prêtre est là, debout, faisant descendre non plus le feu, mais l'Esprit Saint[1], et il prie longuement non pour qu'un feu venu d'en haut consume les offrandes, mais pour que la grâce, tombant sur la victime, enflamme par son intermédiaire les âmes de tous et les rende plus brillantes que l'argent en fusion. Quel homme, s'il n'est pas fou ou hors de sens, pourra mépriser cette célébration[2] qui inspire une très grande crainte ? Ignores-tu que nulle âme humaine ne pourrait supporter le feu du sacrifice, mais que tous, sans exception, seraient anéantis, si Dieu ne donnait abondamment le secours de sa grâce ?

5. Grands sont le pouvoir et l'honneur accordés aux prêtres Si l'on imaginait quelle faveur c'est, étant homme[3] et encore tout enveloppé de chair et de sang, de pouvoir approcher de cette nature bienheureuse et pure, on verra

Cl. LEPELLEY, « Le Saint-Esprit et l'Eucharistie : la signification de l'épiclèse », dans la revue *Les quatre fleuves*, n° 9, 1979, p. 79-83.

2. Le mot τελετή a tout un passé religieux ; c'est proprement l'initiation aux mystères d'Éleusis. Les chrétiens n'ont pas hésité à l'adopter pour désigner l'initiation baptismale, mais Jean l'utilise aussi pour parler de la célébration eucharistique. Le *PGL* cite précisément ce passage du *De sacerdotio*. On pourrait y voir une preuve que cette extension de sens est due à Chrysostome. On retrouve le mot avec le même sens en VI, 4, 57, mais cette fois accompagné de l'adjectif ἱερά. A rapprocher de l'expression τὰ νῦν τελούμενα en III, 4, 39.

3. Jean utilise plusieurs fois cette expression pour souligner la distance qui sépare chez le prêtre sa condition humaine portant le poids de la chair et la dignité dont il est revêtu « par la grâce de l'Esprit ». Cf. V, 5, 30 ; VI, 10, 5.

καλῶς ὅσης τοὺς ἱερεῖς τιμῆς ἡ τοῦ Πνεύματος ἠξίωσε χάρις.
διὰ γὰρ ἐκείνων καὶ ταῦτα τελεῖται καὶ ἕτερα τούτων οὐδὲν
ἀποδέοντα καὶ εἰς ἀξιώματος καὶ εἰς σωτηρίας τῆς ἡμετέρας
λόγον. Οἱ γὰρ τὴν γῆν οἰκοῦντες καὶ ἐν ταύτῃ ποιούμενοι τὴν
10 διατριβὴν τὰ ἐν οὐρανοῖς διοικεῖν ἐπετράπησαν καὶ ἐξουσίαν
ἔλαβον ἣν οὔτε ἀγγέλοις οὔτε ἀρχαγγέλοις ἔδωκεν ὁ Θεός·
οὐ γὰρ πρὸς ἐκείνους εἴρηται· « Ὅσα ἂν δήσητε ἐπὶ τῆς γῆς
ἔσται δεδεμένα καὶ ἐν τῷ οὐρανῷ, καὶ ὅσα ἂν λύσητε ἐπὶ τῆς
γῆς ἔσται λελυμένα ἐν τῷ οὐρανῷb. » Ἔχουσι μὲν γὰρ καὶ
15 οἱ κρατοῦντες ἐπὶ τῆς γῆς τὴν τοῦ δεσμεῖν ἐξουσίαν, ἀλλὰ
σωμάτων μόνων· οὗτος δὲ ὁ δεσμὸς αὐτῆς ἅπτεται τῆς ψυχῆς
καὶ διαβαίνει τοὺς οὐρανοὺς καὶ ἅπερ ἂν ἐργάσωνται κάτω
οἱ ἱερεῖς, ταῦτα ὁ Θεὸς ἄνω κυροῖ καὶ τὴν τῶν δούλων
γνώμην ὁ δεσπότης βεβαιοῖ.
20 Καὶ τί γὰρ ἀλλ᾽ ἢ πᾶσαν αὐτοῖς τὴν οὐράνιον ἔδωκεν
ἐξουσίαν; « Ὧν γὰρ ἄν, φησίν, ἀφῆτε τὰς ἁμαρτίας, ἀφέων-
ται, καὶ ὧν ἂν κρατῆτε, κεκράτηνταιc. » Τίς ἂν γένοιτο ταύτης
ἐξουσία μείζων; « Πᾶσαν τὴν κρίσιν ἔδωκεν ὁ πατὴρ τῷ
υἱῷd. » Ὁρῶ δὲ πᾶσαν αὐτὴν τούτους ἐγχειρισθέντας ὑπὸ
25 τοῦ υἱοῦ· ὥσπερ γὰρ εἰς οὐρανοὺς ἤδη μετατεθέντες καὶ τὴν
ἀνθρωπείαν ὑπερβάντες φύσιν καὶ τῶν ἡμετέρων ἀπαλλα-
γέντες παθῶν, οὕτως εἰς τοσαύτην ἤχθησαν τὴν ἀρχήν. Εἶτα
ἂν μὲν βασιλεύς τινι τῶν ὑπ᾽ αὐτὸν ὄντων ταύτης μεταδῷ

9-10 τὴν διατριβὴν Β : τὰς διατριβὰς cett. ‖ 12 ἂν Β : ἐὰν cett. ‖
13 λύσητε : δήσητε G ‖ 13-14 ἐπὶ τῆς γῆς Β D FK : om. cett. ‖ 14
ἔσται om. C D ‖ 14 ἐν τῷ οὐρανῷ Β G : ἐν τοῖς οὐρανοῖς FK om.
cett. ‖ 14 γὰρ om. C ‖ 16 μόνων Β Α : μόνον cett. ‖ 17 ἐργάσονται
C E ‖ 20 ἔδωκεν Β : δέδωκεν cett. ‖ 21 ἂν : δή Β ‖ 22-23 ταύτης
ἐξουσία : ταύτης τῆς ἐξουσίας C F τῆς ἐξουσίας ταύτης K ‖ 23 ἔδωκεν
Β : δέδωκεν cett. ‖ 24 τούτους ἐγχειρισθέντας ΒC : τούτοις ἐγχειρισ-
θεῖσαν cett. ‖ 25 υἱοῦ ΒC : Θεοῦ Ε Χριστοῦ cett. ‖ 25-26 τὴν ἀνθρωπείαν ὑπερβάντες φύσιν : τῶν ἀνθρωπίνων ὑπερβάντες παθῶν C ‖ 27
— ϛ′ 62 οὕτως εἰς — τῶν εἰρημένων om. Η.

b. Matth. 18, 18   c. Jn 20, 23   d. Jn 5, 22

1. Les mots ἀξίωμα et σωτηρία sont étroitement liés. La dignité que

clairement de quel honneur la grâce de l'Esprit a jugé
dignes les prêtres. C'est, en effet, par eux que s'accomplissent ces choses et d'autres qui ne contribuent pas moins
à leur dignité qu'à notre salut[1]. A ceux qui habitent la terre
et qui en font leur séjour, la charge d'administrer les choses
des cieux a été confiée et ils ont reçu un pouvoir que Dieu
n'a donné ni aux anges, ni aux archanges[2]. N'est-ce pas
à eux qu'il a été dit : « Tout ce que vous lierez sur la terre
sera lié dans le ciel et tout ce que vous délierez sur la terre
sera délié dans le ciel[b] » ? Les puissants de la terre ont le
pouvoir d'enchaîner, mais les corps seulement ; tandis que
ce lien-ci concerne l'âme et passe par les cieux et tout ce
que les prêtres font ici-bas, Dieu le sanctionne là-haut.
Le maître confirme la sentence de ses serviteurs.

Et que leur a-t-il donné d'autre sinon toute puissance
céleste ? « Ceux à qui vous remettrez les péchés, qu'ils leur
soient remis et ceux à qui vous les retiendrez, qu'ils leur
soient retenus[c]. » Quelle puissance pourrait être plus grande
que celle-ci ? « Le Père a donné à son Fils le pouvoir de
juger toutes choses[d]. » Mais je vois que ce pouvoir total,
ils l'ont reçu du Fils ; en effet, comme s'ils étaient déjà dans
les cieux, comme s'ils avaient dépassé la nature humaine
et s'étaient éloignés de nos passions, ainsi ils ont été amenés
à exercer une si grande autorité[3]. Et alors, si un roi partage
cet honneur avec un des hommes placés sous ses ordres de

Dieu confère au prêtre n'a d'autre raison d'être que le salut des
chrétiens.

2. Cependant les anges sont présents à la liturgie, VI, 4, 41 et 48.
Voir J. Daniélou, *Les anges et leur mission d'après les Pères de l'Église*,
Chevetogne 1953[2] et E. Peterson, *Le livre des anges*, trad. fr., Paris
1954.

3. Jean souligne ici le fondement théologique de la notion d'ἀρχή
et met dans son véritable jour la relation ὁ ἄρχων, οἱ ἀρχόμενοι. Voir
supra, p. 80, note 5. Les apôtres, dont les prêtres sont les successeurs,
ont reçu du Christ l'autorité que les uns et les autres sont amenés
à exercer. Voir J. Lécuyer, *Le sacerdoce dans le mystère du Christ*
(coll. *Lex orandi* 24), Paris 1957, chap. xiii, p. 341-392.

τῆς τιμῆς ὥστε ἐμβάλλειν εἰς δεσμωτήριον οὓς ἂν ἐθέλῃ καὶ
30 ἀφιέναι πάλιν, ζηλωτὸς καὶ περίβλεπτος παρὰ πᾶσιν οὗτος·
ὁ δὲ παρὰ Θεοῦ τοσούτῳ μείζονα ἐξουσίαν λαβὼν ὅσῳ γῆς
τιμιώτερος ὁ οὐρανὸς καὶ σωμάτων ψυχαί, οὕτω μικράν τισιν
ἔδοξεν εἰληφέναι τιμὴν ὡς δυνηθῆναι κἂν ἐννοῆσαι ὅτι τῶν
ταῦτά τις πιστευθέντων καὶ ὑπερφρονήσει τῆς δωρεᾶς. Ἄπαγε
35 τῆς μανίας· μανία γὰρ περιφανὴς ὑπερορᾶν τῆς τοσαύτης
ἀρχῆς ἧς ἄνευ οὔτε σωτηρίας ἡμῖν, οὔτε τῶν ἐπηγγελμένων
ἀγαθῶν ἔστι τυχεῖν.

ϛ′. Ὅτι τῶν
παρὰ τοῦ Θεοῦ
μεγίστων δωρεῶν
εἰσι διάκονοι

Εἰ γὰρ οὐ δύναταί τις εἰσελθεῖν
εἰς τὴν βασιλείαν τῶν οὐρανῶν, ἐὰν
μὴ δι' ὕδατος καὶ πνεύματος ἀνα-
γεννηθῇ[e], καὶ ὁ μὴ τρώγων τὴν
5 σάρκα τοῦ Κυρίου καὶ τὸ αἷμα αὐτοῦ
πίνων ἐκβέβληται τῆς αἰωνίου ζωῆς[f], πάντα δὲ ταῦτα δι' ἑτέρου μὲν οὐδενός, μόνον δὲ διὰ τῶν ἁγίων ἐκείνων ἐπιτελεῖται
χειρῶν, τῶν τοῦ ἱερέως λέγω, πῶς ἄν τις τούτων ἐκτὸς ἢ τὸ
τῆς γεέννης ἐκφυγεῖν δυνήσεται πῦρ ἢ τῶν ἀποκειμένων στε-
10 φάνων τυχεῖν; Οὗτοι γάρ εἰσιν, οὗτοι οἱ τὰς πνευματικὰς
πιστευθέντες ὠδῖνας καὶ τὸν διὰ τοῦ βαπτίσματος ἐπιτραπέντες
τόκον· διὰ τούτων ἐνδυόμεθα τὸν Χριστὸν καὶ συνθαπτόμεθα
τῷ υἱῷ τοῦ Θεοῦ, μέλη γινόμεθα τῆς μακαρίας ἐκείνης κεφαλῆς, ὥστε ἡμῖν οὐκ ἀρχόντων μόνον οὐδὲ βασιλέων φοβερώ-
15 τεροι, ἀλλὰ καὶ πατέρων τιμιώτεροι δικαίως ἂν εἶεν· οἱ μὲν
γὰρ ἐξ αἱμάτων καὶ ἐκ θελήματος σαρκὸς ἐγέννησαν, οἱ δὲ

29 ἂν BC JK : ἐὰν cett. ‖ 29 ἐθέλῃ B A : ἐθέλει C ἐθέλοι K θέλῃ
cett. ‖ 30 οὗτος : οὕτως C ‖ 32 ὁ om. C ‖ 37 ἔστι τυχεῖν : ἐπιτυχεῖν B.
ϛ′. 6 ταῦτα : αὐτὰ B ‖ 10 γάρ B D : ἡμῖν add. cett. ‖ 12 συνθαπτόμεθα BC K : συναπτόμεθα cett. ‖ 13 τῷ υἱῷ τοῦ Θεοῦ BC K : τῷ
ἁγίῳ τοῦ Θεοῦ ναῷ cett. ‖ 15 δίκαιοι J ‖ 16 ἐγέννησαν B JK : ἐγεν-
νήθησαν cett.

e. Cf. Jn 3, 5   f. Cf. Jn 6, 53-54

1. Cf. II *Tim.* 4, 8.
2. Ici encore les mss BC donnent le terme propre (voir *Col.* 2, 12).
3. Dans tout ce passage, Jean utilise, comme par une sorte de réminiscence naturelle, le vocabulaire des épîtres pauliniennes. Outre συν-

sorte que celui-ci peut jeter en prison ceux qu'il veut ou les en faire sortir, cet homme-là est envié et attire les regards de tous ; mais celui qui a reçu de Dieu un pouvoir supérieur, autant que le ciel l'emporte sur la terre et les âmes sur les corps, a paru avoir reçu un honneur si peu important aux yeux de certains qu'on irait, lorsqu'on s'est vu confier ce pouvoir, jusqu'à en mépriser le don ! Chasse cette folie ; car c'est une folie insigne de regarder avec dédain une autorité si grande sans laquelle nous ne pouvons obtenir le salut ni les biens qui nous sont promis.

6. Ils sont les ministres des plus grands dons de Dieu

Si, en effet, nul ne peut entrer dans le royaume des cieux s'il ne renaît de l'eau et de l'Esprit[e] et si celui qui ne mange pas la chair du Seigneur et ne boit pas son sang est rejeté de la vie éternelle[f], mais si toutes ces choses ne s'accomplissent par nul autre intermédiaire que par ces mains saintes, je veux dire celles du prêtre, comment sans leur aide pourra-t-on échapper au feu de l'enfer et obtenir les couronnes préparées[1] ? C'est eux, oui c'est eux auxquels ont été confiés les enfantements spirituels et qui ont reçu la charge d'appeler à la naissance par le baptême ; par eux nous revêtons le Christ, nous sommes ensevelis[2] avec le Fils de Dieu, nous devenons les membres de cette tête bienheureuse[3], si bien qu'ils pourraient, à juste titre, être pour nous non seulement plus redoutables que les puissants et les rois, mais aussi plus dignes d'honneur que nos parents[4], car ceux-ci nous ont engendrés du sang et de la

θαπτόμεθα (*Col.* 2. 12), on peut noter : ὠδῖνας, cf. *Gal.* 4, 19 ; ἐνδυό-μεθα τὸν Χριστὸν, cf. *Rom.* 13, 14 et *Gal.* 3, 27 ; μέλη, cf. *I Cor.* 12, 12 ; κεφαλῆς, cf. *Col.* 1, 18. De même plus bas, παλιγγενεσίας, cf. *Tite* 3, 5.

4. Voir reprise de ce thème li. 40. On comparera avec intérêt, en mesurant les différences, une pensée analogue d'Aristote rapportée par DIOGÈNE LAËRCE, *Vit.* V, 19 : « Ceux qui nous ont instruits sont plus dignes de respect que les parents qui nous ont simplement engendrés, car les premiers nous ont donné de vivre et les seconds de bien vivre. »

τῆς ἐκ τοῦ Θεοῦ γεννήσεως ἡμῖν εἰσιν αἴτιοι, τῆς μακαρίας
παλιγγενεσίας ἐκείνης, τῆς ἐλευθερίας τῆς ἀληθοῦς καὶ τῆς
κατὰ χάριν υἱοθεσίας.

20 Λέπραν σώματος ἀπαλλάττειν, μᾶλλον δὲ ἀπαλλάττειν μὲν
οὐδαμῶς, τοὺς δὲ ἀπαλλαγέντας δοκιμάζειν μόνον εἶχον
ἐξουσίαν οἱ τῶν Ἰουδαίων ἱερεῖς, καὶ οἶσθα πῶς περιμάχητον
ἦν τὸ τῶν ἱερέων τότε· οὗτοι δὲ οὐ λέπραν σώματος, ἀλλ'
ἀκαθαρσίαν ψυχῆς, οὐκ ἀπαλλαγεῖσαν δοκιμάζειν, ἀλλ' ἀπαλ-
25 λάττειν παντελῶς ἔλαβον ἐξουσίαν, ὥστε οἱ τούτων ὑπερ-
ορῶντες πολλῷ καὶ τῶν περὶ Δαθὰν εἶεν ἐναγέστεροι καὶ
μείζονος ἄξιοι τιμωρίας· οἱ μὲν γάρ, εἰ καὶ μὴ προσηκούσης
αὐτοῖς ἀντεποιοῦντο τῆς ἀρχῆς, ἀλλ' ὅμως θαυμαστήν τινα
περὶ αὐτῆς εἶχον δόξαν καὶ τοῦτο τῷ μετὰ πολλῆς ἐφίεσθαι
30 σπουδῆς ἔδειξαν· οὗτοι δέ, ὅτε ἐπὶ τὸ κρεῖττον διεκοσμήθη
καὶ τοσαύτην ἔλαβεν ἐπίδοσιν τὸ πρᾶγμα, τότε ἐξ ἐναντίας
μὲν ἐκείνοις, πολλῷ δὲ ἐκείνων μείζονα τετολμήκασιν. Οὐδὲ
γὰρ ἴσον εἰς καταφρονήσεως λόγον ἐφίεσθαι μὴ προσηκούσης
τιμῆς καὶ ὑπερορᾶν τοσούτων ἀγαθῶν, ἀλλὰ τοσούτῳ μεῖζον
35 ἐκεῖνο τούτου ὅσῳ τοῦ διαπτύειν καὶ θαυμάζειν τὸ μέσον
ἐστί. Τίς οὖν οὕτως ἀθλία ψυχὴ ὡς τοσούτων ὑπεριδεῖν ἀγαθῶν; Οὐκ ἄν ποτε φαίην ἐγώ, πλὴν εἴ τις οἶστρον ὑπομείνειε
δαιμονικόν.

Ἀλλὰ γὰρ ἐπάνειμι πάλιν ὅθεν ἐξέβην· οὐ γὰρ ἐν τῷ κολά-
40 ζειν μόνον, ἀλλὰ καὶ ἐν τῷ ποιεῖν εὖ, μείζονα τοῖς ἱερεῦσιν

---

18 ἐλευθερίας B : ἐλευθέρας cett. ‖ 19 υἱοθεσίας BC JK : παρεχο-
μένης add. cett. ‖ 20 σώματος BC D K : σωμάτων cett. ‖ 21 ἀπαλλαγέντας BC K : ἀπαλλαττομένους cett. ‖ 26 πολλῷ : πολὺ BC ‖ 26
εἶεν] + ἂν FJK ‖ 29-30 καὶ τοῦτο — ἔδειξαν om. D JK ‖ 30 ἔδειξαν
BC : ἔδοξαν AEG F ‖ 31 τότε] + μὲν C ‖ 34 τοσούτων ἀγαθῶν B:
τοσούτου ἀγαθοῦ K om. cett. ‖ 34 τοσούτῳ C JK : τοσοῦτο B τοσοῦτον cett. ‖ 35 ἐκείνου τοῦτο JK ‖ 35 ὅσῳ B D JK : ὅσον cett. ‖ 36
ἀθλία ψυχή : ἄθλιος ἂν εἴη J ‖ 37 ποτε om. C ‖ 37 φαίην : οὐδένα
φαίην J ‖ 37 ἐγώ BC : ἔγωγε cett. ‖ 37 εἴ τις B : εἰ μὴ K εἰ μή τις
cett.

1. Cf. *Jn* 1, 13.
2. Sur la notion de liberté chez Jean, voir A.-M. MALINGREY, « La

volonté de la chair[1], mais ceux-là sont les auteurs de notre naissance en Dieu, cette bienheureuse nouvelle naissance, de la véritable liberté[2] et de la filiation selon la grâce.

Délivrer de la lèpre du corps, les prêtres juifs n'en avaient nullement le pouvoir, mais ils avaient seulement celui de constater si on en avait été délivré, et tu sais combien la charge des prêtres était alors enviée ; pour ceux-ci, au contraire, ce n'est pas de la lèpre du corps, mais de la purification de l'âme qu'il s'agit et ils ont reçu le pouvoir non pas de constater si l'on en a été délivré, mais d'en délivrer complètement. Ainsi, ceux qui les méprisent pourraient, de toute évidence, paraître mériter un plus grand châtiment que les compagnons de Dathan[3] ; ceux-ci, en effet, s'arrogeaient un pouvoir dont ils n'étaient pas dignes, mais du moins ils en avaient une haute idée et ils le prouvèrent en mettant toute leur ardeur à le briguer ; ceux-là, au contraire, alors que le sacerdoce[4] a été paré d'un si grand prestige et qu'il a reçu un si grand développement, alors, contrairement à ceux dont nous venons de parler, la hardiesse des uns a dépassé celle des autres. En effet, ce n'est pas la même chose, quand on parle de mépris, de briguer un honneur dont on n'est pas digne et de dédaigner de si grands biens, mais il y a autant de différence entre le second et le premier qu'entre cracher dessus et admirer. Quelle est l'âme assez malheureuse pour dédaigner de si grand biens ? Je ne saurais jamais le dire à moins qu'on ne soit victime d'un aiguillon diabolique.

Mais je reviens au sujet dont je me suis écarté ; en effet, ce n'est pas seulement pour infliger une punition, mais aussi

christianisation du vocabulaire païen dans l'œuvre de Jean Chrysostome », dans *Actes de la XIIᵉ conférence internationale d'études classiques « Eirènè »* (Cluj 1972), éd. Amsterdam 1975, p. 55-62.

3. Dathan et Abirâm son frère s'étant révoltés contre Moïse furent engloutis dans la terre avec toute leur famille. *Nombr.* 26, 9-10 et *Deut.* 11, 6.

4. Voir plus haut, p. 106, note 1.

ἔδωκε δύναμιν τῶν φυσικῶν γονέων ὁ Θεός, καὶ τοσοῦτον
ἀμφοτέρων τὸ διάφορον ὅσον τῆς παρούσης καὶ τῆς μελλού-
σης ζωῆς· οἱ μὲν γὰρ εἰς ταύτην, οἱ δὲ εἰς ἐκείνην γεννῶσι.
Κἀκεῖνοι μὲν οὐδὲ τὸν σωματικὸν αὐτοῖς δύναιντ' ἂν ἀμύ-
45 νασθαι θάνατον, οὐ νόσον ἐπενεχθεῖσαν ἀποκρούσασθαι·
οὗτοι δὲ καὶ κάμνουσαν καὶ ἀπόλλυσθαι μέλλουσαν τὴν
ψυχὴν πολλάκις ἔσωσαν, τοῖς μὲν πραοτέραν τὴν κόλασιν
ἐργασάμενοι, τοὺς δὲ οὐδὲ παρὰ τὴν ἀρχὴν ἀφέντες ἐμπεσεῖν,
οὐ τῷ διδάσκειν μόνον καὶ νουθετεῖν, ἀλλὰ καὶ τῷ δι' εὐχῶν
50 βοηθεῖν. Οὐ γὰρ ὅταν ἡμᾶς ἀναγεννῶσι μόνον, ἀλλὰ καὶ τὰ
μετὰ ταῦτα συγχωρεῖν ἔχουσιν ἐξουσίαν ἁμαρτήματα.
« Ἀσθενεῖ γάρ τις, φησίν, ἐν ὑμῖν; Προσκαλεσάσθω τοὺς
πρεσβυτέρους τῆς Ἐκκλησίας, καὶ προσευξάσθωσαν ἐπ'
αὐτόν, ἀλείψαντες αὐτὸν ἐλαίῳ ἐν τῷ ὀνόματι τοῦ Κυρίου·
55 καὶ ἡ εὐχὴ τῆς πίστεως σώσει τὸν κάμνοντα καὶ ἐγερεῖ αὐτὸν
ὁ Κύριος, κἂν ἁμαρτίας ᾖ πεποιηκώς, ἀφεθήσεται αὐτῷᵍ. »
Ἔπειτα οἱ μὲν φυσικοὶ γονεῖς, εἴ τισι τῶν ὑπερεχόντων καὶ
μεγάλα δυναμένων προσκρούσαιεν οἱ παῖδες, οὐδὲν αὐτοὺς
ἔχουσιν ὠφελεῖν, οἱ δὲ ἱερεῖς οὐκ ἄρχοντας, οὐδὲ βασιλεῖς,
60 ἀλλ' αὐτὸν αὐτοῖς πολλάκις ὀργισθέντα κατήλλαξαν τὸν
Θεόν. Ἔτι οὖν ἡμᾶς μετὰ ταῦτα τολμήσει τις ἀπονοίας
κρίνειν; Ἐγὼ μὲν γὰρ ἐκ τῶν εἰρημένων τοσαύτην εὐλάβειαν οἶμαι τὰς τῶν ἀκουόντων κατασχεῖν ψυχὰς ὡς μηκέτι
τοὺς φεύγοντας, ἀλλὰ τοὺς ἀφ' ἑαυτῶν προσιόντας καὶ σπου-
65 δάζοντας ταύτην ἑαυτοῖς κτήσασθαι τὴν τιμὴν ἀπονοίας καὶ
τόλμης κρίνειν. Εἰ γὰρ οἱ τὰς τῶν πόλεων ἀρχὰς πιστευθέντες, ὅταν μὴ συνετοὶ καὶ λίαν ὀξεῖς τυγχάνωσιν ὄντες,

---

42 ὅσῳ C ‖ 43 ζωῆς BC K : ζωῆς τὸ μέσον cett. ‖ 45 ἀμύνασθαι :
ἀμῦναι C ‖ 45 οὐ : οὔτε C FK ‖ 53-54 ἐπ' αὐτόν BC : ὑπὲρ αὐτοῦ cett.
‖ 54 ἐν — Κυρίου BC FK : om. cett. ‖ 55-56 καὶ ἐγερεῖ αὐτὸν ὁ
Κύριος BC K : om. cett. ‖ 56 ἀφεθήσονται JK ‖ 57 φυσικοὶ : φύσει
A ‖ 58 μεγάλα] + ὧδε J ‖ 59 ἔχουσιν : ἰσχύουσιν J ‖ 64 προσιόντας]
+ ἐν τούτῳ τῷ φρικτῷ μυστηρίῳ K ‖ 65 κτήσασθαι BC : κεκτῆσθαι
cett. ‖ 65 τιμὴν : ἀρχὴν C ‖ 66 κρίνειν : γράφεσθαι J ‖ 66 Εἰ : οἱ
AE F ‖ 67 πιστευθέντες BC K : ἐμπιστευθέντες cett. ‖ 67 τυγχάνωσιν :
-νουσιν C -νοντες K.

pour faire du bien que Dieu a donné aux prêtres une puissance plus grande qu'aux parents selon la chair, et entre les
uns et les autres, la différence est aussi grande qu'entre la
vie présente et la vie future ; car les uns engendrent à la
première, les autres à la seconde. Ceux-là ne sauraient
écarter la mort physique et ne sont pas assez forts pour
guérir une maladie ; ceux-ci procurent souvent le salut de
l'âme malade et près de se perdre, en infligeant aux uns
une peine modérée, en prévenant, dès le début, les chutes
des autres, non seulement grâce à leur enseignement et à
leurs avertissements, mais aussi par le secours de leurs
prières. Ce n'est pas seulement lorsqu'ils nous font naître
une seconde fois, mais ils ont aussi le pouvoir de pardonner
les fautes commises ensuite. « Quelqu'un, dit l'Apôtre, est-il
malade parmi vous ? Qu'il appelle les prêtres de l'Église et
qu'ils prient sur lui[1], après avoir fait une onction d'huile
au nom du Seigneur. La prière de la foi sauvera le malade
et le Seigneur le ranimera ; même s'il a commis des fautes,
elles lui seront pardonnées[g]. » De plus, les parents selon
la chair, si leurs enfants ont offensé des hommes de haut
rang et qui sont puissants, ils ne peuvent en rien leur être
utiles, tandis que les prêtres, ce n'est pas avec les autorités
et les rois qu'ils réconcilient, mais avec Dieu lui-même.
Eh bien ! donc après cela, osera-t-on nous accuser d'orgueil ?
Quant à moi, je pense que l'âme de ceux qui m'écoutent
est saisie devant mes paroles d'un tel sentiment de piété
qu'ils accuseront de folie et d'audace non plus ceux qui se
dérobent, mais ceux qui, de leur plein gré, s'avancent et
se démènent pour obtenir eux-mêmes un tel honneur. Si,
en effet, ceux à qui l'on a confié le gouvernement des cités,
lorsqu'ils n'ont pas une intelligence et une pénétration

g. Jac. 5, 14-15

1. La variante ἐπ' αὐτὸν donnée par BC est conforme au texte reçu,
alors que les autres mss donnent ὑπὲρ αὐτοῦ et que le *vetus interpres
latinus* traduit : « pro eo ».

καὶ τὰς πόλεις ἀνέτρεψαν καὶ ἑαυτοὺς προσαπώλεσαν, ὁ τοῦ
Χριστοῦ τὴν νύμφην κατακοσμεῖν λαχὼν πόσης σοι δοκεῖ
70 δεῖσθαι δυνάμεως καὶ τῆς παρ' αὐτοῦ καὶ τῆς ἄνωθεν πρὸς
τὸ μὴ διαμαρτεῖν;

ζ'. Ὅτι καὶ
Παῦλος περιδεὴς
ἦν πρὸς τὸ
μέγεθος τῆς
ἀρχῆς ὁρῶν

Οὐδεὶς μᾶλλον Παύλου τὸν Χριστὸν ἠγάπησεν, οὐδεὶς μείζονα ἐκείνου σπουδὴν ἐπεδείξατο, οὐδεὶς πλείονος ἠξιώθη χάριτος· ἀλλ' ὅμως μετὰ
τοσαῦτα πλεονεκτήματα δέδοικεν
ἔτι καὶ τρέμει περὶ ταύτης τῆς ἀρχῆς
καὶ τῶν ἀρχομένων ὑπ' αὐτοῦ. « Φοβοῦμαι γάρ, φησί, μή
πως ὡς ὁ ὄφις Εὔαν ἐξηπάτησεν, οὕτω φθαρῇ τὰ νοήματα
ὑμῶν ἀπὸ τῆς ἁπλότητος τῆς εἰς τὸν Χριστόν[h]. » Καὶ πάλιν·
10 « Ἐν φόβῳ καὶ ἐν τρόμῳ πολλῷ ἐγενόμην πρὸς ὑμᾶς[i]. »
Ἄνθρωπος εἰς τρίτον ἁρπαγεὶς οὐρανὸν καὶ ἀπορρήτων
κοινωνήσας Θεῷ καὶ τοσούτους ὑπομείνας θανάτους ὅσας
μετὰ τὸ πιστεῦσαι ἔζησεν ἡμέρας, ἄνθρωπος μηδὲ τῇ δοθείσῃ
παρὰ Χριστοῦ χρήσασθαι ἐξουσίᾳ βουληθείς, ἵνα μή τις τῶν
15 πιστευσάντων σκανδαλισθῇ. Εἰ τοίνυν ὁ τὰ προστάγματα
ὑπερβαίνων τοῦ Θεοῦ καὶ μηδαμοῦ τὸ ἑαυτοῦ ζητῶν, ἀλλὰ τὸ
τῶν ἀρχομένων, οὕτως ἔμφοβος ἦν ἀεὶ πρὸς τὸ τῆς ἀρχῆς
μέγεθος ἀφορῶν, τί πεισόμεθα ἡμεῖς οἱ πολλαχοῦ τὰ ἑαυτῶν

---

68 ἀνέτρεψαν ... προσαπώλεσαν : ἀπώλεσαν ... προσανέτρεψαν C.
ζ'. 1 μᾶλλον] + πλείω FK ‖ 5 πλεονεκτήματα B : om. cett. ‖ 8
ἐξηπάτησεν BC : ἠπάτησεν ἐν τῇ πανουργίᾳ αὐτοῦ cett. ‖ 12 Θεῷ
B A : Θεοῦ cett. ‖ 12 θανάτους : κινδύνους C ‖ 14 — θ' 9 βουληθείς —
Εἰ δὲ καὶ τὴν om. J ‖ 16 τοῦ om. EG FH ‖ 16 Θεοῦ BC : Χριστοῦ
cett. ‖ 18 πεισόμεθα : ποιησόμεθα E.

h. II Cor. 11, 3   i. I Cor. 2, 3

1. Même expression en VI, 12, 76, qui a sa source en *II Cor.* 11, 2.
Dans son commentaire sur le psaume 5, 2, *PG* 55, 62-63, Chrysostome
décrit avec complaisance la parure de l'Église, épouse du Christ, en
rassemblant une série de citations empruntées aux épîtres pauliniennes. Les fidèles sont exhortés à contribuer à cette parure, mais
l'évêque (ou le prêtre) en est chargé à titre tout spécial.

suffisantes, bouleversent les cités et se perdent eux-mêmes, celui qui a obtenu de parer l'épouse du Christ[1], quelle force crois-tu qu'il lui faut, celle qu'il a en lui et celle qui lui vient d'en haut[2], pour ne pas échouer ?

7. Paul aussi était plein de crainte en voyant la grandeur de son autorité

Personne, plus que Paul, n'a aimé le Christ, personne n'a montré plus de zèle à son égard, personne n'a été favorisé de plus de grâce ; et cependant, malgré de si grands avantages, il a peur et il tremble encore devant cette autorité et devant ceux qui lui sont soumis. « Je crains, dit-il, qu'à l'exemple du serpent qui séduisit Ève, vos pensées ne se corrompent, étant dépourvues de simplicité à l'égard du Christ[h] », et encore : « Je me suis présenté devant vous dans la crainte et le tremblement[i]. » Un homme qui avait été ravi au troisième ciel[3], qui avait été associé aux réalités indicibles de Dieu[4], qui avait subi autant de morts qu'il avait vécu de jours après sa venue à la foi[5], un homme qui n'a pas voulu utiliser le pouvoir que le Christ lui avait donné pour ne pas scandaliser l'un des fidèles[6] ! Si donc celui qui allait au-delà des exigences de Dieu, qui ne cherchait jamais son propre intérêt, mais l'intérêt de ceux qui étaient soumis à son autorité[7], se voyait sans cesse tellement saisi de crainte en considérant la grandeur de cette autorité, qu'éprouverons-nous donc, nous qui cherchons la plupart du temps notre intérêt, nous

2. Entre la liberté de l'homme et la grâce, Jean a toujours maintenu un sage équilibre. Voir plus haut, p. 113, note 2 et p. 152, note 2.

3. Cf. *II Cor.* 12, 2.

4. Cf. *II Cor.* 12, 4.

5. Cf. *I Cor.* 15, 31.

6. Jean fait ici allusion au passage de la *Ire aux Corinthiens* 9, 11-12 où Paul explique avec feu que son apostolat auprès d'eux lui donnerait le pouvoir, ἐξουσία, de profiter de leurs biens temporels, mais qu'il n'a pas usé de ce droit pour ne pas faire obstacle à l'évangile, ce que Jean interprète : « pour ne pas scandaliser l'un des fidèles ».

7. Cf. *I Cor.* 10, 33 ; 13, 5 ; *Phil.* 2, 4.

ζητοῦντες, οἱ τὰς ἐντολὰς τοῦ Χριστοῦ οὐ μόνον οὐχ ὑπερ-
20 βαίνοντες, ἀλλὰ καὶ ἐκ πλείονος παραβαίνοντες μοίρας; « Τίς
ἀσθενεῖ, φησί, καὶ οὐκ ἀσθενῶ; τίς σκανδαλίζεται, καὶ οὐκ
ἐγὼ πυροῦμαι[j]; » Τοιοῦτον εἶναι δεῖ τὸν ἱερέα, μᾶλλον δὲ οὐ
τοιοῦτον μόνον· μικρὰ γὰρ ταῦτα καὶ τὸ μηδὲν πρὸς ὃ μέλλω
λέγειν. Τί δὲ τοῦτό ἐστιν; « Ἠυχόμην, φησίν, ἀνάθεμα εἶναι
25 ἀπὸ τοῦ Χριστοῦ ὑπὲρ τῶν ἀδελφῶν μου, τῶν συγγενῶν μου
τῶν κατὰ σάρκα[k]. » Εἴ τις δύναται ταύτην ἀφεῖναι τὴν
φωνήν, εἴ τις ἔχει τὴν ψυχὴν ταύτης ἐφικνουμένην τῆς εὐχῆς,
ἐγκαλεῖσθαι δίκαιος ἂν εἴη φεύγων. Εἰ δέ τις ἀποδέοι τῆς
ἀρετῆς ἐκείνης τοσοῦτον ὅσον ἡμεῖς, οὐχ ὅταν φεύγῃ, ἀλλ'
30 ὅταν δέχηται μισεῖσθαι δίκαιος.

η'. Ὅτι πολλά   Οὐδὲ γάρ, εἰ στρατιωτικῆς ἀξίας
τις ἁμαρτάνειν   αἵρεσις προὔκειτο, εἶτα χαλκοτύπον
προάγεται εἰς τὸ   ἢ σκυτοτόμον ἤ τινα τῶν τοιούτων
μέσον ἐλθών,   δημιουργῶν ἑλκύσαντες εἰς τὸ μέσον
5 ἂν μὴ σφόδρα   οἱ δοῦναι κύριοι τὴν τιμήν, ἐνεχεί-
γενναῖος ᾖ   ριζον τὸν στρατόν, ἐπῄνεσα ἂν τὸν
                               δείλαιον ἐκεῖνον οὐ φεύγοντα καὶ
πάντα ποιοῦντα ὥστε μὴ εἰς προὖπτον ἑαυτὸν ἐμβαλεῖν κακόν.
Εἰ μὲν γὰρ ἁπλῶς τὸ κληθῆναι ποιμένα καὶ μεταχειρίσαι τὸ
10 πρᾶγμα ὡς ἔτυχεν ἀρκεῖ, καὶ κίνδυνος οὐδείς, ἐγκαλείτω
κενοδοξίας ἡμῖν ὁ βουλόμενος· εἰ δὲ πολλὴν μὲν σύνεσιν,
πολλὴν δὲ πρὸ τῆς συνέσεως τὴν παρὰ τοῦ Θεοῦ χάριν καὶ
τρόπων ὀρθότητα καὶ καθαρότητα βίου καὶ μείζονα ἢ κατὰ
ἄνθρωπον ἔχειν δεῖ τὴν ἀρετὴν τὸν ταύτην ἀναδεχόμενον τὴν
15 φροντίδα, μή με ἀποστερήσῃς συγγνώμης μάτην ἀπολέσθαι
μὴ βουλόμενον καὶ εἰκῇ.

24 τοῦτο om. AEG D ‖ 26 ἀφεῖναι BC : ἀφιέναι cett. ‖ 28 ἐγκαλεῖσθαι : ἐγκαλείσθω AEG ‖ 28 δικαίως A E D ‖ 28 ἂν εἴη om. B AEG D
η'. 10 οὐδείς B G : οὐδὲ εἷς cett.

j. II Cor. 11, 29   k. Rom. 9, 3

1. Dans cet emploi de ποιμήν, on voit le passage du sens premier :
pasteur d'un troupeau, au sens désormais fréquent dans l'Église de
pasteur des âmes. Voir ci-dessus, p. 74, note 1. Jean utilise ici le mot

qui, non seulement n'allons pas au-delà des commandements du Christ, mais qui, le plus souvent, restons en deçà ?
« Qui est malade, dit-il, sans que je sois malade ? qui est
scandalisé sans qu'un feu me dévore[j] ? » Tel doit être le
prêtre, non pas tel seulement, car ce sont là des choses
de peu d'importance et ce n'est rien par rapport à ce que
je vais dire. Quoi donc ? « J'ai souhaité, dit-il, être ana-
thème, séparé du Christ pour mes frères, mes parents
selon la chair[k]. » Si quelqu'un peut laisser échapper une
telle parole, si quelqu'un a l'âme capable de s'élever au
niveau de ce désir, alors il serait juste de lui reprocher sa
fuite. Mais si quelqu'un était aussi dépourvu de vertu que
nous, celui-là susciterait l'horreur à juste titre, non pas en
se dérobant, mais en acceptant.

8. On est amené à commettre beaucoup de fautes, quand on est en vue, si l'on n'a pas une âme pleine de noblesse

En effet, lorsqu'il s'agit dans
l'armée de choisir selon le mérite, si
ceux qui sont responsables de cet
honneur mettaient sur les rangs
quelqu'un qui travaille le cuivre
ou le cuir ou un artisan de cette
sorte en lui confiant l'armée, je ne
féliciterais pas ce malheureux de
ne pas s'enfuir et de ne pas tout faire pour ne pas s'exposer
à une catastrophe évidente. S'il suffit simplement d'être
appelé pasteur[1], de faire ce métier n'importe comment, et
cela sans danger, alors nous accuse de vaine gloire qui veut ;
mais si beaucoup d'intelligence[2] et, avant l'intelligence, la
grâce de Dieu, la rectitude de la conduite, la pureté de la
vie, une vertu plus qu'humaine sont nécessaires à celui
auquel on a confié ce soin, ne me refuse pas le pardon pour
n'avoir pas voulu inutilement et sans réflexion courir à
ma perte.

dans son double sens, non sans ironie, ce que souligne encore l'ambi-
guïté du terme πρᾶγμα.
    2. Voir ci-dessus, p. 114, note 3.

Καὶ γὰρ εἰ μυριαγωγόν τις ὁλκάδα ἄγων, πεπληρωμένην
ἐρετῶν καὶ φορτίων γέμουσαν πολυτελῶν, εἶτα ἐπὶ τῶν
οἰάκων καθίσας ἐκέλευε περᾶν τὸ Αἰγαῖον ἢ τὸ Τυρρηνικὸν
20 πέλαγος, ἐκ πρώτης ἂν ἀπεπήδησα τῆς φωνῆς· καὶ εἴ τις ἤρετο, Διὰ τί; Ἵνα μὴ καταδύσω τὸ πλοῖον, εἶπον ἄν.
Εἶτα ἔνθα
μὲν εἰς χρήματα ἡ ζημία καὶ ὁ κίνδυνος σωματικὸς μέχρι
θανάτου, οὐδεὶς ἐγκαλέσει πολλῇ κεχρημένοις προνοίᾳ· ὅπου
δὲ τοῖς ναυαγοῦσιν οὐκ εἰς τὸ πέλαγος τοῦτο, ἀλλ' εἰς τὴν
25 ἄβυσσον τοῦ πυρὸς ἀπόκειται πεσεῖν καὶ θάνατος αὐτοὺς οὐχ
ὁ τὴν ψυχὴν ἀπὸ τοῦ σώματος διαιρῶν, ἀλλ' ὁ ταύτην μετ'
ἐκείνου εἰς κόλασιν παραπέμπων αἰώνιον ἐκδέχεται, ἐνταῦθα
ὅτι μὴ προπετῶς εἰς τοσοῦτον ἑαυτοὺς ἐρρίψαμεν κακὸν
ὀργιεῖσθε καὶ μισήσετε; Μή, δέομαι καὶ ἀντιβολῶ. Οἶδα τὴν
30 ἐμαυτοῦ ψυχήν, τὴν ἀσθενῆ ταύτην καὶ μικράν· οἶδα τῆς
διακονίας ἐκείνης τὸ μέγεθος καὶ τὴν πολλὴν τοῦ πράγματος
δυσκολίαν.

θ'. Ὅτι κενοδοξίᾳ
καὶ τοῖς ταύτης
ἁλίσκεται δεινοῖς

Πλείονα γὰρ τῶν τὴν θάλατταν
ταραττόντων πνευμάτων χειμάζει
κύματα τὴν τοῦ ἱερωμένου ψυχήν.
Καὶ πρῶτον ἁπάντων ὁ δεινότατος
5 τῆς κενοδοξίας σκόπελος, χαλεπώτερος ὢν οὗπερ οἱ μυθοποιοὶ τερατεύονται. Τοῦτον γὰρ πολλοὶ μὲν ἴσχυσαν δια-
πλεύσαντες διαφυγεῖν ἀσινεῖς· ἐμοὶ δὲ οὕτω τοῦτο χαλεπὸν
ὡς μηδὲ νῦν, ὅτε οὐδὲ μία μέ τις ἀνάγκη πρὸς ἐκεῖνο ὠθεῖ τὸ
βάραθρον, δύνασθαι καθαρεύειν τοῦ δεινοῦ. Εἰ δὲ καὶ τὴν
10 ἐπιστασίαν τις ἐγχειρίζοι ταύτην, μονονουχὶ δήσας ὀπίσω

18 ἐρετῶν : ἀρετῶν AG ἀρωμάτων E ‖ 18 φορτίων BC : μυρίων
φορτίων cett. ‖ 19 ἐκέλευε BC A : ἐκέλευσε cett. ‖ 22 σωματικοῦ C.
θ'. 2 πνευμάτων BC HK : κυμάτων cett. ‖ 5 οὗπερ HK : ὃν C ὡς
AEG D F om. B ‖ 6 μυθοποιοὶ BC : μῦθοι cett. ‖ 6 τερατεύονται]
+ τῶν [τοῦ τῶν G] Σειρήνων G HK.

1. Le mot désigne un navire marchand de grand tonnage. Cf. *Ad
opp. vit. mon.* II, 2, *PG* 47, 334.
2. Cf. même hypothèse, *De laudibus Pauli* VI, *PG* 50, 507, li. 25
et s. La mer Égée était dangereuse pour la navigation ; d'où l'expression : Αἰγαῖαν ἐμβόλην : ἐπὶ τῶν εὐτελῶν φορτίων, « bon pour les

Si, en effet, quelqu'un conduisant un vaisseau susceptible de porter dix mille amphores[1], pourvu de rameurs et rempli de charges de toutes sortes, me faisait asseoir au gouvernail en ordonnant de cingler vers la mer Égée ou la mer Tyrrhénienne[2], je reculerais dès les premiers mots ; et si l'on me demandait pourquoi, c'est pour ne pas faire sombrer le navire, dirais-je. Ainsi donc, là où il s'agit de perte d'argent et où il y a même danger de mort physique, personne ne fera de reproche à ceux qui montrent beaucoup de prudence, mais là où il y a danger de tomber, non plus dans la mer, mais dans un abîme de feu et où ce n'est pas la mort qui sépare l'âme du corps, mais la mort qui, après celle-ci, conduit au châtiment éternel, alors vous vous indignerez et vous nous détesterez, parce que nous ne nous sommes pas jeté précipitamment dans un si grand malheur ! Non, je vous en prie et je vous en supplie. Je connais mon âme, sa faiblesse et sa petitesse, je connais la grandeur de ce service et la difficulté de ce ministère.

9. C'est par la vaine gloire et ses dangers qu'on se laisse prendre

Plus nombreuses sont les vagues qui agitent l'âme du prêtre que les vents qui troublent la mer. Et tout d'abord, l'écueil le plus redoutable de tous : la vaine gloire, plus dangereuse que les mauvaises passes décrites par les poètes[3]. En effet, celles-ci bien des gens ont eu la force de les franchir sans dommage, tandis que pour moi cette passion est si redoutable que, même maintenant lorsqu'il n'y a aucune nécessité qui me pousse dans ce gouffre, je ne peux me garder du danger. Mais si l'on me confiait une telle fonc-

marchandises qui ne valent pas grand-chose ». Voir *Corpus Paroemiographorum graecorum*, vol. I, Appendice, Cent. I, n° 7, p. 380. La mer Tyrrhénienne, habitée par le monstre Scylla, n'était pas moins dangereuse. Cf. *Odyssée* XII, 234-249.

3. L'addition τῶν Σειρήνων après τερατεύονται donnée par les mss G HK est évidemment une glose qui ne doit pas être comptée au nombre très restreint des allusions mythologiques éparses dans l'œuvre de Jean.

τὼ χεῖρε παραδώσει τοῖς ἐν ἐκείνῳ τῷ σκοπέλῳ κατοικοῦσι
θηρίοις καθ' ἑκάστην με σπαράττειν τὴν ἡμέραν. Τίνα δέ
ἐστι τὰ θηρία; Θυμός, ἀθυμία, φθόνος, ἔρις, διαβολαί, κατη-
γορίαι, ψεῦδος, ὑπόκρισις, ἐπιβουλαί, ὀργαὶ κατὰ τῶν
15 ἠδικηκότων οὐδέν, ἡδοναὶ ἐπὶ ταῖς τῶν συλλειτουργούντων
ἀσχημοσύναις, πένθος ἐπὶ ταῖς εὐημερίαις, ἐπαίνων ἔρως,
τιμῆς πόθος — τοῦτο δὴ τὸ μάλιστα πάντων τὴν ἀνθρωπείαν
ἐκτραχηλίζον ψυχήν —, διδασκαλίαι πρὸς ἡδονήν, ἀνελεύ-
θεροι κολακεῖαι, θωπεῖαι ἀγεννεῖς, καταφρονήσεις πενήτων,
20 θεραπεῖαι πλουσίων, ἀλόγιστοι τιμαὶ καὶ ἐπιβλαβεῖς χάριτες,
κίνδυνον φέρουσαι καὶ τοῖς παρέχουσι καὶ τοῖς δεχομένοις
αὐτάς, φόβος δουλοπρεπὴς καὶ τοῖς φαυλοτάτοις τῶν ἀνδρα-
πόδων προσήκων μόνοις, παρρησίας ἀναίρεσις, ταπεινο-
φροσύνης τὸ μὲν σχῆμα πολύ, ἡ ἀλήθεια δὲ οὐδαμοῦ, ἔλεγχοι
25 δὲ ἐκποδὼν καὶ ἐπιτιμήσεις, μᾶλλον δὲ κατὰ μὲν τῶν ταπει-
νῶν καὶ πέρα τοῦ μέτρου, ἐπὶ δὲ τῶν δυναστείαν περιβεβλη-
μένων οὐδὲ διᾶραί τις τὰ χείλη τολμᾷ.

Ταῦτα γὰρ ἅπαντα καὶ τὰ τούτων πλείονα ὁ σκόπελος
ἐκεῖνος τρέφει θηρία οἷς τοὺς ἅπαξ ἁλόντας εἰς τοσαύτην
30 ἀνάγκη καθελκυσθῆναι δουλείαν ὡς καὶ εἰς γυναικῶν ἀρέσκειαν πράττειν πολλὰ πολλάκις ἃ μηδὲ εἰπεῖν καλόν. Ὁ μὲν
γὰρ θεῖος νόμος αὐτὰς ταύτης ἐξέωσε τῆς λειτουργίας,

14 ὀργαὶ B : εὐχαὶ cett. ‖ 25 δὲ² : μὲν C ‖ 25 κατὰ : τὰ AEG ‖
27 τὰ χείλη : τὸ στόμα C ‖ 29-30 τοσαύτην ... δουλείαν BC : τοσοῦτον
... δουλείας cett.

1. Cf. *Odyssée* XII, 178 où les compagnons d'Ulysse l'attachent
au mât du navire les mains liées derrière le dos à l'approche des
Sirènes.

2. Le groupe θυμός-ἀθυμία offre non seulement l'avantage d'un jeu
verbal (voir plus haut, p. 137, note 2), mais recouvre une réalité dont
Jean a fait lui-même l'expérience dans sa jeunesse (VI, 12, 79-80).
Son tempérament optimiste lui a permis d'en triompher et il s'est
employé durant son exil à combattre l'ἀθυμία chez les fidèles de Constantinople. Voir p. 86, note 2.

3. Ce participe pris comme nom désigne soit les prêtres qui
entourent l'évêque dans la célébration de l'Eucharistie soit, plus géné-

tion, il s'en faudrait de peu que je ne sois livré les mains derrière le dos[1] aux monstres qui habitent cet écueil pour être chaque jour mis en pièces. Qui sont ces monstres ? Violence, découragement[2], envie, querelles, calomnies, accusations, mensonges, faux-semblants, pièges, colères contre ceux qui ne l'ont lésé en rien, satisfaction devant les turpitudes de ceux qui accomplissent avec lui les fonctions sacrées[3], dépit devant leur succès, amour des louanges, désir des honneurs — cela plus que tout désarçonne l'âme humaine[4] —, incitation au plaisir, flatteries indignes d'un homme libre, complaisances qui répugnent à un homme bien né, mépris des pauvres, prévenances à l'adresse des riches, honneurs démesurés, faveurs nuisibles qui mettent en danger et ceux qui les accordent et ceux qui en sont l'objet, crainte servile qui sied seulement aux esclaves, suppression de la liberté de parole, apparence d'humilité dans tous les domaines, mais de vérité, point ; accusations qui portent loin et reproches surtout contre les humbles et de façon exagérée, mais devant ceux qui sont revêtus de puissance, on n'ose même pas desserrer les lèvres.

Cet écueil-là nourrit donc tous ces monstres et de plus nombreux encore que les précédents. Ceux qu'ils ont une fois saisis sont fatalement entraînés dans un tel esclavage que beaucoup font souvent, pour plaire aux femmes, bien des choses qu'il est honteux de nommer[5]. En effet, la loi divine les a écartées des charges ecclésiastiques[6], mais

ralement, ceux qui exercent le sacerdoce avec lui et par sa délégation. On trouve dans le grec post-classique une floraison de composés avec συν-, tendance que les chrétiens ont mise à profit.

4. Le verbe ἐκτραχηλίζω désigne le mouvement du cheval qui jette à terre son cavalier en le faisant passer par-dessus sa tête. On notera dans tout ce passage l'écho d'une expérience humaine déjà riche qui exclut la période de la jeunesse pour la composition de cet ouvrage.

5. Jean a longuement décrit ces complaisances dans un traité *Contra eos qui subintroductas habent virgines*, *PG* 47, 496-514, et éd. Dumortier, *CUF*, Paris 1955, p. 55-94.

6. Le mot λειτουργία a ici un sens collectif et recouvre tout ce dont est chargé celui qui a reçu le sacerdoce.

ἐκεῖναι δὲ ἑαυτὰς εἰσωθεῖν βιάζονται· καὶ ἐπειδὴ δι' ἑαυτῶν
ἰσχύουσιν οὐδέν, δι' ἑτέρων ἅπαντα πράττουσι καὶ τοσαύτην
35 περιβέβληνται δύναμιν ὡς τῶν ἱερέων καὶ ἐγκρίνειν καὶ
ἐκβάλλειν οὓς ἂν θέλωσι· καὶ τὰ ἄνω κάτω — τοῦτο δὴ τὸ
τῆς παροιμίας λεγόμενον ἔστιν ἰδεῖν — τοὺς ἄρχοντας ἄγουσιν
οἱ ἀρχό_ενοι, καὶ εἴθε μὲν ἄνδρες, ἀλλ' αἷς οὐδὲ διδάσκειν
ἐπιτέτραπται. Τί λέγω διδάσκειν; Οὐδὲ λαλεῖν μὲν οὖν
40 αὐταῖς ἐν ἐκκλησίᾳ συνεχώρησεν ὁ μακάριος Παῦλος. Ἐγὼ
δέ τινος ἤκουσα λέγοντος ὅτι καὶ τοσαύτης αὐταῖς μετέδωκαν
παρρησίας ὡς καὶ ἐπιτιμᾶν τοῖς τῶν Ἐκκλησιῶν προεστῶσι
καὶ καθάπτεσθαι πικρότερον ἐκείνων ἢ τῶν ἰδίων οἰκετῶν
οἱ δεσπόται. Καὶ μή μέ τις οἰέσθω πάντας ταῖς εἰρημέναις
45 ὑποβάλλειν αἰτίαις· εἰσὶ γάρ, εἰσὶ πολλοὶ οἱ τούτων ὑπερενεχθέντες τῶν δικτύων καὶ τῶν ἁλόντων πλείους.

ι'. Ὅτι οὐχ ἡ   Ἀλλ' οὐδὲ τὴν ἱερωσύνην αἰτιά-
ἱερωσύνη τούτων   σαιμι ἂν τούτων τῶν κακῶν — μή
αἰτία, ἀλλ' ἡ   ποτε οὕτω μανείην ἐγώ —, οὔτε
ἡμετέρα ῥαθυμία   γὰρ τὸν σίδηρον τῶν φόνων, οὔτε
5   τὸν οἶνον τῆς μέθης, οὔτε τὴν ῥώμην
τῆς ὕβρεως, οὔτε τὴν ἀνδρείαν τῆς ἀλόγου τόλμης, ἀλλὰ τοὺς
οὐκ εἰς δέον χρωμένους ταῖς παρὰ τοῦ Θεοῦ δεδομέναις
δωρεαῖς ἅπαντες οἱ νοῦν ἔχοντες αἰτίους εἶναί φασι καὶ
κολάζουσιν. Ἐπεὶ ἥ γε ἱερωσύνη κἂν ἐγκαλέσῃ δικαίως ἡμῖν

33 δι' ἑαυτῶν] + ἴσως AEG D F ‖ 36 ἂν B D : ἐὰν cett. ‖ 36 θέλωσι
B : ἐθέλωσι C βούλονται E βούλωνται cett. ‖ 36 κάτω] + ποιοῦσι D
FK ‖ 37 λεγόμενον] + γιγνόμενον C ‖ 37 ἔστιν om. C ‖ 39 Τί : τί δὲ
C ‖ 39 λέγω] + ἐπιτέτραπται Κ ‖ 41 μετέδωκε B ‖ 46 ὑπερενεχθέντες
BC : ὑπεραναχθέντες HJK ὑπερέχοντες AEG D F.

ι'. 2 αἰτιάσαιμι B : αἰτιασαίμην cett. ‖ 2 ἂν om. E D. ‖ 9 ἐγκαλέσει
B -σαι C HJK.

1. Bengel cite un proverbe de DIOGÉNIANOS qui doit correspondre
à celui auquel pense Jean, *Corpus Paroem. gr.*, Cent. III, n° 30,
p. 219 : Ἅμαξα τὸν βοῦν ἕλκει : ἐπὶ τῶν ἀντιστρόφως ποιούντων,
qui a pour équivalent en français : « mettre la charrue avant les bœufs ».
2. Cf. *I Tim.* 2, 12.
3. Cf. *I Cor.* 14, 34.

elles s'efforcent de se pousser dans la place et, comme elles ne peuvent rien par elles-mêmes, elles font tout par personnes interposées ; elles sont même revêtues d'une telle puissance que, parmi les prêtres, elles font élire ou repousser ceux qu'elles veulent. Tout est sens dessus dessous — et certes on peut voir se produire ce que dit le proverbe[1] —, ceux qui sont soumis à l'autorité commandent à ceux qui la possèdent et plût au ciel que ce fussent des hommes et non celles à qui l'enseignement n'a pas été confié[2] ! Que dis-je l'enseignement ? Le bienheureux Paul ne leur a pas même permis de parler dans l'assemblée[3]. Quant à moi, j'ai entendu quelqu'un dire qu'elles se sont permis une telle désinvolture qu'elles font des reproches à ceux qui sont à la tête des Églises[4] et qu'elles leur parlent de façon plus acerbe que les maîtres à leurs propres esclaves. Et qu'on ne pense pas que je fais tomber tout le monde sous les accusations précédentes ; il y en a, il y en a beaucoup qui triomphent de ces pièges et ils sont plus nombreux que ceux qui sont pris.

10. Le sacerdoce n'en est pas cause, mais notre négligence

Mais je ne saurais accuser le sacerdoce de tous ces maux — plaise au ciel que je ne sois jamais fou à ce point ! — En effet, le fer n'est pas cause des meurtres, ni le vin de l'ivresse, ni la force de l'insolence, ni le courage de l'audace inconsidérée, mais ceux qui n'utilisent pas comme il faut les dons de Dieu, ce sont ceux-là dont les gens sensés disent qu'ils sont coupables et ceux-là qu'ils punissent. C'est la raison pour laquelle le sacerdoce pourrait à juste titre nous

---

4. On trouve le mot προεστῶτες employé comme participe-adjectif qualifiant πρεσβύτεροι dans *I Tim.* 5, 17, mais c'est la forme ὁ προϊστάμενος que Paul emploie comme nom pour désigner celui qui préside la communauté. Voir *I Thess.* 5, 12 ; *Rom.* 12, 8 etc. On peut penser que Jean utilise ici οἱ προεστῶτες pour désigner les évêques, mais il emploie aussi le mot pour désigner les prêtres auxquels les évêques délèguent leurs pouvoirs. Par exemple, *In epist. I ad Tim. hom.* XIV, 3, *P G* 62, 574.

10 οὐκ ὀρθῶς αὐτὴν μεταχειρίζουσιν· οὐ γὰρ αὐτὴ τῶν εἰρημένων ἡμῖν αἰτία κακῶν, ἀλλ' ἡμεῖς αὐτὴν τοσούτοις, τό γε εἰς ἡμᾶς ἦκον, κατερρυπάναμεν μολυσμοῖς, ἀνθρώποις τοῖς τυχοῦσιν ἐγχειρίζοντες αὐτήν. Οἱ δὲ οὔτε τὰς ἑαυτῶν πρό-τερον καταμαθόντες ψυχάς, οὔτε εἰς τὸν τοῦ πράγματος 15 ὄγκον ἀποβλέψαντες, δέχονται μὲν προθύμως τὸ διδόμενον, ἡνίκα δ' ἂν εἰς τὸ πράττειν ἔλθωσιν, ὑπὸ τῆς ἀπειρίας σκο-τούμενοι, μυρίων ἐμπιπλῶσι κακῶν οὓς ἐπιστεύθησαν λαούς. Τοῦτο δή, τοῦτο ὅπερ καὶ ἐφ' ἡμῶν μικροῦ δεῖν ἔμελλε γίνεσθαι, εἰ μὴ ταχέως ἡμᾶς ὁ Θεὸς τῶν κινδύνων ἐκείνων 20 ἐξείλκυσε καὶ τῆς Ἐκκλησίας τῆς αὐτοῦ καὶ τῆς ἡμετέρας φειδόμενος ψυχῆς.

Ἢ πόθεν, εἰπέ μοι, νομίζεις τὰς τοσαύτας ἐν ταῖς Ἐκκλη-σίαις τίκτεσθαι ταραχάς; Ἐγὼ μὲν γὰρ οὐδὲ ἄλλοθέν ποθεν, οἶμαι, ἢ ἐκ τοῦ τὰς τῶν προεστώτων αἱρέσεις καὶ ἐκλογὰς 25 ἁπλῶς καὶ ὡς ἔτυχε γίνεσθαι. Τὴν γὰρ κεφαλὴν ἰσχυροτάτην εἶναι ἐχρῆν, ἵνα τοὺς ἐκ τοῦ λοιποῦ σώματος κάτωθεν πεμπο-μένους ἀτμοὺς πονηροὺς διοικεῖν καὶ εἰς τὸ δέον καθιστᾶν δύνηται, ὅταν δὲ καθ' ἑαυτὴν ἀσθενὴς οὖσα τύχῃ, τὰς νοσο-ποιοὺς ἐκείνας προσβολὰς ἀποκρούσασθαι μὴ δυναμένη, αὐτή 30 τε ἀσθενεστέρα μᾶλλον ἤπερ ἐστὶ καθίσταται καὶ τὸ λοιπὸν μεθ' ἑαυτῆς προσαπόλλυσι σῶμα. Ὅπερ ἵνα μὴ καὶ νῦν γένη-ται, ἐν τῇ τάξει τῶν ποδῶν ἡμᾶς ἐφύλαξεν ὁ Θεὸς ἥνπερ καὶ ἐλάχομεν ἐξ ἀρχῆς.

Πολλὰ γάρ ἐστιν, ὦ Βασίλειε, πρὸς τοῖς εἰρημένοις, πολλὰ 35 ἕτερα ἃ τὸν ἱερωμένον ἔχειν χρή, ἡμεῖς δὲ οὐκ ἔχομεν, καὶ πρό γε τῶν ἄλλων ἐκεῖνο. Πανταχόθεν αὐτῷ τῆς τοῦ πράγ-

---

12 μολυσμοῖς : λογισμοῖς AE HJ λογισμοῖς ἀνθρωπίνοις F ‖ 13 δὲ : γε FHJK ‖ 13 οὔτε BC A J : οὐδὲ cett. ‖ 18 δή : δέ C ‖ 22 Ἢ BC HK : ἐπεὶ cett. ‖ 25 Τὴν γὰρ κεφαλὴν B : Εἰ γὰρ κεφαλὴ ἦν cett. ‖ 30 καθίσταται BC FK : καθισταμένη cett.

1. Sur l'emploi de ce mot, voir *supra*, p. 106, note 1.
2. Voir *supra*, p. 74, note 2.
3. Jean utilise, parmi d'autres, le mot ἁπλῶς soit, comme ici, avec ὡς ἔτυχε, soit avec εἰκῇ, III, 10, 168, pour souligner la fantaisie et

faire des reproches, si nous ne le traitions pas comme il convient ; car il n'est pas cause des maux que nous avons énumérés, mais c'est nous qui l'avons couvert de souillures, du moins dans la mesure où cela nous a été donné, en le confiant à n'importe qui. Ces gens-là n'ont pas fait auparavant leur examen de conscience, ils n'ont pas mesuré l'importance de la chose[1] ; ils reçoivent avec empressement ce qui leur est donné, mais quand ils en viennent à agir, aveuglés par leur inexpérience, ils accablent d'une multitude de maux les peuples qui leur sont confiés. Voilà, certes, voilà ce qui était sur le point de nous arriver, si Dieu ne nous avait pas promptement tiré de ces dangers en épargnant à la fois son Église et notre âme.

D'où penses-tu, dis-moi, que proviennent de si grands troubles dans les Églises ? Ils n'ont pas d'autre origine, à mon avis, que le choix des chefs et leur désignation[2] qui se font à la légère et n'importe comment[3]. En effet, alors que la tête devrait être très solide pour pouvoir dominer les vapeurs néfastes qui montent de tout le reste du corps et les contenir lorsqu'elle se trouve faible elle-même, ne pouvant repousser les assauts qui la rendent malade, elle devient plus faible encore qu'elle n'était et cause la perte de tout le reste du corps. Pour que cela ne se produise pas, Dieu nous a maintenu au rang de la piétaille, celui précisément que nous avons reçu en partage dès le début[4].

Il y a beaucoup de qualités, Basile, outre ce que je viens de dire, beaucoup d'autres qualités que doit posséder celui qui est revêtu du sacerdoce et que nous n'avons pas, avant tout celle-ci : en toute circonstance, il faut que son âme se

---

la malhonnêteté qui président aux élections sacerdotales. Il emploie aussi cette dernière tournure sous forme négative par litote.

4. On peut voir dans cette phrase une indication chronologique. Jean semble y faire allusion à sa situation de laïc et cela confirmerait ce qu'on peut établir par ailleurs : les faits rapportés dans le *De sacerdotio* se placent au moment où les deux jeunes gens vivent encore dans le monde. Voir Introd., p. 10.

ματος ἐπιθυμίας καθαρεύειν δεῖ τὴν ψυχήν, ὡς ἐὰν προσπα-
θῶς πρὸς ταύτην διακείμενος τύχῃ τὴν ἀρχήν, γενόμενος ἐπ'
αὐτῆς ἰσχυροτέραν ἀνάπτει τὴν φλόγα καὶ κατὰ κράτος ἁλοὺς
40 ὑπὲρ τοῦ βεβαίαν ἔχειν αὐτὴν μυρία ὑπομένει δεινά, κἂν
κολακεῦσαι δέῃ, κἂν ἀγεννές τι καὶ ἀνάξιον ὑπομεῖναι, κἂν
χρήματα ἀναλῶσαι πολλά. Ὅτι γὰρ καὶ φόνων τὰς ἐκκλησίας
ἐνέπλησάν τινες καὶ πόλεις ἀναστάτους ἐποίησαν ὑπὲρ ταύτης
μαχόμενοι τῆς ἀρχῆς, παρίημι νῦν μὴ καὶ ἄπιστα δόξω
45 λέγειν τισίν. Ἐχρῆν δέ, οἶμαι, τοσαύτην τοῦ πράγματος ἔχειν
εὐλάβειαν ὡς καὶ τὴν ἀρχὴν ἐκφυγεῖν τὸν ὄγκον καὶ μετὰ τὸ
γενέσθαι ἐν αὐτῷ μὴ περιμένειν τὰς παρ' ἑτέρων κρίσεις, εἴ
ποτε συμβαίη καθαίρεσιν ἱκανὸν ἐργάσασθαι ἁμάρτημα, ἀλλὰ
προλαβόντα ἐκβάλλειν ἑαυτὸν τῆς ἀρχῆς· οὕτω μὲν γὰρ καὶ
50 ἔλεον ἐπισπάσασθαι παρὰ τοῦ Θεοῦ εἰκὸς ἦν. Τὸ δὲ ἀντέ-
χεσθαι παρὰ τὸ πρέπον τῆς ἀξίας, πάσης ἑαυτὸν ἀποστερεῖν
συγγνώμης ἐστὶ καὶ μᾶλλον ἐκκαίειν τοῦ Θεοῦ τὴν ὀργήν,
δεύτερον χαλεπώτερον προστιθέντα πλημμέλημα. Ἀλλ'
οὐδεὶς ἀνέξεταί ποτε· δεινὸν γὰρ ἀληθῶς, δεινὸν τὸ ταύτης
55 γλίχεσθαι τῆς τιμῆς.

Καὶ οὐ μαχόμενος τῷ μακαρίῳ Παύλῳ λέγω, ἀλλὰ καὶ πάνυ
συνᾴδων αὐτοῦ τοῖς ῥήμασι. Τί γὰρ ἐκεῖνός φησιν; « Εἴ τις
ἐπισκοπῆς ὀρέγεται, καλοῦ ἔργου ἐπιθυμεῖ[1]. » Ἐγὼ δὲ οὐ

---

42 πολλά] + οὐδὲν παραιτούμενος J ‖ 45 τισίν om. AEG ‖ 46 τὴν
ἀρχὴν BC : τῆς ἀρχῆς cett. ‖ 47 ἐν om. E ‖ 47 αὐτῷ BC : αὐτῇ cett. ‖
47 παρ' ἑτέρων B : ἑτέρων cett. ‖ 53 προστιθέντα : προστιθέντας AEG
D F προστιθέναι C.

1. I Tim. 3, 1

1. On peut penser qu'il s'agit de la lutte entre Damase et Ursin dont
les méfaits ont mis Rome à feu et à sang. Voir Ammien Marcellin,
Hist. rom. XXVI, 3, éd. Seyfarth, Berlin 1971, tome IV, p. 60 :
« Damasius et Ursinus supra humanum modum ad rapiendam episcopi
sedem ardentes scissis studiis asperrima conflictabantur usque ad
mortis uulnerumque discrimina... » Peut-être aussi Jean use-t-il d'une
amplification oratoire pour parler des troubles nés de la controverse
arienne.

garde pure du désir excessif d'une telle chose, car s'il a un goût passionné pour cette autorité, une fois qu'il l'a obtenue, il attise la flamme de façon à la rendre plus violente et, après l'avoir prise de force, il supporte mille inconvénients pour se l'assurer, même s'il doit flatter, même s'il doit supporter un traitement vil et indigne, même s'il doit dépenser beaucoup d'argent. Certains ont rempli de meurtres les églises, ils ont dévasté des villes[1], en luttant pour exercer cette autorité, et j'en passe, de peur de paraître à certains tenir des propos incroyables. Il faudrait, à mon avis, avoir le sacerdoce en assez grande estime pour que son importance fasse fuir tout d'abord la charge et, quand on y est installé, si l'on venait à commettre une faute assez grave pour qu'on soit déposé[2], ne pas attendre le jugement d'autrui, mais, prenant les devants, se démettre de sa charge[3] ; car ainsi, on aurait des chances de s'attirer la pitié de Dieu. Tandis que s'attacher à la situation élevée contrairement aux convenances, c'est se priver de tout pardon et enflammer plutôt la colère de Dieu en ajoutant une seconde faute plus grave. Mais personne ne s'y résoudra jamais, car c'est vraiment une chose redoutable, oui redoutable, que de se coller comme de la glu à cet honneur.

Je ne dis pas cela pour m'opposer au bienheureux Paul, mais en étant pleinement d'accord avec ses paroles. Que dit-il en effet ? « Si quelqu'un aspire à la charge d'épiscope, il désire une chose bonne[1]. » Or, ce n'est pas la chose en soi,

2. Parmi ces fautes graves, le fait d'être reconnu comme hérétique ou d'avoir admis des hérétiques à la communion est le motif le plus fréquemment invoqué, mais on pouvait en invoquer bien d'autres. Jean fera lui-même la dure expérience de motifs dictés par la haine, lors du synode du Chêne. Sur la question des dépositions, voir J. Gau-demet, *L'Église dans l'Empire romain aux IVe et Ve siècles* (t. III de l'*Histoire du droit et des institutions de l'Église d'Occident*, coll. dirigée par G. Le Bras), Paris [1958], p. 365-366.

3. Le verbe προλαμβάνω signifie *prendre les devants*. Par exemple, *De virginitate* XIII, *SC* 125, p. 134, li. 19 où il s'oppose à περιμένω, comme ici III, 10, 47.

τοῦ ἔργου, τῆς δὲ αὐθεντίας καὶ δυναστείας ἐπιθυμεῖν εἶπον
60 εἶναι δεινόν. Καὶ τοῦτον οἶμαι δεῖν τὸν πόθον πάσῃ σπουδῇ
τῆς ψυχῆς ἐξωθεῖν καὶ μηδὲ τὴν ἀρχὴν κατασχεθῆναι αὐτὴν
ὑπ' αὐτοῦ συγχωρεῖν ἵνα μετ' ἐλευθερίας ἅπαντα αὐτῷ
πράττειν ἐξῇ. Ὁ γὰρ οὐκ ἐπιθυμῶν ἐπὶ ταύτης δειχθῆναι τῆς
ἐξουσίας οὐδὲ τὴν καθαίρεσιν αὐτῆς δέδοικεν, οὐ δεδοικὼς
65 δὲ μετὰ τῆς προσηκούσης χριστιανοῖς ἐλευθερίας πάντα
πράττειν δύναιτ' ἄν. Ὡς οἵ γε φοβούμενοι καὶ τρέμοντες
κατενεχθῆναι ἐκεῖθεν πικρὰν ὑπομένουσι δουλείαν καὶ πολλῶν
γέμουσαν τῶν κακῶν καὶ ἀνθρώποις καὶ Θεῷ προσκρούειν
ἀναγκάζονται πολλάκις. Δεῖ δὲ οὐχ οὕτω διακεῖσθαι τὴν
70 ψυχήν, ἀλλ' ὥσπερ ἐν τοῖς πολέμοις τοὺς γενναίους τῶν
στρατιωτῶν ὁρῶμεν καὶ πολεμοῦντας προθύμως καὶ πίπτον-
τας ἀνδρείως, οὕτω καὶ τοὺς ἐπὶ ταύτην ἥκοντας τὴν οἰκονομίαν καὶ ἱερᾶσθαι καὶ παραλύεσθαι τῆς ἀρχῆς ὡς χριστιανοῖς ἐστι προσῆκον ἀνδράσιν, εἰδότας ὡς ἡ τοιαύτη καθαί-
75 ρεσις οὐκ ἐλάττονα φέρει τῆς ἀρχῆς τὸν στέφανον. Ὅταν γάρ
τις ὑπὲρ τοῦ μηδὲν ἀπρεπὲς μηδ' ἀνάξιόν τι τῆς ἀξίας ὑπομεῖναι ἐκείνης πάθῃ τι τοιοῦτο, καὶ τοῖς ἀδίκως καθελοῦσι
τὴν κόλασιν, καὶ αὐτῷ μείζονα προξενεῖ τὸν μισθόν. « Μακά-
ριοι γάρ, φησίν, ἐστε ὅταν ὀνειδίσωσι καὶ διώξωσιν ὑμᾶς καὶ
80 εἴπωσι πᾶν πονηρὸν καθ' ὑμῶν ψευδόμενοι ἕνεκεν ἐμοῦ·
χαίρετε καὶ ἀγαλλιᾶσθε, ὅτι πολύς ἐστιν ὁ μισθὸς ὑμῶν ἐν
τοῖς οὐρανοῖς[m]. » Καὶ ταῦτα μὲν ὅταν ὑπὸ τῶν ὁμοταγῶν ἢ
διὰ φθόνον ἢ πρὸς ἑτέρων χάριν ἢ πρὸς ἀπέχθειαν ἢ ἑτέρῳ
τινὶ μὴ ὀρθῷ τις ἐκβάλληται λογισμῷ, ὅταν δὲ καὶ ὑπὸ τῶν
85 ἐναντίων τοῦτο πάσχειν συμβαίνῃ, οὐδὲ λόγου δεῖν οἶμαι

---

68 γέμουσαν BC FJK : γέμουσιν cett. ‖ 72 ἐπὶ ταύτην : ἐπ'αὐτὴν
C ‖ 76 τι om. E D HJ ‖ 77 τοιοῦτο B : τοιοῦτον cett. ‖ 78 αὐτῷ
BC : ἑαυτῷ cett. ‖ 81 πολύς ἐστιν B : post ὑμῶν transp. cett. ‖ 81-82
ἐν τῷ οὐρανῷ C ‖ 83-84 ἑτέρῳ τινὶ om. BC.

m. Matth. 5, 11-12

1. Le mot οἰκονομία a ici un sens très large ; il recouvre toutes
les charges administratives incombant à l'évêque. Il est utilisé pour

mais le désir de domination et de puissance que j'ai qualifié
de redoutable. Et je pense qu'il faut chasser de son âme
avec un grand soin ce désir et ne pas se permettre, en y
cédant, de retenir l'autorité pour elle-même, afin d'avoir
la possibilité d'agir en toute liberté. En effet, celui qui ne
désire pas être mis en vue grâce à ce pouvoir ne craint pas
d'en être déchu ; ne le craignant pas, il pourrait faire toutes
choses avec la liberté qui convient aux chrétiens. Tandis
que ceux qui redoutent et tremblent d'être chassés supportent un dur esclavage chargé d'une multitude de maux
et sont souvent forcés de s'opposer aux hommes et à Dieu.
Il ne faut pas que l'âme soit dans de telles dispositions,
mais comme nous voyons dans les combats les soldats
valeureux à la fois combattre avec ardeur et tomber courageusement, de même ceux qui sont parvenus à ce gouvernement[1] doivent être à la fois capables d'accomplir les
fonctions sacrées et d'abandonner l'autorité, comme il
convient à des chrétiens, sachant qu'une telle déposition
mérite une couronne qui n'est pas moins belle que celle de
l'autorité. En effet, lorsqu'on supporte un tel traitement
sans avoir rien fait de mal ni de contraire à cette dignité,
on prépare le châtiment pour ceux qui ont prononcé une
sentence injuste et pour soi une récompense plus grande.
« Bienheureux êtes-vous, dit le Christ, lorsqu'on vous insul-
tera, qu'on vous poursuivra, qu'on dira faussement toute
sorte de mal de vous, à cause de moi. Réjouissez-vous et
soyez dans l'allégresse, car votre récompense est grande
dans les cieux[m]. » Et cela, soit parce qu'on est chassé par
des gens de même rang, soit par envie, soit pour plaire à
d'autres, soit par haine ou pour une autre raison injuste.
Mais lorsqu'il arrive qu'un homme subit ce traitement de
la part de ses ennemis, il n'est pas besoin de raisonnement,

---

parler de chacune d'elles : distribution des biens, IV, 1, 126 ; 2, 96 ;
soin des veuves, IV, 3, 36. Il retrouve enfin son sens général en VI, 7,
41 pour désigner les obligations qu'entraîne le *ministère*.

πρὸς τὸ δεῖξαι τὸ κέρδος ὅσον αὐτῷ διὰ τῆς ἑαυτῶν συλλέ-
γουσι πονηρίας ἐκεῖνοι.

Τοῦτο οὖν δεῖ πανταχόθεν περισκοπεῖν καὶ ἀκριβῶς διερευνᾶν μή πού τις σπινθὴρ τῆς ἐπιθυμίας ἐκείνης ἐντυφόμενος
90 λάθῃ. Ἀγαπητὸν γὰρ καὶ τοὺς ἐξ ἀρχῆς καθαρεύοντας τοῦ
πάθους ἡνίκα ἂν ἐμπέσωσιν εἰς τὴν ἀρχὴν δυνηθῆναι τοῦτο
διαφυγεῖν· εἰ δέ τις καὶ πρὶν ἢ τυχεῖν τῆς τιμῆς τρέφει παρ'
ἑαυτῷ τὸ δεινὸν καὶ ἀπηνὲς τοῦτο θηρίον, οὐδὲ ἔστιν εἰπεῖν
εἰς ὅσην ἑαυτὸν ἐμβαλεῖ κάμινον μετὰ τὸ τυχεῖν. Ἡμεῖς δέ —
95 καὶ μή τοι νομίσῃς μετριάζοντας ἡμᾶς ἐθελῆσαι ἄν ποτε
ψεύσασθαι πρὸς σέ —, πολλὴν ταύτην κεκτήμεθα τὴν ἐπιθυμίαν καὶ μετὰ τῶν ἄλλων ἁπάντων οὐχ ἧττον ἡμᾶς καὶ τοῦτο
ἐφόβησε καὶ πρὸς ταύτην ἔτρεψε τὴν φυγήν. Καθάπερ γὰρ
οἱ σωμάτων ἐρῶντες, ἕως μὲν ἂν πλησίον εἶναι τῶν ἐρωμένων
100 ἐξῇ, χαλεπωτέραν τοῦ πάθους τὴν βάσανον ἔχουσιν, ὅταν δὲ
ὡς πορρωτάτω τῶν ποθουμένων ἑαυτοὺς ἀπαγάγωσι, καὶ τὴν
μανίαν ἀπήλασαν· οὕτω καὶ τοῖς ταύτης ἐπιθυμοῦσι τῆς
ἀρχῆς, ὅταν μὲν πλησίον αὐτῆς γένωνται, ἀφόρητον γίνεται τὸ
κακόν, ὅταν δὲ ἀπελπίσωσι, καὶ τὴν ἐπιθυμίαν μετὰ τῆς
105 προσδοκίας ἔσβεσαν. Μία μὲν οὖν αὕτη πρόφασις οὐ μικρά·
ἀλλ' εἰ καὶ μόνη καθ' ἑαυτὴν οὖσα ἐτύγχανεν, ἱκανὴ ταύτης
ἡμᾶς ἀπεῖρξαι τῆς ἀξίας.

Νῦν δὲ καὶ ἑτέρα ταύτης οὐχ ἧττον προσθέτειαι. Τίς δέ
ἐστιν αὕτη; Νηφάλιον εἶναι δεῖ τὸν ἱερέα καὶ διορατικὸν καὶ
110 μυρίους πανταχόθεν κεκτῆσθαι τοὺς ὀφθαλμοὺς ὡς οὐχ
ἑαυτῷ μόνον, ἀλλὰ καὶ πλήθει ζῶντα τοσούτῳ. Ἡμεῖς δὲ ὅτι
νωθροὶ καὶ παρειμένοι καὶ πρὸς τὴν ἑαυτῶν μόλις ἀρκοῦντες
σωτηρίαν, καὶ αὐτὸς ἂν ὡμολόγησειας, ὁ μάλιστα πάντων
τὰ ἡμέτερα, διὰ τὸ φιλεῖν, κρύπτειν σπουδάζων κακά. Μὴ

---

88 πανταχόθεν : πανταχοῦ E D HJ ‖ 88 περισκοπεῖν BC K : σκοπεῖν
cett. ‖ 89 διερευνᾶν BC K : -νᾶσθαι cett. ‖ 94 ἐμβαλεῖ B A : ἐμβάλλει
cett. ‖ 95 ἄν : ἄν τι FHJK ἕν τι AEG D ‖ 108 ἧττον : ἧττων A D
JK ‖ 108 προσθέτειαι : προστίθεται A ‖ 113 ὁμολογήσας BC.

---

1. On ne peut s'empêcher de penser que celui qui prononce ces
paroles sera lui-même victime de tels procédés et qu'il écrira la *Lettre*

je pense, pour montrer quel gain de tels gens lui procurent par leur méchanceté[1].

Il faut donc regarder tout à l'entour[2], s'examiner avec soin de façon qu'une étincelle de ce désir n'allume pas un feu secret. Il est souhaitable, en effet, que ceux qui sont tout d'abord exempts de cette passion puissent l'éviter, lorsqu'ils en sont venus à exercer l'autorité ; mais si, avant d'avoir obtenu un tel honneur, on nourrit en soi cette bête redoutable et cruelle, on ne peut dire dans quelle fournaise on se jette une fois qu'on l'a obtenu. Quant à nous — et ne pense pas que nous voulons te dire de mensonge dans un souci de modestie —, nous éprouvons ce désir dans toute sa force et, sans compter toutes les autres raisons, celle-ci ne nous a pas moins rempli de crainte et nous a inspiré cette fuite. Comme ceux qui sont épris des corps, tant qu'ils peuvent rester auprès de ceux qu'ils aiment, voient leur passion mise à plus rude épreuve, mais lorsqu'ils se sont séparés de ceux dont ils sont épris se libèrent de leur folie, ainsi pour ceux qui désirent cette autorité, lorsqu'ils sont aux prises avec elle, la souffrance est intolérable, mais lorsqu'ils en désespèrent, avec la fin de l'attente s'éteint leur désir. Cette raison en elle-même n'est pas négligeable et, s'il se trouvait qu'elle fût seule, elle serait suffisante pour nous écarter de cette dignité.

En fait, il s'y ajoute une autre qui n'est pas moindre que celle-ci. Quelle est-elle ? Le prêtre doit être en éveil et perspicace et avoir une multitude d'yeux ouverts de toutes parts, non pour lui seulement, mais parce qu'il vit au milieu d'une si grande foule. Or, nous sommes nonchalant et relâché, suffisant à peine à nous occuper de notre propre salut, et toi-même tu en conviendras, toi qui, plus que tous, t'efforces, par affection, de cacher nos faiblesses. Ne me

d'exil, SC 103 où il s'efforce de montrer en 4, li. 45 et s. que ses ennemis lui valent une grande récompense.

2. L'expression πανταχόθεν περισκοπεῖν est à rapprocher de li. 110, πανταχόθεν κεκτῆσθαι τοὺς ὀφθαλμούς.

115 γάρ μοι νηστείαν εἴπῃς, μηδὲ ἀγρυπνίαν, μηδὲ χαμευνίαν καὶ
τὴν λοιπὴν τοῦ σώματος σκληραγωγίαν· καὶ τούτων μὲν γὰρ
ὅσον ἀπέχομεν, οἶδας. Εἰ δὲ καὶ εἰς ἀκρίβειαν ἡμῖν κατώρθωτο, οὐδὲ οὕτως μετὰ τῆς παρούσης νωθρότητος ἴσχυσεν
ἄν τι πρὸς τὴν ἐπιστασίαν ἡμᾶς ταῦτα ὠφελῆσαι ἐκείνην.
120 Ἀνθρώπῳ μὲν γὰρ εἰς οἰκίσκον τινὰ κατακλεισθέντι καὶ τὰ
αὐτοῦ μεριμνῶντι μόνον, πολλὴν ἂν ταῦτα παράσχοι τὴν
ὠφέλειαν· εἰς δὲ τοσοῦτον σχιζομένῳ πλῆθος καὶ καθ'
ἕκαστον τῶν ἀρχομένων ἰδίας κεκτημένῳ φροντίδας, τί
δύναιτ' ἂν πρὸς τὴν ἐκείνων ἐπίδοσιν ἀξιόπιστον συμβάλ-
125 λεσθαι κέρδος, ἐὰν μὴ ψυχὴν εὔτονον καὶ ἰσχυροτάτην ἔχων
τύχῃ;

Καὶ μὴ θαυμάσῃς εἰ μετὰ τοσαύτης καρτερίας ἑτέραν
βάσανον ζητῶ τῆς ἀνδρείας τῆς ἐν ψυχῇ. Τὸ μὲν γὰρ σίτων
καὶ ποτῶν καὶ στρωμνῆς καταφρονεῖν ἁπαλῆς, πολλοῖς
130 οὐδὲ ἔργον ὁρῶμεν ὄν, καὶ μάλιστά γε τοῖς ἀγροικότερον
διακειμένοις καὶ οὕτως ἐκ πρώτης τραφεῖσι τῆς ἡλικίας, καὶ
πολλοῖς δὲ ἑτέροις, τῆς τε τοῦ σώματος κατασκευῆς καὶ τῆς
συνηθείας ἐξευμαριζούσης τὴν ἐν ἐκείνοις τοῖς πόνοις τρα-
χύτητα· ὕβριν δὲ καὶ ἐπήρειαν καὶ λόγον φορτικὸν καὶ τὰ
135 παρὰ τῶν ἐλαττόνων σκώμματα τά τε ἁπλῶς καὶ τὰ ἐν δίκῃ
λεγόμενα, καὶ μέμψεις τὰς εἰκῇ καὶ μάτην παρὰ τῶν ἀρχόντων καὶ παρὰ τῶν ἀρχομένων γινομένας, οὐ τῶν πολλῶν
ἐνεγκεῖν, ἀλλ' ἑνός που καὶ δευτέρου· καὶ ἴδοι τις ἂν τοὺς

---

115 εἴπῃς B : ἐνταῦθα εἴπῃς cett. ‖ 116 τὴν λοιπὴν om. AEG D ‖
126 τύχῃ B : τύχει C τύχοι cett. ‖ 127 τοσαύτης καρτερίας B : τοσαύτην καρτερίαν cett. ‖ 128 τῆς ἀνδρείας — ψυχῇ BC : τῆς ἐν [τῇ add.
FHJK] ψυχῇ ἀνδρείας cett. ‖ 131 ἐκ πρώτης om. B.

1. Cette remarque situe le *Dialogue* avant le départ de Jean pour
la solitude, lequel se place probablement en 372. Voir Introd., p. 11.
On trouve ici aux lignes 120-126 l'esquisse d'un thème qui sera développé en VI, 6, 7 et 8, à savoir que la vertu est plus difficile à pratiquer
pour le prêtre que pour le moine.
2. Voir ci-dessus, p. 69, note 2. Seul le ms. B donne un subjonctif
après ἐάν ; C donne τύχει qui peut être considéré comme une forme

parle pas ici de jeûne, de veilles, de coucher sur la terre et de tout ce qui s'ensuit pour mortifier le corps, de toutes ces pénitences dont tu sais combien nous sommes éloigné[1]. Et même si nous les pratiquions dans toute leur rigueur, aucune ne serait capable, avec notre nonchalance actuelle, de nous rendre apte à cette fonction. A un homme qui se tiendrait enfermé dans une cellule et n'aurait d'autre souci que celui de son intérêt spirituel, ces pratiques seraient très utiles, mais pour celui qui est partagé entre tant de gens et qui a le souci particulier de chacun de ceux sur lesquels il a autorité, quel bénéfice appréciable pourrait s'ensuivre pour les progrès de ces derniers, s'il ne se trouve pas avoir une âme vigoureuse et très forte[2] ?

Et ne t'étonne pas si je cherche, après une telle capacité de résistance, une autre preuve du courage qui réside dans l'âme. Mépriser nourriture et boisson et douceur d'un lit, nous voyons que ce n'est pas une affaire pour bien des gens, surtout pour ceux qui, vivant d'une manière quelque peu rustique, ont grandi ainsi dès leur jeune âge, et même pour beaucoup d'autres, car les dispositions du corps et l'habitude leur facilitent la résistance dans ces rudes conditions de vie ; mais supporter insolence, calomnie, langage grossier, moqueries qui viennent des inférieurs lancées les unes sans raison[3], les autres à juste titre, reproches faits à la légère et sans utilité de la part de ceux qui exercent l'autorité et de ceux qui y sont soumis, ce n'est pas le fait de tout le monde, mais d'un ou deux peut-être, et l'on pourrait voir des gens entraînés aux mortifications dont nous avons

---

de graphie, mais les autres mss donnent τύχοι, ce qui atteste le flottement du mode dans les conditionnelles à l'époque où ils ont été copiés.

3. Cet adverbe, employé fréquemment par Jean dans une expression composée (voir ci-dessus, p. 83, note 3), a beaucoup de force lorsqu'il est employé seul. Il est alors construit en antithèse avec un adverbe de sens contraire. Voir Index, *s.v.* ἁπλῶς.

ἐν ἐκείνοις ἰσχυροὺς πρὸς ταῦτα οὕτως ἰλιγγιῶντας ὡς μᾶλλον
140 τῶν χαλεπωτάτων ἀγριαίνειν θηρίων. Τοὺς δὲ τοιούτους
μάλιστα τῶν τῆς ἱερωσύνης ἀπείρξομεν περιβόλων· τὸ μὲν
γὰρ μήτε πρὸς τὰ σῖτα ἀπηγχονίσθαι μήτε ἀνυπόδετον εἶναι
τὸν προεστῶτα οὐδὲν ἂν βλάψειε τὸ κοινὸν τῆς Ἐκκλησίας,
θυμὸς δὲ ἄγριος εἴς τε τὸν κεκτημένον εἴς τε τοὺς πλησίον
145 μεγάλας ἐργάζεται συμφοράς· καὶ τοῖς μὲν ἐκεῖνα μὴ ποιοῦσιν οὐδεμία ἀπειλὴ παρὰ τοῦ Θεοῦ κεῖται, τοῖς δὲ ἁπλῶς
ὀργιζομένοις γέεννα καὶ τὸ τῆς γεέννης ἠπείληται πῦρ.
Ὥσπερ οὖν ὁ δόξης ἐρῶν κενῆς, ὅταν τῆς τῶν πολλῶν ἀρχῆς
ἐπιλάβηται, μείζονα τῷ πυρὶ παρέχει τὴν ὕλην, οὕτως ὁ καθ'
150 ἑαυτὸν καὶ ἐν ταῖς πρὸς ὀλίγους ὁμιλίαις κρατεῖν ὀργῆς μὴ
δυνάμενος, ἀλλ' ἐκφερόμενος εὐχερῶς, ὅταν πλήθους ὅλου
προστασίαν ἐμπιστευθῇ, καθάπερ τι θηρίον πανταχόθεν καὶ
ὑπὸ μυρίων κεντούμενον, οὔτε αὐτὸς ἐν ἡσυχίᾳ δύναιτ' ἂν
ποτε διάγειν καὶ τοὺς ἐμπιστευθέντας αὐτῷ μυρία διατίθησι
155 κακά.
Οὐδὲν γὰρ οὕτω καθαρότητα νοῦ καὶ τὸ διειδὲς θολοῖ τῶν
φρενῶν ὡς θυμὸς ἄτακτος καὶ μετὰ πολλῆς φερόμενος τῆς
ῥύμης. « Οὗτος γάρ, φησίν, ἀπόλλυσι καὶ φρονίμους[n]. »
Καθάπερ γὰρ ἔν τινι νυκτομαχίᾳ σκοτωθεὶς ὁ τῆς ψυχῆς
160 ὀφθαλμὸς οὐχ εὑρίσκει διακρῖναι τοὺς φίλους τῶν πολεμίων,
οὐδὲ τοὺς ἀτίμους τῶν ἐντίμων, ἀλλὰ πᾶσιν ἐφεξῆς ἑνὶ
κέχρηται τρόπῳ, κἂν λαβεῖν τι δέῃ κακόν, ἅπαντα εὐκόλως

---

139 ἰσχυροὺς BC K : ἰσχυροτέρους cett. ‖ 140 χαλεπωτάτων :
ἀγριαινόντων K ‖ 140 ἀγριαίνειν : χαλεπαίνειν K ‖ 140 δὲ : δὴ FHJK
‖ 146 ταῦτα ante ἁπλῶς add. C ‖ 147 ὀργιζομένοις : ἐργαζομένοις C
‖ 158 Οὗτος : Θυμὸς Bᵖᶜ G D ‖ 159 σκοτωθεὶς BC A : σκοτισθεὶς
cett. ‖ 161 ἀτίμους BC D : ἐντίμους cett. ‖ 161 ἐντίμων BC D :
ἀτίμων cett.

n. Prov. 15, 1

1. Le verbe ἀπαγχονίζω signifie au sens propre *s'étrangler, se pendre*.
Jean l'emploie ici avec une nuance d'ironie pour parler d'un homme
qui est retenu comme par un lacet devant la nourriture.

parlé être bouleversés devant ces difficultés au point de
se montrer plus furieux que les bêtes sauvages les plus
dangereuses. Tels sont les hommes que nous écarterons par-
dessus tout des abords du sacerdoce ; en effet, que celui qui
est à la tête de l'Église ne soit pas retenu devant la nourriture[1] et qu'il n'aille pas pieds nus, cela ne saurait nuire à la
communauté de l'Église, mais un tempérament violent
sera cause de grands malheurs pour celui qui le possède et
pour son prochain. A l'adresse de ceux qui ne pratiquent
pas de telles austérités, il n'existe pas de menaces de la
part de Dieu, mais quant à ceux qui se mettent en colère
sans raison, c'est de la géhenne et du feu de la géhenne
qu'ils sont menacés. Ainsi, de même que celui qui est fou
de vaine gloire, lorsqu'il s'empare de l'autorité sur la multitude, fournit au feu un aliment plus abondant, de même
celui qui ne peut maîtriser sa colère ni vis-à-vis de lui-même,
ni dans ses rapports avec un petit nombre, mais qui s'emporte facilement, lorsqu'on lui a confié le gouvernement
de la foule entière, aiguillonné à la manière d'une bête
sauvage par une multitude qui le presse de tous côtés,
celui-là ne saurait jamais vivre lui-même en repos et il
cause une multitude de maux à ceux qui lui sont confiés[2].

En effet, rien ne trouble la clarté de l'esprit et la transpa-
rence du cœur comme une colère qu'on ne peut maîtriser
et qui se laisse entraîner dans un mouvement impétueux.
« Celle-ci, dit l'Écriture, cause la perte des sages eux-
mêmes[n]. » C'est comme dans un combat nocturne ; l'œil
de l'âme n'arrive plus à distinguer les amis des ennemis,
les gens indignes des gens estimés, mais les traite successivement d'une seule façon, même s'il lui faut en pâtir, sup-

---

2. Ce n'est pas sans intention que Jean signale la passion de la vaine
gloire qu'il a si souvent dénoncée (voir ci-dessus, p. 79, note 2) et
un tempérament emporté comme les deux obstacles les plus redoutables pour exercer le ministère sacerdotal : en VI, 12, 8-23, Jean
s'accuse lui-même d'être sensible à la vaine gloire et porté à la colère.

ὑπομένων ὑπὲρ τοῦ πληρῶσαι τὴν τῆς ψυχῆς ἡδονήν. Ἡδο-
νὴ γάρ τίς ἐστιν ἡ τοῦ θυμοῦ πύρωσις καὶ ἡδονῆς χαλεπώ-
165 τερον τυραννεῖ τὴν ψυχήν, πᾶσαν αὐτῆς τὴν ὑγιῆ κατάστασιν
ἄνω καὶ κάτω ταράττουσα. Καὶ γὰρ πρὸς ἀπόνοιαν αἴρει
ῥᾳδίως καὶ ἔχθρας ἀκαίρους καὶ μῖσος ἄλογον καὶ προσκρούματα ἁπλῶς καὶ εἰκῆ προσκρούειν παρασκευάζει συνεχῶς
καὶ πολλὰ ἕτερα τοιαῦτα καὶ λέγειν καὶ πράττειν βιάζεται,
170 πολλῷ τῷ ῥοίζῳ τοῦ πάθους τῆς ψυχῆς ὑποσυρομένης καὶ
οὐκ ἐχούσης ὅποι τὴν αὐτῆς ἐρείσασα δύναμιν ἀντιστήσεται
πρὸς τοσαύτην ὁρμήν.

Καὶ ὁ Βασίλειος·

Ἀλλ᾿ οὐκέτι σὲ εἰρωνευόμενον ἀνέξομαι περαιτέρω· τίς
175 γὰρ οὐκ οἶδε, φησίν, ὅσον ταύτης ἀπέχεις τῆς νόσου;

ΙΩ. Τί οὖν, ἔφην, ὦ μακάριε, βούλει πλησίον με τῆς πυρᾶς
ἀγαγεῖν καὶ παροξῦναι τὸ θηρίον ἠρεμοῦν; ἢ ἀγνοεῖς ὡς οὐκ
οἰκείᾳ τοῦτο κατωρθώσαμεν ἀρετῇ, ἀλλ᾿ ἐκ τοῦ τὴν ἡσυχίαν
ἀγαπᾶν, τὸν δὲ οὕτω διακείμενον ἀγαπητὸν ἐφ᾿ ἑαυτοῦ
180 μένοντα καὶ ἑνὶ μόνῳ ἢ δευτέρῳ χρώμενον φίλῳ, δυνηθῆναι
τὸν ἐκεῖθεν διαφυγεῖν ἐμπρησμόν, μὴ ὅτι εἰς τὴν ἄβυσσον
τῶν τοσούτων ἐμπεσόντα φροντίδων; Τότε γὰρ οὐχ ἑαυτὸν
μόνον, ἀλλὰ καὶ ἑτέρους πολλοὺς ἐπισύρει μεθ᾿ ἑαυτοῦ πρὸς
τὸν τῆς ἀπωλείας κρημνὸν καὶ περὶ τὴν τῆς ἐπιεικείας
185 ἐπιμέλειαν ἀργοτέρους καθίστησι· πέφυκε γὰρ ὡς τὰ πολλὰ
τὸ τῶν ἀρχομένων πλῆθος ὥσπερ εἰς ἀρχέτυπόν τινα εἰκόνα
τοὺς τῶν ἀρχόντων τρόπους ὁρᾶν καὶ πρὸς ἐκείνους ἐξο-
μοιοῦν ἑαυτούς. Πῶς οὖν ἄν τις τὰς ἐκείνων παύσειε φλεγμο-

---

165 τὴν ψυχήν : τῆς ψυχῆς C ‖ 166-219 γὰρ πρὸς — ἅπαντες. Καὶ
om. K ‖ 171 ἔρεισοι AEG D ‖ 171 δύναμιν : ἀδυναμίαν AEG D ‖
175 οὐκ om. J ‖ 175 φησίν om. C ‖ 177-178 ἢ ἀγνοεῖς — ἐκ τοῦ
τὴν om. D ‖ 178 ἀρετῇ BC F : δυνάμει cett. ‖ 178 ἀλλ᾿ ἐκ τοῦ BC :
ἀλλὰ τὸ F ἀλλὰ τῷ AEG HJ.

1. L'adjectif μακάριος est un terme de louange qui, dans l'Antiquité, assimile l'homme aux dieux. Voir ARISTOTE, *Eth. Nic.* I, 12,
1101b : Τοὺς γὰρ θεοὺς μακαρίζομεν καὶ εὐδαιμονίζομεν καὶ τῶν
ἀνδρῶν τοὺς θειοτάτους μακαρίζομεν. « Les dieux, nous les disons

portant tout allégrement pour satisfaire le plaisir de son
âme. C'est qu'il y a un certain plaisir dans le feu de la
colère ; elle exerce sur l'âme une tyrannie plus pénible que
le plaisir, en troublant de fond en comble tout son bon
équilibre. En effet, elle entraîne facilement vers la folie,
vers les inimitiés intempestives, vers une haine irraisonnée ;
elle amène continuellement à se heurter à des obstacles,
sans motif et pour n'importe quoi ; elle force à dire et à
faire beaucoup d'autres choses du même genre, car l'âme
est entraînée par l'impétuosité de la passion et n'a pas le
moyen de s'y opposer en se dressant de toutes ses forces
contre cet assaut.

Alors Basile :

Je ne supporterai pas plus longtemps de te voir user de
faux prétextes. Qui ne sait, dit-il, combien tu es à l'abri de
cette maladie ?

JEAN. Pourquoi veux-tu, dis-je, ô bienheureux[1], que je
m'approche de ce feu et que j'excite la bête sauvage ?
Ignores-tu que nous en avons triomphé, non par notre
propre vertu, mais par amour de la tranquillité et que celui
qui est dans ces dispositions, préférant rester en lui-même
et n'ayant qu'un ou deux amis, peut échapper ainsi à un tel
incendie, pourvu qu'il ne tombe pas dans l'abîme de toutes
ces préoccupations ? Dans ce cas, en effet, ce n'est pas lui
seulement, mais beaucoup d'autres qu'il entraîne avec lui
dans le précipice de leur perte et il les rend plus négligents
dans le souci du bien ; car c'est une loi naturelle, le plus
souvent, que l'ensemble de ceux qui sont soumis à l'autorité regardent la conduite de ceux qui l'exercent comme une
sorte d'image de marque et se modèlent sur eux[2]. Comment
donc pourrait-il calmer les emportements s'il est lui-même

heureux et bienheureux et nous disons de même des plus divins des
hommes. » Chez les chrétiens, le mot s'applique à ceux qui sont morts,
mais Basile s'en trouve auréolé dès ici-bas.

2. Cf. *Prov.* 29, 12.

νάς, οἰδαίνων αὐτός; τίς δ' ἂν ἐπιθυμήσειε ταχέως τῶν
190 πολλῶν γενέσθαι μέτριος, τὸν ἄρχοντα ὀργίλον ὁρῶν; Οὐ γὰρ
ἔστι τὰ τῶν ἱερέων κρύπτεσθαι ἐλαττώματα, ἀλλὰ καὶ τὰ
μικρότατα ταχέως κατάδηλα γίνεται. Καὶ γὰρ ἀθλητής,
ἕως μὲν ἂν οἴκοι μένῃ καὶ μηδενὶ συμπλέκηται, δύναται
λανθάνειν, κἂν ἀσθενέστατος ὢν τύχῃ, ὅταν δὲ ἀποδύσηται
195 πρὸς τοὺς ἀγῶνας, ῥαδίως ἐλέγχεται· καὶ τῶν ἀνθρώπων
οἱ μὲν τὸν ἰδιωτικὸν τοῦτον καὶ ἀπράγμονα βιοῦντες βίον
ἔχουσι παραπέτασμα τῶν ἰδίων ἁμαρτημάτων τὴν μόνωσιν,
εἰς δὲ τὸ μέσον ἀχθέντες καθάπερ ἱμάτιον τὴν ἠρεμίαν ἀποδῦναι ἀναγκάζονται καὶ πᾶσι γυμνὰς ἐπιδεῖξαι τὰς ψυχὰς
200 διὰ τῶν ἔξωθεν κινημάτων.

Ὥσπερ οὖν αὐτῶν τὰ κατορθώματα πολλοὺς ὤνησε πρὸς
τὸν ἴσον παρακαλοῦντα ζῆλον, οὕτω καὶ τὰ πλημμελήματα
ῥαθυμοτέρους κατέστησε περὶ τὴν τῆς ἀρετῆς ἐργασίαν καὶ
βλακεύειν πρὸς τοὺς ὑπὲρ τῶν σπουδαίων παρεσκεύασε
205 πόνους· διὸ χρὴ πάντοθεν αὐτοῦ τὸ κάλλος ἀποστίλβειν τῆς
ψυχῆς ἵνα καὶ εὐφραίνειν ἅμα καὶ φωτίζειν δύνηται τὰς τῶν
ὁρώντων ψυχάς. Τὰ μὲν γὰρ τῶν τυχόντων ἁμαρτήματα,
ὥσπερ ἔν τινι σκότῳ πραττόμενα, τοὺς ἐργαζομένους ἀπώλεσε μόνους· ἀνδρὸς δὲ ἐπιφανοῦς καὶ πολλοῖς γνωρίμου
210 πλημμέλεια κοινὴν ἅπασι φέρει τὴν βλάβην, τοὺς μὲν ἀνα-
πεπτωκότας πρὸς τοὺς ὑπὲρ τῶν ἀγαθῶν ἱδρῶτας ὑπτιωτέ-
ρους ποιοῦσα, τοὺς δὲ προσέχειν ἑαυτοῖς βουλομένους ἐρεθί-
ζουσα πρὸς ἀπόνοιαν. Χωρὶς δὲ τούτων τὰ μὲν τῶν εὐτελῶν

---

189 ἐπιθυμήσειε : εὐπειθήσειε J -σαιε H ‖ 191 ἔστι] + δυνατὸν
AEG + οὐκ ἔστι C F + οὐκ ἔστι δυνατὸν HJ ‖ 191 καὶ om. C A ‖
192 μικρότατα : μικρὰ B ‖ 192 γὰρ] + καὶ C ‖ 193-194 δύναται
λανθάνειν B : δύναιτ' ἂν λαθεῖν cett. ‖ 194 ἀσθενέστατος BC : -τερος
cett. ‖ 194 τύχῃ BC : τύχοι cett. ‖ 195 πρὸς — ἐλέγχεται om. C ‖
195 ἀνθρώπων BC : ἀνθρώπων τοίνυν cett. ‖ 199 ἐπιδεῖξαι BC :
ἀπο- cett. ‖ 204 βλακεύειν BC : βλακεύεσθαι cett. ‖ 210 πλημμέλεια :
πλημμέλημα C.

1. Dans des expressions telles que ἐν τῷ μέσῳ εἶναι, εἰς μέσον
ἐλθεῖν, Jean oppose ceux qui vivent au milieu du monde, en se livrant

gonflé de colère ? Comment un homme du commun dési-
rerait-il arriver rapidement à la modération, s'il voit celui
qui possède l'autorité être emporté ? Car il n'est pas possible de cacher les faiblesses du prêtre, mais les plus petites
ont vite fait d'apparaître au grand jour. En effet, un
athlète, tant qu'il reste chez lui et ne se mesure avec personne, même s'il est extrêmement faible, peut ne pas s'en
apercevoir, mais lorsqu'il se met à combattre, il est facilement confondu ; ainsi, parmi les hommes, ceux qui mènent
la vie d'un simple particulier, exempte de soucis, se servent
de la solitude comme d'un paravent pour leurs propres
fautes, mais ceux qui ont été entraînés au milieu du
monde[1] sont obligés d'abandonner comme un vêtement la
vie solitaire et de montrer à tous leur âme dans sa nudité
au milieu des agitations du dehors.

Ainsi, de même que leurs actions vertueuses profitent
à beaucoup en les invitant à imiter leur ardeur, de même
leurs fautes rendent plus négligent dans l'accomplissement
de la vertu et disposent à la mollesse devant les efforts à
faire pour les choses qui en valent la peine ; c'est pourquoi
il faut que la beauté de son âme[2] rayonne de toutes parts,
afin de pouvoir à la fois réjouir et éclairer l'âme de ceux qui
le regardent. En effet, les fautes des premiers venus, étant
donné qu'elles sont commises, en quelque façon, dans
l'ombre, causent la perte de ceux-là seuls qui les commettent ; mais la négligence coupable d'un homme en vue
et connu de beaucoup fait du tort à tous en les rendant,
une fois qu'ils se sont laissé abattre, plus négligents devant
les efforts à faire en vue du bien et en incitant ceux qui ont
le souci d'eux-mêmes au désespoir. A part cela, les fai-

à l'apostolat, à ceux qui sont retirés dans la solitude, en ne s'occupant
que de leur propre salut. Voir plus loin, p. 190, note 1.

2. Il s'agit, naturellement, de l'âme du prêtre. Celui-ci occupe la
pensée de Jean au point qu'il oublie de le nommer. C'est une tournure
de la conversation.

παραπτώματα, κἂν εἰς τὸ μέσον ἔλθῃ, οὐδένα ἔπληξεν
215 ἀξιόλογον πληγήν· οἱ δὲ ἐν τῇ κορυφῇ ταύτης καθήμενοι τῆς
τιμῆς πρῶτον μὲν πᾶσίν εἰσι κατάδηλοι, ἔπειτα, κἂν ἐν τοῖς
μικροτάτοις σφαλῶσι, μεγάλα τὰ μικρὰ τοῖς ἄλλοις φαίνεται·
οὐ γὰρ τῷ μέτρῳ τοῦ γεγονότος, ἀλλὰ τῇ τοῦ διαμαρτόντος
ἀξίᾳ τὴν ἁμαρτίαν μετροῦσιν ἅπαντες. Καὶ δεῖ τὸν ἱερέα
220 καθάπερ τισὶν ἀδαμαντίνοις ὅπλοις πεφράχθαι τῇ τε συντόνῳ
σπουδῇ καὶ τῇ διηνεκεῖ περὶ τὸν βίον νήψει, πάντοθεν
περισκοπεῖν μή πού τις γυμνὸν εὑρὼν τόπον καὶ παρημελη-
μένον πλήξῃ καιρίαν πληγήν· πάντες γὰρ περιεστήκασι
τρῶσαι ἕτοιμοι καὶ καταβαλεῖν, οὐ τῶν ἐχθρῶν μόνον καὶ
225 πολεμίων, ἀλλὰ καὶ αὐτῶν πολλοὶ τῶν προσποιουμένων
φιλίαν.

Τοιαύτας οὖν ἐπιλέγεσθαι δεῖ ψυχὰς οἷα τὰ τῶν ἁγίων
ἐκείνων ἀπέδειξε σώματα ἡ τοῦ Θεοῦ χάρις ἐν τῇ βαβυλωνίᾳ
καμίνῳ ποτέ· οὐ γὰρ κληματὶς καὶ πίσσα καὶ στυππεῖον ἡ
230 τοῦ πυρὸς τούτου τροφή, ἀλλὰ πολὺ τούτων χαλεπωτέρα,
ἐπεὶ μηδὲ πῦρ τὸ αἰσθητὸν ὑπόκειται ἐκεῖνο, ἀλλ' ἡ παμφάγος
αὐτὸν τῆς βασκανίας περιστοιχίζεται φλόξ, πανταχόθεν
αἰρομένη καὶ ἀκριβέστερον αὐτῶν ἐπιοῦσα καὶ διερευνωμένη
τὸν βίον ἢ τὸ πῦρ τότε τῶν παίδων ἐκείνων τὰ σώματα. Ὅταν
235 οὖν εὕρῃ καλάμης ἴχνος μικρόν, προσπλέκεται ταχέως καὶ
τὸ μὲν σαθρὸν ἐκεῖνο κατέκαυσε μέρος, τὴν δὲ λοιπὴν ἅπασαν
οἰκοδομήν, κἂν τῶν ἡλιακῶν ἀκτίνων λαμπροτέρα οὖσα τύχῃ,
ἀπ' ἐκείνου τοῦ καπνοῦ προσέφλεξε καὶ ἠμαύρωσεν ἅπασαν.
Ἕως μὲν γὰρ ἂν πανταχόθεν ἡρμοσμένος ᾖ καλῶς ὁ τοῦ
240 ἱερέως βίος, ἀνάλωτος γίνεται ταῖς ἐπιβουλαῖς· ἂν δὲ τύχῃ

---

218 τῷ μέτρῳ τοῦ γεγονότος : τῷ τοῦ γεγονότος μεγέθει B^{al}
220 πεφράχθαι : πεπράχθαι C EG ‖ 221 καὶ] + πάντοθεν C FHJ ‖
221 πάντοθεν B E : πάντοθέν τε cett. ‖ 222 περισκοποῦντα B^{pc}
223 γὰρ om. C ‖ 226 φιλίαν B FK : φιλεῖν cett. ‖ 232 αὐτὸν B D :
αὐτοῦ AEG F αὐτοὺς cett. ‖ 233 αἰρομένη BC : ἐπαιρομένη HJK
ἐπινενομένη AEG D F ‖ 233 καὶ — ἐπιοῦσα om. C ‖ 235 εὕρῃ :
ἔχῃ C ‖ 237 οἰκοδομήν B : οἰκονομίαν A οἰκοδομίαν cett. ‖ 239 ἂν
om. C.

blesses des gens du commun, même si elles viennent au grand jour, personne n'en est gravement atteint, mais ceux qui sont installés au faîte de cet honneur d'abord sont exposés à la vue de tous, ensuite même quand ils tombent dans les fautes les plus légères, leurs fautes légères paraissent importantes aux autres ; car tout le monde mesure le péché en fonction non de ce qu'il est, mais du rang élevé de celui qui le commet. Il faut, de plus, que le prêtre soit protégé par un zèle intense comme par une armure d'acier, par une continuelle vigilance sur sa vie et qu'il veille de toutes parts à ce qu'on ne lui donne pas un coup bien placé, après avoir trouvé un endroit découvert et non protégé, car tous ceux qui l'entourent sont prêts à le blesser et à l'abattre et non seulement ceux qui lui sont hostiles et qui sont ses ennemis, mais aussi beaucoup de ceux qui se prétendent ses amis.

Il faut donc choisir des âmes semblables aux corps de ces saints que la grâce de Dieu a fait voir autrefois dans la fournaise de Babylone[1] ; car l'aliment de ce feu ce n'est ni la poix, ni l'étoupe, mais des choses beaucoup plus redoutables que ces éléments, puisque ce feu-là couve sans qu'on s'en aperçoive, mais la flamme de la jalousie les environne, s'élevant de toutes parts, se jetant sur eux et s'insinuant dans leur vie plus impitoyablement que le feu ne le faisait alors dans le corps de ces enfants. Donc, lorsqu'elle trouve la moindre trace de paille, elle enveloppe rapidement et détruit cette partie en mauvais état, puis tout le reste de la maison et, même dans le cas où celle-ci dépassait en splendeur les rayons du soleil, à la faveur de la fumée, elle l'enflamme et l'anéantit tout entière. La vie du prêtre, tant qu'elle est sur tous les points bien accordée avec elle-même, est inaccessible aux complots ; en revanche,

---

1. Le thème des trois jeunes gens dans la fournaise est souvent utilisé par Jean. Voir *De statuis* I, 11 ; IV, 3 ; VI, 5, *PG* 49, 31.63.88 ; *Ad Olymp.* VII (I), 2, 24-59 ; X (III), 9, 25-44 ; *Ab exil. epist.* 15, *SC* 103, p. 130-134.

μικρόν τι παριδών, οἷα εἰκὸς ἄνθρωπον ὄντα καὶ τὸ πολυ-
πλανὲς τοῦ βίου τούτου περαιοῦντα πέλαγος, οὐδὲν αὐτῷ
τῶν λοιπῶν κατορθωμάτων ὄφελος πρὸς τὸ δυνηθῆναι τὰ
τῶν κατηγόρων στόματα διαφυγεῖν, ἀλλ᾽ ἐπισκιάζει παντὶ
245 τῷ λοιπῷ τὸ μικρὸν ἐκεῖνο παράπτωμα καὶ οὐχ ὡς σάρκα
περικειμένῳ, οὐδὲ ἀνθρωπείαν λαχόντι φύσιν, ἀλλ᾽ ὡς ἀγγέλῳ
καὶ τῆς λοιπῆς ἀσθενείας ἀπηλλαγμένῳ δικάζειν ἅπαντες
ἐθέλουσι τῷ ἱερεῖ.

Καὶ καθάπερ τύραννον, ἕως μὲν ἂν κρατῇ, ἅπαντες πεφρί-
250 κασι καὶ κολακεύουσι διὰ τὸ μὴ δύνασθαι καθελεῖν, ὅταν δὲ
ἴδωσι προχωροῦν ἐκεῖνο, τὴν μεθ᾽ ὑποκρίσεως ἀφέντες τιμὴν
οἱ πρὸ μικροῦ φίλοι γεγόνασιν ἐξαίφνης ἐχθροὶ καὶ πολέμιοι
καὶ πάντα αὐτοῦ τὰ σαθρὰ καταμαθόντες ἐπιτίθενται παραλύοντες τῆς ἀρχῆς, οὕτω δὴ καὶ ἐπὶ τῶν ἱερέων, οἱ πρὸ
255 βραχέος, καὶ ἡνίκα ἐκράτει, τιμῶντες καὶ θεραπεύοντες, ὅταν
μικρὰν εὕρωσι λαβήν, παρασκευάζονται σφοδρῶς, οὐχ ὡς
τύραννον μόνον, ἀλλὰ καὶ τούτου χαλεπώτερον καθαιρήσειν
μέλλοντες. Καὶ ὥσπερ ἐκεῖνος τοὺς τοῦ σωματοφύλακας
δέδοικεν, οὕτω καὶ οὗτος τοὺς πλησίον καὶ συλλειτουρ-
260 γοῦντας αὐτῷ μάλιστα πάντων τρέμει· οὔτε γὰρ ἕτεροί τινες
οὕτω τῆς ἀρχῆς ἐπιθυμοῦσι τῆς ἐκείνου καὶ τὰ ἐκείνου μάλιστα
πάντων ἴσασιν ὡς οὗτοι· ἐγγύθεν γὰρ ὄντες, εἴ τι συμβαίη
τοιοῦτο, πρὸ τῶν ἄλλων αἰσθάνονται καὶ δύναιντ᾽ ἂν εὐχερῶς
καὶ διαβάλλοντες πιστευθῆναι καὶ τὰ μικρὰ μεγάλα ποιοῦντες
265 τὸν συκοφαντούμενον ἑλεῖν. Τὸ γὰρ ἀποστολικὸν ἐκεῖνο

---

242 περαιοῦντα B : περῶντα cett. ‖ 247 ἅπαντες B : πάντα C H
πάντες cett. ‖ 251 ἴδωσι] + εἰς τοὐναντίον Bsl ‖ 251 προχωροῦν : προχω-
ροῦντα F ‖ 251 ἐκεῖνο : ἐκεῖνοι B F ‖ 251 τὴν] + τὰ πράγματα Bsl
‖ 254 παραλύοντες B : καὶ παραλύουσι C K καὶ καταλύουσι cett.
‖ 255 θεραπεύοντες : κολακεύοντες C ‖ 256 εὕρωσι : λάβωσι C ‖ 256
λαβήν : βλάβην AEG D ‖ 257 ἀλλὰ καὶ B AEG D : ἀλλὰ καί τινα C
ἀλλὰ καί τι F ἀλλὰ καὶ εἴ τι HJ ἀλλ᾽ εἴ τι K ‖ 262 ὡς BC F : om.
cett. ‖ 262 οὗτοι : ἐκεῖνοι A ‖ 263 τοιοῦτο B H : τοιοῦτον cett.

---

1. Le groupe désigné par l'expression ἐπὶ τῶν ἱερέων s'oppose ici à
τύραννος et doit être traduit par un terme général qui englobe prêtres

s'il néglige un petit défaut, tel qu'on peut s'attendre à le trouver chez un homme, et qui navigue sur la mer agitée de la vie, ses autres vertus ne lui sont d'aucune utilité pour fermer la bouche à ses accusateurs, mais cette peccadille masque tout le reste ; tous veulent juger le prêtre comme s'il n'était pas revêtu de chair, comme s'il n'avait pas reçu en partage une nature qui est celle d'un homme, mais comme un ange et comme s'il était étranger à la faiblesse générale.

Et de même qu'un tyran, tant qu'il possède le pouvoir, suscite de la part de tous la crainte et les flatteries, parce qu'ils ne peuvent le supprimer, mais lorsqu'ils voient que la situation évolue, abandonnant le masque de la tromperie, peu s'en faut que ses amis ne lui deviennent soudain hostiles et ennemis ; après s'être aperçus de tous ses points faibles, ils attaquent et détruisent son autorité ; ainsi en est-il dans le cas de ceux qui sont revêtus du sacerdoce : tant que l'un d'eux détenait le pouvoir[1], ceux qui pour un temps l'honoraient et le flattaient, lorsqu'ils trouvent la moindre prise, se préparent avec ardeur, tout disposés à l'abattre, non seulement comme un tyran, mais comme un être encore plus intolérable. Et comme l'un craint ses gardes du corps, de même celui-ci redoute ceux qui l'entourent et, plus que tout, ceux qui accomplissent avec lui les fonctions sacrées[2] ; en effet, il n'y en a pas pour désirer autant qu'eux son autorité et, plus que tous, il n'y en a pas comme eux pour connaître ses faiblesses ; car étant proches de lui, s'il survient quelque chose de tel, ils s'en aperçoivent avant les autres ; ils pourraient même facilement être crus lorsqu'ils le calomnient et, en transformant des vétilles en choses importantes, supprimer celui qu'ils ont dénoncé. En effet, la parole de l'Apôtre a été prise à contre-

et évêques. Cependant, d'après la suite du texte où se trouve le mot συλλειτουργοῦντας, li. 260, il semble bien que Jean a ici en vue le cas de l'évêque.

2. Voir ci-dessus, p. 162, note 3.

ῥῆμα ἀντέστραπται· Καὶ εἴτε πάσχει ἓν μέλος, χαίρει πάντα
τὰ μέλη· εἴτε δοξάζεται ἓν μέλος, πάσχει πάντα τὰ μέλη,
πλὴν εἴ τις εὐλαβείᾳ πολλῇ πρὸς ἅπαντα στῆναι δυνηθείη.

Εἰς τοσοῦτον οὖν ἡμᾶς ἐκπέμπεις πόλεμον; καὶ πρὸς μάχην
270 οὕτω ποικίλην καὶ πολυειδῆ τὴν ἡμετέραν ἐνόμισας ἀρκέσειν
ψυχήν; πόθεν καὶ παρὰ τίνος μαθών; Εἰ μὲν γὰρ ὁ Θεὸς
τοῦτο ἀνεῖλεν, ἐπίδειξον τὸν χρησμόν, καὶ πείθομαι· εἰ δὲ
οὐκ ἔχεις, ἀλλ᾽ ἀπὸ δόξης ἀνθρωπίνης φέρεις τὴν ψῆφον,
ἀπαλλάγηθί ποτε ἐξαπατώμενος· ὑπὲρ γὰρ τῶν ἡμετέρων
275 ἡμῖν μᾶλλον ἢ ἑτέροις πείθεσθαι δίκαιον, ἐπειδὴ « τὰ τοῦ
ἀνθρώπου οὐδεὶς οἶδεν, εἰ μὴ τὸ πνεῦμα τοῦ ἀνθρώπου τὸ
ἐν αὐτῷᵒ ». Ὅτι γὰρ καὶ ἡμᾶς αὐτοὺς καὶ τοὺς ἑλομένους
καταγελάστους ἂν ἐποιήσαμεν, ταύτην δεξάμενοι τὴν ἀρχὴν
καὶ μετὰ πολλῆς τῆς ζημίας εἰς ταύτην ἂν ἐπανήλθομεν τοῦ
280 βίου τὴν κατάστασιν ἐν ᾗ καὶ νῦν ἐσμέν, εἰ καὶ μὴ πρότερον,
ἀλλὰ νῦν σε τούτοις οἶμαι πεπεικέναι τοῖς ῥήμασιν.

Οὐδὲ γὰρ βασκανία μόνον, ἀλλὰ πολλῷ καὶ τῆς βασκανίας
σφοδρότερον ἡ τῆς ἀρχῆς ταύτης ἐπιθυμία τοὺς πολλοὺς
ὁπλίζειν εἴωθε κατὰ τοῦ ταύτην ἔχοντος. Καὶ καθάπερ οἱ
285 φιλάργυροι τῶν παίδων βαρύνονται τὸ τῶν πατέρων γῆρας,
οὕτω καὶ τούτων τινές, ὅταν ἴδωσιν εἰς μακρὸν παραταθεῖσαν τὴν ἱερωσύνην χρόνον, ἐπειδὴ ἀνελεῖν οὐκ εὐαγές,
παραλῦσαι σπεύδουσιν αὐτὸν τῆς ἀρχῆς, πάντες ἀντ᾽ ἐκείνου
γενέσθαι ἐπιθυμοῦντες καὶ εἰς ἑαυτὸν ἕκαστος μεταπεσεῖσθαι
290 τὴν ἀρχὴν προσδοκῶντες.

266-267 Καὶ — μέλη² manu recent. in B ‖ 266 Καὶ : τὸ J
εἴτε : εἴ τι [τι om. C] C E D FKᵃ ᶜ εἴ τις G ‖ πάσχει : δοξάζεται C
χαίρει HJK : συγχαίρει C EG D F συμπάσχει A ‖ 267 εἴτε — μέλη²
om. D ‖ 267 εἴτε : καὶ εἰ C EG F ‖ δοξάζεται : πάσχει C ‖ πάσχει
C G : συμπάσχει E FHJK συγχαίρει A ‖ 269 Εἰς BC : πρὸς cett. ‖
270 ἀρκέσειν B F : ἄρκεσιν C ἀρκεῖν cett. ‖ 272 ἀνεῖλεν K : ἀνεῖδεν
C ἐγνώρισεν (ante τοῦτο) B ἀνήγγειλεν cett. ‖ 275 ἑτέρων C ‖ 281
σε : γε C ‖ 282 βασκανία — τῆς om. C ‖ 285 τὸ... γῆρας BC : τῷ...
γήρᾳ cett. ‖ 287 παραταθεῖσαν BC FK παραδοθεῖσαν AEG D HJ.

o. I Cor. 2, 11

sens. Si un membre souffre de quelque chose, tous les membres se réjouissent ; si un membre est glorifié, tous les membres en souffrent[1], à moins qu'il ne puisse résister à tout grâce à une piété profonde.

C'est donc à une telle guerre que tu nous envoies ? As-tu pensé que notre âme serait à la hauteur devant ce combat si divers et si varié ? D'où et de qui l'as-tu appris ? Si c'est Dieu qui te l'a révélé[2], montre-moi son oracle et j'obéis ; mais si tu ne peux pas et si tu m'apportes ton suffrage en te fondant sur la réputation qu'on me fait dans le monde, retire-toi car tu as été trompé ; en ce qui nous concerne, en effet, il est juste de se fier à nous plutôt qu'aux autres, puisque « personne ne connaît le cœur de l'homme, sinon l'esprit qui est en lui⁰ ». Que nous nous serions ridiculisé nous-même et ceux qui nous ont choisi en acceptant cette autorité et que, non sans grand dommage, nous serions revenus au genre de vie que nous menons actuellement, je crois t'en avoir persuadé, sinon auparavant, du moins maintenant, par ce que je viens de te dire.

En effet, ce n'est pas seulement la jalousie, mais c'est beaucoup plus le désir d'exercer l'autorité, plus violent que la jalousie, qui d'ordinaire arme la plupart contre celui qui la possède. Et de même que les enfants poussés par la cupidité accablent la vieillesse de leur père, ainsi certains de ceux dont nous parlons, lorsqu'ils voient le sacerdoce détenu trop longtemps, comme ce serait une action sacrilège que de perpétrer un meurtre, s'efforcent de le dépouiller[3] de son autorité, tous désirant être à sa place et chacun s'attendant à voir l'autorité lui échoir.

1. Ce passage a parfois embarrassé les scribes qui ont rétabli le texte de *I Cor.* 12, 26, malgré le verbe ἀντέστραπται qui prouve que l'interprétation à rebours est le texte authentique.

2. Le verbe ἀναιρέω s'emploie, en grec classique, pour désigner les oracles rendus par la divinité. Sur l'adoption de termes païens par les chrétiens, voir plus haut, p. 147, note 2.

3. A la ligne 288, αὐτὸν représente τοῦ ταύτην ἔχοντος, *celui qui possède l'autorité*. Ici encore, c'est le ton de la conversation.

ια΄. Ὅτι τὴν
ἐπιθυμίαν τῆς
φιλαρχίας ἐκβεβλῆσθαι
δεῖ τῆς τοῦ
ἱερέως ψυχῆς

Βούλει σοι καὶ ἕτερον ἐπιδείξω
ταύτης τῆς μάχης εἶδος, μυρίων
ἐμπεπλησμένον κινδύνων; Ἴθι δὴ
καὶ διάκυψον εἰς τὰς δημοτελεῖς
ἑορτὰς ἐν αἷς μάλιστα τῶν ἐκκλη-
σιαστικῶν ἀρχῶν τὰς αἱρέσεις ποιεῖ-
σθαι νόμος καὶ τοσαύταις ὄψει κατηγορίαις τὸν ἱερέα βαλ-
λόμενον ὅσον τῶν ἀρχομένων τὸ πλῆθός ἐστι. Πάντες γὰρ οἱ
δοῦναι κύριοι τὴν τιμὴν εἰς πολλὰ τότε σχίζονται μέρη καὶ
οὔτε πρὸς ἀλλήλους, οὔτε πρὸς αὐτὸν τὸν λαχόντα τὴν
ἐπισκοπὴν τὸ τῶν πρεσβυτέρων συνέδριον ὁμογνωμονοῦν
ἴδοι τις ἄν, ἀλλ᾽ ἕκαστος καθ᾽ ἑαυτὸν ἑστήκασιν, ὁ μὲν τοῦτον,
ὁ δὲ ἐκεῖνον αἱρούμενος. Τὸ δὲ αἴτιον, οὐκ εἰς ἓν πάντες
ὁρῶσιν εἰς ὃ μόνον ὁρᾶν ἐχρῆν, τῆς ψυχῆς τὴν ἀρετήν, ἀλλ᾽
εἰσὶ καὶ ἕτεραι προφάσεις αἱ ταύτης πρόξενοι τῆς τιμῆς·
οἷον, ὁ μὲν ὅτι γένους ἐστὶ λαμπροῦ, ἐγκρινέσθω, φησίν, ὁ
δὲ ὅτι πλοῦτον περιβέβληται πολὺν καὶ οὐκ ἂν δέοιτο τρέφεσθαι ἐκ τῶν τῆς Ἐκκλησίας προσόδων, ὁ δὲ ὅτι παρὰ τῶν
ἐχθρῶν ηὐτομόλησε. Καὶ ὁ μὲν τὸν οἰκείως πρὸς αὐτὸν διακείμενον, ὁ δὲ τὸν γένει προσήκοντα, ὁ δὲ τὸν κολακεύοντα

ια΄. 8 γὰρ om. B ‖ 8 οἱ : ὅσοι C ‖ 18 τρέφεσθαι : τροφῆς B ‖ 20 ὁ² :
οἱ C D FK.

---

1. L'adjectif δημοτελής signifie soit *aux frais de l'État*, soit *qui se déroule en public*. L'expression δημοτελεῖς ἑορτάς suggère qu'il s'agit du second sens et que Jean parle avec ironie de ces élections dont tant de gens s'occupent.

2. Dans ce passage où il s'agit des élections aux charges ecclésiastiques en général, le mot ἱερεύς peut désigner soit l'évêque, soit le prêtre. Voir *supra*, p. 112, note 1. Comme nous ne voyons pas ici de raison contraignante de choisir l'un ou l'autre, nous nous permettons d'utiliser dans la traduction un terme qui désigne leur situation commune : ils sont l'un ou l'autre *candidat*.

3. Le mot πρεσβύτερος fait partie, dès le début, du vocabulaire de la communauté de Jérusalem et des Églises locales. Voir J. DAUVIL-LIER, *Aux origines de l'épiscopat et du sacerdoce*, Toulouse 1973 (fasc. ronéotypé hors commerce, 113 p., déposé à la bibliothèque de

**11. Il faut
que le prêtre
chasse de son âme
la passion et l'amour
de l'autorité**

Veux-tu que je te montre un autre aspect de ce combat rempli de mille dangers ? Va regarder à la dérobée les fêtes qui se déroulent en public[1] dans lesquelles c'est précisément la coutume de faire choix des autorités ecclésiastiques ; tu verras le candidat[2] objet de griefs aussi nombreux qu'il y a de gens soumis à l'autorité. Tous ceux qui ont le pouvoir de lui accorder l'honneur se partagent en multiples clans et l'on ne saurait voir le collège des prêtres[3] d'accord ni les uns avec les autres, ni avec celui qui a reçu l'épiscopat[4], mais chacun reste sur ses positions, l'un choisissant celui-ci, l'autre celui-là. La raison, c'est qu'ils ne considèrent pas la seule chose qu'il faudrait considérer, la valeur de l'âme, mais il y a aussi d'autres motifs étrangers à cet honneur ; par exemple que l'un soit élu parce qu'il est d'une famille illustre, dit-on, l'autre parce qu'il est nanti d'une immense fortune et qu'il n'aurait pas besoin de vivre sur les ressources de l'Église, l'autre parce que c'est un transfuge du camp ennemi[5]. Alors l'un s'applique à favoriser celui avec lequel il est intime, l'autre celui dont il est proche parent, l'autre celui

l'Institut catholique de Toulouse) : étude des mots πρεσβύτερος et ἐπίσκοπος, de leur origine, de leur sens, de leur apparition dans les communautés chrétiennes. On remarquera cependant qu'outre deux citations (*Jac.* 5, 14 ; *I Tim.* 5, 17), le mot πρεσβύτερος n'est employé que deux fois dans notre texte et encore dans des expressions consacrées par l'usage. Voir aussi p. 76, note 1.

4. Ici, contrairement à la li. 7 où l'on ne peut savoir s'il s'agit de l'élection d'un évêque ou d'un prêtre, la situation est claire : d'une part, il y a le collège des prêtres qui ne s'accordent pas entre eux et, d'autre part, ces mêmes prêtres électeurs ne s'accordent pas avec « celui qui a reçu l'épiscopat », l'évêque étant ainsi nommément désigné.

5. Jean pense sans doute au schisme qui avait récemment déchiré l'Église d'Antioche. Voir F. CAVALLERA, *Le schisme d'Antioche*, Paris 1905 et R. DEVREESSE, *Le patriarcat d'Antioche depuis la paix de l'Église jusqu'à la conquête arabe*, Paris 1945, 1ʳᵉ partie, p. 1-47.

μᾶλλον τῶν ἄλλων προτιμᾶν σπουδάζουσιν· εἰς δὲ τὸν
ἐπιτήδειον οὐδεὶς ὁρᾶν βούλεται, οὐδὲ ψυχῆς τινα ποιεῖσθαι
βάσανον.

Ἐγὼ δὲ τοσούτου δέω ταύτας ἡγεῖσθαι τὰς αἰτίας ἀξιο-
25 πίστους εἶναι πρὸς τὴν τῶν ἱερέων δοκιμασίαν ὡς μηδὲ εἴ
τις πολλὴν εὐλάβειαν ἐπιδείξαιτο, τὴν οὐ μικρὸν ἡμῖν πρὸς
τὴν ἀρχὴν συντελοῦσαν ἐκείνην, μηδὲ τοῦτον ἀπὸ ταύτης
εὐθέως ἐγκρίνειν τολμᾶν, εἰ μὴ μετὰ τῆς εὐλαβείας πολλὴν
καὶ τὴν σύνεσιν ἔχων τύχοι. Καὶ γὰρ οἶδα πολλοὺς ἐγὼ τῶν
30 ἅπαντα τὸν χρόνον καθειρξάντων ἑαυτοὺς καὶ νηστείαις
δαπανηθέντων, ὅτι ἕως μὲν αὐτοῖς μόνοις εἶναι ἐξῆν καὶ τὰ
αὐτῶν μεριμνᾶν, εὐδοκίμουν παρὰ Θεῷ καὶ καθ᾽ ἑκάστην
ἡμέραν ἐκείνη προσετίθεσαν τῇ φιλοσοφίᾳ μέρος οὐ μικρόν·
ἐπειδὴ δὲ εἰς τὸ πλῆθος ἦλθον καὶ τὰς τῶν πολλῶν ἀμαθίας
35 ἐπανορθοῦν ἠναγκάσθησαν, οἱ μὲν οὐδὲ τὴν ἀρχὴν ἤρκεσαν
πρὸς τὴν τοσαύτην πραγματείαν, οἱ δὲ βιασθέντες ἐπιμεῖναι,
τὴν προτέραν ἀκρίβειαν ῥίψαντες, ἑαυτούς τε ἐζημίωσαν τὰ
μέγιστα καὶ ἑτέρους ὤνησαν οὐδέν.

Ἀλλ᾽ οὐδὲ εἴ τις τὸν ἅπαντα χρόνον ἀνήλωσεν ἐν τῇ ἐσχάτῃ
40 τῆς λειτουργίας τάξει μένων καὶ εἰς ἔσχατον ἤλασε γῆρας,
τοῦτον ἁπλῶς διὰ τὴν ἡλικίαν αἰδεσθέντες ἐπὶ τὴν ἀρχὴν
οἴσομεν τὴν ἀνωτέρω. Τί γάρ, εἰ καὶ μετὰ τὴν ἡλικίαν

---

36 ἐπιμεῖναι : ὑπομεῖναι AEG D F ‖ 37 ἐζημίωσαν : ἐζημιώθησαν
AEG D F ‖ 38 ἑτέρους] + τοσοῦτον C AEG D F.

1. Par cette expression, Jean désigne les moines qui vivent dans la
solitude et ne sont pas au courant du gouvernement de l'Église. Dans
la suite du texte, on trouvera des expressions analogues pour les
désigner : ἐφ᾽ ἑαυτοῦ μένειν, VI, 6, 28 ; καθ᾽ ἑαυτὸν εἶναι, VI, 10, 3.

2. On remarquera l'emploi du verbe εὐδοκιμέω apparenté à δόξα,
dont on sait le rôle important dans la vie morale et sociale des Grecs.
Cf. *supra*, p. 79, note 2). Par l'emploi de ce verbe Jean assimile ici
les rapports de l'homme avec Dieu aux rapports des hommes entre
eux.

3. Jean porte ici un jugement sévère sur la possibilité, chez les
solitaires, de s'adapter au gouvernement de l'Église. Il n'a cependant
pas hésité, lorsqu'il était à la tête de l'Église de Constantinople,

qui le flatte ; mais personne ne veut regarder vers le candidat convenable, ni ne veut éprouver en quelque façon la qualité de son âme.

Quant à moi, je suis si éloigné de croire que ces raisons sont valables pour l'appréciation des candidats que, même si l'un montrait beaucoup de piété, ce qui n'est pas un élément négligeable pour exercer cette autorité, je ne me risquerais même pas à le choisir pour cette raison si, avec la piété, il ne se trouvait pas avoir une intelligence pénétrante. En effet, j'en connais beaucoup qui s'enfermaient et passaient leur temps en méditations et en veilles ; tant qu'il leur était permis de ne s'appartenir qu'à eux seuls[1] et de ne s'occuper que d'eux, ils étaient considérés auprès de Dieu[2] et ajoutaient chaque jour à leur vie de solitaire une action méritoire, mais lorsqu'ils se sont mêlés au monde et qu'ils ont été obligés de remettre dans le droit chemin la foule ignorante, les uns n'ont pas eu l'autorité suffisante pour une telle entreprise, les autres, forcés de temporiser, ayant abandonné leur ancienne rigueur, se sont grandement nui à eux-mêmes et n'ont été pour les autres d'aucune utilité[3].

Mais supposons qu'un homme ait passé tout son temps au dernier degré des charges ecclésiastiques[4] et qu'il soit parvenu à l'extrême vieillesse, nous ne l'élèverons pas à l'autorité supérieure simplement à cause de son âge. Pour-

à choisir ses collaborateurs immédiats parmi les solitaires. Voir J.-M. LEROUX, « Jean Chrysostome et le monachisme », dans *Jean Chrysostome et Augustin*, Actes du Colloque de Chantilly, 22-24 septembre 1974, Paris 1975, p. 141-142. De plus, il plaça plusieurs moines à la tête des diocèses. C'est ainsi que Palladios, son disciple et ami, avait été moine en Égypte lorsqu'il fut consacré par Jean évêque d'Hélénopolis. L'habitude de recruter des évêques parmi les moines date d'Athanase, dont on sait les relations d'amitié avec les solitaires d'Égypte, avec Antoine en particulier. Elle s'est perpétuée dans la suite. Sur la position parallèle de saint Augustin au sujet de la collaboration des moines à la vie apostolique, on lira avec intérêt l'étude de L. VERHEIJEN, « Saint Augustin, un moine devenu prêtre et évêque », dans *Estudio Agustiniano*, vol. XII, 1977, p. 281-334.

4. Voir ci-dessus, p. 163, note 6.

ἐκείνην ἀνεπιτήδειος ὢν μένοι; Καὶ οὐ τὴν πολιὰν ἀτιμάσαι
βουλόμενος, οὐδὲ νομοθετῶν τοὺς ἀπὸ χοροῦ μοναζόντων
45 ἥκοντας πάντως ἀπείργεσθαι τῆς τοιαύτης ἐπιστασίας ταῦτα
εἶπον νῦν — συνέβη γὰρ πολλοὺς καὶ ἐξ ἐκείνης ἐλθόντας τῆς
ἀγέλης εἰς ταύτην διαλάμψαι τὴν ἀρχήν —, ἀλλ᾽ ἐκεῖνο δεῖξαι
σπουδάζων ὅτι εἰ μήτε εὐλάβεια καθ᾽ ἑαυτήν, μήτε γῆρας
μακρὸν ἱκανὰ γένοιτ᾽ ἂν δεῖξαι τὸν κεκτημένον ἱερωσύνης
50 ἄξιον ὄντα, σχολῇ γ᾽ ἂν αἱ προειρημέναι προφάσεις τοῦτο
ἐργάσαιντο. Οἱ δὲ καὶ ἑτέρας προστιθέασιν ἀτοπωτέρας·
καὶ γὰρ οἱ μὲν ἵνα μὴ μετὰ τῶν ἐναντίων τάξωσιν ἑαυτοὺς εἰς
τὴν τοῦ κλήρου καταλέγονται τάξιν, οἱ δὲ διὰ πονηρίαν καὶ
ἵνα μὴ παροφθέντες μεγάλα ἐργάσωνται κακά. Ἆρα γένοιτ᾽
55 ἄν τι τούτου παρανομώτερον, ὅταν ἄνθρωποι μοχθηροὶ καὶ
μυρίων γέμοντες κακῶν διὰ ταῦτα θεραπεύονται δι᾽ ἃ κολάζεσθαι ἔδει καὶ ὧν ἕνεκεν μηδὲ τὸν οὐδὸν τῆς ἐκκλησίας ὑπερβαίνειν ἐχρῆν, ὑπὲρ τούτων καὶ εἰς τὴν ἱερατικὴν ἀνα-
βαίνωσιν ἀξίαν; Ἔτι οὖν ζητήσομεν, εἰπέ μοι, τοῦ Θεοῦ τῆς
60 ὀργῆς τὴν αἰτίαν, πράγματα οὕτως ἅγια καὶ φρικωδέστατα
ἀνθρώποις τοῖς μὲν πονηροῖς, τοῖς δὲ οὐδενὸς ἀξίοις λυμαίνεσθαι παρέχοντες; Ὅταν γὰρ οἱ μὲν τῶν μηδὲν αὐτοῖς
προσηκόντων, οἱ δὲ τῶν πολλῷ μειζόνων τῆς οἰκείας δυνάμεως προστασίαν ἐμπιστευθῶσιν, οὐδὲν Εὐρίπου τὴν Ἐκκλη-
65 σίαν διαφέρειν ποιοῦσιν.

42 ἀνωτάτω HJ ‖ 48 εἰ om. C ‖ 50 γ᾽ ἂν : γὰρ καὶ C E ‖ 51 ἀτοπω-
τέρας BC : χαλεπωτέρας cett. ‖ 56 θεραπεύωνται EᵖᶜGᵖᶜ D HJ ‖ 56
δι᾽ ἃ : διὰ C A ‖ 57 τῶν οὐδῶν C AEG D K ‖ 59 ἀναβαίνουσιν C E
FHJK ‖ 62 μηδὲν B D : οὐδὲν cett. ‖ 63 πολλῶν C E ‖ 63 μειζόνως C.

1. Par son étymologie, ἐπιστασία indique une fonction de surveillance. Voir In Matth. hom. LXXXV, 4, PG 58, 762 où le mot est
employé pour la surveillance des vierges, mais il faut lui donner ici
une valeur très générale.

2. Pour l'emploi du mot τάξις, voir plus bas, p. 202, note 1, et
pour celui de κλῆρος, plus loin, p. 330, note 1.

3. Le mot προστασία recouvre à la fois l'exercice de l'autorité
(avec le prestige que cette charge entraîne, III, 11, 69) et la protection des faibles accompagnée de bienfaisance, III, 12, 2 ; 14, 18, etc.

4. Il s'agit d'une comparaison fort courante de la vie humaine

quoi, en effet, s'il n'est propre à rien, en dépit de son âge ? Et je n'ai pas dit cela maintenant pour faire injure aux cheveux blancs ni pour établir une loi qui écarte absolument d'une telle fonction[1] ceux qui viennent du chœur des moines — il est arrivé, en effet, que beaucoup de ceux qui étaient sortis de cette noble troupe ont brillé dans l'exercice de cette autorité —, mais parce que je veux montrer que ni la piété par elle-même, ni une longue vieillesse ne sauraient suffire à prouver que celui qui en est pourvu est digne du sacerdoce ; c'est à peine si les raisons que j'ai énumérées plus haut produiraient cet effet. D'autres avancent aussi des raisons plus étranges ; par exemple les uns sont enrôlés dans l'ordre des clercs[2] pour qu'ils ne se rangent pas dans le camp adverse, les autres, c'est à cause de leur méchanceté et pour qu'après avoir été dédaignés, ils ne soient pas cause de grands maux. Pourrait-il y avoir quelque chose de plus contraire à la loi que des hommes pervers et respirant le mal favorisés pour des raisons au nom desquelles il faudrait les punir et à cause desquelles ils ne devraient même pas fouler le sol de l'église, pour ces raisons-là accèdent à la dignité sacerdotale ? Chercherons-nous encore, dis-moi, la cause de la colère de Dieu, lorsque nous confions, pour les souiller, des choses si saintes et qui inspirent une très grande crainte à des hommes pervers et complètement indignes ? En effet, lorsque les uns se voient confier des charges qui ne leur conviennent pas et les autres un gouvernement[3] qui dépasse leur compétence, ils font que l'Église ressemble tout à fait à l'Euripe[4].

avec le détroit de l'Euripe qui sépare l'Eubée de l'Attique et de la Béotie et dont les eaux sont particulièrement agitées. Cette comparaison est passée en proverbe cité par DIOGÉNIANOS, *Paroem. gr.*, vol. I, p. 222. Ἄνθρωπος Εὔριπος : ἐπὶ τῶν ῥᾷστα μεταβαλλομένων. Cf. PLATON, *Phaed.* 90 C ; DIOGÈNE LAËRCE, *Vit.* IV, 72 ; LIBANIOS, *Epist.*, éd. Foerster n. 618 et Jean lui-même *Adv. opp. vit. mon.* II, 10, *P G* 47, 347, li. 18 ; *Exp. in psalm.* CXIX, 3, *P G* 55, 343, li. 1. La comparaison est développée, *Exp. in psalm.* CXXXIX, 1, *P G* 55, 420, l. 1-17.

Ἐγὼ δὲ πρότερον τῶν ἔξωθεν ἀρχόντων κατεγέλων ὅτι τὰς
τῶν τιμῶν διανομὰς οὐκ ἀπὸ τῆς ἀρετῆς τῆς ἐν ταῖς ψυχαῖς,
ἀλλ' ἀπὸ χρημάτων καὶ πλήθους ἐτῶν καὶ ἀνθρωπίνης ποιοῦν-
ται προστασίας· ἐπεὶ δὲ ἤκουσα ὅτι αὕτη ἡ ἀλογία καὶ εἰς τὰ
70 ἡμέτερα εἰσεκώμασεν, οὐκέτι ὁμοίως ἐποιούμην τὸ πρᾶγμα
δεινόν. Τί γὰρ θαυμαστὸν ἀνθρώπους βιωτικοὺς καὶ δόξης
τῆς παρὰ τῶν πολλῶν ἐρῶντας καὶ χρημάτων ἕνεκα πάντα
πράττοντας ἁμαρτάνειν τοιαῦτα, ὅπου γε οἱ πάντων ἀπηλλάχθαι προσποιούμενοι τούτων οὐδὲν ἄμεινον ἐκείνων διάκειν-
75 ται, ἀλλ' ὑπὲρ τῶν οὐρανίων τὸν ἀγῶνα ἔχοντες ὡς περὶ
πλέθρων γῆς ἢ ἑτέρου τινὸς τοιούτου τῆς βουλῆς αὐτοῖς
προκειμένης, ἁπλῶς ἀνθρώπους ἀγελαίους λαβόντες ἐφιστᾶσι
πράγμασι τοιούτοις ὑπὲρ ὧν καὶ τὴν ἑαυτοῦ κενῶσαι δόξαν
καὶ ἄνθρωπος γενέσθαι καὶ δούλου μορφὴν λαβεῖν καὶ
80 ἐμπτυσθῆναι καὶ ῥαπισθῆναι καὶ θάνατον τὸν ἐπονείδιστον
ἀποθανεῖν διὰ τῆς σαρκὸς οὐ παρῃτήσατο ὁ μονογενὴς τοῦ
Θεοῦ παῖς; Καὶ οὐδὲ μέχρι τούτων ἵστανται μόνον, ἀλλὰ καὶ
ἕτερα προστιθέασιν ἀτοπώτερα· οὐ γὰρ τοὺς ἀναξίους ἐγκρί-
νουσι μόνον, ἀλλὰ καὶ τοὺς ἐπιτηδείους ἐκβάλλουσιν. Ὥσπερ
85 γὰρ δέον ἀμφοτέρωθεν λυμήνασθαι τῆς Ἐκκλησίας τὴν ἀσφάλειαν ἢ ὥσπερ οὐκ ἀρκούσης τῆς προτέρας προφάσεως
ἐκκαῦσαι τοῦ Θεοῦ τὴν ὀργήν, οὕτω τὴν δευτέραν συνῆψαν,
οὐχ ἧττον οὖσαν χαλεπήν· καὶ γὰρ ἐξ ἴσης οἶμαι εἶναι δεινὸν
τό τε τοὺς χρησίμους ἀπείργειν καὶ τὸ τοὺς ἀχρείους εἰσωθεῖν·
90 καὶ τοῦτο δὲ γίνεται ἵνα μηδαμόθεν παραμυθίαν εὑρεῖν μηδὲ
ἀναπνεῦσαι δυνηθῇ τοῦ Χριστοῦ τὸ ποίμνιον.

Ταῦτα οὐ μυρίων ἄξια σκηπτῶν; ταῦτα οὐ γεέννης σφοδρο-

---

66 κατεγέλων B : καταγελῶ EG F καταγελῶν cett. ‖ 68 χρημάτων
BC D : τῶν χρημάτων cett. ‖ 69 ἐπεὶ δὲ B : ἐπειδήπερ F ἐπειδὴ cett.
‖ 70 ἐποιούμην om. AEG D ‖ 75 ἀλλὰ C E ‖ 80 καὶ ῥαπισθῆναι om.
C ‖ 81 διὰ τῆς σαρκὸς BC om. cett. ‖ 89 τὸ² om. B ‖ 92 Ταῦτα] +
οὖν B.

---

1. Cf. Phil. 2, 7
2. Nous adoptons la leçon de BC, διὰ τῆς σαρκὸς, qui ne se trouve
pas dans les autres mss. Elle paraît être un écho de Hébr. 5, 7 et avoir

Quant à moi, je me moquais autrefois des princes du siècle, parce qu'ils distribuent les honneurs non d'après la vertu qui est dans les âmes, mais d'après les richesses, le nombre des années et le prestige d'un homme ; mais lorsque j'ai entendu dire que cette inconséquence a fait irruption jusque dans nos rangs, je ne considérais plus la chose comme aussi étrange. Qu'y a-t-il d'étonnant si les gens du monde, passionnément épris de la réputation qu'ils ont auprès de la foule et agissant en toutes circonstances par amour de l'argent, tombent dans cette erreur, quand des hommes qui se donnent l'air d'avoir tout quitté ne sont pas dans de meilleures dispositions que ceux-là, mais, affrontant la lutte pour les biens du ciel comme s'ils visaient délibérément des arpents de terre ou quelque autre chose de ce genre, prennent tout simplement des mercenaires et les mettent à la tête d'affaires si importantes pour lesquelles le Fils unique de Dieu n'a pas refusé d'être dépouillé de sa gloire[1], de se faire homme, de prendre la forme d'un esclave, de recevoir des crachats, d'être frappé de verges et de mourir dans sa chair[2] d'une mort ignominieuse. Et ils ne s'en tiennent pas là, mais ils ajoutent encore d'autres extravagances ; car ils ne choisissent pas seulement des hommes indignes, mais ils chassent ceux qui sont capables. Comme s'il fallait que la sécurité de l'Église soit compromise des deux côtés à la fois, ou bien comme si la raison précédente d'allumer la colère de Dieu ne suffisait pas, alors ils en ont ajouté une seconde non moins difficile à supporter ; car il est aussi redoutable, à mon avis, d'écarter des gens compétents que d'introduire des gens bons à rien ; et cela de façon que le troupeau du Christ ne puisse ni trouver nulle part de consolation, ni reprendre haleine.

Ces faits ne sont-ils pas susceptibles d'attirer bien des

une intention doctrinale. L'évocation de la passion du Christ n'est pas fréquente chez Jean, eu égard à l'étendue de son œuvre. Elle a d'autant plus de portée ici. Cf. *Ad Olymp.* VII (I), 3-4 et *De prov. Dei* VIII, 6.

τέρας, οὐ ταύτης μόνον τῆς ἠπειλημένης ἡμῖν; Ἀλλ' ὅμως ἀνέχεται καὶ φέρει τὰ τοσαῦτα κακὰ ὁ μὴ βουλόμενος τὸν

95 θάνατον τοῦ ἁμαρτωλοῦ, ὡς τὸ ἐπιστρέψαι αὐτὸν καὶ ζῆν. Πῶς ἄν τις αὐτοῦ τὴν φιλανθρωπίαν θαυμάσειε; πῶς ἂν ἐκπλαγείη τὸν ἔλεον; Οἱ τοῦ Χριστοῦ τὰ τοῦ Χριστοῦ διαφθείρουσιν ἐχθρῶν καὶ πολεμίων μᾶλλον, ὁ δὲ ἀγαθὸς ἔτι χρηστεύεται καὶ εἰς μετάνοιαν καλεῖ. Δόξα σοι, Κύριε, δόξα

100 σοι. Πόσης φιλανθρωπίας ἄβυσσος παρὰ σοί; πόσης ἀνεξικακίας πλοῦτος; Οἱ διὰ τὸ ὄνομα τὸ σὸν ἐξ εὐτελῶν καὶ ἀτίμων ἔντιμοι καὶ περίβλεπτοι γεγονότες τῇ τιμῇ κατὰ τοῦ τετιμηκότος κέχρηνται καὶ τολμῶσι τὰ ἀτόλμητα καὶ ἐνυβρίζουσιν εἰς τὰ ἅγια, τοὺς σπουδαίους ἀπωθούμενοι καὶ

105 ἐκβάλλοντες ἵνα ἐν ἠρεμίᾳ πολλῇ καὶ μετὰ ἀδείας τῆς ἐσχάτης οἱ πονηροὶ πάντα ὅσαπερ ἂν ἐθέλωσιν ἀνατρέπωσι. Καὶ τούτου δὲ τοῦ δεινοῦ τὰς αἰτίας εἰ θέλεις μαθεῖν, ὁμοίας ταῖς προτέραις εὑρήσεις· τὴν μὲν γὰρ ῥίζαν καί, ὡς ἄν τις εἴποι, μητέρα μίαν ἔχουσι, τὴν βασκανίαν· αὐταὶ δὲ οὐ μιᾶς

110 εἰσιν ἰδέας, ἀλλὰ διεστήκασιν. Ὁ μὲν γάρ, ἐπειδὴ νέος ἐστίν, ἐκβαλλέσθω, φησίν, ὁ δέ, ἐπειδὴ κολακεύειν οὐκ οἶδεν, ὁ δέ, ἐπειδὴ τῷ δεῖνι προσέκρουσεν· καὶ ὁ μέν, ἵνα μὴ ὁ δεῖνα λυπῆται, τὸν μὲν ὑπ' αὐτοῦ δοθέντα ἀποδοκιμασθέντα, τοῦτον δὲ ἐγκεκριμένον ὁρῶν, ὁ δέ, ἐπειδὴ χρηστός ἐστι καὶ

115 ἐπιεικής, ὁ δέ, ἐπειδὴ τοῖς ἁμαρτάνουσι φοβερός, ὁ δέ, δι' ἄλλην αἰτίαν τοιαύτην· οὐδὲ γὰρ ἀποροῦσι προφάσεων ὅσων ἂν ἐθέλωσιν. Ἀλλὰ καὶ τὸ πλῆθος τῶν ὄντων ἐστὶν αὐτοῖς αἰτιᾶσθαι, ὅταν μηδὲν ἔχωσιν ἕτερον, καὶ τὸ μὴ δεῖν ἀθρόως

---

96 Πῶς[1] : καὶ πῶς HJ ‖ 100 πόσης[2] BC : πόσος cett. ‖ 106 ἐὰν C ‖ 107 θέλοις C ‖ 111 ὁ δέ[1] — οὐκ οἶδεν om. C ‖ 112 ἐπειδὴ : ἐπεὶ C ‖ 112 προσέκρουσεν om. C ‖ 115 ἁμαρτάνουσι] + ἐστιν C ‖ 118 αἰτιάσασθαι C K ‖ 118 δεῖν om. C.

1. Cf. Éz. 18, 23 et 33, 11.
2. Cf. Rom. 2, 4.
3. Nairn, s'appuyant sur le vetus interpres latinus qui traduit : « multitudinem clericorum », donne ici une interprétation qui ne nous

tempêtes ? ces faits ne méritent-ils pas une géhenne plus redoutable que celle dont nous avons été menacés ? Et cependant, il tolère, il supporte de si grands maux celui qui ne veut pas la mort du pécheur, pour qu'il se convertisse et qu'il vive[1]. Comment n'admirerait-on pas son amour pour l'homme ? comment ne serait-on pas frappé de stupeur devant sa pitié ? Les disciples du Christ détruisent ce qui appartient au Christ plus que ceux qui lui sont hostiles et ennemis, mais lui ne cesse de témoigner sa bonté et appelle au repentir[2]. Gloire à toi, Seigneur, gloire à toi ! Quel abîme en toi d'amour pour l'homme ! quel trésor de patience ! A cause de ton nom, ceux qui étaient pauvres et méprisés sont devenus des hommes estimés et considérés, ils utilisent l'honneur contre celui qui les a honorés, ils osent des actions qu'on ne devrait pas oser, ils outragent les choses saintes, ils repoussent ceux qui sont pleins de zèle et les chassent, pour que les méchants bouleversent tout ce qu'ils veulent en toute tranquillité et avec la dernière audace. Et si tu veux apprendre les causes du mal, tu en trouveras de semblables aux premières ; elles ont comme seule racine et, pour ainsi dire, comme seule mère la jalousie ; ces causes ne prennent pas une seule forme, mais elles se diversifient. Celui-là est jeune, dit-on, qu'on l'écarte ; l'autre c'est parce qu'il ne sait pas flatter, l'autre c'est parce qu'il s'est opposé à un tel ; et l'un, c'est pour qu'un tel ne soit pas désolé en voyant que celui qu'il avait proposé a été écarté, tandis qu'un autre a été retenu, l'autre c'est parce qu'il est bon et modéré, l'autre c'est parce qu'il est redouté des pécheurs ; l'autre pour une raison analogue ; ils ne manquent pas de prétextes autant qu'ils en veulent. Mais la quantité de biens qu'on possède[3] sert d'argument, quand ils n'en ont point d'autre, et aussi ce fait qu'il ne faut

---

paraît pas exacte. L'expression τὰ ὄντα signifie communément *les biens*. On voit mal pourquoi il faudrait sous-entendre ἐπισκόπων après τῶν ὄντων.

εἰς ταύτην ἄγεσθαι τὴν τιμήν, ἀλλ᾽ ἠρέμα καὶ κατὰ μικρόν·
120 καὶ ἑτέρας ὅσας ἂν βούλωνται δύναιντ᾽ ἂν αἰτίας εὑρεῖν.
Ἐγὼ δέ σε ἡδέως ἐνταῦθα ἐρήσομαι τί οὖν δεῖ τὸν ἐπίσκοπον ποιεῖν τοσούτοις μαχόμενον πνεύμασι; πῶς πρὸς τοσαῦτα στήσεται κύματα; πῶς πάσας ταύτας ἀπώσεται τὰς
προσβολάς; Ἂν μὲν γὰρ ὀρθῷ λογισμῷ τὸ πρᾶγμα διαθῇ,
125 ἐχθροὶ καὶ πολέμιοι καὶ αὐτῷ καὶ τοῖς αἱρεθεῖσιν ἅπαντες καὶ
πρὸς φιλονεικίαν τὴν ἐκείνου ἅπαντα πράττουσιν, στάσεις
καθ᾽ ἑκάστην ἐμβάλλοντες τὴν ἡμέραν καὶ σκώμματα μυρία
τοῖς αἱρεθεῖσιν ἐπιτιθέντες, ἕως ἂν ἢ τούτους ἐκβάλωσιν ἢ
τοὺς αὐτῶν εἰσαγάγωσιν, καὶ γίνεται παραπλήσιον οἷον ἂν
130 εἴ τις κυβερνήτης ἔνδον ἐν τῇ νηὶ τῇ πλεούσῃ πειρατὰς ἔχοι
συμπλέοντας καὶ αὐτῷ καὶ τοῖς ναύταις καὶ τοῖς ἐπιβάταις
συνεχῶς καὶ καθ᾽ ἑκάστην ἐπιβουλεύοντας ὥραν. Ἂν δὲ τὴν
πρὸς ἐκείνους χάριν προτιμήσῃ τῆς αὐτοῦ σωτηρίας, δεξάμενος οὓς οὐκ ἔδει, ἕξει μὲν τὸν Θεὸν ἀντ᾽ ἐκείνων ἐχθρόν,
135 οὗ τί γένοιτ᾽ ἂν χαλεπώτερον; Καὶ τὰ πρὸς ἐκείνους δὲ αὐτῷ
δυσκολώτερον ἢ πρότερον διακείσεται, πάντων συμπραττόν-
των ἀλλήλοις καὶ τούτων μᾶλλον ἰσχυρῶν γινομένων· ὥσπερ
γὰρ ἀγρίων ἀνέμων ἐξ ἐναντίας προσπεσόντων ἀλλήλοις, τὸ
τέως ἡσυχάζον πέλαγος μαίνεται ἐξαίφνης καὶ κορυφοῦται
140 καὶ τοὺς ἐμπλέοντας ἀπόλλυσιν, οὕτω καὶ ἡ τῆς Ἐκκλησίας
γαλήνη, δεξαμένη φθόρους ἀνθρώπους, ζάλης καὶ ναυαγίων
πληροῦται πολλῶν.
Ἐννόησον οὖν ὁποῖόν τινα εἶναι χρὴ τὸν πρὸς τοσοῦτον
μέλλοντα ἀνθέξειν χειμῶνα καὶ τοσαῦτα κωλύματα τῶν κοινῇ

---

119 ἄγεσθαι : ἀνάγεσθαι K ‖ 121 σε om. B ‖ 124 διαθῇ BC F :
διαθῇς AEG D διαθῆται HJK ‖ 128 ἕως : ὡς C ‖ 130 ἐν : ἐπὶ AEG
F ‖ 132 ὥραν : ὁρᾷ C ὁρῶν K ‖ 137 τούτων BC J : τούτῳ cett. ‖ 137
γενομένων B K ‖ 138 ἀλλήλοις B : om. cett. ‖ 141 φθόρους BC :
φθορέας FK φθορεῖς cett.

1. Le mot ἐπίσκοπος se rencontre ici pour la première fois dans le
De sacerdotio. D'après le contexte, il semble que le terme désigne celui
qui est élevé à l'autorité supérieure, comme on l'a vu plus haut :

pas être élevé à cet honneur tout d'un coup, mais lentement et peu à peu ; et on pourrait trouver d'autres raisons, autant qu'on en veut.

Quant à moi, je demanderai alors : Que doit donc faire l'évêque[1] luttant contre des vents si violents ? comment soutiendra-t-il l'assaut de telles vagues ? comment repoussera-t-il toutes ces attaques ? S'il conforme son action à la droite raison, tous sont hostiles et contraires et à lui et à ceux qu'il a choisis et font tout dans un esprit de contestation à son égard, suscitant chaque jour des querelles, décochant mille sarcasmes contre ceux qui ont été choisis, jusqu'à ce qu'ils les aient chassés et qu'ils aient introduit leurs créatures ; alors la situation devient à peu près semblable à celle d'un pilote sur son navire qui vogue en ayant à bord des pirates occupés à dresser constamment et à chaque instant des pièges et à lui et à ses matelots. S'il fait passer le désir de leur plaire avant son propre salut en accueillant ceux qu'il n'aurait pas dû accueillir, il aura Dieu contre lui, au lieu de les avoir, eux, et que pourrait-il arriver de plus grave ? De plus, à leur égard, il se trouvera dans de plus grandes difficultés qu'auparavant, car tous agissent de concert et, par ce fait même, ils deviennent plus forts ; c'est comme lorsque des vents violents s'affrontent et soufflent les uns contre les autres, la mer, calme jusqu'alors, entre soudain en furie, se soulève et engloutit les passagers ; ainsi l'Église ayant accueilli, lorsque le temps était calme, des hommes qui veulent sa perte, subit sans cesse l'ouragan et de multiples naufrages.

Songe quelle personnalité doit avoir celui qui sera amené à s'opposer à une telle tempête et à traiter comme il convient tant d'obstacles qui s'opposent au bien de la

---

ἐπὶ τὴν ἀρχὴν τὴν ἀνωτέρω, III, 11, 41-42. De même en III, 13, 75 où il s'agit de la protection des vierges. On sait que c'était, avec la protection des veuves dont il sera question au chapitre 12, une des charges confiées à l'évêque. Voir ci-dessous, p. 202, note 1.

145 συμφερόντων διαθήσειν καλῶς. Καὶ γὰρ καὶ σεμνὸν καὶ
ἄτυφον καὶ φοβερὸν καὶ προσηνῆ καὶ ἀρχικὸν καὶ κοινωνικὸν
καὶ ἀδέκαστον καὶ θεραπευτικὸν καὶ ταπεινὸν καὶ ἀδούλωτον
καὶ σφοδρὸν καὶ ἥμερον εἶναι δεῖ, ἵνα πρὸς ἅπαντα ταῦτα
εὐκόλως μάχεσθαι δύνηται καὶ τὸν ἐπιτήδειον μετὰ πολλῆς
150 τῆς ἐξουσίας, κἂν ἅπαντες ἀντιπίπτωσι, παράγειν καὶ τὸν οὐ
τοιοῦτον μετὰ τῆς αὐτῆς ἐξουσίας, κἂν ἅπαντες συμπνέωσι,
μὴ προσίεσθαι, ἀλλ' εἰς ἓν μόνον ὁρᾶν, τὴν ἐκκλησιαστικὴν
οἰκοδομὴν καὶ μηδὲν πρὸς ἀπέχθειαν ἢ χάριν ποιεῖν.

Ἆρά σοι δοκοῦμεν εἰκότως παρῃτῆσθαι τοῦ πράγματος
155 τούτου τὴν διακονίαν; Καίτοι γε οὔπω πάντα διῆλθον πρὸς σέ·
ἔχω γὰρ καὶ ἕτερα λέγειν. Ἀλλὰ μὴ ἀποκάμῃς ἀνδρὸς φίλου
καὶ γνησίου βουλομένου σε πείθειν ὑπὲρ ὧν ἐγκαλεῖς ἀνεχό-
μενος· οὐδὲ γὰρ πρὸς τὴν ἀπολογίαν σοι τὴν ὑπὲρ ἡμῶν ταῦτα
χρήσιμά ἐστι μόνον, ἀλλὰ καὶ πρὸς αὐτὴν τοῦ πράγματος τὴν
160 διοίκησιν τάχα οὐ μικρὸν συμβαλεῖται κέρδος. Καὶ γὰρ
ἀναγκαῖον τὸν μέλλοντα ἐπὶ ταύτην ἔρχεσθαι τοῦ βίου τὴν
ὁδὸν πρότερον ἅπαντα διερευνησάμενον καλῶς, οὕτως ἅψασθαι τῆς διακονίας. Τί δήποτε; Ὅτι εἰ καὶ μηδὲν ἄλλο τὸ
γοῦν μὴ ξενοπαθεῖν, ἡνίκα ἂν ταῦτα προσπίπτῃ, περιέσται
165 τῷ πάντα εἰδότι σαφῶς.

ιβ'. ⟨Περὶ χηρῶν⟩   Βούλει οὖν ἐπὶ τὴν τῶν χηρῶν
προστασίαν ἴωμεν πρότερον ἢ τὴν
τῶν παρθένων κηδεμονίαν ἢ τοῦ δικαστικοῦ μέρους τὴν
δυσχέρειαν; Καὶ γὰρ ἐφ' ἑκάστου τούτων διάφορος ἡ φροντὶς
5 καὶ τῆς φροντίδος μείζων ὁ φόβος. Καὶ πρῶτον, ἵνα ἀπὸ τοῦ
τῶν ἄλλων εὐτελεστέρου δοκοῦντος εἶναι ποιησώμεθα τὴν
ἀρχήν, ἡ τῶν χηρῶν θεραπεία δοκεῖ μὲν μέχρι τῆς τῶν
χρημάτων δαπάνης τοῖς ἐπιμελουμένοις αὐτῶν παρέχειν

---

149 ἐπιτήδειον] + δεῖ AEG D F ‖ 150-151 τὸν [οὐ om.] τοιοῦτον
post ἀντιπίπτωσι transp. AEG D ‖ 152 τὴν ἐκκλησιαστικὴν B : τῆς
ἐκκλησίας τὴν cett. ‖ 159 ἐστι B H : ἔσται cett. ‖ 165 τῷ om. B εἰδότι
BC K : εἰδέναι cett.

ιβ'. 6 ποιησώμεθα BC : ποιησόμεθα A ποιήσωμαι cett.

communauté. Il faut être à la fois noble et simple, sévère et bon, se conduire comme un chef et avoir l'abord facile, être incorruptible et obligeant, humble sans servilité, énergique et doux pour pouvoir lutter efficacement contre tous ces dangers ; il faut, avec beaucoup de liberté, même si tous s'y opposent, faire accéder aux charges celui qui en est capable et, avec la même liberté, ne pas admettre celui qui ne l'est pas, même si tous sont d'accord, mais n'avoir en vue qu'une seule chose : l'édification de l'Église[1] et ne rien faire sous l'impulsion de l'animosité ou de la complaisance.

Est-ce que nous ne te paraissons pas avoir eu raison de refuser le service de ce ministère ? Cependant, je n'ai pas encore tout développé devant toi, car j'ai encore d'autres considérations à exprimer. Ne te lasse pas d'écouter un ami véritable qui veut te persuader, et supporte de l'entendre réfuter ce que tu lui reproches ; car cela non seulement est utile pour plaider notre cause devant toi, mais t'apportera bientôt une aide non négligeable dans l'exercice du sacerdoce. En effet, il est nécessaire que celui qui va s'engager sur le chemin d'une telle vie ait d'abord tout bien examiné avant d'assumer ce service. Pourquoi ? Parce que s'il n'a pas d'autre réconfort, il lui restera du moins celui de ne pas se troubler quand les épreuves fondront sur lui, car il les connaîtra toutes clairement.

12. ⟨Sur les veuves⟩ Veux-tu donc que nous fassions passer la protection des veuves avant la sollicitude dont on entoure les vierges ou l'exercice de la justice ? En effet, le souci qu'on a dans chacun de ces domaines est différent et l'appréhension de ce souci est plus grande encore. En premier lieu, pour commencer par ce qui paraît plus simple que le reste, le soin apporté aux veuves paraît se borner à l'administration de leurs biens pour ceux qui veulent s'occuper d'elles ; cependant, il n'en

1. Cf. *Éphés.* 2, 21-22.

φροντίδα· τὸ δὲ οὐ τοιοῦτόν ἐστιν, ἀλλὰ πολλῆς δεῖται
10 κἀνταῦθα τῆς ἐξετάσεως, ὅταν αὐτὰς καταλέγειν δέῃ, ὡς τό
γε ἁπλῶς καὶ ὡς ἔτυχεν αὐτὰς ἐγγράφεσθαι μυρία εἰργάσατο
δεινά. Καὶ γὰρ οἴκους διέφθειραν καὶ διέσπασαν γάμους καὶ
ἐπὶ κλοπαῖς πολλάκις καὶ καπηλείαις καὶ ἑτέροις τοιούτοις
ἀσχημονοῦσαι ἑάλωσαν. Τὸ δὲ τὰς τοιαύτας ἀπὸ τῶν τῆς
15 Ἐκκλησίας τρέφεσθαι χρημάτων καὶ παρὰ Θεοῦ τιμωρίαν
καὶ παρὰ ἀνθρώπων φέρει τὴν ἐσχάτην κατάγνωσιν καὶ τοὺς
εὖ ποιεῖν βουλομένους ὀκνηροτέρους καθίστησι. Τίς γὰρ ἂν
ἕλοιτό ποτε, ἃ τῷ Χριστῷ προσετάχθη δοῦναι χρήματα,
ταῦτα ἀναλίσκειν εἰς τοὺς τὸ τοῦ Χριστοῦ διαβάλλοντας
20 ὄνομα; Διὰ ταῦτα πολλὴν δεῖ καὶ ἀκριβῆ ποιεῖσθαι τὴν
ἐξέτασιν, ὥστε μὴ μόνον τὰς εἰρημένας, ἀλλὰ μηδὲ τὰς
ἑαυταῖς ἐπαρκεῖν δυναμένας τὴν τῶν ἀδυνάτων λυμαίνεσθαι
τράπεζαν.

Μετὰ δὲ τὴν ἐξέτασιν ταύτην ἑτέρα διαδέχεται φροντὶς οὐ
25 μικρά, ἵνα αὐταῖς τὰ τῆς τροφῆς ἀθρόως, ὥσπερ ἐκ πηγῶν,
ἐπιρρέῃ καὶ μὴ διαλιμπάνῃ ποτέ· καὶ γὰρ ἀκόρεστόν πως
κακὸν ἡ ἀκούσιος πενία καὶ μεμψίμοιρον καὶ ἀχάριστον. Καὶ
δεῖ πολλῆς μὲν τῆς συνέσεως, πολλῆς δὲ τῆς σπουδῆς, ὥστε
αὐτῶν ἐμφράττειν τὰ στόματα, πᾶσαν ἐξαιροῦντα κατηγο-

---

9 φροντίδα BC : τὴν φροντίδα cett. ‖ 9 δεῖται B : δεῖ cett. ‖ 13 ἑτέροις
τοιούτοις B : ἔτερα [+ πολλὰ FK] τοιαῦτα cett. ‖ 16 ἀνθρώπους
AEG D F ‖ 17 ὀκνηροτέρους : σκληροτέρους AEG D ‖ 22 ἐπαρκεῖν :
ἀρκεῖν B ‖ 25 τὰ BC D : τὸ cett.

1. Le problème des veuves dans les communautés chrétiennes s'est
posé dès les temps apostoliques. Voir *I Tim.* 5, 9. Sur leur situation,
on lira avec intérêt J. DAUVILLIER dans *Histoire du droit...*, t. II
(Ier siècle), *Les temps apostoliques*, Paris 1970, p. 357-358 et p. 361
où se trouve une abondante bibliographie. Il faut distinguer deux
aspects de la question : 1) l'aide matérielle aux veuves que la mort
de leur mari met dans le besoin ; 2) l'entrée dans l'ordre des veuves
(τάξις) où elles ne peuvent être admises avant soixante ans ni sans
avoir les qualités requises pour l'éducation des enfants, le soin des
malades, l'hospitalité. Elles sont alors inscrites sur une liste à laquelle

est pas ainsi, mais là aussi un examen approfondi est nécessaire, quand il faut les choisir, en pensant que les inscrire
tout bonnement et n'importe comment pourrait avoir
mille inconvénients[1]. En effet, elles ont ruiné des maisons,
désuni des ménages et on les a surprises souvent à voler,
à se livrer à des commerces illicites et à d'autres pratiques
du même genre[2]. Le fait que de telles personnes vivent des
ressources de l'Église entraîne de la part de Dieu le châtiment, de la part des hommes la plus sévère condamnation
et remplit de crainte ceux qui leur veulent du bien. Qui
donc choisirait de dépenser les richesses qu'on a reçu la
charge de donner au Christ[3] pour des personnes qui discréditent le nom du Christ ? C'est pourquoi il faut se livrer
à un examen sérieux et approfondi pour que, non seulement celles dont j'ai parlé, mais aussi celles qui peuvent
se suffire à elles-mêmes ne portent pas préjudice à la table
des pauvres[4].

Après cet examen vient un autre souci qui n'est pas
négligeable, c'est que les choses nécessaires à leur entretien
leur arrivent en abondance, comme de sources, et qu'il n'y
ait jamais d'interruption ; en effet, la pauvreté qu'on subit
malgré soi est un mal en quelque sorte insatiable qui porte
aux récriminations et à l'ingratitude. Et il faut beaucoup
d'intelligence, beaucoup de zèle pour leur fermer la bouche
en supprimant tout prétexte d'accusation. La plupart des

Jean fait allusion. Cf. *In illud :* « *Vidua eligatur* », 3, *P G* 51, 323.
Voir J. DAUVILLIER, *loc. cit.*, chap. III, p. 619.

2. Jean fait sans doute allusion ici à des entremetteuses qu'il désigne
par les termes μαστροποί et προαγωγοί, *In epist. I ad Cor. hom.* XXX,
4, *P G* 61, 225, en soulignant que les veuves honnêtes se refusent à
exercer de tels métiers.

3. Sur le thème : le pauvre, c'est le Christ, voir *In Ioannem hom.*
LIX, 4, *P G* 59, 328 ; *In Act. apost. hom.* XLV, 4, *P G* 60, 319.

4. La répartition des biens entre les membres de la communauté
chrétienne qui sont dans le besoin est l'affaire de ceux qui la dirigent.
Cf. *Tite* 1, 6-9. D'où le souci de donner aux veuves qui sont réellement
dans le besoin.

30 ρίας πρόφασιν. Οἱ μὲν οὖν πολλοί, ὅταν τινὰ ἴδωσι χρημάτων
κρείττονα, εὐθέως αὐτὸν ἐπιτήδειον εἶναι πρὸς ταύτην
ἀποφαίνονται τὴν οἰκονομίαν· ἐγὼ δὲ οὐχ ἡγοῦμαί ποτε
ταύτην αὐτῷ τὴν μεγαλοψυχίαν ἀρκεῖν μόνον, ἀλλὰ δεῖ μὲν
αὐτὴν πρὸ τῶν ἄλλων ἔχειν — χωρὶς γὰρ ταύτης λυμεὼν ἂν
35 εἴη μᾶλλον ἢ προστάτης καὶ λύκος ἀντὶ ποιμένος —, μετὰ δὲ
αὐτῆς καὶ ἑτέραν ζητεῖν εἰ κεκτημένος τυγχάνοι. Αὕτη δέ
ἐστιν ἡ πάντων αἰτία ἀνθρώποις τῶν ἀγαθῶν, ἀνεξικακία,
ὥσπερ εἴς τινα εὔδιον λιμένα ὁρμίζουσα καὶ παραπέμπουσα
τὴν ψυχήν. Τὸ γὰρ τῶν χηρῶν γένος καὶ διὰ τὴν πενίαν καὶ
40 διὰ τὴν ἡλικίαν καὶ διὰ τὴν φύσιν ἀμέτρῳ τινὶ κέχρηται
παρρησίᾳ — οὕτω γὰρ ἄμεινον εἰπεῖν — καὶ βοῶσιν ἀκαίρως
καὶ αἰτιῶνται μάτην καὶ ἀποδύρονται ὑπὲρ ὧν χάριν εἰδέναι
ἐχρῆν καὶ κατηγοροῦσιν ὑπὲρ ὧν ἀποδέχεσθαι ἔδει. Καὶ δεῖ
τὸν προεστῶτα ἅπαντα φέρειν γενναίως καὶ μήτε πρὸς τὰς
45 ἀκαίρους ἐνοχλήσεις, μήτε πρὸς τὰς ἀλόγους παροξύνεσθαι
μέμψεις. Ἐλεεῖσθαι γὰρ ἐκεῖνο τὸ γένος ὑπὲρ ὧν δυστυ-
χοῦσιν, οὐχ ὑβρίζεσθαι, δίκαιον· ὡς τό γε ἐπεμβαίνειν αὐτῶν
ταῖς συμφοραῖς καὶ τῇ διὰ τὴν πενίαν ὀδύνῃ τὴν ἀπὸ τῆς
ὕβρεως προστιθέναι, τῆς ἐσχάτης ὠμότητος ἂν εἴη.
50 Διὰ τοῦτο καί τις ἀνὴρ σοφώτατος, εἴς τε τὸ φιλοκερδὲς καὶ
τὸ ὑπεροπτικὸν τῆς ἀνθρωπίνης φύσεως ἀπιδὼν καὶ τῆς
πενίας τὴν φύσιν καταμαθὼν δεινὴν οὖσαν καὶ τὴν γενναιοτά-
την ψυχὴν καταβαλεῖν καὶ πεῖσαι περὶ τῶν αὐτῶν ἀναισχυντεῖν πολλάκις, ἵνα μή τις αἰτούμενος παρ' αὐτῶν ὀργίζηται,
55 μηδὲ τῷ συνεχεῖ τῆς ἐντεύξεως παροξυνθεὶς πολέμιος ὁ

---

30 κατηγορίας B K : κακίας D κακηγορίας cett. ‖ 33 ἀρκεῖν μόνον
B : μόνην ἀρκεῖν cett. ‖ 33 δεῖ B : δεῖν cett. ‖ 34 ἔχειν om. B ‖ 35 δὲ
om. AEG D ‖ 36 αὐτῆς BC FH : ταύτης cett. ‖ 36 ζητεῖν BC HK :
ζητεῖν δεῖ A δεῖ ζητεῖν cett. ‖ 38 εἰς om. C ‖ 38 παραπέμπουσα om.
BC ‖ 43 κατηγοροῦσιν BC D K : κακηγοροῦσιν cett. ‖ 50 σοφώτατος : σόφος J.

1. Le rôle du προστάτης n'est pas moins important dans l'Église,
par suite de la situation dépendante des veuves et des vierges, que
dans la cité. Cf. *De inani gloria, SC* 188, p. 77, note 3.

gens, lorsqu'ils voient quelqu'un d'incorruptible, pro-
clament aussitôt qu'un tel homme est propre à l'exercice
de cette fonction ; cependant, à mon avis, le désintéresse-
ment ne suffit pas, mais il faut l'avoir de préférence aux
autres qualités — car sans lui on serait un fléau plus qu'un
protecteur[1], un loup au lieu d'un berger —, et avec lui il
faut chercher si on n'en possède pas encore une autre. Celle-
ci, qui est à l'origine de tous les biens pour les hommes,
c'est la patience ; elle conduit et accompagne l'âme dans
une sorte de port abrité. La catégorie des veuves, à cause
de leur pauvreté, de leur âge, de leur nature a une audace
sans bornes — c'est le mieux qu'on puisse dire —, elles
crient à contretemps, elles accusent sans raison, elles
accueillent en récriminant des choses pour lesquelles il
faudrait remercier, elles décrient les choses qu'elles
devraient accepter avec plaisir. Il faut que celui qui préside
la communauté supporte tout de façon magnanime et qu'il
ne se fâche ni devant les récriminations intempestives, ni
devant les reproches déraisonnables. En effet, il est juste
d'avoir pitié de cette catégorie de femmes dans les domaines
où elles sont malheureuses, mais non de subir leurs insolences ; d'ailleurs insulter à leurs malheurs et ajouter à la
souffrance causée par la pauvreté celle de se voir traitées
sans ménagements, ce serait de la dernière cruauté.

C'est pourquoi un homme plein de sagesse[2], tenant
compte de l'amour du gain et du penchant au dédain qui
sont le propre de la nature humaine et sachant que la
pauvreté est en soi pénible et qu'elle abat l'âme la plus
noble, qu'elle porte souvent à l'insolence dans des cas
analogues, pour que l'on ne se fâche pas lorsqu'on est accusé
par elles et que celui qui doit leur venir en aide, exaspéré
par leurs visites fréquentes, n'éprouve pas à leur égard des

2. Les auteurs anciens ne citent leurs sources qu'en termes vagues.
Il s'agit ici de Jésus, fils de Sirach, auteur de l'*Ecclésiastique*. Le texte
cité par Jean ajoute ἀλύπως qui n'est pas dans le texte reçu.

βοηθεῖν ὀφείλων γένηται, παρασκευάζει προσηνῆ τε αὐτὸν
καὶ εὐπρόσιτον εἶναι τῷ δεομένῳ, λέγων· « Κλῖνον πτωχῷ
ἀλύπως τὸ οὖς σου, καὶ ἀποκρίθητι αὐτῷ ἐν πραότητι
εἰρηνικά[p]. » Καὶ τὸν παροξύνοντα ἀφείς — τί γὰρ ἄν τις
60 τῷ κειμένῳ λέγοι; — τῷ δυναμένῳ τὴν ἐκείνου φέρειν
ἀσθένειαν διαλέγεται, παρακαλῶν τῷ τε ἡμέρῳ τῆς ὄψεως
καὶ τῇ τῶν λόγων πραότητι πρὸ τῆς δόσεως αὐτὸν ἀνορθοῦν.
Ἄν δέ τις τὰ μὲν ἐκείνων μὴ λαμβάνῃ, μυρίοις δὲ αὐτὰς
ὀνείδεσι περιβάλλῃ καὶ ὑβρίζῃ καὶ παροξύνηται κατ' αὐτῶν,
65 οὐ μόνον οὐκ ἐπεκούφισε τὴν ἀπὸ τῆς πενίας ἀθυμίαν τῷ
δοῦναι, ἀλλὰ καὶ μεῖζον ταῖς λοιδορίαις εἰργάσατο τὸ δεινόν.
Κἂν γὰρ λίαν ἀναισχυντεῖν βιάζωνται διὰ τὴν τῆς γαστρὸς
ἀνάγκην, ἀλλ' ὅμως ἀλγοῦσιν ἐπὶ τῇ βίᾳ ταύτῃ· ὅταν οὖν διὰ
μὲν τὸ τοῦ λιμοῦ δέος προσαιτεῖν ἀναγκάζωνται, διὰ δὲ τὸ
70 προσαιτεῖν ἀναιδεύεσθαι, διὰ δὲ τὸ ἀναιδεύεσθαι πάλιν
ὑβρίζωνται, ποικίλη τις καὶ πολὺν φέρουσα τὸν ζόφον ἐπὶ
τὴν ψυχὴν ἐκείνων κατασκήπτει τῆς ἀθυμίας ἡ δύναμις.
Καὶ δεῖ τὸν τούτων ἐπιμελούμενον ἐπὶ τοσοῦτον εἶναι μακρό-
θυμον ὡς μὴ μόνον αὐταῖς μὴ πλεονάζειν τὴν ἀθυμίαν ταῖς
75 ἀγανακτήσεσιν, ἀλλὰ καὶ τῆς οὔσης τὸ πλέον κοιμίζειν διὰ
τῆς παρακλήσεως· ὥσπερ γὰρ ἐκεῖνος ὁ ὑβρισθεὶς οὐκ
αἰσθάνεται τῆς ἀπὸ τῶν χρημάτων ὠφελείας διὰ τὴν ἀπὸ
τῆς ὕβρεως πληγήν, οὕτως οὗτος ὁ προσηνῆ λόγον ἀκούσας
καὶ μετὰ παρακλήσεως τὸ διδόμενον δεξάμενος, γάνυται

56 γίγνηται C ‖ 57 λέγει C ‖ 57 Κλῖνον : κλίνων C κλίνε A κλίναι
EG D ‖ 68-69 οὖν διὰ μὲν : μὲν οὖν διὰ C AEG D F ‖ 70 διὰ δὲ τὸ
ἀναιδεύεσθαι[2] mg rec. manu B.

p. Sir. 4, 8

1. Le mot μακρόθυμος, pris ici dans son sens ordinaire, *qui a de la
patience*, est plus souvent employé par Jean pour parler de la longa-
nimité de Dieu. Voir A.-M. MALINGREY, « Les délais de la justice divine
chez Plutarque et dans la littérature judéo-chrétienne », *Actes du
VIIIᵉ Congrès de l'Association Guillaume Budé*, Paris 1968, p. 542-
550. Dans le contexte présent, il n'est pas impossible que Jean

sentiments hostiles, incite à être affable et accueillant pour
le quémandeur en disant : « Incline ton oreille vers le pauvre
sans lui causer de chagrin, réponds-lui avec douceur des
paroles apaisantes[p]. » S'il ne mentionne pas celui qui vous
exaspère — que dire, en effet, à celui qui se trouve là devant
vous ? —, il s'adresse à celui qui peut soulager la pauvreté
de cet homme en lui conseillant avant tout de faire l'au-
mône, de le réconforter par la bonté de son regard, par la
douceur de ses paroles.

Mais si on ne prend pas l'argent des veuves, il y a mille
manières de les accabler de reproches, de les insulter, de
s'irriter contre elles ; non seulement on n'allège pas la
tristesse résultant de leur pauvreté en leur faisant un don,
mais on le rend encore plus insupportable en le leur repro-
chant. Même si elles sont contraintes de tomber dans un
excès d'insolence par les exigences de leur estomac, cependant elles souffrent de cette contrainte ; donc lorsqu'elles
sont forcées de mendier sous la pression de la faim et de se
conduire sans retenue parce qu'elles mendient et, en retour,
lorsqu'on leur reproche violemment de manquer de retenue,
alors, la tristesse qui a, en quelque sorte, de multiples
causes, s'abat violemment sur leur âme et la plonge dans
les ténèbres. Il faut que celui qui s'occupe d'elles ait assez
de patience[1] non seulement pour ne pas augmenter leur
tristesse en les irritant, mais pour en calmer l'excès en
les consolant ; en effet, celui à qui on a fait outrage[2] ne voit
pas à quoi peuvent lui servir ses richesses, frappé qu'il est
par l'outrage ; en revanche celui qui a entendu de douces
paroles et qui a reçu ce qu'on lui donnait accompagné

demande à l'évêque d'avoir pour les veuves la μακροθυμία de Dieu
à l'égard des pécheurs.
   2. Dans son édition de 1599, Hoeschel (voir plus haut, Histoire des
éditions, p. 44) mentionne en marge un membre de phrase, ἐν πολλῇ
περιουσίᾳ, qui suit ὁ ὑβρισθείς d'après l'*Augustanus*, actuellement
Monacensis 354. Nairn qui a utilisé ce ms. a intégré ce membre de
phrase dans le texte. Mais nous le considérons comme une glose.

80 πλέον καὶ χαίρει καὶ διπλοῦν αὐτῷ τὸ δοθὲν τῷ τρόπῳ γίνεται.
Καὶ ταῦτα οὐκ ἀπ' ἐμαυτοῦ, ἀλλ' ἀπ' ἐκείνου τοῦ τὰ πρότερα
παραινέσαντος φθέγγομαι· « Τέκνον γάρ, φησίν, ἐν ἀγαθοῖς
μὴ δῷς μῶμον καὶ ἐν πάσῃ δόσει λύπην λόγου. Οὐχὶ καύσωνα
ἀναπαύσει δρόσος; Οὕτω κρεῖσσον λόγος ἢ δόσις. Ἰδοὺ γὰρ
85 λόγος ὑπὲρ δόμα ἀγαθὸν καὶ ἀμφότερα παρὰ ἀνδρὶ κεχαρι-
τωμένῳ q. »

Οὐκ ἐπιεικὴ δὲ μόνον καὶ ἀνεξίκακον τὸν τούτων προστά-
την, ἀλλὰ καὶ οἰκονομικὸν οὐχ ἧττον εἶναι χρὴ ὡς, ἐὰν τοῦτο
ἀπῇ, πάλιν εἰς τὴν ἴσην περιΐσταται ζημίαν τὰ τῶν πενήτων
90 χρήματα. Ἤδη γάρ τις ταύτην πιστευθεὶς τὴν διακονίαν καὶ
χρυσὸν συναγαγὼν πολύν, αὐτὸς μὲν οὐ κατέφαγεν, ἀλλ' οὐδὲ
εἰς τοὺς δεομένους πλὴν ὀλίγων ἀνήλωσε, τὸ δὲ πλέον κατο-
ρύξας ἐφύλαττεν, ἕως οὗ καιρὸς χαλεπὸς ἐπιστὰς παρέδωκεν
αὐτὰ ταῖς τῶν ἐναντίων χερσί. Πολλῆς οὖν δεῖ τῆς προμη-
95 θείας ὡς μήτε πλεονάζειν μήτε ἐλλείπειν τῆς Ἐκκλησίας τὴν
περιουσίαν, ἀλλὰ πάντα μὲν σκορπίζειν ταχέως τοῖς δεομένοις τὰ ποριζόμενα, ἐν δὲ ταῖς τῶν ἀρχομένων προαιρέσεσι
συνάγειν τῆς Ἐκκλησίας τοὺς θησαυρούς.

Τὰς δὲ τῶν ξένων ὑποδοχὰς καὶ τὰς τῶν ἀσθενούντων
100 θεραπείας, πόσης μὲν οἴει δεῖσθαι χρημάτων δαπάνης, πόσης
δὲ τῆς τῶν ἐπιστατούντων ἀκριβείας τε καὶ συνέσεως; Καὶ
γὰρ τῆς εἰρημένης ἀναλώσεως ταύτην ἥττονα μὲν οὐδαμῶς,
πολλάκις δὲ καὶ μείζονα εἶναι ἀνάγκη, καὶ τὸν ἐπιστατοῦντα
ποριστικόν τινα μετ' εὐλαβείας καὶ φρονήσεως ὡς παρασκευά-

---

80 αὐτῷ BC : αὐτὸ E om. cett. ‖ 95 ὡς μήτε : ὥστε μὴ C ‖ 99
ἀσθενούντων : νοσούντων C ‖ 104 μετ' B K : μετὰ cett. ‖ καὶ : τε καὶ
C ‖ 104 φρονήσεως : συνέσεως C ‖ 104 ὡς om. C.

q. Sir. 18, 15-17

1. Cf. *II Cor.* 9, 7 et *Prov.* 22, 8.
2. Sur l'importance de la gestion des biens de l'Église à cette époque,
voir G. Dagron, *Naissance d'une capitale*, Paris 1974, chap. xvi,
p. 498 s.
3. G. Dagron, *loc. cit.*, p. 509, résume ainsi la situation que Jean

d'encouragements est bien plus heureux, se réjouit et ce qu'on lui a donné a pour lui double valeur par la manière dont on lui a donné[1]. Ce que je dis là ne vient pas de moi, mais je parle d'après celui qui donnait des conseils tout à l'heure : « Mon enfant, dit-il, ne mêle pas les reproches aux cadeaux et quand tu donnes, ne prononce pas des paroles qui font de la peine. La rosée n'apaisera-t-elle pas les brûlures ? Ainsi la parole vaut mieux que le don et les deux se trouvent chez l'homme charitable[q]. »

Non seulement celui qui s'occupe des veuves doit être plein de modération et patient, mais il ne doit pas moins être un bon administrateur. Si cette qualité fait défaut, les biens des pauvres se trouvent encore exposés à un danger non moins grand[2]. Quelqu'un à qui l'on avait confié ce service et qui avait amassé beaucoup d'or n'en dépensa qu'une petite quantité, mais le gardait en ayant enfoui la plus grande partie dans la terre, jusqu'à ce qu'un danger survenu le livre aux mains de ses ennemis. Il faut donc beaucoup de prévoyance pour que les ressources de l'Église ne soient ni au-dessus ni au-dessous de la bonne mesure, mais il faut distribuer rapidement les dons à ceux qui en ont besoin et d'autre part collecter les richesses de l'Église en faisant appel aux bonnes dispositions des fidèles[3].

L'accueil des étrangers et le soin des malades[4], quelle dépense d'argent crois-tu que cela exige ? quel discernement et quelle intelligence de la part de ceux qui en ont la gestion ? En effet, c'est une nécessité que cette dépense ne soit pas inférieure au budget dont nous venons de parler, mais souvent qu'elle soit supérieure et que celui qui en a la gestion soit en quelque sorte le pourvoyeur, en prenant

connaîtra, cette fois par expérience, à Constantinople : « L'Église, riche en elle-même, contrôle plus ou moins le monde des riches et a en charge le monde des pauvres. »

4. Avec le concours d'Olympias, Jean se dépensera plus tard à Constantinople pour assurer l'accueil des étrangers et le soin des malades. Voir *Lettres à Olympias*, SC 13 bis, Introd., p. 19-20.

105 ζειν καὶ φιλοτίμως καὶ ἀλύπως διδόναι τοὺς κεκτημένους τὰ
παρ' αὐτῶν, ἵνα μὴ τῆς τῶν ἀσθενούντων ἀναπαύσεως
προνοῶν τὰς τῶν παρεχόντων πλήττῃ ψυχάς. Τὴν δὲ προθυμίαν καὶ τὴν σπουδὴν πολλῷ πλείονα ἐνταῦθα ἐπιδείκνυσθαι δεῖ·
δυσάρεστον γάρ πως οἱ νοσοῦντες χρῆμα καὶ ῥάθυμον. Κἂν
110 μὴ πολλὴ πανταχόθεν εἰσφέρηται ἀκρίβεια καὶ φροντίς,
ἀρκεῖ καὶ τὸ μικρὸν ἐκεῖνο παροφθὲν μεγάλα ἐργάσασθαι
τῷ νοσοῦντι κακά.

ιγ'. Περὶ παρθένων
          Ἐπὶ δὲ τῆς τῶν παρθένων ἐπι-
μελείας τοσούτῳ μείζων ὁ φόβος
ὅσῳ καὶ τὸ κτῆμα τιμιώτερον καὶ βασιλικωτέρα αὕτη τῶν
ἄλλων ἡ ἀγέλη· ἤδη γὰρ καὶ εἰς τὸν τῶν ἁγίων τούτων χορὸν
5 μυρίαι μυρίων γέμουσαι κακῶν εἰσεκώμασαν, μεῖζον δὲ
ἐνταῦθα τὸ πένθος. Καὶ καθάπερ οὐκ ἴσον κόρην τε ἐλευθέραν
καὶ τὴν ταύτης θεράπαιναν ἁμαρτεῖν, οὕτως οὐδὲ παρθένον
καὶ χήραν. Ταῖς μὲν γὰρ καὶ ληρεῖν καὶ λοιδορεῖσθαι πρὸς
ἀλλήλας καὶ κολακεύειν καὶ ἀναισχυντεῖν καὶ πανταχοῦ
10 φαίνεσθαι καὶ τὸ περιϊέναι τὴν ἀγορὰν γέγονεν ἀδιάφορον·
ἡ δὲ παρθένος ἐπὶ μείζοσιν ἀπεδύσατο καὶ τὴν ἀνωτάτω
φιλοσοφίαν ἐζήλωσε καὶ τὴν τῶν ἀγγέλων πολιτείαν δεῖξαι

108 προθυμίαν : μακροθυμίαν C A K ‖ 108 πολλῷ B : πολύ cett. ‖
108 δεῖ : χρή C F.

ιγ'. 3-4 αὐτῶν τῶν ἄλλων αὕτη D ‖ 5 — 30 μεῖζον δὲ — μὲν οὐδέν
f⁰ 196ᵛ in margine rec. manu B.

1. Jean aime à employer l'adjectif βασιλικός et son comparatif
pour marquer une excellence dont le choix du roi est la garantie
(allusion au Ps. 44, 12).

2. Le verbe εἰσκωμάζω signifie, à l'origine, se joindre au cômos dans
les Bacchanales. Malgré l'usure du temps, il garde ici une nuance
péjorative portant non sur le chœur des vierges, mais sur le fait
que certaines y sont entrées avec désinvolture, par effraction et sans
en être dignes.

3. Voir In epist. I ad Tim. hom. XIII, 2, P G 62, 566 où Jean trace
le portrait de la veuve qui mérite le respect, et In illud : « Vidua eligatur » 3, P G 51, 324 où il énumère les défauts prêtés communément aux

soin de disposer ceux qui possèdent à donner leur fortune avec générosité et sans regret, pour qu'en veillant au soulagement des malades il ne blesse pas l'âme de ceux qui fournissent les ressources. Il faut montrer ici beaucoup plus d'ardeur et d'empressement, car les malades sont un sujet de préoccupation en quelque sorte difficile et facile. Si l'on n'apporte pas dans tous les domaines un grand discernement et de la réflexion, le petit point qu'on a négligé suffit pour causer au malade de grands maux.

13. Sur les vierges Quand il s'agit du soin qu'on prend des vierges, la crainte est d'autant plus grande que le dépôt est plus précieux et que leur troupe, plus que les autres, a les faveurs du roi[1] ; récemment, en effet, dans ce chœur de saintes personnes, bien des femmes qui sont pourvues de bien des défauts ont fait irruption[2] ; mais ici la douleur est beaucoup plus grande. De même qu'il n'y a pas de commune mesure entre la faute de la jeune fille de race noble et celle de sa servante, de même quand il s'agit d'une vierge et d'une veuve. Que celles-ci se livrent aux bavardages, aux disputes mutuelles, aux flatteries, aux propos impudents, qu'elles se fassent voir partout, qu'elles aillent et viennent sur l'agora[3], cela n'a pas d'importance ; mais une vierge s'est préparée à de plus rudes combats[4], elle a choisi la philosophie d'en haut[5], elle fait profession de montrer sur la terre comment vivent

veuves : « Elles sont bavardes, agitées, elles font le tour des maisons, elles disent ce qu'il ne faut pas, elles se sont mises à la suite de Satan. »

4. Le thème du combat spirituel (*Éphés.* 6, 10-13) se fait entendre souvent comme une sorte de fond sonore dans les discours de Jean dont la nature énergique est accordée à cette comparaison. Comme tous ses prédécesseurs qui ont fait l'éloge de la virginité, Jean la considère comme l'état le plus agréable à Dieu. Cf. *In epist. I ad Tim. hom.* IX, 1, *P G* 62, 545 ; *De virg.* XXXIV, *SC* 125, p. 198 s.

5. Expression volontiers employée par Jean pour caractériser l'état de virginité, *De virg.* XVI, *SC* 125, p. 148, li. 23-24, τὴν οὐράνιον φιλοσοφίαν. *Ibid.* L, p. 286, li. 19, τῆς ἄκρας φιλοσοφίας.

ἐπὶ γῆς ἐπαγγέλλεται καὶ μετὰ τῆς σαρκὸς ταύτης τὰ τῶν
ἀσωμάτων αὐτῇ δυνάμεων κατορθῶσαι πρόκειται. Καὶ οὐ
15 δεῖ οὔτε προόδους περιττὰς ποιεῖσθαι καὶ πολλάς, οὔτε
ῥήματα αὐτῇ φθέγγεσθαι εἰκῇ καὶ μάτην ἐφεῖται, λοιδορίας
δὲ καὶ κολακείας οὐδὲ τοὔνομα εἰδέναι χρή.
    Διὰ τοῦτο ἀσφαλεστάτης φυλακῆς καὶ πλείονος δεῖται τῆς
συμμαχίας. Ὅτε γὰρ τῆς ἁγιωσύνης ἐχθρὸς ἀεὶ καὶ μᾶλλον
20 αὐταῖς ἐφέστηκε καὶ προσεδρεύει, καταπιεῖν ἕτοιμος, εἴ
πού τις ἐξολισθήσειε καὶ καταπέσοι, ἀνθρώπων τε οἱ ἐπιβουλεύοντες πολλοὶ καὶ μετὰ τούτων ἁπάντων ἡ τῆς φύσεως
μανία· καὶ πρὸς διπλοῦν τὸν πόλεμον ἡ παράταξις αὐτή, τὸν
μὲν ἔξωθεν προσβάλλοντα, τὸν δὲ ἔσωθεν ἐνοχλοῦντα. Διὰ
25 ταῦτα τῷ γοῦν ἐπιστατοῦντι πολὺς μὲν ὁ φόβος, μείζων δὲ
ὁ κίνδυνος καὶ ἡ ὀδύνη, εἴ τι τῶν ἀβουλήτων — ὃ μὴ γένοιτο —
συμβαίη ποτέ. Εἰ γὰρ « πατρὶ θυγάτηρ ἀπόκρυφος ἀγρυπνία,
καὶ ἡ μέριμνα αὐτῆς ἀφιστᾷ ὕπνον[r] », ὅπου περὶ τοῦ στειρω-
θῆναι ἢ παρακμάσαι ἢ μισηθῆναι τοσοῦτον δέος, τί πείσεται
30 ὁ τούτων μὲν οὐδέν, ἕτερα δὲ τούτων πολλῷ μείζονα μεριμνῶν;
οὐ γὰρ ἀνὴρ ἐνταῦθα ὁ ἀθετούμενος, ἀλλ᾿αὐτὸς ὁ Χριστός·
οὐδὲ μέχρις ὀνειδῶν ἡ στείρωσις, ἀλλ᾿ εἰς ἀπώλειαν ψυχῆς
τελευτᾷ τὸ δεινόν. « Πᾶν γὰρ δένδρον, φησί, μὴ ποιοῦν καρ-
πὸν καλὸν ἐκκόπτεται καὶ εἰς πῦρ βάλλεται[s]. » Καὶ μισηθείσῃ
35 δὲ παρὰ τοῦ νυμφίου οὐκ ἀρκεῖ λαβεῖν ἀποστασίου βιβλίον

14-15 οὐ δεῖ B FK : om. cett. ‖ 15 οὔτε : οὐδὲ C ‖ καὶ om. K ‖ 16
ἐφεῖται : ἐφίεται C F ἀφίεται AEG ‖ 18 τοῦτο : ταῦτα C τὰ AEG F
‖ 18 ἀσφαλεστάτης BC HJK : ἀσφαλέστατα cett. ‖ 23 πρὸς : ἁπλῶς
rec. manu B ‖ 24 ἔσωθεν : ἔνδοθεν K ‖ 25 γοῦν : τούτων C ‖ 26-27 εἴ
τι ... ποτέ : εἴ ποτέ τι K ‖ 28 ὅπου] + ἢ C + δὲ E ‖ 30 — 41 ἕτερα
δὲ — εἰς ἀγορὰν f° 197 in ima pagina rec. manu B ‖ 30 πολλῷ : πολὺ C.

r. Sir. 42, 9   s. Matth. 3, 10

1. *Adv. Judaeos orat.* IV, 5, *PG* 48, 879. Daniel et les trois jeunes
gens ont pratiqué la *philosophie des anges* : Οὗτοι γοῦν οἱ τῇ φιλοσοφίᾳ
τῶν ἀγγέλων ἐπιδειξάμενοι ἐφαμίλλους πολιτείας ἐπὶ τῆς γῆς. « Ceux-
là, certes, ont montré sur la terre une manière de vivre qui pouvait
rivaliser avec la philosophie des anges. »

les anges[1] et, tout en étant dans la chair, elle se propose
d'imiter les vertus des puissances incorporelles. Elle ne doit
ni faire des allées et venues inutiles et nombreuses, ni prononcer des paroles au hasard et sans raison ; il ne faut même
pas qu'elle connaisse les mots d'injure et de flatterie.

C'est pourquoi il est besoin d'une surveillance très étroite
et d'une assistance plus grande. En effet, alors que l'ennemi
de la sainteté les menace sans cesse et les assiège plus que
d'autres, prêt à les dévorer[2] si l'une glisse et tombe, il y a
aussi bien des hommes pour leur tendre des pièges et, en
plus de tous ces dangers, la folie inhérente à la nature ;
à cette double guerre, celle qui l'attaque de l'extérieur,
celle qui la trouble de l'intérieur, elle doit faire face. Aussi
pour celui qui en est chargé grande est la crainte, mais plus
grands encore sont le danger et le chagrin s'il arrive — et
puisse cela ne pas arriver — quelque chose qu'il ne voulait
pas. En effet, si « une jeune fille est pour son père un secret
sujet d'insomnie, si le souci qu'il a d'elle l'empêche de dor-
mir[r] », parce qu'il craint tellement qu'elle ne puisse avoir
d'enfant ou qu'elle reste pour compte ou que son mari ne
l'aime pas, qu'éprouvera celui qui n'a aucun de ces soucis,
mais d'autres beaucoup plus grands ? Ici, ce n'est plus un
homme qui la repousse, mais le Christ lui-même, ce n'est
plus d'être stérile qu'on lui reproche, mais ce qu'on redoute
aboutit à la perte de l'âme. « Tout arbre, dit le Christ, qui
ne porte pas de bons fruits est coupé et jeté au feu[8]. »
Quand on est un objet de haine de la part de l'Époux, il ne
suffit pas de prendre l'acte de répudiation[3] et de s'en aller,

---

2. Il s'agit de Satan. Cf. *I Pierre* 5, 8 où est employé le même verbe :
κατaπίνω.

3. Les termes employés ici par Jean sont très forts, sans doute à
dessein, pour faire sentir l'horreur de l'infidélité. Le thème de la
vierge unie au Christ comme à son époux a sa source en *II Cor.* 11, 2.
Sur la loi de Moïse permettant la répudiation, voir *Mc* 10, 1-12.
Jean lui-même a prononcé l'homélie *De libello repudii* commentant
I Cor. 7, 11, *P G* 51, 217-226.

καὶ ἀπελθεῖν, ἀλλὰ κόλασιν αἰώνιον τοῦ μίσους δίδωσι τὴν
τιμωρίαν. Καὶ ὁ μὲν κατὰ σάρκα πατὴρ πολλὰ ἔχει τὰ ποιοῦντα αὐτῷ τὴν φυλακὴν εὔκολον τῆς θυγατρός· καὶ γὰρ καὶ
μήτηρ καὶ τροφὸς καὶ θεραπαινῶν πλῆθος καὶ οἰκίας ἀσφά-
40 λεια συναντιλαμβάνεται τῷ γεννησαμένῳ πρὸς τὴν τῆς παρθένου τήρησιν· οὔτε γὰρ εἰς ἀγορὰν αὐτὴν ἐμβάλλειν ἐφίεται
συνεχῶς, οὔτε, ἡνίκα ἂν ἐμβάλλῃ, φαίνεσθαί τινι τῶν ἐντυγχα-
νόντων ἀναγκάζεται, τοῦ σκότους τῆς ἑσπέρας οὐχ ἧττον τῶν
τῆς οἰκίας τοίχων καλύπτοντος τὴν φανῆναι μὴ βουλομένην.
45 Χωρὶς δὲ τούτων πάσης αἰτίας ἀπήλλακται, ὡς μὴ ἄν ποτε
εἰς ἀνδρῶν ὄψιν βιασθῆναι ἐλθεῖν· οὔτε γὰρ ἡ τῶν ἀναγκαίων
φροντίς, οὔτε αἱ τῶν ἀδικούντων ἐπήρειαι, οὐδ' ἄλλο τοιοῦτον
οὐδὲν εἰς ἀνάγκην αὐτὴν τοιαύτης συντυχίας καθίστησιν, ἀντὶ
πάντων αὐτῇ γινομένου τοῦ πατρός· αὐτὴ δὲ μίαν ἔχει
50 φροντίδα μόνον, τὸ μηδὲν ἀνάξιον μήτε πρᾶξαι μήτε εἰπεῖν
τῆς αὐτῇ προσηκούσης κοσμιότητος.

Ἐνταῦθα δὲ πολλὰ τὰ ποιοῦντα τῷ πατρὶ δύσκολον, μᾶλλον
δὲ καὶ ἀδύνατον τὴν φυλακήν· οὔτε γὰρ ἔνδον ἔχειν αὐτὴν
μεθ' ἑαυτοῦ δύναιτ' ἄν· οὔτε γὰρ εὐσχήμων οὔτε ἀκίνδυνος ἡ
55 τοιαύτη συνοίκησις. Κἂν γὰρ μηδὲν αὐτοὶ ζημιωθῶσιν, ἀλλ'
ἀκεραίαν μείνωσι τὴν ἁγιωσύνην φυλάττοντες, οὐκ ἐλάττονα
δώσουσι λόγον ὑπὲρ ὧν ἐσκανδάλισαν ψυχῶν ἢ εἰ εἰς ἀλλήλους
ἁμαρτάνοντες ἔτυχον. Τούτου δὲ οὐκ ὄντος δυνατοῦ, οὔτε τὰ
κινήματα τῆς ψυχῆς καταμαθεῖν εὔπορον καὶ τὰ μὲν ἀτάκτως
60 φερόμενα περικόψαι, τὰ δὲ ἐν τάξει καὶ ῥυθμῷ μᾶλλον ἀσκῆσαι
καὶ ἐπὶ τὸ βέλτιον ἀγαγεῖν, οὔτε τὰς ἐξόδους περιεργάζεσθαι ῥᾴδιον. Ἡ γὰρ πενία καὶ τὸ ἀπροστάτευτον οὐκ ἀφίη-

---

41-48 αὐτὴν ἐμβάλλειν — οὐδέν f° 197 in inf. marg. rec. manu B ‖
41 αὐτὴν : αὐτῇ C HJK ‖ 41 ἐμβάλλειν : ἐμβαλεῖν C ἐκβάλλειν E ‖ 47
οὐδ' : οὔτε C K ‖ 55 Κἂν B : ὅταν cett. ‖ 61 τὸ BC F : τι cett.

1. Sur l'évêque, père de tous, voir *Cum presbyter* 4, li. 294-295 et,
plus encore, un texte qui date de la période de Constantinople, *De
recipiendo Severiano*, *PG* 52, 425 où Jean revendique avec émotion

mais celui-ci impose la punition dictée par la haine : un châtiment éternel. Le père selon la chair a bien des moyens pour assurer la garde efficace de sa fille ; en effet, mère, nourrice, foule des servantes, sécurité de la maison s'unissent pour aider celui qui l'a engendrée à surveiller la vierge ; il ne lui permet pas de s'en aller constamment sur l'agora et, lorsqu'elle y va, il ne la contraint pas à se montrer au premier venu : l'ombre du soir aussi bien que les murs de la maison cachent celle qui ne veut pas qu'on la voie. Indépendamment de cela, elle est à l'abri de tout motif valable pour être forcée de paraître à la vue des hommes ; car ni le souci de se procurer les choses nécessaires, ni les provocations d'hommes malhonnêtes, ni rien d'autre d'analogue ne l'amène à la nécessité de telles rencontres, son père lui tenant lieu de tout ; elle n'a qu'un seul souci, celui de ne rien faire et de ne rien dire qui serait indigne de la bonne tenue qu'elle doit garder.

Ici, au contraire, beaucoup de choses rendent au père[1] la surveillance difficile, sinon impossible, car il ne saurait la garder continuellement avec lui à l'intérieur : une telle cohabitation n'est pas convenable et n'est pas sans danger[2]. Même s'ils ne font rien de mal et s'ils conservent pur leur idéal de sainteté, ils ne donneront pas moins prétexte à ce dont se scandalisent les âmes que s'ils avaient commis une faute l'un vis-à-vis de l'autre. Cette cohabitation n'étant donc pas possible, il n'est pas facile de connaître les mouvements de l'âme, de couper court aux uns lorsqu'ils sont désordonnés, de ramener les autres à un ordre meilleur et à une plus juste mesure, de guider vers le progrès moral, et il n'est pas facile non plus de surveiller les sorties. En

cette paternité qu'il assume lui-même. Le texte ne nous a été conservé qu'en latin.

2. Pour l'énumération de ces dangers, voir le traité *Quod regulares feminae viris cohabitare non debeant*, P G 47, 513-532, et éd. Dumortier, *CUF*, Paris 1955, p. 95-137.

σιν αὐτὸν ἀκριβῆ τῆς ἐκείνῃ προσηκούσης εὐκοσμίας γενέσθαι ἐξεταστήν· ὅταν γὰρ ἑαυτῇ πάντα διακονεῖν ἀναγκάζηται,
65 πολλάς, εἴ γε βούλοιτο μὴ σωφρονεῖν, τῶν προόδων τὰς
προφάσεις ἔχει. Καὶ δεῖ τὸν κελεύοντα διαπαντὸς οἴκοι
μένειν καὶ ταύτας περικόψαι τὰς προφάσεις καὶ τὴν τῶν
ἀναγκαίων αὐτάρκειαν παρασχόντα καὶ τὴν πρὸς ταῦτα δια-
κονησομένην αὐτῇ· δεῖ δὲ καὶ ἐκφορῶν καὶ παννυχίδων ἀπείρ-
70 γειν. Οἶδε γάρ, οἶδεν ὁ πολυμήχανος ὄφις ἐκεῖνος καὶ διὰ
χρηστῶν πράξεων τὸν αὐτοῦ παρασπείρειν ἰόν. Καὶ χρὴ τὴν
παρθένον πανταχόθεν τειχίζεσθαι καὶ ὀλιγάκις τοῦ παντὸς
ἐνιαυτοῦ προβαίνειν τῆς οἰκίας, ὅταν ἀπαραίτητοι καὶ
ἀναγκαῖαι κατεπείγωσι προφάσεις.
75 Εἰ δὲ λέγοι τις οὐδὲν εἶναι τούτων ἔργον ἐπισκόπῳ μεταχειρίζειν, εὖ ἴστω ὅτι τῶν ἐφ' ἑκάστῳ αἱ φροντίδες καὶ αἱ
αἰτίαι εἰς ἐκεῖνον ἔχουσι τὴν ἀναφοράν. Πολλῷ δὲ λυσιτε-
λέστερον αὐτὸν ἅπαντα διακονούμενον ἀπηλλάχθαι ἐγκλημάτων ἃ διὰ τὰς τῶν ἑτέρων ἁμαρτίας ὑπομένειν ἀνάγκη ἢ τῆς
80 διακονίας ἀφειμένον τὰς ὑπὲρ ὧν ἔπραξαν ἕτεροι τρέμειν
εὐθύνας. Πρὸς δὲ τούτοις ὁ μὲν δι' ἑαυτοῦ ταῦτα πράττων
μετὰ πολλῆς τῆς εὐκολίας ἅπαντα διεξέρχεται· ὁ δὲ ἀναγκα-

---

64 ἑαυτῇ B : αὐτῇ C A HJK αὕτη cett. ‖ 67 προφάσεις B : ἀφορμὰς
cett. ‖ 71 παρασπείρειν : περισπείρειν E D ‖ 75 ἔργον B : ἔργῳ C
ἔργου AEG D τῶν ἔργων FHJK ‖ 75 ἐπισκόπων AEG ‖ 76 ἑκάστῳ
BC : ἑκάστης γιγνομένων cett.

---

1. Toute femme devait être sous la protection d'un défenseur,
προστάτης, qui était son époux lorsqu'elle était mariée, mais dont la
vierge était privée par son état même, ce que Jean désigne par le
terme τὸ ἀπροστάτευτον. Cf. In epist. I ad Cor. hom. XLIV, 4, PG 61,
380.

2. Nous adoptons la leçon que B est le seul à donner parce qu'elle
nous semble s'accorder davantage avec le contexte, bien que celle des
autres mss soit, elle aussi, défendable. La qualité générale de B nous
fait trancher en sa faveur.

3. Sur les funérailles, voir D. S. LOUKATOS, « Indications folklo-
riques sur les deuil chez Jean Chrysostome » (en
grec), ΕΠΕΤΗΡΙΣ ΤΟΥ ΛΑΟΓΡΑΦΙΚΟΥ ΑΡΧΕΙΟΥ, 2ᵉ année,

effet, la pauvreté, l'absence de défenseur[1] ne le laissent pas
exercer une action efficace sur la bonne tenue qui convient
à la vierge ; car lorsqu'elle est forcée de tout se procurer,
nombreux sont les prétextes pour aller au-dehors, si elle
ne veut pas être réservée. Ainsi, il faut quelqu'un pour
l'obliger à rester à la maison, pour couper court à ces prétextes[2], quelqu'un qui lui procure en suffisance ce dont elle
a besoin et une aide capable de lui rendre service dans ce
domaine ; il faut, de plus, l'empêcher d'assister aux funérailles et aux prières nocturnes[3]. Il sait en effet, il sait, le
serpent aux mille ruses[4], répandre son venin jusque dans
les occupations louables. Il faut entourer de tous côtés la
vierge comme d'un rempart et qu'elle ne sorte que rarement
de la maison au cours de l'année, à moins que des raisons
impérieuses et urgentes ne l'y obligent.

Si l'on venait à dire que ce n'est pas le rôle de l'évêque
d'avoir de telles préoccupations, sache bien qu'il a le souci
des affaires de chacun et que les accusations remontent
jusqu'à lui. Il vaut beaucoup mieux qu'en s'occupant de
tout il écarte les griefs auxquels il est nécessairement exposé
à cause des fautes des autres, plutôt qu'en négligeant ce
soin il craigne d'avoir à rendre des comptes au sujet des
fautes que les autres ont commises. En outre, celui qui fait
tout par lui-même passe à travers tous les obstacles avec

Académie d'Athènes, Athènes 1940, p. 30-117. Jean s'élèvera souvent
dans ses homélies contre les cérémonies funèbres des chrétiens qui se
laissent aller à imiter les païens dans des manifestations de chagrin
exagérées. Cf. *De Lazaro concio* V, 3, *P G* 48, 1022 ; *In epist. ad Phil.
hom.* III, 4, *P G* 62, 203. Quant aux prières de la nuit, le canon 35
du concile d'Elvire (305) interdit aux femmes les veillées dans les
cimetières, éd. Mansi, t. II, col. 11 : « Placuit prohiberi ne feminae
in coemeterio pervigilent ; eo quod saepe sub obtentu orationis
latenter scelera committant. »

4. Cet adjectif homérique, *Iliade* 2, 173, fait penser à l'épithète de
nature appliquée à Ulysse, πολύμητις. L'emploi fréquent chez Jean
de termes poétiques appellerait une étude d'ensemble sur ce point.

ζόμενος μετὰ τοῦ πείθειν τὰς ἁπάντων γνώμας τοῦτο ποιεῖν
οὐ τοσαύτην ἔχει τὴν ἄνεσιν ἐκ τοῦ τῆς αὐτουργίας ἀφεῖσθαι
85 ὅσα πράγματα καὶ θορύβους διὰ τοὺς ἀντιπίπτοντας καὶ ταῖς
αὐτοῦ κρίσεσι μαχομένους. ᾿Αλλὰ πάσας μὲν οὐκ ἂν δυναίμην
καταλέγειν τὰς ὑπὲρ τῶν παρθένων φροντίδας· καὶ γὰρ καὶ
ὅταν αὐτὰς ἐγγράφεσθαι δέῃ οὐ τὰ τυχόντα παρέχουσι
πράγματα τῷ ταύτην πεπιστευμένῳ τὴν οἰκονομίαν.

ιδ΄. Περὶ κρίσεως   Τὸ δὲ τῶν κρίσεων μέρος μυρίας
                    μὲν ἔχει τὰς ἐπαχθείας, πολλὴν δὲ
τὴν ἀσχολίαν καὶ δυσκολίας τοσαύτας ὅσας οὐδὲ οἱ τοῖς
ἔξωθεν δικάζειν καθήμενοι φέρουσι· καὶ γὰρ εὑρεῖν αὐτὸ τὸ
5 δίκαιον ἔργον καὶ εὑρόντα μὴ διαφθεῖραι χαλεπόν. Οὐκ
ἀσχολία δὲ μόνον καὶ δυσκολία, ἀλλὰ καὶ κίνδυνος πρόσεστιν
οὐ μικρός· ἤδη γάρ τινες τῶν ἀσθενεστέρων πράγμασιν
ἐμπεσόντες, ἐπειδὴ προστασίας οὐκ ἔτυχον, ἐναυάγησαν περὶ
τὴν πίστιν. Πολλοὶ γὰρ τῶν ἠδικημένων οὐχ ἧττον τῶν
10 ἠδικηκότων τοὺς μὴ βοηθοῦντας μισοῦσι· καὶ οὔτε πραγμάτων διαστροφήν, οὔτε καιρῶν χαλεπότητα, οὔτε ἱερατικῆς
δυναστείας μέτρον, οὔτε ἄλλο τοιοῦτον οὐδὲν λογίζεσθαι
βούλονται, ἀλλ᾿ εἰσὶν ἀσύγγνωστοι δικασταί, μίαν ἀπολογίαν
εἰδότες, τὴν τῶν συνεχόντων αὐτοὺς κακῶν ἀπαλλαγήν·
15 ὁ δὲ μὴ δυνάμενος ταύτην παρασχεῖν, κἂν μυρίας λέγῃ
προφάσεις, οὐδέποτε τὴν κατάγνωσιν φεύξεται τὴν παρ᾿
ἐκείνων.

᾿Επειδὴ δὲ προστασίας ἐμνήσθην, φέρε σοι καὶ ἑτέραν

88 δέῃ : δεῖ C δέοι B.
ιδ΄. 12 λογίζεσθαι : ἀναλογίζεσθαι AE D HJ ‖ 15 ταύτην : αὐτὴν C.

1. Le verbe ἐγγράφω est employé pour désigner l'inscription des
vierges aussi bien que celle des veuves. Mais l'ordre des veuves a précédé dans le temps celui des vierges. Voir *supra*, p. 202, note 1.
2. La juridiction de celui qui dirige la communauté est déjà
reconnue en *I Cor.* 6, 1 et 6, 4, mais cette compétence est limitée aux
différends entre chrétiens (cf. 5, 12-13). Sur l'*audientia episcopalis*,
voir J. GAUDEMET dans *Histoire du droit*..., t. III, *L'Église dans
l'Empire romain (IVe et Ve siècles)*, Paris 1958, p. 230-240 et spécialement les pages 237-240 sur les modalités de cette juridiction.

une grande facilité, mais celui qui est chargé d'agir après avoir amené tous les autres à son avis, par suite du fait qu'il a abandonné l'initiative, a moins de tranquillité que d'embarras et de troubles à cause de ceux qui s'opposent à lui et combattent ses décisions. Mais je ne saurais énumérer tous les soucis que donnent les vierges ; en effet, lorsqu'il faut les inscrire[1], elles causent des embarras considérables à celui à qui cette charge est confiée.

14. Sur l'exercice de la justice

L'exercice de la justice[2] comporte mille désagréments, une activité sans relâche et autant d'ennuis qu'en supportent ceux qui siègent dans les tribunaux païens ; car c'est toute une affaire de découvrir ce qui est juste et, quand on l'a trouvé, ne pas se laisser corrompre est difficile. Non seulement activité et difficulté, mais il s'y ajoute un danger qui n'est pas négligeable. En effet, certains hommes trop faibles se sont trouvés dans des cas difficiles et comme ils n'ont pas obtenu d'aide, leur foi a fait naufrage[3]. Beaucoup de gens qui subissent un tort détestent ceux qui ne leur portent pas secours autant que ceux qui leur ont fait ce tort ; ils ne veulent pas considérer qu'on est écartelé entre ses occupations, qu'on est dans des situations très difficiles, que le pouvoir d'un juge ecclésiastique a des limites[4], ni rien de tel, mais ce sont des juges inflexibles dont le seul motif de défense est de vouloir écarter les maux qui les oppriment ; celui qui ne peut obtenir ce résultat, même s'il invoque mille bonnes raisons, n'obtiendra jamais leur pardon.

Puisque j'ai parlé de protection, allons, je dévoilerai

---

3. Cf. *I Tim.* 1, 19.

4. Les pouvoirs en matière de juridiction, largement accordés aux évêques par Constantin, ont été peu à peu limités au cours du ive siècle, par exemple, *Codex Theodos.* XVI, Tit. II, 23 en l'année 376 et XVI, Tit. XI, 1 en l'année 399. Voir J. Gaudemet, *La formation du droit séculier et du droit de l'Église aux IVe et Ve siècles*, Paris 1957, 3e partie, chap. I.

μέμψεων ἀποκαλύψω πρόφασιν· εἰ γὰρ μὴ καθ᾽ ἑκάστην
20 ἡμέραν μᾶλλον τῶν ἀγοραίων περινοστεῖ τὰς οἰκίας ὁ τὴν
ἐπισκοπὴν ἔχων, προσκρούματα ἐντεῦθεν ἀμύθητα· οὐδὲ
γὰρ ἀρρωστοῦντες μόνον, ἀλλὰ καὶ ὑγιαίνοντες ἐπισκοπεῖσθαι
βούλονται, οὐ τῆς εὐλαβείας αὐτοὺς ἐπὶ τοῦτο προκαλουμένης,
τιμῆς δὲ καὶ ἀξιώματος οἱ πολλοὶ ἀντιποιούμενοι μᾶλλον.
25 Εἰ δέ ποτε συμβαίη τινὰ τῶν πλουσιωτέρων καὶ δυνατω-
τέρων, χρείας τινὸς κατεπειγούσης, εἰς τὸ κοινὸν τῆς Ἐκκλησίας κέρδος συνεχέστερον ἰδεῖν, εὐθέως ἐντεῦθεν θωπείας καὶ
κολακείας προσετρίψατο δόξαν. Καὶ τί λέγω προστασίας καὶ
ἐπισκέψεις; Ἀπὸ γὰρ τῶν προσρήσεων μόνον τοσοῦτο
30 φέρουσιν ἐγκλημάτων ἄχθος ὡς καὶ βαρύνεσθαι καὶ καταπίπτειν ὑπὸ τῆς ἀθυμίας πολλάκις, ἤδη δὲ καὶ βλέμματος
εὐθύνας ὑπέχουσι· τὰ γὰρ ἁπλῶς παρ᾽ αὐτῶν γινόμενα βασα-
νίζουσιν ἀκριβῶς οἱ πολλοὶ καὶ μέτρον φωνῆς ἐξετάζοντες
καὶ διάθεσιν ὄψεως καὶ ποσότητα γέλωτος. Τὸν μὲν δεῖνα
35 φησί, δαψιλῶς ἐπεγέλασε καὶ φαιδρῷ τῷ προσώπῳ καὶ
μεγάλῃ προσεῖπε τῇ φωνῇ, ἐμὲ δὲ ἔλαττον καὶ ὡς ἔτυχε·
καὶ ἂν πολλῶν συγκαθημένων μὴ πανταχοῦ περιφέρῃ τοὺς
ὀφθαλμοὺς διαλεγόμενος, ὕβριν τὸ πρᾶγμά φασιν οἱ πολλοί.

Τίς οὖν μὴ λίαν ἰσχυρὸς ὢν τοσούτοις ἂν ἀρκέσειε κατηγό-
40 ροις ἢ πρὸς τὸ μηδ᾽ ὅλως γραφῆναι παρ᾽ αὐτῶν ἢ πρὸς τὸ

---

19 μέμψεων BC : μέμψεως cett. ‖ 19 εἰ : ἢν C K ‖ 20 περινοστεῖ
BC HJ : περινοστῇ cett. ‖ 21 οὐδὲ : οὐ C ‖ 28 προσετρίψαντο E D
HJ ‖ 35 ἐπεγέλασε : ἐπιγελάσας C F ‖ 37 καὶ ἂν B : καὶ AEG D
κἂν cett. ‖ 38 πολλοί : λοιποί C ‖ 39 ἂν om. C.

1. Jean aime à s'appuyer sur le sens étymologique de ἐπισκοπή
pour exposer les devoirs de celui qui a cette charge. Cf. *In epist. I ad
Tim. hom.* X, 1, *PG* 62, 547: Ἐπισκοπὴ γὰρ εἴρηται παρὰ τὸ ἐπισκοπεῖν
ἅπαντας.

2. Par son étymologie, le mot ἀγοραῖος, dans son sens le plus général, désigne l'homme qui va et vient sur l'agora, d'où plusieurs sens
dérivés qui reflètent la diversité des occupations possibles en ce lieu.
Parmi ces sens, celui d'*avocat* est le plus souvent évoqué. Cf. DION
CASSIUS, fragm. 114 : Ἀνὴρ ἀγοραῖος καὶ ἐκ δικαστηρίων τὸν βίον
ποιούμενος. Mais Jean rapproche aussi ἀγοραῖος de σχοινοστρόφος

encore un autre sujet de reproche. En effet, si celui qui est chargé de la surveillance[1] ne fait pas chaque jour le tour des maisons plus encore que des marchands ambulants[2], il s'ensuit des froissements impossibles à décrire, car ce ne sont pas seulement les malades, mais les bien-portants qui veulent recevoir sa visite ; ce n'est pas par piété qu'on les invite[3], mais c'est plutôt honneur et considération que la foule se dispute. S'il arrive, sous la pression d'une nécessité quelconque, pour le bien de l'Église, que l'un des riches et des puissants reçoive plus de visites, aussitôt on s'attire une réputation de flatteur et d'adulateur. Et pourquoi parler de protection et de visites ? Ils sont l'objet d'une telle quantité d'accusations, simplement à cause des saluts qu'ils donnent, qu'ils en sont accablés et que souvent ils s'effondrent, découragés, étant désormais soumis à rendre compte même d'un regard. Ce qu'ils font sans y attacher d'importance, la foule le passe au crible, elle examine le ton de leur voix, la façon dont ils regardent, le son de leur rire. Il a souri largement, dit-on, à un tel avec un visage aimable et s'est adressé à lui à haute voix, tandis qu'à moi beaucoup moins et n'importe comment et si, au milieu d'une réunion, il ne porte pas partout ses regards en s'entretenant avec chacun, la foule traite la chose d'insolence.

Quel est l'homme assez fort pour résister à tant d'accusateurs, soit en ne tombant absolument pas sous les coups de leur poursuites, soit en y échappant quand elles ont été

et de χαλκοτύπος c'est-à-dire de gens qui exercent un métier manuel : *In Lazarum concio* II, 3, *P G* 48, 986. Ni l'un ni l'autre de ces emplois spécialisés ne nous paraissent convenir ici, mais plutôt le sens d'*être marchand*. Voir P. Chantraine, *Dictionnaire étymologique de la langue grecque*, Paris 1968, art. ἀγορά, p. 13. Le verbe περινοστέω, qui signifie *faire le tour de*, suppose que ces marchands ne se contentent pas de rester devant leur étalage, ils vont de maison en maison, d'où la traduction que nous proposons sans toutefois avoir d'exemples parallèles à citer.

3. Passage du singulier au pluriel. C'est le ton de la conversation. Il s'agit toujours des évêques.

διαφυγεῖν μετὰ τὴν γραφήν; Δεῖ μὲν γὰρ μηδὲ ἔχειν κατη-
γόρους· εἰ δὲ τοῦτο ἀδύνατον, ἀπολύεσθαι τὰ παρ' ἐκείνων
ἐγκλήματα· εἰ δὲ οὐδὲ τοῦτο εὔπορον, ἀλλὰ τέρπονταί τινες
εἰκῇ καὶ ἁπλῶς αἰτιώμενοι, γενναίως πρὸς τὴν τῶν μέμψεων
45 τούτων ἀθυμίαν ἵστασθαι. Ὁ μὲν γὰρ δικαίως ἐγκαλού-
μενος κἂν ἐνέγκῃ τὸν ἐγκαλοῦντα ῥαδίως· ἐπειδὴ γὰρ οὐκ
ἔστι πικρότερος τοῦ συνειδότος κατήγορος, διὰ τοῦτο, ὅταν
ὑπ' ἐκείνου τοῦ χαλεπωτάτου πρότερον ἁλῶμεν, τοὺς ἔξωθεν
ἡμερωτέρους ὄντας εὐκόλως φέρομεν. Ὁ δὲ οὐδὲν ἑαυτῷ
50 συνειδέναι πονηρὸν ἔχων, ὅταν ἐγκαλῆται μάτην, καὶ πρὸς
ὀργὴν ἐκφέρεται ταχέως καὶ πρὸς ἀθυμίαν καταπίπτει
ῥαδίως, ἂν μὴ πρότερον ᾖ τῇ ψυχῇ μεμελετηκὼς τὰς τῶν
πολλῶν φέρειν ἀνοίας· οὐ γὰρ ἔστιν, οὐκ ἔστι συκοφαντούμενον εἰκῇ καὶ καταδικαζόμενον μὴ ταράττεσθαι καὶ πάσχειν
55 τι πρὸς τὴν τοσαύτην ἀλογίαν.

Τί ἄν τις λέγοι τὰς λύπας ἃς ὑπομένουσιν, ἡνίκα ἂν δέῃ
τινὰ τοῦ τῆς Ἐκκλησίας περικόψαι πληρώματος; Εἴθε μὲν
οὖν μέχρι λύπης ἵστατο τὸ δεινόν. Νῦν δὲ καὶ ὄλεθρος οὐ
μικρός· δέος γὰρ μή ποτε πέρα τοῦ δέοντος κολασθεὶς
60 ἐκεῖνος πάθῃ τοῦτο δὴ τὸ ὑπὸ τοῦ μακαρίου Παύλου λεχθέν,
« ὑπὸ τῆς περισσοτέρας λύπης καταποθῇ[t] ». Πλείστης οὖν
κἀνταῦθα δεῖ τῆς ἀκριβείας ὥστε μὴ τὴν τῆς ὠφελείας ὑπόθεσιν μείζονος αὐτῷ γενέσθαι ζημίας ἀφορμήν. Ὦν γὰρ
ἂν ἁμάρτῃ μετὰ τὴν τοιαύτην θεραπείαν ἐκεῖνος, κοινωνεῖ
65 τῆς ἐφ' ἑκάστῳ τούτων ὀργῆς ὁ μὴ καλῶς τὸ τραῦμα τεμὼν

---

42 ἀπολύεσθαι Β : ἀποδύεσθαι C HJK ἀποδύσασθαι cett. ‖ 46
ἤνεγκεν Α ‖ 47 πικρότερος Β : πικρότερός τις cett. ‖ 50 ἐγκαλῆται :
ἐγκαλεῖται C A ἔγκληται Κ ‖ 52 ᾖ τῇ ψυχῇ Β : τύχοι Ε HJK τύχῃ
cett. ‖ 53 ἀνοίας ΒC : ἀνίας cett. ‖ 56 Τί om. C ‖ 57 περικόψαι :
ἀποκόψαι Ε J ‖ 60 λεχθέν] + καὶ HJ ‖ 63 μείζονος Β : μείζονα cett.
65 τεμὼν : τέμνων C AEG

t. II Cor. 2, 7

1. Nous proposons cette traduction en nous appuyant sur un texte
de Jean, In epist. ad Ephes. hom. III, 2, PG 62, 26 : Τὸ πλήρωμα τοῦ

intentées ? En effet, il ne faudrait même pas susciter
d'accusateurs et, si cela est impossible, se prémunir contre
leurs griefs ; si cela même n'est pas facile et s'il y a des
gens pour faire des reproches à tort et à travers, il faut
résister avec une âme généreuse au découragement qui
résulte de ces récriminations. En effet, quand on est accusé
à juste titre, on peut facilement supporter celui qui vous
a fait des reproches, car il n'y a pas d'accusateur plus sévère
que la conscience ; c'est pourquoi lorsque nous sommes tout
d'abord repris par cet accusateur si sévère, nous supportons
aisément ceux du dehors qui sont plus indulgents. Mais
celui qui n'a rien de mal à se reprocher, lorsqu'on l'accuse
sans raison, se laisse vite emporter par la colère et tombe
facilement dans le découragement, à moins qu'il ne se soit
exercé auparavant à supporter les ennuis venus de la foule ;
car il n'est pas possible, non il n'est pas possible, quand
on est dénoncé à la légère et qu'on est condamné, de ne pas
se troubler et de ne pas être ému devant une telle extra-
vagance.

Qui dirait les chagrins qu'on éprouve lorsqu'il faut
retrancher quelqu'un du corps de l'Église[1] ? Et plaise au
ciel que le mal se borne à ce chagrin ! En fait, c'est un
malheur considérable, car il est à craindre que celui qui est
châtié plus qu'il ne convient n'éprouve ce dont parle le
bienheureux Paul, « qu'il ne soit accablé d'un chagrin
excessif[t]. » Il faut donc beaucoup de discernement dans
de tels cas pour que, sous prétexte d'utilité, il n'en sorte
pas un plus grand dommage. En effet, les fautes que le
coupable commet après un traitement si rigoureux, le
médecin partage la responsabilité de la colère qu'elles
excitent contre l'un et l'autre, lui qui n'a pas bien incisé

Χριστοῦ ἡ Ἐκκλησία· καὶ γὰρ πλήρωμα κεφαλῆς σῶμα καὶ πλήρωμα
σώματος κεφαλή. « L'Église est le plérôme du Christ ; en effet, le corps
complète la tête et la tête complète le corps .» Ce texte est cité par
Ph. Rancillac dans son excellente étude, *L'Église, manifestation de
l'Esprit chez saint Jean Chrysostome*, Beyrouth 1970, p. 69.

ἰατρός. Πόσας οὖν χρὴ προσδοκᾶν τιμωρίας ὅταν μὴ μόνον
ὑπὲρ ὧν αὐτὸς ἕκαστος ἐπλημμέλησεν ἀπαιτῆται λόγον,
ἀλλὰ καὶ ὑπὲρ τῶν ἑτέροις ἁμαρτηθέντων εἰς τὸν ἔσχατον
καθίσταται κίνδυνον; Εἰ γὰρ τῶν οἰκείων πλημμελημάτων
70 εὐθύνας ὑπέχοντες φρίττομεν, ὡς οὐ δυνησόμενοι τὸ πῦρ
ἐκφυγεῖν ἐκεῖνο, τί χρὴ πείσεσθαι προσδοκᾶν τὸν ὑπὲρ
τοσούτων ἀπολογεῖσθαι μέλλοντα; Ὅτι γὰρ τοῦτό ἐστιν
ἀληθές, ἄκουσον τοῦ μακαρίου λέγοντος Παύλου, μᾶλλον δὲ
οὐκ ἐκείνου, ἀλλὰ τοῦ ἐν αὐτῷ λαλοῦντος Χριστοῦ· « Πεί-
75 θεσθε τοῖς ἡγουμένοις ὑμῶν καὶ ὑπείκετε, ὅτι αὐτοὶ ἀγρυπνοῦσιν ὑπὲρ τῶν ψυχῶν ὑμῶν ὡς λόγον ἀποδώσοντες[u]. »
Ἆρα μικρὸς οὗτος ὁ τῆς ἀπειλῆς φόβος; Οὐκ ἔστιν εἰπεῖν.
Ἀλλὰ καὶ τοὺς σφόδρα ἀπειθεῖς καὶ σκληροὺς ἱκανὰ ταῦτα
πάντα πεῖσαι ὡς οὔτε ἀπονοίᾳ οὔτε φιλοδοξίᾳ ἁλόντες, ὑπὲρ
80 δὲ ἑαυτῶν δεδοικότες μόνον καὶ εἰς τὸν τοῦ πράγματος ὄγκον
ἀποβλέψαντες, ταύτην ἐφύγομεν τὴν φυγήν.

ΛΟΓΟΣ Δ' α'. Ὅτι οὐ μόνον
οἱ σπουδάζοντες
ἐπὶ κλῆρον ἐλθεῖν,
ἀλλὰ καὶ οἱ
5   ἀνάγκην
ὑπομένοντες ἐν
οἷς ἂν ἁμάρτωσι
σφόδρα κολάζονται
10 σφάλληται καταφεύγειν

Ταῦτα ὁ Βασίλειος ἀκούσας καὶ
μικρὸν ἐπισχών·
Ἀλλ' εἰ μὲν αὐτὸς ἐσπούδασας,
φησί, ταύτην κτήσασθαι τὴν ἀρχήν,
εἶχεν ἄν σου λόγον οὗτος ὁ φόβος.
Τὸν γὰρ ὁμολογήσαντα ἐπιτήδειον
εἶναι πρὸς τὴν τοῦ πράγματος διοίκησιν τῷ σπουδάσαι λαβεῖν, οὐκ
ἔστι μετὰ τὸ πιστευθῆναι ἐν οἷς ἂν
εἰς ἀπειρίαν· προλαβὼν γὰρ αὐτὸς

---

67 ἀπαιτεῖται C A F ‖ 69 καθίσταται : καθίστηται ΗJ καθιστῇ
K ‖ 69 πλημμελημάτων: ἁμαρτημάτων C ‖ 75 ὅτι αὐτοὶ BC : αὐτοὶ
γὰρ cett. ‖ 79 πάντα BC : om. cett. ‖ 79 ἀπονοίας AEG ‖ 79 φιλοδοξίας AEG.
ΛΟΓΟΣ Δ'. α'. 5 σου : σοὶ C HJK. ‖ 10 σφάλλεται C A.

u. Hébr. 13, 17

1. Cf. *II Cor.* 13, 3.
2. Le mot διοίκησις est employé ici dans son sens le plus large :

la blessure. A quels châtiments faut-il donc s'attendre, lorsque non seulement il est demandé compte des fautes commises par soi-même, mais qu'on est exposé au plus grand danger à cause des fautes commises par d'autres ? Si nous frémissons devant les comptes que nous avons à rendre pour nos propres fautes sous prétexte que nous ne pourrons échapper au feu, que peut s'attendre à supporter celui qui doit se défendre sur des sujets si importants ? Que cela est vrai, écoute le bienheureux Paul l'affirmer, ou plutôt non pas lui, mais le Christ qui parle en lui[1] : « Obéissez à ceux qui vous conduisent et soyez dociles, parce qu'ils veillent sur vos âmes dont ils doivent rendre compte[u]. » Est-elle négligeable la crainte que fait naître une telle menace ? On ne saurait le dire. Mais tout cela suffit pour prouver aux gens incrédules et durs à l'excès que ce n'est pas pour avoir été la proie de la passion de l'orgueil ou de l'amour de la gloire, mais seulement pour avoir été saisi de crainte à notre sujet et pour avoir mesuré l'importance de la chose que nous avons décidé de fuir.

Ayant écouté ces propos Basile, après un court silence :

Mais si tu avais cherché à acquérir cette autorité, dit-il, la crainte que tu viens d'exprimer aurait sa raison d'être. En effet, celui qui se reconnaît apte à l'exercice du ministère[2], par le fait même qu'il cherche à l'obtenir, n'a pas le droit, après qu'on lui a confié un rôle dans lequel il commet des erreurs, d'invoquer son incompétence ; car ayant pris les devants[3],

1. Non seulement ceux qui tâchent d'entrer dans le clergé, mais encore ceux qui supportent d'y être contraints, sont durement punis sur les points où ils sont en faute

---

l'exercice *(du ministère, de l'épiscopat)* avec tous les devoirs qu'il comporte et dont la plupart ont été exposés dans la IIIᵉ partie.

3. Sur le sens de προλαβών complété ici par προσδραμεῖν, voir ci-dessus, p. 169, note 3.

ἑαυτῷ ταύτην ἀφείλετο τὴν ἀπολογίαν τῷ προσδραμεῖν καὶ
ἁρπάσαι τὴν διακονίαν καὶ οὐκέτ᾽ ἂν δύναιτο λέγειν ὁ ἑκὼν
καὶ ἐθελοντὴς ἐπὶ τοῦτο ἐλθὼν ὅτι ἄκων τὸ δεῖνα ἥμαρτον καὶ
ἄκων τὸν δεῖνα διέφθειρα. Ἐρεῖ γὰρ πρὸς αὐτὸν ὁ ταύτην
15 αὐτῷ τότε δικάζων τὴν δίκην· Καὶ τί δήποτε τοσαύτην
ἑαυτῷ συνειδὼς ἀπειρίαν καὶ οὐκ ἔχων διάνοιαν ἱκανὴν πρὸς
τὸ μεταχειρίσαι τὴν τέχνην ταύτην ἀναμαρτήτως, ἔσπευσας
καὶ ἐτόλμησας μείζονα τῆς οἰκείας δυνάμεως ἀναδέξασθαι
πράγματα; τίς ὁ καταναγκάσας; τίς ὁ πρὸς βίαν ἑλκύσας
20 ἀποπηδῶντα καὶ φεύγοντα; Ἀλλ᾽ οὐ σύ γε τούτων οὐδὲν
ἀκούσῃ ποτέ· οὔτε γὰρ ἂν αὐτὸς ἔχοις τοιοῦτόν τι σαυτοῦ κατα-
γνῶναι καὶ πᾶσίν ἐστι καταφανὲς ὅτι οὔτε μέγα οὔτε μικρὸν
ὑπὲρ ταύτης ἐσπούδασας τῆς τιμῆς, ἀλλ᾽ ἑτέρων γέγονε τὸ
κατόρθωμα καὶ ὅπερ ἐκείνους ἐν τοῖς ἁμαρτήμασιν οὐκ
25 ἀφίησιν ἔχειν συγγνώμην, τοῦτό σοι πολλὴν παρέχει πρὸς
ἀπολογίαν ὑπόθεσιν.

Πρὸς ταῦτα ἐγὼ κινήσας τὴν κεφαλὴν καὶ μειδιάσας ἠρέμα,
ἐθαύμαζόν τε αὐτὸν τῆς ἁπλότητος καὶ πρὸς αὐτὸν ἔλεγον·
ΙΩ. Ἐβουλόμην καὶ αὐτὸς ταῦτα οὕτως ἔχειν, ὡς ἔφης,
30 ὦ πάντων ἀγαθώτατε σύ, οὐχ ἵνα δέξασθαι δυνηθῶ τοῦτο
ὅπερ ἔφυγον νῦν· εἰ γὰρ καὶ μηδεμία μοι προὔκειτο κόλασις
ὡς ἔτυχε καὶ ἀπείρως ἐπιμελουμένῳ τῆς ποίμνης τοῦ Χριστοῦ, ἀλλ᾽ ἐμοὶ πάσης τιμωρίας χαλεπώτερον ἦν αὐτὸ τὸ
πιστευθέντα πράγματα οὕτω μεγάλα περὶ τὸν πιστεύσαντα
35 οὕτω φανῆναι κακόν. Τίνος οὖν ἕνεκεν ηὐχόμην τὴν δόξαν
σου ταύτην μὴ διαπεσεῖν; Ἵνα τοῖς ἀθλίοις καὶ ταλαιπώροις

11 ἑαυτῷ B : ἑαυτὸν AEG D ἑαυτοῦ cett. ‖ 11 ἀφήλατο C ἀφείλατο
A H ‖ 13 ἐθέλοντι C ‖ 13 τὸ om. B ‖ 13 δεῖνα : δὲ E H ‖ 13-14
ἥμαρτον — τὸν δεῖνα om. A ‖ 14 τὸν δεῖνα om. F ‖ 14 τὸν B : τὸ cett.
‖ 15-16 τί — καὶ om. B ‖ 16 ἑαυτῷ : σεαυτῷ HJ σαυτὸν C ‖ 17 ἔσπευσας B K : ἐσπούδασας cett. ‖ 21 οὔτε BC : οὐδὲ cett. ‖ ἂν om. A ‖ 22
καταφανὲς : περιφανὲς C ‖ 26 ὑπόθεσιν : τὴν ὑπόθεσιν AE D HJ ‖ 31
νῦν : νυνὶ δὲ AEG D νῦν νυνὶ δὲ F ‖ 31 γὰρ om. AEG D.

1. L'emploi du mot τέχνη pour désigner le gouvernement des âmes

il s'est enlevé à lui-même cette excuse en se précipitant pour ravir de force ce service, et celui qui s'y est présenté volontairement et de bon gré ne saurait dire : c'est malgré moi que j'ai commis une faute sur tel point, c'est malgré moi que j'ai causé la perte d'un tel. Celui qui le jugera alors lui dira : Et pourquoi donc, alors que tu te savais aussi inexpérimenté et n'ayant pas une intelligence suffisante pour pratiquer cet art[1] de façon irréprochable, t'es-tu démené et as-tu osé te charger de choses qui dépassent ta propre capacité ? qui t'a contraint ? qui t'a fait violence, alors que tu reculais et que tu fuyais ? Mais tu n'entendras jamais rien de tel ; en effet, tu ne saurais te reprocher à toi-même quelque chose de semblable et il est évident pour tout le monde que tu ne t'es démené ni peu ni prou en vue de cet honneur, mais que d'autres sont responsables de cette belle action[2] et ce qui dans leurs erreurs ne leur permet pas d'obtenir le pardon, cela te fournit un bon prétexte pour te défendre.

A ces mots, ayant branlé la tête et souri doucement, j'admirais sa droiture et je lui disais :

JEAN. Je voudrais, moi aussi, que les choses soient conformes à tes paroles, ô toi le meilleur des hommes. Ce n'est pas pour pouvoir accepter ce que je fuyais alors ; en effet, même si aucune punition ne m'attendait pour m'occuper n'importe comment et sans expérience du troupeau du Christ, ce qui serait plus difficile à supporter que n'importe quel châtiment, après avoir reçu une charge si importante, ce serait de paraître si indigne aux yeux de celui qui me l'a confiée. Pourquoi souhaiterais-je que cette opinion qui est la tienne soit exacte ? Pour qu'il soit possible

ne doit pas étonner. Jean le compare volontiers à l'art du pilote. Voir III, 8, 17 s. et 11, 137 s.

2. Κατόρθωμα, mot du vocabulaire philosophique, *action vertueuse*, garde toujours dans la langue courante un souvenir de cet emploi spécialisé, d'où son sens laudatif. Il est donc employé ici par Jean avec ironie, comme on dit familièrement : Vous en avez fait du beau !

— οὕτω γὰρ δεῖ καλεῖν τοὺς οὐχ εὑρόντας καλῶς ταύτης
προστῆναι τῆς πραγματείας, κἂν μυριάκις αὐτοὺς πρὸς
ἀνάγκην ἦχθαι λέγῃς καὶ ἀγνοοῦντας ἁμαρτεῖν —, ἵνα τούτοις
40 διαφυγεῖν γένηται τὸ πῦρ ἐκεῖνο τὸ ἄσβεστον καὶ τὸ σκότος
τὸ ἐξώτερον καὶ τὸν σκώληκα τὸν ἀτελεύτητον καὶ τὸ διχοτομηθῆναι καὶ μετὰ τῶν ὑποκριτῶν ἀπολέσθαι. Ἀλλὰ τί σοι
πάθω; Οὐκ ἔστι ταῦτα, οὐκ ἔστι.

Καί, εἰ βούλει γε, ἀπὸ τῆς βασιλείας πρῶτον ἧς οὐ τοσοῦτος
45 ὅσος τῆς ἱερωσύνης τῷ Θεῷ λόγος παρέξω σοι τούτων ὧν
εἶπον τὴν πίστιν. Ὁ Σαοὺλ ἐκεῖνος, ὁ τοῦ Κεῖς υἱός, οὐκ
αὐτὸς σπουδάσας ἐγένετο βασιλεύς, ἀλλ' ἀπῆλθε μὲν ἐπὶ τὴν
τῶν ὄνων ζήτησιν καὶ ὑπὲρ τούτων ἐρωτήσων τὸν προφήτην
ἤρχετο, ὁ δὲ αὐτῷ περὶ τῆς βασιλείας διελέγετο. Καὶ οὐδὲ
50 οὕτως ἐπέδραμε, καίτοι παρὰ ἀνδρὸς ἀκούων προφήτου,
ἀλλὰ καὶ ἀνεδύετο καὶ παρῃτεῖτο λέγων· Τίς εἰμι ἐγὼ καὶ
τίς ὁ οἶκος τοῦ πατρός μου; Τί οὖν; ἐπειδὴ κακῶς ἐχρήσατο
τῇ παρὰ τοῦ Θεοῦ δοθείσῃ τιμῇ, ἴσχυσεν αὐτὸν ἐξελέσθαι
ταῦτα τὰ ῥήματα τῆς τοῦ βασιλεύσαντος ὀργῆς; Καίτοι γε
55 ἐνῆν λέγειν πρὸς τὸν Σαμουὴλ ἐγκαλοῦντα αὐτῷ· Μὴ γὰρ
αὐτὸς ἐπέδραμον τῇ βασιλείᾳ; μὴ γὰρ ἐπεπήδησα ταύτῃ τῇ
δυναστείᾳ; Τὸν τῶν ἰδιωτῶν ἐβουλόμην βίον ζῆν τὸν ἀπράγμονα καὶ ἡσύχιον, σὺ δέ με ἐπὶ τοῦτο εἵλκυσας τὸ ἀξίωμα.
Ἐν ἐκείνῃ μένων τῇ ταπεινότητι, εὐκόλως ἂν ταῦτα ἐξέκλινα

---

37 εὑρόντας : εὑρίσκοντας HK ἐσχηκότας J ‖ 37-38 ταύτης προστῆναι τῆς πραγματείας : ταύτην οἰκονομῆσαι τὴν πραγματείαν J ‖ 39
ἵνα τούτοις om. J ‖ 41 ἀτελεύτητον : ἀκοίμητον EG D HJ ἀκίνητον
K ἀτελεύτητον καὶ ἀκοίμητον F ‖ 42 καὶ : καὶ τὸ C K ‖ 42 ἀπολέσθαι : τεθῆναι J ‖ 54 βασιλεύσαντος] + αὐτὸν AEG D FHJ ‖ 54
ὀργῆς] + οὐδαμῶς J.

1. Pour décrire les supplices infernaux, Jean utilise toujours les
mêmes expressions (cf. IV, 2, 91-93 et De stat. hom. XX, 2, PG 49,
200) qu'il emprunte à l'Écriture : τὸ πῦρ τὸ ἄσβεστον, Matth. 3, 12 ;
τὸ σκότος τὸ ἐξώτερον, 22, 13 ; ὁ σκώληξ ὁ ἀτελεύτητος, Is. 66, 24 ;
τὸ διχοτομηθῆναι..., Matth. 24, 51 ; Lc 12, 46. Τὸ διχοτομηθῆναι
doit s'entendre de la privation de Dieu, ce que BASILE DE CÉSARÉE

aux misérables et aux malheureux — c'est ainsi qu'il faut
appeler ceux qui n'ont pas été trouvés capables d'être à la
hauteur de la situation, même si tu prétends qu'ils ont été
contraints par la nécessité et qu'ils ont commis une erreur
sans le savoir —, qu'il soit possible à ces gens-là d'échapper
à ce feu qui ne s'éteint pas, aux ténèbres extérieures, au
ver qui ronge sans fin, à la séparation et au sort qui
attendent les hypocrites[1]. Mais comment être d'accord
avec toi[2] ? Les choses ne sont pas telles, non elles ne sont
pas telles.

Et si tu veux, prenons d'abord l'exemple de la royauté ;
que Dieu ne la tient pas en aussi grande estime que le sacerdoce, je te fournirai le moyen de le croire d'après ce que j'ai
dit. L'illustre Saül, le fils de Qish[3], devint roi sans l'avoir
cherché. Il partit en quête des ânesses et c'est pour inter-
roger le prophète à leur sujet qu'il s'en alla ; en fait, celui-ci
l'entretint de la royauté. Et même alors il ne se précipita
pas, bien qu'il eût entendu les paroles d'un prophète, mais
il se dérobait et cherchait à écarter cette dignité en disant :
Qui suis-je et quelle est la maison de mon père[4] ? Mais
quoi ? lorsqu'il eut mesuré l'honneur que Dieu lui avait
accordé, ses paroles furent-elles assez fortes pour le soustraire à la colère du roi ? Et cependant à Samuel qui lui
faisait des reproches il aurait pu dire : Me suis-je précipité
sur la royauté ? n'ai-je pas reculé devant ce pouvoir ? Je
voulais mener une vie sans souci et tranquille dans le privé,
mais toi, tu m'as entraîné vers cette dignité. Si j'étais resté
dans cette humble condition, j'aurais évité facilement ces

explique dans le *De spiritu sancto* XVI, 40, *SC* 17 bis, p. 388-390 :
διχοτομία... ἡ ἀπὸ τοῦ Πνεύματος εἰς τὸ διηνεκὲς τῆς ψυχῆς ἀλλοτρίω-
σις.... « La coupure... c'est pour l'âme d'être séparée de l'Esprit pour
toujours. »
    2. L'expression τί πάθω revient plusieurs fois dans le *Dialogue* :
voir plus haut, p. 127, note 2.
    3. Cf. *I Sam.* 9, 1 ; 10, 11 ; 14, 51.
    4. Jean interprète librement ici *I Sam.* 9, 21 ; de même li. 60-62,
I Sam. 15, 1-3.

60 τὰ προσκρούματα· οὐ γὰρ δήπου τῶν πολλῶν εἷς ὢν καὶ
ἀσήμων, ἐπὶ τοῦτο ἂν ἐξεπέμφθην τὸ ἔργον, οὐδ' ἂν ἐμοὶ τὸν
πρὸς τοὺς Ἀμαληκίτας πόλεμον ἐνεχείρισεν ὁ Θεός· μὴ
ἐγχειρισθεὶς δέ, οὐκ ἄν ποτε ταύτην ἥμαρτον τὴν ἁμαρτίαν.
Ἀλλὰ ταῦτα πάντα ἀσθενῆ πρὸς ἀπολογίαν, οὐκ ἀσθενῆ
65 δὲ μόνον, ἀλλὰ καὶ ἐπικίνδυνα, καὶ μᾶλλον ἐκκαίει τοῦ
Θεοῦ τὴν ὀργήν. Τὸν γὰρ ὑπὲρ τὴν ἀξίαν τιμηθέντα οὐκ εἰς
τὴν τῶν ἁμαρτημάτων ἀπολογίαν χρὴ προβάλλεσθαι τῆς
τιμῆς τὸ μέγεθος, ἀλλ' εἰς μείζονα βελτιώσεως προκοπὴν
κεχρῆσθαι τῇ πολλῇ περὶ αὐτὸν τοῦ Θεοῦ σπουδῇ. Ὁ δέ,
70 διότι κρείττονος ἔτυχεν ἀξιώματος, διὰ τοῦτο ἁμαρτάνειν
αὐτῷ νομίζων ἐξεῖναι, οὐδὲν ἕτερον ἢ τὴν τοῦ Θεοῦ φιλανθρωπίαν αἰτίαν τῶν οἰκείων ἁμαρτημάτων ἐπιδεῖξαι ἐσπού-
δακεν· ὅπερ τοῖς ἀσεβέσι καὶ ῥαθύμως τὸν ἑαυτῶν διοικοῦσι
βίον λέγειν ἔθος ἀεί. Ἀλλ' οὐχ ἡμᾶς οὕτω διακεῖσθαι χρή,
75 οὐδὲ εἰς τὴν αὐτὴν ἐκείνοις ἐκπίπτειν μανίαν, ἀλλὰ πανταχοῦ
σπουδάζειν τὰ παρ' ἑαυτῶν εἰσφέρειν εἰς δύναμιν τὴν ἡμετέραν καὶ εὔφημον καὶ γλῶτταν καὶ διάνοιαν ἔχειν.
Οὐδὲ γὰρ ὁ Ἠλί — ἵνα τὴν βασιλείαν ἀφέντες, ἐπὶ τὴν
ἱερωσύνην περὶ ἧς ἡμῖν ὁ λόγος ἔλθωμεν νῦν — ἐσπούδασε
80 κτήσασθαι τὴν ἀρχήν. Τί οὖν αὐτὸν τοῦτο, ἡνίκα ἥμαρτεν,
ὤνησεν; καὶ τί λέγω, κτήσασθαι; Οὐδὲ διαφυγεῖν μὲν οὖν,
εἴπερ ἤθελε, δυνατὸν ἦν αὐτῷ, διὰ τὴν ἀνάγκην τοῦ νόμου·
καὶ γὰρ ἦν τῆς Λευΐ φυλῆς καὶ τὴν ἀρχὴν διὰ τοῦ γένους
ἄνωθεν καταβαίνουσαν ἔδει δέξασθαι· ἀλλ' ὅμως καὶ οὗτος
85 τῆς τῶν παίδων παροινίας ἔδωκε δίκην οὐ μικράν. Τί δὲ

65 ἐκκαίει Β : ἐκκαίῃ C ἐκκαίοντα cett. ‖ 68 μείζονα Β FK : μείζονος
cett. ‖ 68 προκοπὴν Β : προτροπὴν cett. ‖ 69 τὴν πολλὴν ... σπουδήν
C ‖ 72 οἰκείων : ἰδίων Κ ‖ 75 ἐκπίπτειν : ἐμπίπτειν Κ ‖ 76 εἰς : τὴν
C ‖ 76 καὶ² Β Κ om. cett. ‖ 85 παροινίας ΒC D : παρανομίας cett. ‖

1. Le ms. B est le seul à donner προκοπή dont le sens s'accorde beaucoup mieux avec le contexte.
2. Cf. *I Sam.* 4, 18. Jean ne précise pas, car cette faute est connue.
Elle consiste à avoir été trop faible avec ses fils. Voir *Adv. opp. vit.
mon.* III, 3, *P G* 47, 352. Héli fait des remontrances à ses enfants :
... ἀλλ' ὅμως ἐπειδὴ μὴ πᾶν ὅσον ἐχρῆν ἐπεδείξατο καὶ αὐτὸς μετ'

difficultés ; car étant un homme du commun et obscur, je n'aurais pas été appelé à cette mission et Dieu ne m'aurait pas confié la guerre contre les Amalécites ; or, s'il ne me l'avait pas confiée, je n'aurais pas commis cette faute.

Mais toutes ces paroles étaient un faible moyen de défense et non pas faible seulement, mais encore dangereux et elles enflammaient encore davantage la colère de Dieu. En effet, celui qui a reçu un honneur supérieur à son mérite ne doit pas mettre en avant l'importance de cet honneur pour se disculper de ses fautes, mais profiter de la plus grande sollicitude de Dieu à son égard pour faire des progrès[1] vers le mieux. Lui, au contraire, parce qu'il avait atteint un degré plus grand de considération, pensant qu'il lui était permis, à cause de cela, de commettre des fautes, s'efforça de présenter l'amour de Dieu comme la cause de ses propres fautes ; c'est toujours ce que les impies et ceux qui mènent une vie relâchée ont coutume de dire. Eh bien ! il ne faut pas nous comporter de cette manière, ni tomber dans la même folie qu'eux, mais, dans tous les domaines, tâcher d'apporter notre contribution de façon proportionnée à nos forces et de faire que notre langue et notre pensée soient des moyens de bénédiction.

Héli, lui non plus — pour passer de la royauté au sacerdoce dont nous parlons maintenant —, n'a pas cherché à obtenir le pouvoir. A quoi cela lui a-t-il servi, quand il eut commis sa faute[2] ? et pourquoi dis-je : obtenir ? Il ne lui était pas possible d'y échapper, s'il l'avait voulu, contraint qu'il y était par la Loi, car il était de la tribu de Lévi et il lui fallait accepter, à cause de sa race, le pouvoir qui lui venait d'en haut ; cependant il expia chèrement les débordements[3] de ses fils. Qu'arriva-t-il à celui qui devint le

ἐκείνων ἀπώλετο, « ... mais cependant, parce qu'il ne leur fit pas toutes les remontrances qu'il fallait, il périt lui-même avec eux. »

3. Nous avons choisi la leçon de BC, moins banale que celle des autres mss. A rapprocher de IV, 4, 72. Les débordements des fils d'Héli sont mentionnés dans *I Sam.* 2, 12-17 et 22-25.

αὐτὸς ὁ πρῶτος γενόμενος τῶν Ἰουδαίων ἱερεὺς περὶ οὗ
τοσαῦτα διελέχθη ὁ Θεὸς τῷ Μωϋσεῖ· Ἐπειδὴ μὴ ἴσχυσε
μόνος πρὸς τοσούτου πλήθους στῆναι μανίαν, οὐ παρὰ μικρὸν
ἦλθεν ἀπολέσθαι, εἰ μὴ ἡ τοῦ ἀδελφοῦ προστασία ἔλυσε τοῦ
90 Θεοῦ τὴν ὀργήν.

Ἐπειδὴ δὲ Μωϋσέως ἐμνήσθημεν, καλὸν καὶ ἐκ τῶν ἐκείνῳ
συμβεβηκότων δεῖξαι τοῦ λόγου τὴν ἀλήθειαν· αὐτὸς γὰρ
οὗτος ὁ μακάριος Μωϋσῆς τοσοῦτον ἀπέσχε τοῦ τὴν προστασίαν ἁρπάσαι τῶν Ἰουδαίων ὡς καὶ διδομένην παρῃτῆσθαι
95 καὶ Θεοῦ κελεύοντος ἀνανεῦσαι καὶ παροξῦναι τὸν προστάτ-
τοντα. Καὶ οὐ τότε μόνον, ἀλλὰ καὶ μετὰ ταῦτα, γενόμενος
ἐπὶ τῆς ἀρχῆς, ὑπὲρ τοῦ ταύτης ἀπαλλαγῆναι ἡδέως ἀπέθνησκεν. « Ἀπόκτεινον γάρ με, φησίν, εἰ οὕτω μοι μέλλεις
ποιεῖνa. » Τί οὖν; ἐπειδὴ ἥμαρτεν ἐπὶ τοῦ ὕδατος, ἴσχυσαν αἱ
100 συνεχεῖς αὗται παραιτήσεις ἀπολογήσασθαι ὑπὲρ αὐτοῦ καὶ
πεῖσαι τὸν Θεὸν δοῦναι συγγνώμην; καὶ πόθεν ἄλλοθεν τῆς
ἐπηγγελμένης ἀπεστερεῖτο γῆς; Οὐδαμόθεν, ὡς ἅπαντες
ἴσμεν, ἀλλ' ἢ διὰ τὴν ἁμαρτίαν ταύτην δι' ἣν ὁ θαυμαστὸς
ἐκεῖνος ἀνὴρ οὐκ ἴσχυσε τῶν αὐτῶν τοῖς ἀρχομένοις τυχεῖν·
105 ἀλλὰ μετὰ τοὺς πολλοὺς χρόνους καὶ τὰς ταλαιπωρίας,
μετὰ τὴν πλάνην ἐκείνην τὴν ἄφατον καὶ τοὺς πολέμους καὶ
τὰ τρόπαια, ἔξω τῆς γῆς ἀπέθνησκεν ὑπὲρ ἧς τοσαῦτα

---

87 μὴ BC : οὐκ cett. ‖ 91 ἐμνήσθην EG D FH ‖ 94 παρῃτῆσθαι B :
παραιτήσασθαι K παραιτεῖσθαι cett. ‖ 95 ἀνανεῦσαι B : ἐπὶ [καὶ ἐπὶ
C K] τοσοῦτον ὡς add. cett. ‖ 97 ἡδέως] + ἂν EG F ‖ 98-99 Ἀπόκτεινον — ποιεῖν om. B ‖ 100 αὗται : αὐτῷ AEG D ‖ 102 Οὐδαμόθεν]
+ ἄλλοθεν FK ‖ 103 ταύτην : ἐκείνην C.

a. Nombr. 11, 15

1. Il s'agit d'Aaron qui ne peut résister aux prières de la foule et
érige un veau d'or : Ex. 32, 1-6.
2. Cf. Ex. 32, 11-14.
3. Cf. Ex. 4, 13. Jean force ici le texte dans lequel Moïse tente simplement de faire exécuter par son frère la mission que lui donne

premier des prêtres juifs[1] et dont Dieu s'entretint si souvent
avec Moïse ? Comme il n'était pas assez fort à lui seul pour
lutter contre la folie d'une foule si nombreuse, il s'en serait
fallu de peu qu'il ne pérît, si la protection de son frère
n'avait pas fait tomber la colère de Dieu[2].

Mais puisque nous avons rappelé le souvenir de Moïse,
il est bon de montrer, d'après ce qui est arrivé, la vérité de
nos propos ; en effet, ce bienheureux Moïse fut si loin de
ravir l'autorité sur les Juifs qu'il la refusa quand elle lui fut
donnée et, comme Dieu lui ordonnait de l'accepter, il
s'emporta contre ses ordres[3]. Et non pas alors seulement,
mais ensuite, quand il était en possession de l'autorité, il
serait mort volontiers pour s'en débarrasser. « Tue-moi,
dit-il, si tu dois me traiter ainsi[a]. » Eh quoi ! quand il eut
commis une faute au sujet de l'eau[4], ces refus fréquents
suffirent-ils à plaider pour lui et à persuader Dieu de lui
pardonner ? D'autre part, pourquoi fut-il privé de la terre
promise[5] ? Pour aucune autre raison, comme nous le
savons tous, sinon pour cette faute à cause de laquelle cet
homme admirable ne put obtenir les mêmes faveurs que
ceux qui étaient sous son autorité ; mais après bien des
années[6] et des malheurs, après cette longue errance qu'on
ne peut raconter et ces guerres et ces trophées, il mourut
loin de la terre pour laquelle il avait tant peiné et, après

Yahweh. En fait, Moïse s'est dérobé plusieurs fois, ἅπαξ καὶ μετὰ
ταῦτα, devant l'ordre de Yahweh.

4. Cf. *Nombr.* 20, 7-12 et *Ex.* 17, 1-7. Là encore le texte est supposé
connu, d'où le vague de la formule. Le passage s'éclaire par le commentaire de Jean, *Contra eos qui subintrod. habent virg.* 8, éd. Dumortier, p. 73. Moïse a manqué de confiance en Dieu, mais surtout sa
faute a été commise *devant le peuple*, ce qui aggrave le scandale.

5. Cf. *Nombr.* 20, 12-13.

6. La variante ἄθλους est donnée par le *Monacensis* 354 ; elle a été
adoptée par Montfaucon et par Nairn. Tous nos mss ont la leçon
χρόνους qui est confirmée par le syriaque, *Add.* 17191, f. 45ᵛ : men
batar hau kulêh nūgrâ.

ἐμόχθησε καὶ τὰ τοῦ πελάγους ὑπομείνας κακά, τῶν τοῦ
λιμένος οὐκ ἀπήλαυσεν ἀγαθῶν.

110 Ὁρᾷς ὡς οὐ τοῖς ἁρπάζουσι μόνον, ἀλλ' οὐδὲ τοῖς ἐκ τῆς
ἑτέρων σπουδῆς ἐπὶ τοῦτο ἐρχομένοις, λείπεταί τις ἐν οἷς ἂν
πταίσωσιν ἀπολογία. Ὅπου γὰρ οἱ τοῦ Θεοῦ χειροτονοῦντος
παραιτησάμενοι πολλάκις τοσαύτην ἔδωκαν δίκην καὶ οὐδὲν
ἴσχυσεν ἐξελέσθαι τοῦ κινδύνου τούτου οὔτε τὸν Ἀαρών,
115 οὔτε τὸν Ἠλί, οὔτε τὸν μακάριον ἐκεῖνον ἄνδρα, τὸν ἅγιον, τὸν
προφήτην, τὸν θαυμαστόν, τὸν πρᾶον μάλιστα πάντων τῶν
ἐπὶ τῆς γῆς, τὸν ὡς φίλον λαλοῦντα τῷ Θεῷ, σχολῇ γε ἡμῖν
τοῖς τοσοῦτον ἀποδέουσι τῆς ἀρετῆς τῆς ἐκείνου δυνήσεται
πρὸς ἀπολογίαν ἀρκέσαι τὸ συνειδέναι ἑαυτοῖς μηδὲν ὑπὲρ
120 ταύτης ἐσπουδακόσι τῆς ἀρχῆς, καὶ μάλιστα ὅτε πολλαὶ
τούτων τῶν χειροτονιῶν οὐκ ἀπὸ τῆς θείας γίνονται χάριτος,
ἀλλὰ καὶ ἀπὸ τῆς τῶν ἀνθρώπων σπουδῆς. Τὸν Ἰούδαν ὁ
Θεὸς ἐξελέξατο καὶ εἰς τὸν ἅγιον ἐκεῖνον κατέλεξε χορὸν καὶ
τὴν ἀποστολικὴν ἀξίαν μετὰ τῶν λοιπῶν ἐνεχείρισεν· ἔδωκε
125 δέ τι καὶ τῶν ἄλλων πλέον αὐτῷ, τὴν τῶν χρημάτων οἰκονομίαν. Τί οὖν; ἐπειδὴ τούτοις ἀμφοτέροις ἐναντίως ἐχρήσατο
καὶ ὃν ἐπιστεύθη κηρύττειν προὔδωκε καὶ ἃ καλῶς διοικεῖν
ἐνεχειρίσθη ταῦτα ἀνήλωσε κακῶς, ἐξέφυγε τὴν τιμωρίαν;
Δι' αὐτὸ μὲν οὖν τοῦτο καὶ χαλεπωτέραν ἑαυτῷ τὴν δίκην
130 εἰργάσατο καὶ μάλα γε εἰκότως. Οὐ γὰρ εἰς τὸ τῷ Θεῷ
προσκρούειν δεῖ κατακεχρῆσθαι ταῖς παρὰ τοῦ Θεοῦ διδομέναις τιμαῖς, ἀλλ' εἰς τὸ μᾶλλον ἀρέσκειν αὐτῷ.

Ὁ δὲ ἐπειδὴ πλέον τετίμηται, διὰ τοῦτο ἀξιῶν ἀποφυγεῖν
ἐν οἷς ἂν κολάζεσθαι δέῃ, παραπλήσιον ποιεῖ ὥσπερ ἂν εἴ

111 ἑτέρων : τῶν ἑτέρων C ‖ 112 γὰρ οἱ om. A ‖ 112 οἱ : οὗτοι FHK
εἰ E ‖ 112 τοῦ om. FHJK ‖ 114 τούτου B : τούτοις D τούτους cett.
‖ 115 τὸν ἅγιον om. EG D ‖ 117 τῆς BC : om. cett. ‖ 121-122 θείας
— τῆς om. B ‖ 126 ἐχρήσατο BC A D F : ἀπεχρήσατο cett. ‖ 131
τοῦ om. B ‖ 132 διδομέναις BC : δεδομέναις cett.

1. Moïse.
2. Nombr. 12, 3.

avoir supporté les dangers de la mer, il ne jouit pas des avantages du port.

Tu vois qu'il ne reste pas d'excuse non seulement pour ceux qui ravissent l'autorité, lorsqu'ils commettent des fautes, mais pas même pour ceux qui y accèdent par suite de l'empressement des autres. D'où il s'ensuit que des gens élus par Dieu, mais qui n'ont pas répondu à son appel, ont souvent subi un châtiment si sévère et rien n'a suffi pour écarter de ce danger ni Aaron, ni Héli, ni cet homme bienheureux[1], le saint, le prophète, l'homme admirable, celui qui fut doux sur la terre plus que tous les autres[2], celui qui s'entretenait avec Dieu comme un ami[3] ; encore moins pour nous qui sommes tellement éloigné de sa vertu, le fait de nous connaître nous-même pourra-t-il suffire à nous excuser d'avoir cherché à exercer l'autorité, surtout alors que la plupart des élections ont lieu non sous l'impulsion de la grâce divine, mais par suite de l'empressement des hommes. Dieu a choisi Judas, il l'a placé parmi le chœur saint[4], il l'a gratifié avec les autres de la dignité d'apôtre, il lui a même donné quelque chose de plus qu'aux autres : la gestion des biens[5]. Eh quoi ? lorsqu'il eut mésusé de cette double faveur et qu'il eut livré ce qu'on lui avait donné à garder et qu'il eut dépensé mal à propos ce qu'on lui avait donné à bien gérer, échappa-t-il au châtiment ? C'est au contraire à cause de cela que sa peine fut rendue plus sévère et à juste titre. En effet, il ne faut pas employer les honneurs que Dieu nous a accordés pour offenser Dieu, mais pour lui plaire autant que possible.

Lui, au contraire, comme il a reçu plus d'honneur, jugeant à cause de cela qu'il peut échapper au châtiment qu'il

3. *Ex.* 33, 11.
4. Il s'agit du chœur des apôtres dont Pierre a été présenté comme le coryphée en II, 1, 17.
5. *Jn* 12, 6.

135 τις καὶ τῶν ἀπίστων Ἰουδαίων ἀκούσας τοῦ Χριστοῦ λέγοντος
ὅτι « Εἰ μὴ ἦλθον καὶ ἐλάλησα αὐτοῖς, ἁμαρτίαν οὐκ εἶχον[b] »,
καί· « Εἰ μὴ τὰ σημεῖα ἐποίουν ἐν αὐτοῖς ἃ μηδεὶς ἄλλος
ἐποίησεν, ἁμαρτίαν οὐκ εἶχον[c] », ἐγκαλοίη τῷ σωτῆρι καὶ
εὐεργέτῃ λέγων· Τί γὰρ ἤρχου καὶ ἐλάλεις; τί δὲ ἐποίεις
140 σημεῖα, ἵνα μειζόνως ἡμᾶς κολάσῃς; Ἀλλὰ μανίας τὰ ῥήματα
ταῦτα καὶ τῆς ἐσχάτης παραπληξίας· ὁ γὰρ ἰατρὸς οὐχ ἵνα σε
κατακρίνῃ μᾶλλον ἦλθε θεραπεύσων, ἀλλ' ἵνα ἀπαλλάξῃ τῆς
νόσου τέλεον. Σὺ δὲ σαυτὸν ἑκὼν ἀπεστέρησας τῶν ἐκείνου
χειρῶν· δέχου τοίνυν χαλεπωτέραν τὴν τιμωρίαν. Ὥσπερ
145 γὰρ εἰ εἶξας τῇ θεραπείᾳ καὶ τῶν προτέρων ἂν ἀπηλλάγης
κακῶν, οὕτως ἐπειδὴ παραγινόμενον ἰδὼν ἔφυγες, οὐκέτι
ἀπονίψασθαι ταῦτα δυνήσῃ, μὴ δυνάμενος δὲ καὶ τούτων
δώσεις τὴν τιμωρίαν καὶ ἀνθ' ὧν αὐτῷ ματαίαν τὴν σπουδὴν
ἐποίησας, τό γε μέρος τὸ σόν. Διὰ ταῦτα οὐκ ἴσην πρὸ τοῦ
150 τιμηθῆναι παρὰ τοῦ Θεοῦ καὶ μετὰ τὰς τιμὰς τὴν βάσανον
ὑπομένομεν, ἀλλὰ πολλῷ σφοδροτέραν ὕστερον· ὁ γὰρ μὴ τῷ
παθεῖν εὖ γενόμενος ἀγαθὸς πικροτέρως δίκαιος ἂν εἴη κολάζεσθαι. Ἐπεὶ οὖν ἀσθενὴς ἡμῖν αὕτη ἡ ἀπολογία δέδεικται

---

135 Χριστοῦ BC K : Θεοῦ F Κυρίου cett. ‖ 137-138 καὶ — εἶχον
om. B ‖ 137 ἐποίουν : ἐποίησα C F ‖ 142 μᾶλλον ἦλθε … ἀλλ' BC :
ἦλθεν ἀλλὰ μᾶλλον … καὶ AEG D F ‖ 142 θεραπεύσων] + οὐχ ἵνα
σε νοσοῦντα παρίδῃ HJK ‖ 142 ἵνα : ἵνα σε JK σε H ‖ 142 ἀπαλλάξῃ]
+ σε AEG D F ‖ 145 γὰρ om. E D ‖ 145 εἰ om. C AEG D ‖ 146
οὐκέτι BC FJK : οὐκέτ' ἂν cett. ‖ 151 μὴ BC : μηδὲν A FK μηδὲ
cett. ‖ 151 τῷ : τὸ C E D ‖ 152 γινόμενος E ‖ 152 πικροτέρως B :
πικρότερος E πικρότερον cett.

b. Jn 15, 22　　　c. Jn 15, 24

1. L'épithète ἄπιστοι est appliquée par les chrétiens aux Juifs,
parce qu'ils n'ont pas voulu croire à la divinité du Christ. On lira avec
intérêt le texte de Jean intitulé *Contra Judaeos et Gentiles, quod
Christus sit Deus*, *P G* 48, 813-838, en particulier chap. ii, col. 828,
li. 23-27 où Jean apostrophe les Juifs en ces termes : Πῶς οὖν ἔτι
τολμᾶς ἀπιστεῖν ;
2. L'alliance de mots est traditionnelle dans la littérature grecque.
Hoeschel a réuni sur ce groupe un dossier abondant et très intéressant

devait subir, il fait à peu près comme si un Juif incrédule[1],
ayant entendu le Christ dire : « Si je n'étais pas venu et si
je ne leur avais pas parlé, ils seraient sans péché[b] », et :
« Si je n'avais pas fait devant eux des prodiges que personne d'autre n'a faits, ils seraient sans péché[c] », adressait
des reproches à son sauveur et bienfaiteur[2] en disant : Pourquoi es-tu venu et nous parlais-tu ? pourquoi faisais-tu
des prodiges pour nous châtier davantage ? Mais ces paroles
sont de la folie et de la dernière démence ; le médecin[3], en
effet, n'est pas venu pour te condamner, mais plutôt pour
te soigner[4], afin de te délivrer complètement de la maladie.
Mais toi, puisque tu t'es volontairement dérobé à ses mains,
reçois donc le châtiment et que celui-ci soit plus sévère.
De même que si tu avais accepté ses soins, tu aurais été
délivré de tes maux d'autrefois, ainsi, puisqu'en voyant
ce qui se passait tu as fui, tu ne pourras plus te laver de
cette accusation ; et comme tu n'en auras plus la possibilité, tu subiras le châtiment pour les actes en vue des-
quels tu as déployé une vaine activité, tel est ton lot. C'est
pourquoi nous ne sommes pas soumis à la même épreuve
pour avoir été appelés par Dieu à des honneurs et après
avoir reçu ces honneurs, mais dans ce cas-ci l'épreuve est
beaucoup plus dure ; car celui qui n'est pas devenu bon,
tout en étant l'objet de faveurs, il serait juste qu'il soit
châtié plus durement. Donc, puisqu'on nous a montré la
faiblesse de cette défense et que, non seulement elle ne

qu'on trouvera dans son édition, p. 451-458. L'expression est tout
naturellement appliquée au Christ dans la littérature chrétienne.

3. Le thème du philosophe médecin de l'âme a été souvent utilisé
dans la littérature grecque, par Platon en particulier. Les chrétiens
l'ont adopté pour l'appliquer au Christ d'abord, en s'inspirant de
ses propres paroles : *Matth.* 9, 12 ; *Mc* 2, 17 ; *Lc* 5, 31, ensuite au
prêtre qui le représente. Voir A. Harnack, *Medicinisches aus der
altesten Kirchengeschichte*, *TU* VIII, 4, 1892, p. 37-47.

4. Les mss HJK insèrent après θεραπεύσων la phrase οὐχ ἵνα σε
νοσοῦντα παρίδῃ qui est manifestement une glose.

καὶ οὐ μόνον οὐ σώζει τοὺς εἰς αὐτὴν καταφεύγοντας, ἀλλὰ
155 καὶ προδίδωσι πλέον, ἑτέραν ἡμῖν ποριστέον ἀσφάλειαν.
Ποίαν δὴ ταύτην, ὁ Βασίλειος ἔφη, ὡς ἔγωγε οὐδὲ ἐν
ἐμαυτῷ δύναμαι εἶναι νῦν, οὕτω με ἔμφοβον καὶ ἔντρομον τοῖς
ῥήμασι κατέστησας τούτοις.
ΙΩ. Μή, δέομαι, ἔφην, καὶ ἀντιβολῶ, μὴ τοσοῦτον καταβά-
160 λῃς σαυτόν· ἔστι γάρ, ἔστιν ἀσφάλεια. Τοῖς μὲν ἀσθενέσιν
ἡμῖν, τὸ μηδέποτε ἐμπεσεῖν, ὑμῖν δὲ τοῖς ἰσχυροῖς, τὸ τὰς
ἐλπίδας τῆς σωτηρίας εἰς ἕτερον μὲν ἀνηρτῆσθαι μηδὲν μετὰ
τὴν τοῦ Θεοῦ χάριν ἀλλ᾽ ἢ εἰς τὸ μηδὲν ἀνάξιον πράττειν τῆς
δωρεᾶς ταύτης καὶ τοῦ δεδωκότος αὐτὴν Θεοῦ. Μεγίστης
165 μὲν γὰρ ἂν εἶεν κολάσεως ἄξιοι οἱ μετὰ τὸ δι᾽ οἰκείας σπουδῆς
ταύτης ἐπιτυχεῖν τῆς ἀρχῆς ἢ διὰ ῥαθυμίαν ἢ διὰ πονηρίαν ἢ
καὶ δι᾽ ἀπειρίαν κακῶς κεχρημένοι τῷ πράγματι· οὐ μὴν διὰ
τοῦτο τοῖς οὐκ ἐσπουδακόσι καταλείπεταί τις συγγνώμη,
ἀλλὰ καὶ οὗτοι πάσης ἀπολογίας ἐστέρηνται. Δεῖ γάρ, οἶμαι,
170 κἂν μύριοι καλῶσι καὶ καταναγκάζωσι, μὴ πρὸς ἐκείνους
ὁρᾶν, ἀλλὰ πρότερον τὴν ἑαυτοῦ βασανίσαντα ψυχὴν καὶ πάντα
διερευνησάμενον ἀκριβῶς, οὕτως εἶξαι τοῖς βιαζομένοις. Νῦν
δὲ οἰκίαν μὲν οἰκοδομήσασθαι οὐδεὶς ἂν ὑποσχέσθαι τολμή-
σειε τῶν οὐκ ὄντων οἰκοδομικῶν, οὐδὲ σωμάτων ἅψασθαι
175 νενοσηκότων ἐπιχειρήσειεν ἄν τις τῶν ἰατρεύειν οὐκ εἰδότων,
ἀλλὰ κἂν πολλοὶ οἱ πρὸς βίαν ὠθοῦντες ὦσι, παραιτήσεται
καὶ οὐκ ἐρυθριάσει τὴν ἄγνοιαν. Ψυχῶν δὲ ἐπιμέλειαν μέλλων
πιστεύεσθαι τοσούτων, οὐκ ἐξετάσει πρότερον ἑαυτόν, ἀλλὰ
κἂν ἁπάντων ἀπειρότατος ᾖ, δέξεται τὴν διακονίαν ἐπειδὴ ὁ
180 δεῖνα κελεύει καὶ ὁ δεῖνα βιάζεται καὶ ἵνα μὴ προσκρούσῃ

---

156 ὁ Βασίλειος ἔφη om. F ‖ 156 ἔγωγε] + οἶμαι C ‖ 159 ἔφην om.
K ‖ 163 μετὰ B : μετὰ δὲ cett. ‖ 163 ἀλλ᾽ ἢ B : om. cett. ‖ 166 ῥαθυμίαν : ἀθυμίαν AEG D ‖ 166 διὰ² om. C AE K ‖ 166-167 ἢ καὶ δι᾽
ἀπειρίαν om. AG D F ‖ 168 καταλείπεται BC K : καταλέλειπται cett.
‖ 171 βασανίσαντα BC : βασάνιζον F βασανίζοντα cett. ‖ 172 Νῦν :
νυνὶ C ‖ 174 οὐκ : μὴ AEG D ‖ 178 πιστεύεσθαι BC : ἐμπιστεύεσθαι
cett.

1. Réminiscence de *I Cor.* 2, 3.

sauve pas ceux qui l'invoquent, mais qu'elle les livre davantage au châtiment, il nous faut chercher un autre refuge.

Quel est-il ? dit Basile, car je ne sais plus où j'en suis
tellement ces paroles m'ont plongé dans la crainte et le
tremblement[1].

JEAN. Je t'en prie et t'en supplie, dis-je, ne te laisse pas
abattre ainsi ; il existe, oui, il existe un refuge. Pour nous
qui sommes faible, c'est de ne jamais nous précipiter[2] ;
pour vous, les forts, c'est de ne faire dépendre l'espoir du
salut, après la grâce de Dieu, que d'une seule chose : ne
rien faire qui soit indigne de ce don et de Dieu qui vous l'a
accordé. En effet, ils seraient dignes du plus grand châtiment ceux qui, après avoir été gratifiés de cette autorité
par une sollicitude particulière, en useraient mal soit par
négligence, soit par méchanceté, soit par manque d'expérience ; ce n'est pas qu'il ne reste aucun espoir de pardon
à ceux qui n'ont pas déployé une activité suffisante, mais
ils sont privés de toute excuse. En effet, il faut, à mon
avis, même si une foule de gens nous appellent et nous
contraignent, ne pas regarder de leur côté, mais tout d'abord
mettre son âme à l'épreuve, tout examiner dans le détail et,
à de telles conditions seulement, céder à ceux qui nous font
violence. En réalité, personne, parmi ceux qui ne sont pas
architectes, n'oserait prendre sur soi de bâtir une maison,
nul parmi ceux qui ne savent pas soigner ne se mettrait à
toucher des corps malades et, quand bien même beaucoup
lui font violence, le candidat refusera et ne rougira pas de
son ignorance. Mais au moment de se voir confié le soin de
tant d'âmes, ne se soumettra-t-il pas lui-même auparavant
à son propre examen et, en admettant qu'il soit le plus
inexpérimenté de tous, acceptera-t-il le service parce que
l'un le lui ordonne, l'autre l'y force, ou pour ne pas heurter

2. Le verbe ἐμπίπτω est peut-être employé ici dans son sens absolu,
agir avec précipitation, mais il semble bien que Jean a dans l'esprit
un complément très précis : se précipiter *sur le sacerdoce*, comme le
prouve la suite de la phrase.

τῷ δεῖνι; Καὶ πῶς οὐκ εἰς προὖπτον ἑαυτὸν μετ' ἐκείνων
ἐμβαλεῖ κακόν; Ἐξὸν γὰρ αὐτῷ σώζεσθαι καθ' ἑαυτὸν καὶ
ἑτέρους προσαπόλλυσι μεθ' ἑαυτοῦ. Πόθεν γὰρ ἔστιν ἐλπίσαι
σωτηρίαν; πόθεν συγγνώμης τυχεῖν; τίνες ἡμᾶς ἐξαιτήσονται
185 τότε; οἱ βιαζόμενοι νῦν ἴσως καὶ πρὸς ἀνάγκην ἕλκοντες;
αὐτοὺς δὲ τούτους τίς κατ' ἐκεῖνον διασώσει τὸν καιρόν;
καὶ γὰρ καὶ αὐτοὶ προσδέονται ἑτέρων, ἵνα διαφύγωσι τὸ πῦρ.

β'. Ὅτι οἱ
χειροτονοῦντες
ἀναξίους τῆς
5   αὐτῆς αὐτοῖς
εἰσιν ὑπεύθυνοι
τιμωρίας, κἂν
ἀγνοῶσι τοὺς
χειροτονουμένους

Ὅτι δέ σε οὐ δεδιττόμενος ταῦτα
λέγω νῦν, ἀλλ' ὡς ἔχει τὸ πρᾶγμα
ἀληθείας, ἄκουε τί τῷ μαθητῇ
φησιν ὁ μακάριος Παῦλος Τιμοθέῳ,
τῷ γνησίῳ τέκνῳ καὶ ἀγαπητῷ.
« Χεῖρας ταχέως μηδενὶ ἐπιτίθει,
μηδὲ κοινώνει ἁμαρτίαις ἀλλοτρίαις[d]. » Εἶδες ὅσης τοὺς μέλλοντας
ἡμᾶς ἐπὶ τοῦτο παράγειν, οὐ μέμ-
10 ψεως μόνον, ἀλλὰ καὶ τιμωρίας, τό γε ἡμέτερον ἀπηλλάξαμεν
μέρος. Ὥσπερ γὰρ τοῖς αἱρεθεῖσιν οὐκ αὔταρκες πρὸς ἀπολογίαν τὸ λέγειν· Οὐκ αὐτόκλητος ἦλθον, οὐδὲ προειδὼς οὐκ
ἀπέφυγον, οὕτως οὐδὲ τοὺς χειροτονοῦντας ὠφελῆσαί τι δύναται, εἰ λέγοιεν τὸν χειροτονηθέντα ἀγνοεῖν· ἀλλὰ διὰ τοῦτο
15 καὶ μεῖζον τὸ ἔγκλημα γίνεται ὅτι ὃν ἠγνόουν παρήγαγον καὶ
ἡ δοκοῦσα εἶναι ἀπολογία αὔξει τὴν κατηγορίαν. Πῶς γὰρ
οὐκ ἄτοπον ἀνδράποδον μὲν πρίασθαι βουλομένους καὶ ἰα-
τροῖς ἐπιδεικνύναι καὶ τῆς πράσεως ἐγγυητὰς ἀπαιτεῖν καὶ
γειτόνων πυνθάνεσθαι καὶ μετὰ ταῦτα πάντα μηδέπω θαρρεῖν,

---

182 κακῶν C ‖ 184 ἡμῖν HJ ‖ 184 ἐξαιτήσονται B : παραστήσονται
C HJ παραιτήσονται cett.

β'. 3 ἄκουε BC FK : ἄκουσον cett. ‖ 9 παράγειν BC : παραγαγεῖν
AEG D F προάγειν HJK ‖ 10 ἀπηλλάξαμεν : ἀπήλλαξεν C AEG D ‖
19 μηδέπω : οὐδέπω C.

d. I Tim. 5, 22

un troisième ? Et comment ne se jette-t-il pas avec eux dans un mal évident ? En effet, alors qu'il lui serait possible de se sauver lui-même, il perd les autres avec lui. D'où peut-on espérer le salut ? d'où obtenir le pardon ? quels sont ceux qui, alors, nous tireront d'affaire[1] ? ceux qui nous contraignent maintenant et qui nous entraînent de force ? qui les sauvera eux-mêmes dans cette circonstance ? car eux aussi ils supplient les autres pour échapper au feu.

2. Ceux qui ordonnent des hommes indignes sont passibles d'un châtiment identique, même s'ils connaissaient mal ceux qu'ils ordonnent

Je ne te dis pas cela maintenant pour t'effrayer mais, dans la mesure où la chose a un rapport avec la vérité, écoute ce que dit le bienheureux Paul à Timothée, son véritable et cher enfant[2]. « N'impose les mains à personne de façon hâtive et ne participe pas aux péchés des autres[d]. » Tu vois non seulement à quel blâme, mais encore à quel châtiment nous avons fait échapper, du moins pour notre part, ceux qui voulaient nous amener à cette décision. De même, en effet, qu'il ne suffira pas à ceux qui ont été choisis de dire pour leur défense : Je ne suis pas venu de mon chef et, comme je n'étais pas prévenu, je n'ai pas pris la fuite, de même ce ne sera pas une excuse valable pour ceux qui nous ont élu, s'ils venaient à dire qu'ils ne connaissaient pas celui qui a été élu ; mais justement à cause de cela, on leur reprochera plus durement de ne pas connaître celui qu'ils ont mis sur les rangs et ce qui paraît être une excuse aggravera l'accusation portée contre eux. N'est-il pas étrange que si l'on veut acheter un esclave, on le présente aux médecins, on réclame des garants pour conclure le marché, on interroge les voisins et qu'ensuite on ne soit pas encore rassuré, mais que pendant longtemps

1. Les mss offrent ici deux composés voisins qui peuvent se justifier l'un et l'autre. Nairn a adopté παραιτήσονται.
2. Cf. I Tim. 1, 2 ; II Tim. 1, 2.

20 ἀλλὰ καὶ χρόνον πολὺν πρὸς δοκιμασίαν αἰτεῖν, εἰς δὲ τοσαύτην λειτουργίαν μέλλοντάς τινα ἐγγράφειν, ἁπλῶς καὶ ὡς
ἔτυχεν, ἂν τῷ δεῖνι δόξῃ πρὸς χάριν ἢ πρὸς ἀπέχθειαν ἑτέρων
μαρτυρῆσαι, ἐγκρίνειν, μηδεμίαν ποιουμένους ἑτέραν ἐξέτασιν; Τίς οὖν ἡμᾶς ἐξαιτήσεται τότε, τῶν ὀφειλόντων
25 προστῆναι καὶ αὐτῶν προστατῶν δεομένων;
   Δεῖ μὲν οὖν καὶ τὸν χειροτονεῖν μέλλοντα πολλὴν ποιεῖσθαι
τὴν ἔρευναν, πολλῷ δὲ πλείονα τούτου τὸν χειροτονούμενον·
εἰ γὰρ καὶ κοινωνοὺς ἔχει τῆς κολάσεως τοὺς ἑλομένους ἐν
οἷς ἂν ἁμάρτῃ, ἀλλ' ὅμως οὐδὲ αὐτὸς ἀπήλλακται τῆς τιμω-
30 ρίας, ἀλλὰ καὶ μείζονα δίδωσι, μόνον εἰ μὴ διά τινα ἀνθρωπίνην αἰτίαν παρὰ τὸ φανὲν αὐτοῖς εὔλογον ἔπραξαν οἱ
ἑλόμενοι. Εἰ γὰρ ἐν τούτῳ φωραθεῖεν καὶ τὸν ἀνάξιον εἰδότες
διά τινα πρόφασιν αὐτὸν παρήγαγον, ἐξ ἴσης τὰ τῶν κολα-
στηρίων αὐτοῖς, τάχα δὲ καὶ μείζονα τῷ τὸν οὐκ ἐπιτήδειον
35 καταστήσαντι· ὁ γὰρ τὴν ἐξουσίαν παρασχὼν τῷ βουλομένῳ
διαφθεῖραι τὴν Ἐκκλησίαν, οὗτος ἂν εἴη τῶν ὑπ' ἐκείνου
τολμηθέντων αἴτιος. Εἰ δὲ τούτων μὲν οὐδενὶ γένοιτο ὑπεύ-
θυνος, ἀπὸ δὲ τῆς τῶν πολλῶν ὑπολήψεως ἠπατῆσθαι λέγοι,
ἀτιμώρητος μὲν οὐδὲ οὕτω μένοι, ὀλίγῳ δὲ ἐλάττονα τοῦ
40 χειροτονηθέντος δίδωσι δίκην. Τί δήποτε; Ὅτι τοὺς μὲν
ἑλομένους εἰκὸς ὑπὸ δόξης ψευδοῦς ἀπατηθέντας ἐπὶ τοῦτο
ἐλθεῖν· ὁ δὲ αἱρεθεὶς οὐκέτ' ἂν δύναιτο λέγειν ὅτι ἠγνόουν
ἐμαυτόν, καθάπερ αὐτὸν ἕτεροι. Ὡς οὖν βαρύτερον μέλλοντα
κολάζεσθαι τῶν παραγόντων, οὕτως ἀκριβέστερον αὐτῶν
45 χρὴ ποιεῖσθαι τὴν ἑαυτοῦ δοκιμασίαν, κἂν ἀγνοοῦντες ἕλκωσιν

---

21 ἐγγράφειν BC : ἐγγράφεσθαι cett. ‖ 24 Τίς : ἑτέρα τις ‖ 24 οὖν :
νῦν E ‖ 24 ἐξαιτήσεται : ἐξαιτιᾶσθαι G ‖ 36 οὗτος B : αὐτὸς cett. ‖
37 οὐδενὶ B : μηδενὶ cett. ‖ 37 γένηται C ‖ 39 μένοι B : μενεῖ C
μένει cett. ‖ 41 ἢ ante ψευδοῦς add. E D F. ‖ 44 παραγόντων B :
παραγαγόντων cett.

1. Δοκιμασία qui désigne, au sens strict, l'examen auquel étaient
soumis à Athènes les candidats à une charge politique, est employé
ici au sens large. Voir plus haut, p. 74, note 2. Jean, suivant en

on le mette à l'épreuve[1], tandis que si l'on inscrit les candidats à une charge si importante, on les admette purement et simplement sans faire un autre examen, quand il apparaît au premier venu qu'on leur a rendu témoignage par faveur ou par animosité contre les autres ? Qui donc alors nous tirera d'affaire, lorsque ceux qui doivent exercer leur protection auront eux-mêmes besoin de protecteurs ?

Il faut donc que celui qui va donner son suffrage se livre à un examen approfondi et beaucoup plus encore celui qu'on va élire ; en effet, s'il a comme compagnons de châtiment, pour les fautes qu'il a pu commettre, ceux qui l'ont élu, cependant il ne peut échapper à la punition et il en subit une plus grande, à moins que ceux qui l'ont élu aient agi pour une raison humaine et contrairement à ce qui leur semblait raisonnable. Si, en effet, ils avaient été pris en flagrant délit et, tout en sachant qu'il est indigne, s'ils l'avaient mis sur les rangs au nom d'un prétexte quelconque, les instruments de supplice seraient les mêmes et plus cruels encore pour celui qui nomme un candidat qui ne convient pas ; car celui qui offre au premier venu le pouvoir de nuire à l'Église, celui-là serait cause des tentatives audacieuses faites par celui-ci. Mais s'il n'en était nullement responsable et s'il disait qu'il a été trompé par l'opinion commune, il n'en mériterait pas moins d'être puni ; cependant il reçoit un châtiment moindre que celui qui a été élu. Pourquoi ? parce que ceux qui l'ont élu en sont vraisemblablement arrivés là pour avoir été trompés par une renommée mensongère ; tandis que celui qui a été élu ne saurait dire : Je ne me connaissais pas moi-même, pas plus que les autres ne me connaissaient. S'il en est ainsi, de même qu'on sera puni plus sévèrement que ceux qui vous ont introduit, de même il faut faire de soi un examen plus approfondi que le leur ; même s'ils vous entraînent sans vous connaître, il

cela *Tite* 1, 5-9, énumère les points sur lesquels le candidat doit être examiné.

ἐκεῖνοι, προσιόντα διδάσκειν ἀκριβῶς τὰς αἰτίας δι' ὧν
ἠπατημένους παύσει καὶ ἀνάξιον ἑαυτὸν τῆς δοκιμασίας ἀποδείξας ἐκφεύξεται τοσούτων πραγμάτων ὄγκον. Διὰ τί γὰρ
περὶ στρατείας καὶ ἐμπορίας καὶ γεωργίας καὶ τῶν ἄλλων τῶν
50 βιωτικῶν βουλῆς προκειμένης, οὔτε ὁ γεωργὸς ἕλοιτ' ἂν
πλεῖν, οὔτε ὁ στρατιώτης γεωργεῖν, οὔτε ὁ κυβερνήτης
στρατεύεσθαι, κἂν μυρίους τις ἀπειλῇ θανάτους; Ἦ δῆλον ὅτι
τὸν ἐκ τῆς ἀπειρίας προορώμενοι κίνδυνον ἕκαστος. Εἶτα
ὅπου μὲν ζημία περὶ μικρῶν, τοσαύτη χρησόμεθα προνοίᾳ
55 καὶ οὐκ ἂν εἴξομεν τῇ τῶν βιαζομένων ἀνάγκῃ· ὅπου δὲ ἡ
κόλασις αἰώνιος τοῖς οὐκ εἰδόσι μεταχειρίζειν ἱερωσύνην,
ἁπλῶς καὶ ὡς ἔτυχε τοσοῦτον ἀναδεξόμεθα κίνδυνον, τὴν
ἑτέρων προβαλλόμενοι βίαν; Ἀλλ' οὐκ ἀνέξεται τότε ὁ ταῦτα
κρίνων ἡμῖν. Ἔδει μὲν γὰρ καὶ πολλῷ πλείω τῶν σαρκικῶν
60 περὶ τὰ πνευματικὰ τὴν ἀσφάλειαν ἐπιδείξασθαι, νῦν δὲ οὐδὲ
ἴσην εὑρισκόμεθα παρεχόμενοι.

Εἰπὲ γάρ μοι, εἴ τινα ὑποπτεύσαντες ἄνδρα εἶναι τεκτονικὸν οὐκ ὄντα τεκτονικὸν πρὸς τὴν ἐργασίαν καλοῦμεν, αὐτὸς
δὲ ἕποιτο, εἶτα ἁψάμενος τῆς πρὸς τὴν οἰκοδομὴν παρε-
65 σκευασμένης ὕλης, ἀφανίζοι μὲν ξύλα, ἀφανίζοι δὲ λίθους,
ἐργάζοιτο δὲ τὴν οἰκίαν οὕτως ὡς εὐθέως καταπεσεῖν, ἆρα
ἀρκέσει πρὸς ἀπολογίαν αὐτῷ τὸ παρ' ἑτέρων ἠναγκάσθαι
καὶ μὴ αὐτεπάγγελτον ἥκειν; Οὐδαμῶς, καὶ μάλα γε εἰκότως
καὶ δικαίως· ἐχρῆν γάρ, καὶ ἑτέρων καλούντων, ἀποπηδᾶν.
70 Εἶτα τῷ μὲν ξύλα ἀφανίζοντι καὶ λίθους οὐδεμία ἔσται κατα-
φυγὴ πρὸς τὸ μὴ δοῦναι δίκην· ὁ δὲ ψυχὰς ἀπολὺς καὶ οἰκο-

---

46 αἰτίας : ἥττας C ‖ 52 ἀπειλῇ : ἀπειλήσῃ HJK ‖ 54 ζημία : ἡ ζημία
FHJK ‖ 54 χρησόμεθα : χρησώμεθα A χρώμεθα FK ‖ 55 εἴξομεν BC
J : εἴξωμεν cett. ‖ 59 ἡμῖν : ἡμᾶς HK ‖ 59 Ἔδει : δεῖ C ‖ 59 γὰρ
om. C ‖ 59 πολλῷ : πολλῶν D πολὺ C ‖ 59 πλείω BC K : πλείων
D πλέον cett. ‖ 60 ἐπιδείξασθαι BC K : ἐπιδείκνυσθαι cett. ‖ 63 αὐτὸς
B : ὁ cett. ‖ 71 ψυχὰς BC K : τὰς ψυχὰς cett.

1. Bengel propose de remplacer δοκιμασίας par διακονίας d'après
le *vetus interpres* qui traduit par *munere*. Il attribue la confusion des

faut, en allant les trouver, leur montrer clairement les raisons grâce auxquelles on mettra fin à leurs entreprises,
puisqu'ils ont été trompés et, après avoir prouvé qu'on ne
résiste pas soi-même à l'examen[1], on échappera au poids
de si grandes responsabilités. Pourquoi, lorsqu'il s'agit de
prendre une décision dans l'armée, le commerce ou quelque autre entreprise humaine, ni le laboureur ne choisirait
de naviguer, ni le soldat de labourer, ni le pilote de conduire
l'armée, même si on les menaçait de mille morts ? Certes,
il est évident qu'ils prévoient chacun un danger par suite de
leur manque d'expérience. Ainsi, là où il y a dommage dans
des choses peu importantes, nous userons d'une telle prudence et nous ne céderons pas à la pression de gens qui nous
contraignent ; mais là où il y a un châtiment éternel réservé
à ceux qui ne savent pas exercer le sacerdoce, accepterons-
nous un si grand danger en prétextant que les autres nous
font violence ? Non, il ne le tolérera pas celui qui est notre
juge sur ce point. Il faudrait, en effet, montrer une plus
grande fermeté à l'égard des choses spirituelles qu'à l'égard
des choses temporelles, tandis qu'à notre époque on
s'aperçoit que nous n'en avons même pas autant de souci.

Dis-moi, si ayant cru qu'un homme était charpentier
alors qu'il ne l'est pas, il arrivait que nous l'appelions pour
le faire travailler et si lui acceptait, puis s'étant mis à préparer le bois pour la construction, s'il gâchait ce bois, s'il
gâchait des pierres et s'il bâtissait la maison de telle manière
qu'elle s'écroule aussitôt, lui suffira-t-il pour sa défense
d'avoir été contraint par d'autres et de n'être pas venu de
son plein gré ? Certainement pas, et c'est tout à fait bien
ainsi et c'est juste ; il aurait fallu, en effet, qu'il refuse
quand les autres l'appelaient. Alors, pour celui qui gâche
le bois et les pierres, il n'y aura aucun moyen d'échapper

deux mots à une mauvaise audition du scribe et donne de très nombreux exemples de faits analogues, p. 459-461. Nous gardons la leçon
donnée par tous nos mss.

δομῶν ἀμελῶς τὴν ἑτέρων ἀνάγκην ἀποχρῆν αὐτῷ πρὸς τὸ
διαφυγεῖν οἴεται; Καὶ πῶς οὐ λίαν εὔηθες; οὔπω γὰρ προσ-
τίθημι ὅτι τὸν μὴ βουλόμενον οὐδεὶς ἀναγκάσαι δυνήσεται.
75 Ἀλλ' ἔστω μυρίαν αὐτὸν ὑπομεμενηκέναι βίαν καὶ μηχανὰς
πολυτρόπους ὥστε ἐμπεσεῖν· τοῦτο οὖν αὐτὸν ἐξαιρήσεται
τῆς κολάσεως; Μή, παρακαλῶ, μὴ ἐπὶ τοσοῦτον ἀπατῶμεν
ἑαυτούς, μηδὲ ὑποκρινώμεθα ἀγνοεῖν τὰ καὶ τοῖς ἄγαν παισὶ
φανερά· οὐ γὰρ δήπου καὶ ἐπὶ τῶν εὐθυνῶν αὕτη τῆς ἀγνοίας
80 ἡ προσποίησις ἡμᾶς ὠφελῆσαι δυνήσεται. Οὐκ ἐσπούδασας
αὐτὸς ταύτην δέξασθαι τὴν ἀρχήν, ἀσθένειαν σεαυτῷ συνει-
δώς; Εὖ καὶ καλῶς. Ἐχρῆν οὖν μετὰ τῆς αὐτῆς προαιρέσεως,
καὶ ἑτέρων καλούντων, ἀποπηδᾶν. Ἢ ὅτε μὲν οὐδεὶς ἐκάλει,
ἀσθενὴς σὺ καὶ οὐκ ἐπιτήδειος· ἐπεὶ δὲ εὑρέθησαν οἱ δώσοντες
85 τὴν τιμήν, γέγονας ἐξαίφνης ἰσχυρός; Γέλως ταῦτα καὶ
λῆροι καὶ τῆς ἐσχάτης ἄξια τιμωρίας. Διὰ γὰρ τοῦτο καὶ ὁ
Κύριος παραινεῖ μὴ πρότερον βάλλεσθαι θεμέλιον τὸν βουλόμενον πύργον οἰκοδομεῖν πρὶν ἢ τὴν οἰκείαν λογίσασθαι
δύναμιν, ἵνα μὴ δῷ τοῖς παριοῦσι μυρίας ἀφορμὰς χλευασίας
90 τῆς εἰς αὐτόν. Ἀλλ' ἐκείνῳ μὲν μέχρι τοῦ γέλωτος ἡ ζημία·
ἐνταῦθα δὲ ἡ κόλασις πῦρ ἄσβεστον καὶ σκώληξ ἀτελεύτητος
καὶ βρυγμὸς ὀδόντων καὶ σκότος ἐξώτερον καὶ τὸ διχοτομηθῆναι καὶ τὸ ταγῆναι μετὰ τῶν ὑποκριτῶν.

Ἀλλ' οὐδὲν τούτων ἐθέλουσιν ἰδεῖν οἱ κατηγοροῦντες ἡμῶν·
95 ἢ γὰρ ἂν ἐπαύσαντο μεμφόμενοι τὸν οὐκ ἐθέλοντα ἀπολέσθαι
μάτην. Οὐκ ἔστιν ἡμῖν ὑπὲρ οἰκονομίας πυροῦ καὶ κριθῶν,
οὐδὲ βοῶν καὶ προβάτων, οὐδὲ περὶ τοιούτων ἄλλων ἡ σκέψις

---

74 δυνήσεται] + ποτε C ‖ 76 μὴ ante ἐμπεσεῖν add. AEG D FH ‖
82 καὶ : γε AE D H om. J ‖ 84 ἐπεὶ B : ἐπειδὴ cett. ‖ 86 λῆροι B :
λῆρος cett. ‖ 86 ἄξια τιμωρίας : ἀξίας καὶ τιμωρίας C ‖ 88 λογίσασθαι
BC : ἀναλογίσασθαι cett. ‖ 90 ἐκείνῳ B : ἐκεῖ cett. ‖ 92 καὶ σκότος
ἐξώτερον om. C ‖ 94 ἰδεῖν : εἰδέναι K ‖ 96 ὑπὲρ BC : περὶ cett.

1. Cf. Lc 14, 28-30.
2. Sur le sens de cette expression, voir plus haut, p. 228, note 1.

à la punition ; mais celui qui a perdu des âmes et qui les
aura mal édifiées pense-t-il que la contrainte exercée par
les autres lui suffit pour échapper au jugement ? N'est-ce
pas vraiment trop naïf ? et je n'ajoute pas que personne
ne pourra forcer celui qui se récuse. Mais en admettant qu'il
ait subi mille contraintes et des machinations de toute
sorte susceptibles de le faire succomber, cela lui évitera-t-il
le châtiment ? Non, de grâce, ne nous trompons pas nous-
mêmes à ce point et ne répondons pas que nous ignorons
des choses claires même pour de tout jeunes enfants, car à
l'heure de régler les comptes, le prétexte d'ignorance ne
pourra nous servir. Tu n'as pas cherché à obtenir cette
autorité, parce que tu avais conscience de ta faiblesse ?
C'est bien et c'est honnête. Il aurait donc fallu refuser au
nom du même motif, malgré l'invitation que d'autres te
faisaient. Ou bien, si personne ne t'appelait, c'est que tu
étais faible et incapable ; mais lorsqu'il s'est trouvé des
gens pour t'accorder cet honneur, es-tu devenu fou tout à
coup ? Ce sont des propos risibles et des niaiseries dignes du
dernier des châtiments. C'est pourquoi le Seigneur conseille
à celui qui veut bâtir une tour de ne pas jeter les fondations
avant d'avoir évalué ses propres capacités, pour ne pas
donner à ceux qui passent mille occasions de le railler[1].
Mais pour celui-là le tort se limite à ce qu'on se moque de
lui ; ici telle sera la punition : feu qui ne s'éteint pas, ver qui
ronge sans fin, grincement de dents, ténèbres extérieures et
le fait d'être séparé[2] et d'être compté parmi les hypocrites[3].

Mais ceux qui nous accusent ne veulent rien savoir de
tout cela, autrement ils cesseraient de blâmer celui qui ne
veut pas s'exposer inutilement à sa perte. Le sujet sur
lequel porte actuellement notre réflexion ne concerne pas
la manière de gérer des biens tels que du blé et de l'orge,
ni des bœufs et des moutons, ni d'autres choses du même

---

3. Cf. IV, 1, 40-42 où les supplices infernaux sont décrits dans les
mêmes termes. Ici, Jean ajoute βρυγμὸς ὀδόντων d'après *Matth.* 24, 51.

ἡ προκειμένη νῦν, ἀλλ' ὑπὲρ αὐτοῦ τοῦ σώματος Ἰησοῦ.
Ἡ γὰρ Ἐκκλησία τοῦ Χριστοῦ, κατὰ τὸν μακάριον Παῦλον,
100 σῶμά ἐστι τοῦ Χριστοῦ, καὶ δεῖ τὸν τοῦτο πεπιστευμένον εἰς
εὐεξίαν αὐτὸ πολλὴν καὶ κάλλος ἀμήχανον ἐξασκεῖν, πανταχοῦ περισκοποῦντα, μή που σπίλος ἢ ῥυτὶς ἤ τις ἄλλος μῶμος
τοιοῦτος τὴν ὥραν ᾖ καὶ τὴν εὐπρέπειαν λυμαινόμενος
ἐκείνην. Καὶ τί γὰρ ἄλλ' ἢ τῆς ἐπικειμένης αὐτῷ κεφαλῆς τῆς
105 ἀκηράτου καὶ μακαρίας ἄξιον αὐτὸ κατὰ δύναμιν τὴν ἀνθρωπείαν ἀποφαίνειν; Εἰ γὰρ τοῖς περὶ τὴν ἀθλητικὴν εὐεξίαν
ἐσπουδακόσι καὶ ἰατρῶν χρεία καὶ παιδοτριβῶν καὶ διαίτης
ἠκριβωμένης καὶ ἀσκήσεως συνεχοῦς καὶ μυρίας παρατηρή-
σεως ἑτέρας — καὶ γὰρ τὸ τυχὸν ἐν αὐτοῖς παροφθὲν πάντα
110 ἀνέτρεψε καὶ κατέβαλεν —, οἱ τὸ σῶμα τοῦτο θεραπεύειν
λαχόντες, τὸ τὴν ἄθλησιν οὐ πρὸς σώματα, ἀλλὰ πρὸς τὰς
ἀοράτους δυνάμεις ἔχον, πῶς αὐτὸ δυνήσονται φυλάττειν
ἀκέραιον καὶ ὑγιές, μὴ πολὺ τὴν ἀνθρωπίνην ὑπερβαίνοντες
ἀρετὴν καὶ πᾶσαν ψυχῆς πρόσφορον ἐπιστάμενοι θεραπείαν;

γ΄. Ὅτι πολλῆς   Ἦ ἀγνοεῖς ὅτι καὶ πλείοσι τῆς
τῆς ἐν τῷ λέγειν   ἡμετέρας σαρκὸς καὶ νόσοις καὶ
δυνάμεως   ἐπιβουλαῖς τοῦτο ὑπόκειται τὸ σῶμα
5 χρεία τῷ ἱερεῖ   καὶ θᾶττον αὐτοῦ φθείρεται καὶ
                   σχολαίτερον ὑγιαίνει; Καὶ τοῖς μὲν
ἐκεῖνα θεραπεύουσι τὰ σώματα καὶ φαρμάκων ἐξεύρηται ποικιλία καὶ ὀργάνων διάφοροι κατασκευαὶ καὶ τροφαὶ τοῖς νο-
σοῦσι κατάλληλοι καὶ φύσις δὲ ἀέρων πολλάκις ἤρκεσε μόνη
πρὸς τὴν τοῦ κάμνοντος ὑγίειαν· ἔστι δὲ ὅπου καὶ ὕπνος προσπε-

---

98 ἡ om. B ‖ 98 Ἰησοῦ : τοῦ Ἰησοῦ Κ om. D ‖ 100 πεπιστευμένον
B : πιστευόμενον C ἐμπεπιστευμένον FK ἐμπιστευόμενον cett. ‖ 109
καὶ γὰρ : καὶ γὰρ καὶ HJK ‖ 110 θεραπεῦσαι C ‖ 114 πᾶσαν ψυχῆς
B : πάσῃ ψυχῇ C HJK πᾶσαν ψυχῆς ἰδέαν AEG D F.
γ΄. 4 θᾶττον : θάτερον AE F καθάπερ D ‖ 5 σχολαίτερον B :
σχολέστερον Α σχολεώτερον [-ότερον C] C E σχολαιότερον cett.

1. On remarquera le nom de Jésus, que Chrysostome emploie
rarement. Il préfère ὁ Χριστός.

genre, il concerne le corps même de Jésus[1]. En effet, selon
le bienheureux Paul, l'Église du Christ, c'est le corps du
Christ[2] et il faut que celui à qui on le confie s'efforce de le
garder en parfait état, de contribuer à sa beauté inéga-
lable, veillant sur tous les points à ce que ni tache, ni ride[3],
ni aucun autre défaut ne souille cette jeunesse et cette
beauté. Et quel autre soin aurait-on sinon de le rendre
digne, autant que le permet la faiblesse humaine, de la tête
qui le domine, cette tête incorruptible et bienheureuse[4] ?
Si, en effet, ceux qui veulent se mettre en bon état pour des
compétitions sportives ont besoin de médecins, de maîtres
de gymnastique, d'un régime sévère, d'un entraînement
constant et de mille autres précautions — car la moindre
négligence de leur part ruine et compromet tout —, ceux
qui ont reçu la charge de soigner ce corps dont le rôle est
de lutter non contre des corps, mais contre des puissances
invisibles[5], comment pourront-ils le garder intact et en
bonne santé s'ils n'ont pas une vertu qui dépasse de beaucoup celle des hommes et s'ils ne connaissent pas tout ce
qu'il faut pour soigner l'âme ?

**3. Il faut
au prêtre
une grande puissance
d'expression**

Ne sais-tu pas que ce corps est
exposé à plus de maladies et de
dangers que notre chair, qu'il se
détériore plus vite et qu'il se remet
plus lentement ? Ceux qui soignent
le corps des hommes ont trouvé divers remèdes, des instruments de différentes formes et une alimentation variée
pour les malades, et souvent la nature de l'air a suffi à elle
seule pour ramener le patient à la santé ; il y a des cas où

2. Cf. *Col.* 1, 24.
3. Cf. *Éphés.* 5, 27.
4. Cf. *Col.* 1, 18. On lira avec intérêt un passage de *In epist. I ad
Cor. hom.* VIII, 4, *P G* 61, 72-73 où Jean utilise en un raccourci sai-
sissant les comparaisons qui servent à suggérer le rapport étroit qui
existe entre le Christ et les chrétiens.
5. Cf. *Éphés.* 6, 12.

10 σῶν εἰς καιρὸν παντὸς πόνου ἀπήλλαξε τὸν ἰατρόν. Ἐνταῦθα
δὲ οὐδὲν τούτων ἐπινοῆσαι ἔστιν, ἀλλὰ μία τις μετὰ τὰ ἔργα
δέδοται μηχανὴ καὶ θεραπείας ὁδός, ἡ διὰ τοῦ λόγου διδα-
σκαλία. Τοῦτο ὄργανον, τοῦτο τροφή, τοῦτο ἀέρων κρᾶσις
ἀρίστη· τοῦτο ἀντὶ φαρμάκου, τοῦτο ἀντὶ πυρός, τοῦτο ἀντὶ
15 σιδήρου· κἂν καῦσαι δέῃ καὶ τεμεῖν, τούτῳ χρήσασθαι
ἀνάγκη· κἂν τοῦτο μηδὲν ἰσχύσῃ, πάντα οἴχεται τὰ λοιπά.
Τούτῳ καὶ κειμένην ἐγείρομεν καὶ φλεγμαίνουσαν καταστέλλομεν τὴν ψυχὴν καὶ τὰ περιττὰ περικόπτομεν καὶ τὰ
λείποντα πληροῦμεν καὶ τὰ ἄλλα ἅπαντα ἐργαζόμεθα ὅσα
20 εἰς τὴν τῆς ψυχῆς ἡμῖν ὑγίειαν συντελεῖ.

Πρὸς μὲν γὰρ βίου κατάστασιν ἀρίστην βίος ἕτερος εἰς τὸν
ἴσον ἂν ἐναγάγοι ζῆλον· ὅταν δὲ περὶ δόγματα νοσῇ ἡ ψυχὴ
τὰ νόθα, πολλὴ τοῦ λόγου ἐνταῦθα ἡ χρεία, οὐ πρὸς τὴν τῶν
οἰκείων ἀσφάλειαν μόνον, ἀλλὰ καὶ πρὸς τοὺς ἔξωθεν πολέ-
25 μους. Εἰ μὲν γάρ τις ἔχοι τὴν μάχαιραν τοῦ πνεύματος καὶ
θυρεὸν πίστεως τοσοῦτον ὡς δύνασθαι θαυματουργεῖν καὶ
διὰ τῶν τεραστίων τὰ τῶν ἀναισχύντων ἐμφράττειν στόματα,
οὐδὲν ἂν δέοιτο τῆς ἀπὸ τοῦ λόγου βοηθείας, μᾶλλον δὲ οὐδὲ
τότε ἄχρηστος ἡ τούτου φύσις, ἀλλὰ καὶ λίαν ἀναγκαία.
30 Καὶ γὰρ ὁ μακάριος Παῦλος αὐτὸν μετεχείρισε, καίτοι γε
ἀπὸ τῶν σημείων πανταχοῦ θαυμαζόμενος. Καὶ ἕτερός τις
τῶν ἀπ' ἐκείνου τοῦ χοροῦ παραινεῖ ταύτης ἐπιμελεῖσθαι
τῆς δυνάμεως, λέγων· « Ἕτοιμοι πρὸς ἀπολογίαν παντὶ τῷ
αἰτοῦντι ὑμᾶς λόγον περὶ τῆς ἐν ὑμῖν ἐλπίδος[e]. » Καὶ πάντες

---

10 εἰς BC : πρὸς cett. ‖ 15 καὶ B : κἂν cett. ‖ 15 τούτῳ : τοῦτο AE
D ‖ 15 χρήσασθαι B AEG D : χρεῖσθαι C κεχρῆσθαι FHJK ‖ 16 κἂν
— ἰσχύσῃ om. K ‖ 16 μηδὲν ἰσχύσῃ BC : μὴ ᾖ cett. ‖ 16 οἴχεται BC
K : οἰχήσεται cett. ‖ 18 καὶ — περικόπτομεν om. K ‖ 22 ἐναγάγοι B :
ἐνάγοι C ἀγάγοι cett. ‖ 30 αὐτὸ FJ ‖ 33 Ἕτοιμοι] + γίνεσθε FH +
γίνεσθαι K.

e. I Pierre 3, 15

1. Cf. VI, 12, 20 où sont repris les mêmes termes.
2. L'adjectif substantivé οἰκεῖος s'applique à ceux qui font partie

le sommeil survenant à propos dispense le médecin de toute intervention. Ici, on ne peut imaginer rien de pareil, mais il n'est donné, après les œuvres, qu'un seul moyen, qu'une seule méthode de guérison : l'enseignement de la parole. Voilà l'instrument, voilà la nourriture, voilà le climat le meilleur ; cela remplace un médicament, cela remplace le feu, cela remplace le fer ; même s'il faut brûler, même s'il faut couper, on doit se servir de ce moyen ; s'il n'a pas d'effet, tout le reste est vain. C'est par lui que nous réveillons l'âme quand elle est endormie, que nous l'apaisons quand elle est excitée, que nous retranchons le superflu, que nous comblons les déficiences, que nous faisons tout ce qui contribue à la bonne santé de l'âme[1].

En effet, quand il s'agit de réaliser la perfection dans une vie, la vie d'un autre pourrait inciter à l'imiter ; mais lorsqu'une âme souffre de fausses opinions sur les dogmes, il est alors grand besoin de la parole non seulement pour mettre en sécurité ceux qui sont à l'intérieur de l'Église[2], mais encore pour lutter contre les attaques du dehors[3]. Si l'on avait le glaive de l'Esprit et le bouclier de la foi[4] pour pouvoir faire des miracles, pour fermer par des prodiges la bouche des impudents, on n'aurait plus besoin du secours de la parole, ou plutôt même alors, de par sa nature, elle n'est pas inutile, mais tout à fait nécessaire. En effet, le bienheureux Paul l'a utilisée, bien qu'il eût suscité partout l'admiration grâce à ses miracles. Un autre de ceux qui font partie de cet illustre chœur[5] exhorte à tenir compte de cette puissance en disant : « Soyez prêts à vous justifier devant quiconque vous demande raison de l'espérance qui est en vous[e]. » Et tous, d'un commun accord, chargèrent

de la même maison, de la même famille, ici la famille des chrétiens.

3. Paul emploie l'adverbe ἔξω précédé de l'article pour désigner les païens. Cf. *I Cor.* 5, 12 et 13, mais l'emploi de l'expression οἱ ἔξωθεν semble plus tardif.

4. Cf. *Éphés.* 6, 16-17.

5. Cf. IV, 1, 123 et note 4 de la p. 235.

35 δὲ ὁμοῦ τότε δι' οὐδὲν ἕτερον τοῖς περὶ Στέφανον τὴν τῶν
χηρῶν ἐπέτρεψαν οἰκονομίαν ἀλλ' ἢ ἵνα αὐτοὶ τῇ τοῦ λόγου
σχολάζωσι διακονίᾳ. Πλὴν οὐ παραπλησίως αὐτὸν ἐπιζη-
τήσομεν, τὴν ἀπὸ τῶν σημείων ἔχοντες ἰσχύν, εἰ δὲ τῆς μὲν
δυνάμεως ἐκείνης οὐδὲ ἴχνος ὑπολέλειπται, πολλοὶ δὲ παντα-
40 χόθεν ἐφεστήκασιν οἱ πολέμιοι καὶ συνεχεῖς, τούτῳ λοιπὸν
ἡμᾶς ἀνάγκη φράττεσθαι καὶ ἵνα μὴ βαλλώμεθα τοῖς τῶν
ἐχθρῶν βέλεσι καὶ ἵνα βάλλωμεν ἐκείνους. Διὸ πολλὴν χρὴ
ποιεῖσθαι τὴν σπουδὴν ὥστε τὸν λόγον τοῦ Χριστοῦ ἐν ἡμῖν
ἐνοικεῖν πλουσίως· οὐ γὰρ πρὸς ἓν εἶδος ἡμῖν μάχης ἡ παρα-
45 σκευή, ἀλλὰ ποικίλος οὗτος ὁ πόλεμος καὶ ἐκ διαφόρων συγ-
κροτούμενος τῶν ἐχθρῶν· οὔτε γὰρ ὅπλοις ἅπαντες χρῶνται
τοῖς αὐτοῖς, οὔτε ἑνὶ προσβάλλειν ἡμῖν μεμελετήκασι τρόπῳ.

δ'. Ὅτι πρὸς
τὰς ἁπάντων
μάχας καὶ Ἑλλήνων
καὶ Ἰουδαίων
5 καὶ αἱρετικῶν
παρεσκευάσθαι χρή

Καὶ δεῖ τὸν μέλλοντα τὴν πρὸς
πάντας ἀναδέχεσθαι μάχην τὰς ἁπάντων εἰδέναι τέχνας καὶ τὸν αὐτὸν
τοξότην τε εἶναι καὶ σφενδονιστὴν
καὶ ταξίαρχον καὶ λοχαγὸν καὶ
στρατιώτην καὶ στρατηγὸν καὶ πεζὸν
καὶ ἱππέα καὶ ναυμάχην καὶ τει-
χομάχην. Ἐπὶ μὲν γὰρ τῶν στρατιωτικῶν πολέμων, οἷον
ἕκαστος ἂν ἔργον ἀπολάβῃ, τούτῳ τοὺς ἐπιόντας ἀμύνεται·
10 ἐνταῦθα δὲ τοῦτο οὐκ ἔστιν, ἀλλὰ ἂν μὴ πάσας ἐπιστάμενος

---

37 σχολάζωσι B G HJ : σχολάσωσι C FK σχολάζουσι AE D ‖ 37
Πλὴν οὐ BC : ἀλλ' οὐδὲ F πλὴν ἀλλ' οὐδὲ cett. ‖ 38 ἐπιζητήσωμεν C
‖ 39 ὑπολέλειπται : ἐπιλέλειπται F ‖ 41 καὶ om. F.

δ'. 2 ἀναδέχεσθαι : ἀναδέξασθαι E ἀνέχεσθαι C D ‖ 4 σφενδονιστὴν
BC : σφενδονήτην FHJK σφενδονίτην AEG D ‖ 7-8 ναυμάχην ...
τειχομάχην BC EG D : ναύμαχον ... τειχόμαχον HJ ναυμάχειν ...
τειχομάχειν A FK ‖ 8 οἷον B : ἕν cett. ‖ 9 ἂν ... ἀπολάβῃ B : ἀπολα-
βὼν cett.

1. Cf. *Act.* 6, 2-6.
2. Cf. *Col.* 3, 16.
3. On se trouve ici en présence d'un doublet, σφενδονήτης et σφεν-

alors Étienne de s'occuper des veuves pour une raison précise qui était de vaquer eux-mêmes au ministère de la parole[1]. Cependant nous ne la rechercherons pas de la même façon si nous avons le pouvoir de faire des miracles, mais puisqu'il ne nous reste même pas trace de cette puissance et que nombreux sont les ennemis qui nous assiègent sans cesse et de toutes parts, il nous est désormais nécessaire de nous protéger grâce à elle, à la fois pour ne pas être frappés par les traits des ennemis et pour les frapper, eux. C'est pourquoi il nous faut avoir bien soin que la parole du Christ habite en nous de façon abondante[2] ; car nous n'avons pas à nous préparer à un seul combat, mais ce combat est varié et livré par des ennemis différents ; en effet tous ne se servent pas des mêmes armes et il ne nous est pas possible de riposter en utilisant un seul moyen.

4. Il faut être préparé à tous les combats contre Grecs, Juifs et hérétiques

Celui qui doit soutenir le combat contre tous doit connaître toutes les tactiques ; il doit être à la fois archer et frondeur[3], commandant d'un corps d'armée et d'une petite unité, soldat et stratège, fantassin et cavalier, matelot et défenseur des remparts[4]. Dans les luttes de la guerre, c'est en accomplissant la mission que chacun a reçue qu'on repousse les assaillants ; or, ici, ce n'est pas le cas, mais si celui qui doit vaincre ne connaît pas toutes les formes de tactique, le

δονιστής. Le premier terme est formé sur σφενδονάω et se rencontre dans la *Septante* : *Judith* 6, 12 ; *I Macc.* 9, 11 ; le second est formé sur le verbe σφενδονίζω plus tardif et que donnent BC. Bien que Bengel déconseille d'adopter cette forme, nous la gardons comme témoignage d'un fait de langue à une époque donnée. On trouve une comparaison analogue dans THÉMISTIOS, *Orat.* XI, 152 C avec les formes σφενδονάω et σφενδονιστής.

4. Le mot τειχομάχης se rencontre chez ARISTOPHANE, *Ach.* 570, dans un chœur, sous la forme dorienne τειχομάχας. C'est la seule attestation donnée par Liddell-Scott.

ἢ τῆς τέχνης τὰς ἰδέας ὁ μέλλων νικᾶν, οἶδεν ὁ διάβολος καὶ
δι᾽ ἑνὸς μέρους, ὅταν ἠμελημένον τύχῃ, τοὺς πειρατὰς εἰσα-
γαγὼν τοὺς αὐτοῦ, διαρπάσαι τὰ πρόβατα· ἀλλ᾽ οὐχ, ὅταν
διὰ πάσης ἥκοντα τῆς ἐπιστήμης τὸν ποιμένα αἴσθηται, καὶ
15 τὰς ἐπιβουλὰς αὐτοῦ καλῶς ἐπιστάμενον. Διὸ χρὴ καλῶς ἐξ
ὅλων φράττεσθαι τῶν μερῶν· καὶ γὰρ πόλις, ἕως μὲν ἂν
πανταχόθεν περιβεβλημένη τυγχάνῃ, καταγελᾷ, τῶν πολιορ-
κούντων αὐτὴν ἐν ἀσφαλείᾳ μένουσα πολλῇ· ἐὰν δέ τις πυλίδος
μόνον μέτρον διακόψῃ τὸ τεῖχος, οὐδὲν αὐτῇ λοιπὸν ὄφελος
20 τοῦ περιβόλου γίνεται, καίτοι γε τοῦ λοιποῦ παντὸς ἀσφαλῶς
ἑστηκότος. Οὕτως οὖν καὶ ἡ τοῦ Θεοῦ πόλις· ὅταν μὲν αὐτὴν
πανταχόθεν ἀντὶ τείχους ἡ τοῦ ποιμένος ἀγχίνοιά τε καὶ
σύνεσις περιβάλλῃ, πάντα εἰς αἰσχύνην καὶ γέλωτα τοῖς
ἐχθροῖς τὰ μηχανήματα τελευτᾷ καὶ μένουσιν οἱ κατοικοῦντες
25 ἔνδον ἀσινεῖς, ὅταν δέ τις αὐτὴν ἐκ μέρους καταλῦσαι δυνηθῇ,
κἂν μὴ πᾶσαν καταβάλῃ, διὰ τοῦ μέρους ἅπαν, ὡς εἰπεῖν,
λυμαίνεται τὸ λοιπόν.

Τί γάρ, ὅταν πρὸς Ἕλληνας μὲν ἀγωνίζηται καλῶς, συλῶσι
δὲ αὐτὸν Ἰουδαῖοι; ἢ τούτων μὲν ἀμφοτέρων κρατῇ, ἁρπά-
30 ζωσι δὲ Μανιχαῖοι; ἢ μετὰ τὸ περιγενέσθαι καὶ τούτων, οἱ
τὴν εἱμαρμένην εἰσάγοντες ἔνδον τὰ πρόβατα κατασφάττωσι;

---

15 ἐπιστάμενον B G : ἐπιστάμενος ἅπασας cett. ‖ 18 αὐτὴν B D
FK : αὐτῇ C om. cett. ‖ 18 μένουσα : τυγχάνουσα C ‖ 21 μὲν om.
C ‖ 25 ἔνδον : ἔνδοθεν K ‖ 29 αὐτὸν : αὐτὴν HJK ‖ 29 οἱ Ἰουδαῖοι C ‖
29 κρατεῖ BC A ‖ 30 ἁρπάζουσι C A ‖ 30 ἢ μετὰ : μετὰ δὲ B ‖ 31
ἔνδον] + ἑστῶτα C A FHJK ‖ 31 κατασφάττωσι : σφάττωσι B κατα-
σφάττουσι C D K.

1. Pour désigner Satan, Jean se sert, outre le mot διάβολος, des
adjectifs substantivés ὁ μιαρός et ὁ πονηρός. Voir Index. Pour un
complément d'information sur ce point, voir G. J. M. BARTELINK,
« A propos de deux termes abstraits désignant le diable », dans *Vigiliae
christianae*, 13, 1959, p. 58-60.

2. Cf. *Ps.* 86, 3.

3. Jean a composé huit discours *Adversus Judaeos*, *P G* 48, 843-942,
adressés aux chrétiens d'Antioche qui étaient attirés par les cérémonies de la synagogue, mais le sujet l'entraîne à attaquer les Juifs et
leur comportement à l'égard du Christ et de l'Église. Voir, sur ce

diable[1], en introduisant ses sbires par un seul accès quand il est mal défendu, sait ravir les brebis ; mais il n'en est pas ainsi lorsqu'il s'aperçoit que le berger s'avance en toute connaissance de cause et en connaissant parfaitement ses ruses. C'est pourquoi il faut se protéger sur tous les fronts ; en effet, tant qu'une ville se trouve fortifiée de toutes parts, elle se rit des assaillants et reste en parfaite sécurité ; mais si un ennemi rompt la ligne de défense sur le simple espace d'une poterne, le reste du rempart ne lui est plus d'aucune utilité, bien qu'il subsiste dans son ensemble. Il en est ainsi de la cité de Dieu[2] ; lorsque, au lieu des remparts, l'intelligence et la pénétration du berger l'environnent, toutes les ruses des ennemis tournent à leur honte et à leur dérision et ceux qui l'habitent restent à l'intérieur à l'abri de tout dommage, mais lorsque quelqu'un peut la détruire en partie, même s'il ne la détruit pas tout entière, il suffit, pour ainsi dire, d'une partie pour que l'ensemble soit ruiné.

Comment se fait-il, lorsqu'on réfute les Grecs avec succès, que les Juifs la dépouillent[3] ou, lorsqu'on s'est rendu maître des uns et des autres, que les Manichéens la pillent[4] ou, quand on est venu à bout de ces gens-là, que ceux qui introduisent à l'intérieur la fatalité égorgent les brebis[5] ?

point délicat, A.-M. MALINGREY, « La controverse antijudaïque dans l'œuvre de Jean Chrysostome d'après les discours *Adversus Judaeos* », dans le volume collectif *De l'antijudaïsme antique à l'antisémitisme contemporain*, Presses Universitaires de Lille, 1979, p. 87-104.

4. Jean Chrysostome a combattu violemment le manichéisme qui, par son dualisme, mettait en danger l'unité de l'homme créé par Dieu. Cet aspect de sa controverse mériterait une étude particulière dont les premiers éléments sont fournis par l'*Index generalis*, *P G* 64, 305-306.

5. Il s'agit de la foi des fidèles qui est en danger. Jean a prononcé six discours *De fato et providentia*, *P G* 50, 749-774 et F. BONNIÈRE, Introduction, texte critique, traduction, notes et index, Thèse de 3e cycle de l'Université de Lille, 1975, exemplaire dactylographié. L'authenticité de ces discours a été mise en doute par Montfaucon, mais elle a été démontrée de façon convaincante, nous semble-t-il, par Th. P. HALTON, « St John Chrysostom *De fato et providentia*. A study of its authenticity », *Traditio*, XX, 1964, p. 1-24.

καὶ τί δεῖ πάσας καταλέγειν τοῦ διαβόλου τὰς αἱρέσεις ἃς ἂν
μὴ πάσας ἀποκρούεσθαι καλῶς ὁ ποιμὴν εἰδῇ, δύναιτ' ἂν καὶ
διὰ μιᾶς τὰ πλείονα τῶν προβάτων καταφαγεῖν ὁ λύκος;
35 Καὶ ἐπὶ μὲν τῶν στρατιωτῶν, ἀπὸ τῶν ἑστώτων καὶ μαχομένων καὶ τὴν νίκην ἔσεσθαι καὶ τὴν ἧτταν προσδοκᾶν ἀεὶ
χρή. Ἐνταῦθα δὲ πολὺ τοὐναντίον· πολλάκις γὰρ ἡ πρὸς
ἑτέρους μάχη τοὺς οὐδὲ τὴν ἀρχὴν συμβαλόντας, οὐδὲ πονέ-
σαντας ὅλως ἡσυχάζοντας καὶ καθημένους νικῆσαι πεποίηκε·
40 καὶ τῷ οἰκείῳ ξίφει περιπαρεὶς ὁ μὴ πολλὴν περὶ ταῦτα τὴν
ἐμπειρίαν ἔχων, καὶ τοῖς φίλοις καὶ τοῖς πολεμίοις καταγέλαστος γίνεται.

Οἷον — πειράσομαι γάρ σοι καὶ ἐπὶ παραδείγματος ὃ λέγω
ποιῆσαι φανερόν — τὸν ὑπὸ τοῦ Θεοῦ δοθέντα τῷ Μωϋσῇ
45 νόμον οἱ τὴν Οὐαλεντίνου καὶ Μαρκίωνος διαδεξάμενοι
φρενοβλάβειαν καὶ ὅσοι τὰ αὐτὰ νοσοῦσιν ἐκείνοις τοῦ κατα-
λόγου τῶν θείων ἐκβάλλουσι γραφῶν· Ἰουδαῖοι δὲ αὐτὸν
οὕτω τιμῶσιν ὡς καὶ τοῦ καιροῦ κωλύοντος φιλονεικεῖν
ἅπαντα φυλάττειν, παρὰ τὸ τῷ Θεῷ δοκοῦν. Ἡ δὲ Ἐκκλησία
50 τοῦ Θεοῦ, τὴν ἀμφοτέρων ἀμετρίαν φεύγουσα, μέσην ἐβάδισε
καὶ οὔτε ὑποκεῖσθαι αὐτοῦ τῷ ζυγῷ πείθεται, οὔτε διαβάλλειν
αὐτὸν ἀνέχεται, ἀλλὰ καὶ πεπαυμένον ἐπαινεῖ διὰ τὸ χρησι-
μεῦσαί ποτε εἰς καιρόν.

Δεῖ δὴ τὸν μέλλοντα πρὸς ἀμφοτέρους μάχεσθαι τὴν συμ-
55 μετρίαν εἰδέναι ταύτην· ἄν τε γὰρ Ἰουδαίους διδάξαι βουλόμενος ὡς οὐκ ἐν καιρῷ τῆς παλαιᾶς ἔχονται νομοθεσίας,

---

38 συμβάλλοντας B A ‖ 39 ἡσυχάζοντας] + δὲ AEG HJK ‖ 41
πολεμίοις : ἐναντίοις K ‖ 43 γάρ om. C ‖ 45 διαδεξάμενοι BC K :
δεξάμενοι cett. ‖ 46 νοσοῦσιν : νοοῦσιν B ‖ 50 φεύγουσα BC :
φυγοῦσα cett. ‖ 50 ἐβάδισε] + τὴν ὁδὸν C ‖ 52 πεπαύμενον] + αὐτὸν
K ‖ 54 δὴ B : δὲ cett.

---

1. Dans le *De spiritu sancto* XXX, 76-77, *SC* 17 bis, p. 520-524,
BASILE DE CÉSARÉE décrit en termes analogues la situation créée
dans l'Église par l'arianisme au moyen de deux comparaisons, d'abord
avec un combat, ensuite avec une tempête.

D'ailleurs, pourquoi faut-il dénombrer toutes les hérésies du diable ? Si le berger ne sait pas les réfuter toutes avec compétence, le loup pourrait, au moyen d'une seule, dévorer la plupart des brebis. Quand il s'agit des soldats, la victoire viendra de ceux qui résistent et combattent, et il faut toujours s'attendre à la défaite. Ici, c'est tout à fait différent ; souvent, en effet, le combat contre d'autres donne la victoire à des gens qui n'ont même pas pris part au début de l'engagement et qui sans s'être donné aucun mal sont là tranquillement assis ; quand un soldat qui n'a pas beaucoup d'expérience dans ce domaine s'est percé de son propre poignard, il devient un sujet de risée pour ses amis et ses ennemis[1].

Ainsi — je m'efforcerai au moyen d'un exemple de rendre plus clair à tes yeux ce que je dis — ceux qui se sont faits les héritiers de Valentin et de Marcion[2] dans leur démence et tous ceux qui souffrent de la même maladie qu'eux suppriment de la liste des saintes Écritures la Loi donnée par Dieu à Moïse ; les Juifs, eux, la vénèrent au point que, malgré les circonstances défavorables, ils luttent pour la garder dans son intégrité contrairement à la volonté de Dieu. Quant à l'Église de Dieu, fuyant l'excès dans les deux sens, elle s'avance sur une voie moyenne ; d'une part, elle conseille de ne pas se mettre sous le joug de la Loi et d'autre part, elle ne tolère pas qu'on la déprécie, mais elle fait son éloge, même si cette dernière n'a plus sa raison d'être, parce qu'elle a eu autrefois son utilité[3].

Il faut, certes, que celui qui doit combattre sur les deux fronts connaisse cette sage mesure ; si, en effet, voulant instruire les Juifs, étant donné que ce n'est plus le moment de s'attacher à la Loi ancienne, on commence par l'accuser

2. Clément d'Alexandrie, *Strom.* VII, xvii, 108, 1, *GCS* 17, p. 76, cite déjà ensemble Valentin et Marcion. Ils rejetaient l'Ancien Testament.

3. Cf. *Rom.* 7, 7-13.

ἄρξηται κατηγορεῖν αὐτῆς ἀφειδῶς, ἔδωκε τοῖς διασύρειν
βουλομένοις τῶν αἱρετικῶν λαβὴν οὐ μικράν· ἄν τε τούτους
ἐπιστομίσαι σπουδάζων ἀμέτρως αὐτὸν ἐπαίρῃ καὶ ὡς
60 ἀναγκαῖον ἐν τῷ παρόντι τυγχάνοντα θαυμάζῃ, τὰ τῶν Ἰουδαίων ἀνέῳξε στόματα. Πάλιν οἱ τὴν Σαβελλίου μαινόμενοι
μανίαν καὶ οἱ τὰ Ἀρείου λυττῶντες ἐξ ἀμετρίας ἀμφότεροι
τῆς ὑγιοῦς ἐξέπεσαν πίστεως· καὶ τὸ μὲν ὄνομα χριστιανῶν
ἀμφοτέροις ἐπίκειται, εἰ δέ τις τὰ δόγματα ἐξετάσειε, τοὺς
65 μὲν οὐδὲν ἄμεινον Ἰουδαίων διακειμένους εὑρήσει, πλὴν ὅσον
ὑπὲρ ὀνομάτων διαφέρονται μόνον, τοὺς δὲ πολλὴν τὴν ἐμφέρειαν πρὸς τὴν αἵρεσιν Παύλου τοῦ Σαμοσατέως ἔχοντας,
ἀμφοτέρους δὲ τῆς ἀληθείας ἐκτός.

Πολὺς οὖν κἀνταῦθα ὁ κίνδυνος καὶ στενὴ καὶ τεθλιμμένη
70 ἡ ὁδὸς ἡ ὑπὸ κρημνῶν ἀμφοτέρωθεν ἀπειλημμένη, καὶ δέος
οὐ μικρὸν μὴ τὸν ἕτερόν τις θέλων βαλεῖν ὑπὸ θατέρου πληγῇ·
ἄν τε γὰρ μίαν τις εἴπῃ θεότητα, πρὸς τὴν ἑαυτοῦ παροινίαν
εὐθέως εἵλκυσε τὴν φωνὴν ὁ Σαβέλλιος· ἄν τε διέλῃ πάλιν,
ἕτερον μὲν τὸν Πατέρα, ἕτερον δὲ τὸν Υἱὸν καὶ τὸ Πνεῦμα δὲ
75 τὸ ἅγιον ἕτερον εἶναι λέγων, ἐφέστηκεν Ἄρειος εἰς παραλ-
λαγὴν οὐσίας ἕλκων τὴν ἐν τοῖς προσώποις διαφοράν. Δεῖ δὲ
καὶ τὴν ἀσεβῆ σύγχυσιν ἐκείνου καὶ τὴν μανιώδη τούτου διαί-

---

57 ἄρξηται : ἄρξεται C ἄρξειται E ἄρχηται FK ‖ 58 τοῖς αἱρετικοῖς
K ‖ 64 τις] + αὐτῶν FH K ‖ 64 δόγματα BC K : δόγματα ἀκριβῶς
cett. ‖ 67 ἐμφέρειαν : ἐμφορίαν C ‖ 70 ἡ² om. G D HJK ‖ 71 θέλων :
ἔλθων C ‖ 72 παροινίαν BC : παρανομίαν cett. ‖ 75 εἶναι BC : om.
cett.

1. L'hérésie de Sabellius s'attaquant à l'essence de Dieu et aux
relations entre les personnes de la Trinité, il est normal de la voir
réfutée par Chrysostome dans son commentaire sur l'évangile johannique : In Ioan. hom. LXXV, 1, PG 59, 403-404 et LXXXI, 2, PG 59,
444 s.

2. L'hérésie d'Arius qui niait l'égalité et la coéternité du Père et du
Fils avait déjà été réfutée par ATHANASE, Discours contre les Ariens,
PG 26, 12-526 et Sur l'Incarnation du Verbe, SC 199, Paris 1973.
En dehors des études spécialisées, on trouvera un exposé de la ques-
tion arienne dans J. DANIÉLOU et H. MARROU, Nouvelle Histoire de

sans ménagements, on donne à ceux qui parmi les hérétiques veulent la mettre en pièces, un moyen d'attaque
dangereux ; mais si, voulant leur fermer la bouche, on
l'exalte outre mesure et on la présente avec admiration
comme étant encore nécessaire à notre époque, on donne
la parole aux Juifs. D'autre part, ceux qui sont atteints
de la folie de Sabellius[1] et ceux qui sont saisis de la rage
d'Arius[2], dans leurs excès se sont détachés les uns et les
autres de la saine croyance ; ils portent le nom de chrétiens, mais si on examine leurs doctrines, on trouvera que
les uns et les autres ne sont pas mieux disposés que les Juifs,
à cela près qu'ils n'ont pas le même nom et que les autres
ont beaucoup de rapports avec l'hérésie de Paul de Samosate[3], les uns et les autres étant en dehors de la vérité.

Donc, là aussi, grand est le danger, étroite et resserrée la
voie[4] qui est bordée des deux côtés par des précipices, et
il est fort à craindre que, si l'on veut atteindre l'un, on ne
soit frappé par l'autre ; en effet, si l'on dit que la divinité
est une, Sabellius tire bientôt le mot à lui en faveur de son
égarement ; si, au contraire, on la divise en disant qu'autre
est le Père, autre le Fils, autre le Saint-Esprit, Arius se
dresse en tirant dans le sens d'une différence d'essence la
distinction qu'il y a entre les trois personnes. Il faut se
détourner avec horreur de la confusion impie de l'un et

l'Église, I, Paris rééd. 1975, 2ᵉ partie, Le quatrième siècle, chap. IV
et V.

3. Dans la VIIᵉ homélie De consubstantiali, Contra Anomaeos, 7,
PG 48, 766, Chrysostome montre comment les paroles du Christ
rapportées en Jn 10, 30 et en Matth. 26, 39, qui révèlent sa double
nature, à la fois divine et humaine, réfutent par avance les hérésies
de Paul de Samosate, de Marcion et des Manichéens. Voir le dossier
réuni sur la réfutation de Paul de Samosate par Chrysostome dans
l'Index generalis de ses œuvres, PG 64, 344.

4. Le thème de la porte étroite est emprunté à Matth. 7, 14 et à
Lc 13, 24. Jean cite souvent ces passages, pour faire comprendre à ses
auditeurs les difficultés qu'ils rencontreront dans leur cheminement
vers Dieu. Il a consacré au commentaire de cette péricope une homélie
entière : De angusta porta, PG 51, 41-48.

ρεσιν ἀποστρέφεσθαι καὶ φεύγειν, τὴν μὲν θεότητα Πατρὸς
καὶ Υἱοῦ καὶ ἁγίου Πνεύματος μίαν ὁμολογοῦντας, προστι-
80 θέντας δὲ τὰς τρεῖς ὑποστάσεις· οὕτω γὰρ ἀποτειχίσαι
δυνησόμεθα τὰς ἀμφοτέρων ἐφόδους. Πολλὰς δὲ καὶ ἑτέρας
ἔνι συλλέγειν συμπλοκὰς πρὸς ἃς ἂν μὴ γενναίως τις καὶ
ἀκριβῶς μάχηται, μυρία λαβὼν ἄπεισι τραύματα.

ε΄. Ὅτι σφόδρα
ἔμπειρον εἶναι
δεῖ τῆς
5 διαλεκτικῆς

Τί ἄν τις λέγοι τὰς τῶν οἰκείων
ἐρεσχελίας; Οὐ γάρ εἰσιν ἐλάττους
αὗται τῶν ἔξωθεν προσβολῶν, ἀλλὰ
καὶ πλείονα τῷ διδάσκοντι παρέ-
χουσιν ἱδρῶτα. Οἱ μὲν γὰρ ὑπὸ
πολυπραγμοσύνης ἁπλῶς καὶ εἰκῇ περιεργάζεσθαι θέλουσιν
ἃ μήτε μαθόντας ἔστι κερδᾶναι, μήτε μαθεῖν δυνατόν· ἕτεροι
πάλιν τῶν τοῦ Θεοῦ κριμάτων εὐθύνας αὐτὸν ἀπαιτοῦσιν καὶ
τὴν ἄβυσσον τὴν πολλὴν ἀναμετρεῖν βιάζονται· « Τὰ γὰρ
10 κρίματά σου, φησίν, ἄβυσσος πολλή[f]. » Καὶ πίστεως μὲν πέρι
καὶ πολιτείας, ὀλίγους ἂν εὕροις σπουδάζοντας· τοὺς δὲ
πλείους ταῦτα περιεργαζομένους καὶ ζητοῦντας ἃ μήτε εὑρεῖν
δυνατὸν καὶ τὸν Θεὸν παροξύνει ζητούμενα. Ὅταν γὰρ ἅπερ
αὐτὸς ἡμᾶς οὐκ ἠθέλησεν εἰδέναι ταῦτα βιαζώμεθα μανθά-

---

78 διαίρεσιν B HJK : αἵρεσιν cett. ‖ 79-80 ὁμολογοῦντες προσ-
τιθέντες C ‖ 82 ἔνι συλλέγειν B : ἐνῆν συλλέγειν D ἐνῆν σοι λέγειν cett.
ε΄. 1 λέγοι B : εἴποι cett. ‖ 3 αὗται om. C A ‖ 5 ἱδρῶτα B E : τὸν
ἱδρῶτα cett. ‖ 6 πολυπραγμοσύνης : φιλοπραγμοσύνης FK ‖ 10 πέρι
om. D ‖ 14 ἠθέλησεν : ἠβουλήθη K.

f. Ps. 35, 7

1. Tout le passage vise les Anoméens qui, sous la conduite d'Eu-
nome, redonnaient une vigueur nouvelle à l'arianisme. Avant Chrysostome, celui-ci avait été combattu par BASILE DE CÉSARÉE, *Adv.
Eunomium*, *P G* 29, 497-773 ; par GRÉGOIRE DE NYSSE, *Contra Eunomium*, éd. Jaeger, vol. I et II, Leyde 1960 ; par GRÉGOIRE DE NA-
ZIANZE, *Orat. theolog.*, éd. P. Gallay, *SC* 250, 1978. Sur la part de
Chrysostome lui-même dans cette controverse, voir J. DANIÉLOU,
Sur l'incompréhensibilité de Dieu, SC 28 bis, Introd.
2. La foi et la conduite, ce sont deux préoccupations de Jean au
cours de son apostolat, persuadé qu'il est des liens étroits à « tisser »

de la folle distinction de l'autre et y échapper en reconnaissant que la divinité du Père, du Fils et du Saint-Esprit est une, non sans lui attribuer les trois personnes ; c'est ainsi, en effet, que nous pourrons repousser les assauts de l'un et de l'autre. On peut encore citer beaucoup d'autres luttes dont on sort en ayant reçu bien des blessures, si l'on ne combat pas courageusement et de façon précise.

5. Il faut être rompu à la discussion
Qui pourrait énumérer les propos futiles des gens de chez nous ? Ces propos ne sont pas moins nombreux que les attaques des gens du dehors, mais donnent plus de peine à celui qui est chargé de l'enseignement. En effet, les uns, par une curiosité indiscrète, veulent scruter à tort et à travers des choses qu'ils ne gagnent pas à connaître et qu'il n'est pas possible de connaître[1] ; d'autres encore demandent à Dieu compte de ses jugements et s'efforcent d'en scruter l'abîme insondable : « Vos jugements, dit le psalmiste, sont un abîme profond[f]. » On n'en trouverait pas beaucoup qui s'occupent en même temps de la foi et de la conduite[2], mais plus nombreux sont ceux qui s'affairent sur ces sujets, qui cherchent ce qu'il n'est pas possible de trouver et qui, une fois trouvé, irrite Dieu. En effet, lorsque nous nous efforçons d'apprendre ce qu'il n'a pas voulu que nous sachions, d'abord nous ne le saurons pas — comment le

---

entre l'une et l'autre dans la vie du chrétien. Cf. *De Christi divinitate, Contra Anomaeos* XII, 5, *P G* 48, 811 : Ταῦτα δὲ μέμνησθε καὶ φυλάττετε μετὰ ἀκριβείας ἁπάσης καί... τὴν ἀπὸ τῆς πολιτείας φιλοσοφίαν τῇ τῶν δογμάτων ὀρθότητι συνυφαίνετε. « Souvenez-vous de cela et conservez-le avec le plus grand soin et... joignez la rectitude de la conduite à la pureté de la foi. » *In Io. hom.* LII, 4, *PG* 59, 292 : Ὅρα μή ποτε καὶ ἡμεῖς ἐπὶ τῇ ὀρθότητι τῆς πίστεως καυχώμενοι διὰ τοῦ μὴ συμβαίνοντα τῇ πίστει τὸν βίον ἐπιδείκνυσθαι... « Prenez garde, vous qui vous glorifiez de la pureté de votre foi, de montrer une vie qui n'est pas en accord avec la foi. » Ces textes mettent dans leur vrai jour l'apostolat de Jean qu'on a l'habitude de présenter comme un moraliste, sans plus.

15 νειν, οὔτε εἰσόμεθα — πῶς γάρ, Θεοῦ μὴ βουλομένου; — καὶ
τὸ κινδυνεύειν ἡμῖν ἐκ τοῦ ζητεῖν περιέσται μόνον. 'Αλλ'
ὅμως καὶ τούτων τοιούτων ὄντων, ὅταν τις μετὰ αὐθεντίας
ἐπιστομίζῃ τοὺς τὰ ἄπορα ταῦτα ἐρευνῶντας, ἀπονοίας τε
καὶ ἀμαθίας ἑαυτῷ προσετρίψατο δόξαν. Διὸ χρὴ κἀνταῦθα
20 πολλῇ κεχρῆσθαι τῇ συνέσει ὡς καὶ ἀπάγειν τῶν ἀτόπων
ἐρωτήσεων τὸν προεστῶτα καὶ τὰς εἰρημένας ἐκφεύγειν
αἰτίας. Πρὸς ἅπαντα δὲ ταῦτα ἕτερον μὲν οὐδέν, ἡ δὲ τοῦ
λόγου βοήθεια δέδοται μόνη· κἄν τις ταύτης ἀπεστερημένος
ᾖ τῆς δυνάμεως, οὐδὲν ἄμεινον τῶν χειμαζομένων πλοίων
25 διηνεκῶς αἱ ψυχαὶ τῶν ὑπ' αὐτῷ τεταγμένων ἀνδρῶν δια-
κείσονται, τῶν ἀσθενεστέρων καὶ περιεργοτέρων λέγω.
Διὸ χρὴ τὸν ἱερέα πάντα ποιεῖν ὑπὲρ τοῦ ταύτην κτήσασθαι
τὴν ἰσχύν.

Καὶ ὁ Βασίλειος·

ς'. Ὅτι τῷ
μακαρίῳ Παύλῳ
μάλιστα τοῦτο
κατώρθωτο

Τί οὖν ὁ Παῦλος, φησίν, οὐκ
ἐσπούδασε ταύτην οἱ κατορθωθῆναι τὴν ἀρετήν, οὐδὲ ἐγκαλύπτεται
5 ἐπὶ τῇ τοῦ λόγου πενίᾳ, ἀλλὰ καὶ
διαρρήδην ὁμολογεῖ ἰδιώτην ἑαυτὸν εἶναι, καὶ ταῦτα Κορινθίοις ἐπιστέλλων, τοῖς ἀπὸ τοῦ λέγειν θαυμαζομένοις καὶ μέγα
ἐπὶ τοῦτο φρονοῦσι;

ΙΩ. Τοῦτο γάρ, ἔφην, τοῦτό ἐστιν ὃ τοὺς πολλοὺς ἀπώλεσε
10 καὶ ῥαθυμοτέρους περὶ τὴν ἀληθῆ διδασκαλίαν ἐποίησε· μὴ

---

15 Θεοῦ : τοῦ Θεοῦ HJ ‖ 18 ἄπορα : ἀπόρρητα C FK ‖ 20 κεχρῆσθαι : χρήσασθαι K ‖ 20 ἀπάγειν BC : ἀπάγειν αὐτούς cett.

ς'. 3 οἱ B : σοι cett. ‖ 4 κατορθωθῆναι : κατώρθωτο C ‖ 8 τοῦτο :
τούτῳ A K ‖ 9 ἀπώλεσε B G : ἀπολώλεκε cett. ‖ 10 περὶ : πρὸς G.

1. Il y a ici un flottement dans les mss entre les formes ἄπορα et
ἀπόρρητα. L'une et l'autre s'appliquent aux vérités religieuses considérées soit comme posant des problèmes embarrassants pour la raison
humaine (ἄπορα), soit comme inexprimables (ἀπόρρητα). Les deux
adjectifs pris comme noms désignent donc les mystères de Dieu envi-
sagés sous deux aspects différents, mais complémentaires. Bien que
Jean utilise volontiers l'expression τὰ ἀπόρρητα ἐρευνᾶν (voir Sur

savoir si Dieu ne le veut pas ? — et il nous restera seulement d'être exposés au danger par suite de cette recherche. Cependant, devant une telle situation, lorsqu'on ferme la bouche avec autorité à ceux qui scrutent ces mystères[1], on se ménage une réputation de folie et d'ignorance à la fois. C'est pourquoi, il faut que celui qui préside la communauté emploie toute son intelligence à détourner les questions incongrues et à mettre en fuite les accusations dont j'ai parlé. Devant toutes ces difficultés, aucun autre secours n'a été donné que celui de la parole et celui-là seul ; si quelqu'un se trouve dépourvu de ce moyen d'action, les âmes de ceux qui sont placés sous son autorité, je parle des plus faibles et plus indiscrètes, ne sont pas en meilleure posture que des embarcations agitées par une tempête continuelle. C'est pourquoi il faut que le prêtre fasse tout pour acquérir ce moyen d'action.

6. Le bienheureux Paul excellait sur ce point

Alors Basile :

Pourquoi donc, dit-il, Paul ne s'est-il pas efforcé d'exceller dans ce domaine et n'a-t-il pas honte de la pauvreté de son langage, mais avoue-t-il en termes clairs qu'il est un homme sans culture oratoire[2] et cela en écrivant aux Corinthiens qui s'émerveillent devant l'éloquence et s'en targuent[3] ?

JEAN. Voilà, dis-je, voilà ce qui en a perdu beaucoup et qui les a rendus négligents dans l'enseignement de la vérité.

---

l'incompréhensibilité de Dieu, SC 28 bis, Introd., p. 18-19), nous suivons la tradition de l'ensemble des mss, dont B.

2. Jean indique lui-même plus bas (IV, 6, 63-64) le sens qu'il donne à ἰδιώτης : ... τὸν οὐκ ἠσκημένον τὴν τῶν ἔξωθεν λόγων τερθρείαν ἰδιώτην καλοῦσι ; « ... on appelle ἰδιώτης celui qui n'est pas entraîné au charlatanisme de l'éloquence païenne ». Cf. *II Cor.* 11, 6, commenté dans *De laudibus Pauli* IV, *P G* 50, 492.

3. Sur l'orgueil des Corinthiens et leurs prétentions intellectuelles, voir *In epist. I ad Cor. hom.* I, 1, *P G* 61, 13, li. 11-12 et *In epist. I ad Cor. hom.* III, 3-4, *P G* 61, 26-27 où Jean oppose la σοφία des Corinthiens aux apôtres ἰδιῶται καὶ ἀγράμματοι.

γὰρ δυνηθέντες ἀκριβῶς ἐξετάσαι τῶν ἀποστολικῶν φρενῶν
τὸ βάθος, μηδὲ συνιέναι τὴν τῶν ῥημάτων διάνοιαν, διετέ-
λεσαν τὸν ἅπαντα χρόνον νυστάζοντες καὶ χασμώμενοι καὶ
τὴν ἀμαθίαν τιμῶντες ταύτην, οὐχ ἣν ὁ Παῦλός φησιν εἶναι
15 ἀμαθής, ἀλλ᾽ ἧς τοσοῦτον ἀπεῖχεν ὅσον οὐδὲ ἄλλος τις τῶν
ὑπὸ τὸν οὐρανὸν τοῦτον ἀνθρώπων. Ἀλλ᾽ οὗτος μὲν ἡμᾶς
εἰς καιρὸν ὁ λόγος μενέτω· τέως δὲ ἐκεῖνό φημι· Θῶμεν αὐτὸν
εἶναι ἰδιώτην τοῦτο τὸ μέρος ὅπερ οὗτοι βούλονται, τί οὖν
τοῦτο πρὸς τοὺς ἄνδρας τοὺς νῦν; Ἐκεῖνος μὲν γὰρ εἶχεν
20 ἰσχὺν πολλῷ τοῦ λόγου μείζονα καὶ πλείονα δυναμένην κατορ-
θοῦν· φαινόμενος γὰρ μόνον καὶ σιγῶν, τοῖς δαίμοσιν ἦν
φοβερός. Οἱ δὲ νῦν πάντες ὁμοῦ συνελθόντες μετὰ μυρίων
εὐχῶν καὶ δακρύων οὐκ ἂν δυνηθεῖεν ὅσα ἴσχυσε τὰ σημικίνθια Παύλου ποτέ. Καὶ Παῦλος μὲν εὐχόμενος νεκροὺς ἀνίστη

---

12 συνιέναι : συνεῖναι F συνῆναι BC ‖ 21 φαινόμενος] + μὲν AE D
HJ.

1. Il s'agit sans doute d'un des panégyriques de Paul que Chrysostome a prononcés. Voir plus haut, p. 111, note 2.
2. Cf. *Act.* 19, 11-12. Nous adoptons la forme σημικίνθια, donnée
par l'ensemble des mss, de préférence à la forme σιμικίνθια donnée
par le *PGL*. On retrouve le mot chez Jean, *De laudibus Pauli* VII,
PG 50, 509, li. 22. Sophoclès renvoie aux *Actes* et à deux auteurs du
VIᵉ s., Ammonius, *PG* 85, 1576 A et Léonce de Constantinople,
PG 86, 1989 C qui emploient ce mot, le premier dans son commentaire d'*Act.* 19, 11-12, le second dans une homélie *In mediam Pente-
costen* où il attribue à Pierre les miracles opérés par les σημικίνθια
de Paul. Le *PGL* renvoie à notre passage. Le Père Spicq, spécialiste
de lexicographie néo-testamentaire d'après les papyrus et les inscrip-
tions, dit n'en avoir trouvé aucune attestation. C'est donc un mot
rare dont les emplois connus se rencontrent à propos du texte des
Actes.
La différence des interprétations proposées par les traducteurs de
la Bible : *linges, mouchoirs, tabliers, ceintures* s'explique par la difficulté
qu'ils ont à identifier l'objet en question. Les termes σουδάρια et
σημικίνθια étant associés en *Act.* 19, 12, on est tenté d'éclairer l'un
par l'autre. On pourrait même penser qu'ils sont synonymes ; c'est
pourquoi les dictionnaires renvoient de σημικίνθιον à σουδάριον.
Sur ce dernier mot, voir J. Delebecque, « Le tombeau vide »,

En effet, comme ils ne peuvent pas sonder exactement la profondeur des pensées de l'Apôtre et qu'ils ne comprennent pas le sens de ses paroles, ils passent leur temps à s'assoupir et à rester là bouche bée, accordant leur considération à cette ignorance, non dans le sens où Paul s'avoue ignorant, mais à celle dont il est aussi éloigné que n'importe quel homme vivant sous notre ciel. Mais laissons ce sujet pour une autre fois[1] ; pour le moment, voici ce que je dis : Supposons qu'il soit un être sans culture dans ce domaine, comme le veulent ces gens-là, qu'est-ce que cela peut faire aux hommes de maintenant ? Il avait, en effet, une force beaucoup plus grande que celle du langage et qui pouvait accomplir avec succès bien plus de choses, car il lui suffisait d'apparaître et, même sans rien dire, il faisait peur aux démons. Mais les gens de notre époque, en se réunissant tous ensemble, avec bien des prières et des larmes, ne pourraient pas faire ce qu'ont fait alors les vêtements de Paul[2].

---

dans *REG*, XC, nos 430-431, juillet-décembre 1977, p. 239-248. H. Estienne, *Thesaurus linguae graecae*, vol. 7, col. 256, tout en adoptant le sens de *linges*, distingue les deux mots, σουδάρια désignant les linges qu'on met sur la tête et σημικίνθια les mouchoirs avec lesquels on s'essuie le visage. Du Cange, lui aussi, en donnant φακεόλιον comme équivalent de σημικίνθιον adopte le sens de *mouchoir*.

En fait, si l'on se rapporte à l'étymologie, *semicinctium*, de *semicingere*, devrait désigner quelque chose qu'on porte autour de la taille et qui n'en enveloppe que la moitié, d'où la traduction par *tablier* ou bien, sans tenir compte de l'idée suggérée par *semi-*, quelque chose qu'on met autour de la taille, d'où la traduction par *ceinture*. Aucune de ces traductions ne nous paraît satisfaisante, en particulier à cause de l'usage du pluriel dans les *Actes* et donc dans le texte de Jean. Celui-ci fournit une solution que nous croyons préférable. Faisant encore allusion à *Act.* 19, 12 dans l'homélie IX, 2 *De incomprehensibili*, *PG* 48, 282, li. 6, il interprète lui-même le mot σημικίνθια et le remplace par ἱμάτια. On est amené à conclure ou bien que Jean ne savait pas le sens exact du terme et le remplace par un à-peu-près, ou bien que le mot avait perdu son sens étymologique et pris le sens général de *vêtements*, d'où son emploi au pluriel. C'est ce sens que nous adoptons.

25 καὶ ἄλλα ἐθαυματούργει τοιαῦτα ὡς καὶ θεὸς νομισθῆναι παρὰ
τοῖς ἔξωθεν· καὶ πρὶν ἢ τοῦ βίου μεταστῆναι τούτου, κατη-
ξιώθη ἁρπαγῆναι ἕως τρίτου οὐρανοῦ καὶ ῥημάτων μετασχεῖν ὧν οὐ θέμις ἀνθρωπείαν ἀκοῦσαι φύσιν. Οἱ δὲ νῦν ὄντες
— ἀλλ' οὐδὲν δύναμαι δυσχερὲς εἰπεῖν οὐδὲ βαρύ· καὶ γὰρ καὶ
30 ταῦτα οὐκ ἐπεμβαίνων αὐτοῖς λέγω νῦν, ἀλλὰ θαυμάζων —,
πῶς οὐ φρίττουσιν ἀνδρὶ τηλικούτῳ παραβάλλοντες ἑαυτούς;
Εἰ γὰρ καὶ τὰ θαύματα ἀφέντες, ἐπὶ τὸν βίον ἔλθοιμεν τοῦ
μακαρίου καὶ τὴν πολιτείαν ἐξετάσαιμεν αὐτοῦ τὴν ἀγγελικὴν
καὶ ἐν ταύτῃ μᾶλλον ἢ ἐν τοῖς σημείοις, ὄψει νικῶντα τὸν
35 ἀθλητὴν τοῦ Χριστοῦ. Τί γὰρ ἄν τις εἴποι τὸν ζῆλον, τὴν
ἐπιείκειαν, τοὺς συνεχεῖς κινδύνους, τὰς ἐπαλλήλους φροντίδας, τὰς ἀδιαλείπτους ὑπὲρ τῶν Ἐκκλησιῶν ἀθυμίας, τὸ πρὸς
τοὺς ἀσθενεῖς συμπαθές, τὰς πολλὰς θλίψεις, τοὺς καινο-
τέρους διωγμούς, τοὺς καθημερινοὺς θανάτους; τίς γὰρ
40 τόπος τῆς οἰκουμένης, ποία ἤπειρος, ποία θάλαττα τοῦ
δικαίου τοὺς ἄθλους ἠγνόησεν; Ἐκεῖνον καὶ ἡ ἀοίκητος ἔγνω,
κινδυνεύοντα δεξαμένη πολλάκις· πᾶν γὰρ εἶδος ὑπέμεινεν
ἐπιβουλῆς καὶ πάντα τρόπον ἐπῆλθε νίκης καὶ οὔτε ἀγωνιζόμενος οὔτε στεφανούμενος διέλιπέ ποτε.
45 Ἀλλὰ γὰρ οὐκ οἶδα πῶς προήχθην ὑβρίζειν τὸν ἄνδρα· τὰ

28 μετασχεῖν : ἀκοῦσαι C ‖ 28 ἀνθρωπείαν : ἀνθρώπων C ‖ 28
ἀκοῦσαι : μετασχεῖν C ‖ 29 δύναμαι B : βούλομαι cett. ‖ 33 ἐξετάσαιμεν BC FK : ἐξετάσομεν G D HJ ἐξετάσωμεν E ἀνεξετάσωμεν
A ‖ 33 αὐτοῦ : ἑαυτοῦ C ‖ 35 Χριστοῦ BC K : Θεοῦ cett. ‖ 41 δικαίου]
+ τούτου EG D HJ ‖ 42 κινδυνεύοντα om. C.

1. Cf. *Act.* 14, 12.
2. Cf. *II Cor.* 12, 2.
3. La comparaison de l'homme vertueux avec un athlète est banale.
Elle est entrée dans le vocabulaire chrétien avec Paul, *II Tim.* 4, 7.
En temps de persécution, elle désigne les martyrs. Voir ORIGÈNE,
Ad mart. I, *GCS* 2, p. 3, li. 11. Ensuite, ceux dont la vertu dépasse les
forces humaines. Jean l'utilise souvent à propos de Job. Cf. *De incompr.*
IV, 486 et *Ad Olymp.* X (III), 6, 9 ; XVII (IV), 2, 21 ou bien, à propos
des chrétiens nouvellement baptisés, *IIᵉ Cat. bapt.* 25, 11, *SC* 50,
p. 147. On trouve le mot précisé par le génitif qui le consacre : Θεοῦ,
dans IGNACE, *Ad Polyc.* 1, 3, mais Jean utilise plus volontiers

Paul, en priant, ressuscitait des morts et il faisait encore
d'autres prodiges analogues au point d'être considéré
comme un dieu par les païens[1] et avant de quitter cette vie,
il fut jugé digne d'être ravi jusqu'au troisième ciel[2] et
d'avoir en communication des paroles qu'il n'est pas permis
à la nature humaine d'entendre. Les gens de notre époque
— mais je ne veux rien dire de désobligeant ni de vexant et
je dis cela maintenant non pour les insulter, mais sous le
coup de l'étonnement —, comment ne frémissent-ils pas
de se comparer à un tel homme ?

Laissant de côté les prodiges, si nous passions à la vie du
bienheureux et si nous examinions sa conduite semblable
à celle des anges, c'est dans celle-ci plutôt que dans ses
miracles que tu verras l'athlète du Christ l'emporter[3].
Qui pourrait dire son zèle, sa modération, les dangers continuels[4], les soucis succédant aux soucis, ses raisons constantes de tristesse au sujet des Églises[5], sa compassion
pour les malades[6], ses souffrances multiples, ses persécutions
toujours nouvelles, ses morts quotidiennes[7]. En effet, quel
lieu du monde, quel continent, quelle mer a ignoré les
combats du juste ? La partie inhabitable de la terre l'a
connu, puisqu'elle l'a accueilli souvent quand il était en
danger[8] ; car s'il a été exposé à toutes sortes de complots
et s'il a remporté tous les genres de victoires, il n'a jamais
cessé de combattre ni d'être couronné.

Mais je ne sais comment je me suis laissé aller jusqu'à la

Χριστοῦ que Θεοῦ dans cette expression et il explique, *In epist. I ad
Tim. hom.* I, *P G* 62, 504, que les deux génitifs ne font qu'un.

4. Cf. *II Cor.* 11, 26.

5. *Ibid.* 11, 28.

6. Cf. *I Cor.* 9, 22.

7. *Ibid.* 15, 31.

8. Cf. *Act.* 27, 41-44. C'est la manière chez les Anciens de présenter
la Méditerranée. Ils la divisent en deux secteurs, celui du monde
habité et celui qui se trouve « hors de portée ». Voir Strabon, *Géogr.*
II, 3, 5. Clément de Rome, *Ad Cor. epist.* 5, 7, *SC* 167, p. 108, montre
Paul atteignant « les bornes de l'Occident ».

γὰρ κατορθώματα αὐτοῦ πάντα μὲν ὑπερβαίνει λόγον, τὸν
δὲ ἡμέτερον, τοσοῦτον ὅσον καὶ ἡμᾶς οἱ λέγειν εἰδότες· πλὴν
ἀλλὰ καὶ οὕτως — οὐδὲ γὰρ ἀπὸ τῆς ἐκβάσεως, ἀλλ' ἀπὸ
τῆς προαιρέσεως ἡμᾶς ὁ μακάριος κρινεῖ — οὐκ ἀποστή-
50 σομαι, ἕως ἂν εἴπω τοῦτο ὃ τοσοῦτο τῶν εἰρημένων κρεῖττόν
ἐστιν ὅσον ἁπάντων ἀνθρώπων ἐκεῖνος. Τί οὖν τοῦτό ἐστιν;
Μετὰ τοσαῦτα κατορθώματα, μετὰ τοὺς μυρίους στεφάνους,
ηὔξατο εἰς γέενναν ἀπελθεῖν καὶ αἰωνίῳ παραδοθῆναι κολάσει
ὑπὲρ τοῦ τοὺς πολλάκις αὐτὸν καὶ λιθάσαντας καὶ ἀνελόντας,
55 τό γε αὐτῶν μέρος, Ἰουδαίους σωθῆναι καὶ τῷ Χριστῷ
προσελθεῖν. Τίς οὕτως ἐπόθησε τὸν Χριστόν, εἴγε πόθον
αὐτὸν δεῖ καλεῖν, ἀλλ' οὐχ ἕτερόν τι τοῦ πόθου πλέον; Ἔτι
οὖν ἑαυτοὺς ἐκείνῳ παραβαλοῦμεν, μετὰ τὴν τοσαύτην χάριν
ἣν ἔλαβεν ἄνωθεν, μετὰ τὴν τοσαύτην ἀρετὴν ἣν οἴκοθεν
60 ἐπεδείξατο; καὶ τί τούτου γένοιτ' ἂν τολμηρότερον;
Ὅτι δὲ οὐδὲ οὗτος ἦν ἰδιώτης, ὡς οὗτοι νομίζουσι, καὶ
τοῦτο λοιπὸν ἀποδεῖξαι πειράσομαι. Οὗτοι μὲν γὰρ οὐ μόνον
τὸν οὐκ ἠσκημένον τὴν τῶν ἔξωθεν λόγων τερθρείαν ἰδιώτην
καλοῦσιν, ἀλλὰ καὶ τὸν οὐκ εἰδότα μάχεσθαι ὑπὲρ τῶν τῆς
65 ἀληθείας δογμάτων· καὶ καλῶς νομίζουσιν. Ὁ δὲ Παῦλος
οὐκ ἐν ἀμφοτέροις ἔφησεν ἰδιώτης εἶναι, ἀλλ' ἐν θατέρῳ
μόνον· καὶ τοῦτο ἀσφαλιζόμενος τὸν διορισμὸν ἀκριβῶς
πεποίηται, λέγων τῷ λόγῳ ἰδιώτης εἶναι, ἀλλ' οὐ τῇ γνώσει.
Ἐγὼ δὲ εἰ μὲν τὴν λειότητα Ἰσοκράτους ἀπῄτουν καὶ τὸν

50-51 τοσοῦτο ... ὅσον BC : τοσούτῳ ... ὅσῳ D HJK τοσοῦτον ...
ὅσῳ AEG F ‖ 58-59 χάριν — τοσαύτην om. C ‖ 61 οὐδὲ BC : οὐχ
cett. ‖ 61 οὗτος B : οὕτως cett. ‖ 69 λειότητα : λογιότητα C AEG
D F ‖ 69 Ἰσοκράτους BC HJK : Σωκράτους cett. ‖ 69 ἀπῄτουν :
ἐπεζήτουν C.

1. L'emploi du verbe ὑβρίζω s'explique par une précaution oratoire
en usage dans la rhétorique : vouloir parler de Paul est une audace,
ὕβρις, que la suite de la phrase va justifier.
2. Cf. *Rom.* 9, 3.

désinvolture à l'égard de cet homme[1], car ses actions
d'éclat dépassent tout langage et aussi le nôtre autant que
les gens habiles à parler nous dépassent ; cependant, même
dans une telle situation, je ne me tairai pas — car le bienheureux nous jugera non sur le résultat, mais sur l'intention — jusqu'à ce que j'aie dit ce qui est au-dessus de la parole
autant que celui-ci est au-dessus de tous les hommes.
Qu'est-ce donc que cela ? Après tant d'exploits de vertu,
après des milliers de couronnes, il souhaita être jeté dans
la géhenne[2] et livré au châtiment éternel pour que les Juifs
soient sauvés, eux qui l'avaient souvent lapidé et fait
mourir, du moins dans la mesure où ils le pouvaient, et
pour qu'ils reviennent au Christ[3]. Qui a aimé le Christ d'un
amour aussi ardent ? si toutefois il faut appeler cela de
l'amour, mais n'est-ce pas quelque chose d'autre, plus
grand que l'amour ? Allons-nous donc nous comparer à lui,
après la grâce si grande qu'il reçut d'en haut, après la vertu
si grande qu'il montra pour sa part ? et qui oserait une chose
plus audacieuse que cela ?

Qu'il n'était pas aussi ignorant que les gens le pensent, je
m'efforcerai maintenant de le montrer. Ceux-ci, en effet,
qualifient d'ignorant non seulement celui qui ne s'est pas
entraîné au charlatanisme de l'éloquence païenne, mais
encore celui qui ne sait pas combattre pour la vérité des
dogmes ; et ils ont raison. Or Paul n'a pas dit qu'il était
ignorant dans ces deux domaines, mais dans l'un seulement ;
et se mettant en garde contre cette opinion, il a eu soin de
faire la distinction en disant qu'il était inhabile à parler,
mais non à connaître[4]. Si je revendiquais le style coulant

---

3. Voir A. PIÉDAGNEL, « L'angoisse du salut des Juifs dans l'âme
de l'apôtre Paul d'après le *De laudibus Pauli* », *Studia Patristica*,
vol. XIII, *TU* 116, Berlin 1975, p. 269-272.

4. *II Cor.* 11, 6.

70 Δημοσθένους ὄγκον καὶ τὴν Θουκυδίδου σεμνότητα καὶ τὸ
Πλάτωνος ὕψος, ἔδει φέρειν εἰς μέσον ταύτην τοῦ Παύλου
τὴν μαρτυρίαν· νῦν δὲ ἐκεῖνα μὲν πάντα ἀφίημι καὶ τὸν περί-
εργον τῶν ἔξωθεν καλλωπισμὸν καὶ οὐδέν μοι φράσεως, οὐδὲ
ἀπαγγελίας μέλει. Ἀλλ' ἐξέστω καὶ τῇ λέξει πτωχεύειν καὶ
75 τὴν συνθήκην τῶν ὀνομάτων ἁπλῆν τινα εἶναι καὶ ἀφελῆ,
μόνον μὴ τῇ γνώσει τις καὶ τῇ τῶν δογμάτων ἀκριβείᾳ ἰδιώτης ἔστω· μηδ' ἵνα τὴν οἰκείαν ἀργίαν ἐπικαλύψῃ, τὸν
μακάριον ἐκεῖνον ἀφαιρείσθω τὸ μέγιστον τῶν ἀγαθῶν καὶ
τὸ τῶν ἐγκωμίων κεφάλαιον.

ζ'. Ὅτι οὐκ ἀπὸ
τῶν σημείων
μόνον λαμπρὸς
ἐγένετο, ἀλλὰ
5 καὶ ἀπὸ
τοῦ λέγειν

Πόθεν γάρ, εἰπέ μοι, τοὺς Ἰουδαίους συνέχε τοὺς ἐν Δαμάσκῳ
κατοικοῦντας, οὐδέπω τῶν σημείων
ἀρξάμενος; πόθεν τοὺς Ἑλληνιστὰς
κατεπάλαισε; διὰ τί δὲ εἰς Ταρσὸν
ἐξεπέμπετο; οὐκ ἐπειδὴ κατὰ κράτος ἐνίκα τῷ λόγῳ καὶ εἰς τοσοῦτον
αὐτοὺς ἤλαυνεν ὡς καὶ εἰς φόνον παροξυνθῆναι, μὴ φέροντας
τὴν ἧτταν; Ἐνταῦθα γὰρ οὐδέπω τοῦ θαυματουργεῖν ἤρξατο,
10 οὐδ' ἂν ἔχοι τις εἰπεῖν ὅτι ἀπὸ τῆς περὶ τὰ τεράστια δόξης
θαυμαστὸν αὐτὸν ἦγον οἱ πολλοὶ καὶ οἱ μαχόμενοι πρὸς
αὐτὸν ἀπὸ τῆς ὑπολήψεως ἐπηρεάζοντο τοῦ ἀνδρός· τέως
γὰρ ἀπὸ τοῦ λέγειν μόνον ἐκράτει. Πρὸς δὲ τοὺς ἰουδαΐζειν
ἐπιχειροῦντας ἐν Ἀντιοχείᾳ πόθεν ἠγωνίζετο καὶ συνεζήτει;

---

74 ἀπαγγελίας BC : ἀπολογίας cett. ‖ 78 μέγιστον : μέγεθος C ‖
78 ἀγαθῶν : ἀρετῶν FK ‖ 79 — ζ' 39-40 κεφάλαιον — ἕως ἂν om. K.
ζ'. 6-7 κατὰ κράτος B A J : κατακράτως cett. ‖ 11 ἦγον B :
ἡγοῦντο cett. ‖ 12 τοῦ ἀνδρός : τἀνδρός BC.

1. Ce sont précisément ces qualités que vante la *Souda*, vol. I²,
Art. 130, p. 1033, en parlant de Jean qui excellait τῷ τε ὕψει καὶ τῇ
φράσει καὶ τῇ λειότητι καὶ τῷ κάλλει τῶν ὀνομάτων. Quant à Érasme,
dans la préface de son édition du *De sacerdotio*, il compare Jean à
Lucien : « Habet facilitatem, perspicuitatem, suavitatem, copiam cum
Luciano communem. »
2. Cf. *Act.* 9, 22.

d'Isocrate, la force de Démosthène, la gravité de Thucydide, l'élévation de Platon[1], il me faudrait citer ce témoignage de Paul ; mais, en réalité, je laisse tout cela de côté et les recherches prétentieuses des païens dans le domaine de l'expression et de l'exposition et je ne m'en soucie pas. Eh bien ! admettons qu'il est pauvre dans ses expressions et que la manière dont il dispose les mots est simple et sans recherche, à condition qu'il ne soit pas traité d'ignorant dans la connaissance et l'exactitude de la doctrine et qu'on n'enlève pas à ce bienheureux le plus grand des biens et le principal des éloges, pour masquer sa propre paresse.

7. Ce n'est pas seulement par des miracles qu'il s'illustra, mais encore par son éloquence

Comment, dis-moi, a-t-il confondu les Juifs qui habitaient à Damas[2], puisqu'il n'avait pas encore commencé à faire des choses extraordinaires ? comment a-t-il triomphé des Hellénistes[3] ? pourquoi fut-il envoyé à Tarse[4] ? N'est-ce pas parce qu'il l'emportait sur eux par sa parole et qu'il les pourchassait à tel point qu'ils en étaient exaspérés jusqu'à vouloir le tuer, parce qu'ils ne supportaient pas la défaite ? A ce moment, en effet, il n'avait pas encore commencé à faire des miracles et l'on ne saurait dire que la foule le tenait pour admirable au nom de la réputation que lui faisaient ses prodiges, ni que ceux qui le combattaient étaient vexés par le préjugé favorable qu'on avait pour l'homme, car à ce moment il ne triomphait encore que par la parole. Et ceux qui, à Antioche, essayaient de judaïser, comment les combattait-il et comment cherchait-il à discuter avec eux[5] ?

3. *Ibid.* 9, 29.
4. *Ibid.* 9, 30.
5. Allusion aux problèmes qui se posaient aux Juifs convertis, celui des observances légales, de la circoncision en particulier (*Gal.* 2, 11-14), auxquelles Paul donne une valeur nouvelle en les envisageant dans la lumière du Christ : *I Cor.* 7, 19, *Gal.* 5, 6. Sur les séjours de Paul à Antioche, voir *Act.* 11, 26 et 12, 25.

15 ὁ δὲ Ἀρεοπαγίτης ἐκεῖνος, ὁ τῆς δεισιδαιμονεστάτης πόλεως
ἐκείνης, οὐκ ἀπὸ δημηγορίας μόνης ἠκολούθησεν αὐτῷ μετὰ
τῆς γυναικός; ὁ δὲ Εὔτυχος πῶς κατέπεσεν ἀπὸ τῆς θυρίδος;
οὐκ ἐπειδὴ μέχρι βαθείας νυκτὸς εἰς τὸν τῆς διδασκαλίας
αὐτοῦ ἀπησχόλει λόγον; τί δὲ ἐν Θεσσαλονίκῃ καὶ ἐν Κορίνθῳ;
20 τί δὲ ἐν Ἐφέσῳ καὶ ἐν αὐτῇ τῇ Ῥώμῃ; οὐχ ὅλας ἡμέρας καὶ
νύκτας ἀνήλισκεν ἐφεξῆς εἰς τὴν ἐξήγησιν τῶν Γραφῶν; τί
ἄν τις λέγοι τὰς πρὸς τοὺς Ἐπικουρείους διαλέξεις καὶ Στωϊ-
κούς; Εἰ γὰρ ἅπαντα θέλοιμεν καταλέγειν, εἰς μακρὸν
ἐκπεσεῖται μῆκος ὁ λόγος.
25 Ὅταν οὖν καὶ πρὸ τῶν σημείων καὶ ἐν μέσοις αὐτοῖς φαίνηται
πολλῷ κεχρημένος τῷ λόγῳ, πῶς ἔτι τολμήσουσιν ἰδιώτην
εἰπεῖν τὸν καὶ ἀπὸ τοῦ διαλέγεσθαι καὶ δημηγορεῖν μάλιστα
θαυμασθέντα παρὰ πᾶσι; Διὰ τί γὰρ Λυκάονες αὐτὸν ὑπέλαβον εἶναι Ἑρμῆν; Τὸ μὲν γὰρ θεοὺς αὐτοὺς νομισθῆναι
30 ἀπὸ τῶν σημείων ἐγένετο, τὸ δὲ τοῦτον Ἑρμῆν, οὐκέτι ἀπ'
ἐκείνων, ἀλλ' ἀπὸ τοῦ λόγου. Τίνι δὲ καὶ τῶν ἄλλων ἀποστόλων ἐπλεονέκτησεν ὁ μακάριος οὗτος; καὶ πόθεν ἀνὰ τὴν
οἰκουμένην ἅπασαν πολὺς ἐν τοῖς ἁπάντων ἐστὶ στόμασιν;
πόθεν οὐ παρ' ἡμῖν μόνον, ἀλλὰ καὶ παρὰ Ἰουδαίοις καὶ
35 Ἕλλησι μάλιστα πάντων θαυμάζεται; οὐκ ἀπὸ τῆς τῶν
ἐπιστολῶν ἀρετῆς δι' ἧς οὐ τοὺς τότε μόνον πιστούς, ἀλλὰ
καὶ τοὺς ἐξ ἐκείνου μέχρι τῆς σήμερον γενομένους καὶ τοὺς

---

19 αὐτοῦ B HJ : αὐτοὺς cett. ‖ 19 ἀπησχόλει : ἀπησχολεῖτο D J
‖ 19 ἐν² om. B ‖ 19-20 Κορίνθῳ ... Ἐφέσῳ : Ἐφήσῳ ... Κορίνθῳ
C ‖ 28 πᾶσι BC : πάντων cett. ‖ 31 ἐκείνων] + ἐγένετο AEG D
HJ ‖ 35 μάλιστα BC HJ : μᾶλλον cett. ‖ 37 τῆς] + ἐσχάτης HJ.

1. Auteur du *Corpus Dionysiacum* formé à la fin du Vᵉ siècle et au
début du VIᵉ, Denys se donne lui-même comme disciple de Paul,
De nom. div. III, 2 : Ἡμᾶς τοὺς μετὰ Παῦλον τὸν θεῖον ἐκ τῶν ἐκείνου
λόγων στοιχειωθέντας. « Nous qui, après le divin Paul, avons reçu
de ses paroles les éléments de la connaissance (de Dieu). » Ἐκείνου
représente le maître de Denys, Hiérothée.

2. Cf. *Act.* 17, 34. Luc cite simplement parmi les nouveaux convertis, « une femme nommée Damaris ». Mais dans une lettre à l'Église

Et ce fameux Aréopagite[1], celui de cette fameuse ville entièrement livrée à la superstition, n'est-ce pas grâce à la nouvelle force de son discours qu'il l'a converti ainsi que sa femme[2] ? Et Eutychos pourquoi tomba-t-il de la fenêtre[3] ? N'est-ce pas parce qu'il était occupé, jusqu'à la nuit profonde, à écouter l'exposé de son enseignement ? Et que se passa-t-il à Thessalonique et à Corinthe ? et à Éphèse et à Rome même ? N'a-t-il pas consacré des jours et des nuits à expliquer continuellement les Écritures ? Qui pourrait raconter ses discours avec les Épicuriens et les Stoïciens[4] ? En effet, si nous voulions tout énumérer, notre discours s'allongerait indéfiniment.

Donc, lorsque avant ses miracles et au milieu d'eux on le voit se servir abondamment de la parole, comment oseront-ils dire qu'il est inhabile à parler celui que tous admiraient au plus haut degré pour sa facilité à discuter et à discourir ? Pourquoi, en effet, les Lycaoniens l'ont-ils pris pour Hermès ? S'ils les considéraient comme des dieux, c'était à cause de leurs miracles, mais s'ils le considéraient, lui, comme Hermès, ce n'était pas à cause de ses miracles, mais à cause de sa parole[5]. Par quel moyen ce bienheureux l'a-t-il emporté sur tous les autres apôtres ? et d'où vient que dans tout le monde habité il est sur toutes les lèvres ? d'où vient qu'il a suscité la plus grande admiration non seulement chez nous, mais encore chez les Juifs et chez les Grecs ? N'est-ce pas grâce à la valeur de ses lettres par laquelle il a été et il sera d'un grand secours non seulement aux fidèles de son temps, mais encore à ceux qui ont suivi jusqu'à

---

de Verceil, LXIII, 22, *PL* 16, 1196, Ambroise la présente comme l'épouse de Denys : « Siquidem etiam Dionysius Areopagites cum Damari uxore sua aliisque multis credidit. » Il y avait probablement sur ce point une tradition que suit Jean.

3. *Act.* 20, 9.

4. *Ibid.* 17, 18.

5. Cf. *Act.* 14, 11-12 où Barnabé est pris pour Zeus par les Lycaoniens et Paul pour Hermès.

μέλλοντας δὲ ἔσεσθαι μέχρι τῆς τοῦ Χριστοῦ παρουσίας
ὠφέλησέ τε καὶ ὠφελήσει; καὶ οὐ παύσεται τοῦτο ποιῶν ἕως
40 ἂν τὸ τῶν ἀνθρώπων διαμένῃ γένος.

"Ωσπερ γὰρ τεῖχος ἐξ ἀδάμαντος κατασκευασθέν, οὕτω τὰς
πανταχοῦ τῆς οἰκουμένης Ἐκκλησίας τὰ τούτου τειχίζει
γράμματα· καὶ καθάπερ τις ἀριστεὺς γενναιότατος ἔστηκε
καὶ νῦν μέσος, αἰχμαλωτίζων πᾶν νόημα εἰς τὴν ὑπακοὴν
45 τοῦ Χριστοῦ καὶ «καθαιρῶν λογισμοὺς καὶ πᾶν ὕψωμα ἐπαιρό-
μενον κατὰ τῆς γνώσεως τοῦ Θεοῦ[g].» Ταῦτα δὲ πάντα ἐργάζεται δι᾿ ὧν ἡμῖν κατέλιπεν ἐπιστολῶν τῶν θαυμασίων
ἐκείνων καὶ τῆς θείας πεπληρωμένων σοφίας. Οὐ πρὸς
δογμάτων δὲ μόνον νόθων τε ἀνατροπὴν καὶ γνησίων ἀσφά-
50 λειαν ἐπιτήδεια ἡμῖν αὐτοῦ τὰ γράμματα, ἀλλὰ καὶ πρὸς τὸ
βιοῦν εὖ οὐκ ἐλάχιστον ἡμῖν συντελεῖ μέρος· τούτοις γὰρ ἔτι
καὶ νῦν οἱ προεστῶτες χρώμενοι, τὴν ἁγνὴν παρθένον ἣν
ἡρμόσατο τῷ Χριστῷ ῥυθμίζουσί τε καὶ πλάττουσι καὶ πρὸς
τὸ πνευματικὸν ἄγουσι κάλλος· τούτοις καὶ τὰ ἐπισκήπτοντα
55 αὐτῇ νοσήματα ἀποκρούονται καὶ τὴν προσγινομένην διατη-
ροῦσιν ὑγίειαν. Τοιαῦτα ἡμῖν ὁ ἰδιώτης κατέλιπε φάρμακα,
τοσαύτην ἔχοντα δύναμιν ὧν ἴσασι τὴν πεῖραν καλῶς οἱ
χρώμενοι συνεχῶς. Καὶ ὅτι μὲν πολλὴν αὐτὸς ἐποιεῖτο τοῦ
μέρους τούτου σπουδήν, ἐκ τούτων δῆλον.

η΄. Ὅτι καὶ
ἡμᾶς τοῦτο
βούλεται
κατορθοῦν

Ἄκουε δὲ καὶ τῷ μαθητῇ τί φησιν
ἐπιστέλλων· « Πρόσεχε τῇ ἀναγνώσει, τῇ παρακλήσει, τῇ διδασκαλίᾳ[h]. » Καὶ τὸν ἀπὸ τούτου καρ-
5 πὸν προστίθησι λέγων· « Τοῦτο γὰρ
ποιῶν, καὶ σεαυτὸν σώσεις καὶ τοὺς ἀκούοντάς σου[i]. » Καὶ
πάλιν· « Δοῦλον δὲ Κυρίου οὐ δεῖ μάχεσθαι, ἀλλ᾿ ἤπιον εἶναι

---

46 Θεοῦ : Χριστοῦ K ‖ 52 οἱ] + τῶν ἐκκλησιῶν E H ‖ 55 προσγινομένην BC K : γινομένην HJ γεγενημένην AEG D F ‖ 57 τοσαύτην : καὶ τοσαύτην D F ‖ 59 τούτων B : τούτου cett.

η΄. 3 τῇ παρακλήσει om. E D HJ ‖ 4 ἀπὸ τούτου BC K : ἀπ᾿
αὐτοῦ cett.

g. II Cor. 10, 4-5   h. I Tim. 4, 13   i. I Tim. 4, 16

notre époque et à ceux qui doivent exister jusqu'à la venue
du Christ ? et son action ne cessera pas tant que subsistera
la race humaine.

En effet, comme un rempart d'acier, ainsi ses lettres
protègent les Églises répandues partout sur la terre habitée ;
et comme un héros qui excelle en bravoure, il se tient encore
maintenant au milieu de nous, réduisant toute pensée à
écouter le Christ, « détruisant les faux raisonnements,
abaissant toute hauteur qui se dresse contre la connaissance
de Dieu[g]. » Tout cela, il le fait au moyen des admirables
lettres qu'il nous a laissées, pleines de sagesse divine. Ce
n'est pas seulement pour réfuter les faux dogmes et pour
protéger ceux qui sont conformes à la vérité que ses lettres
nous sont utiles, mais elles ne contribuent pas moins à nous
faire vivre selon le bien[1], car en les utilisant encore maintenant, ceux qui sont à la tête de la communauté règlent la
vie de la vierge pure qu'il a unie au Christ[2], la façonnent
et l'amènent à la beauté spirituelle ; grâce à elles, ils
chassent les maladies qui la menacent et ils protègent sa
bonne santé retrouvée. Tels sont les remèdes que cet ignorant nous a laissés ; ils ont une grande efficacité dont ceux
qui en usent habituellement font l'expérience. Qu'il dépen-
sait dans ce domaine un grand zèle, en voici la preuve.

**8. Il veut
que nous excellions,
nous aussi,
dans ce domaine**

Écoute ce que dit l'Apôtre à son
disciple : « Applique-toi à lire, à
exhorter, à enseigner[h]. » Et il
montre ensuite le fruit qu'on en
retire en disant : « Si tu fais cela, tu
te sauveras toi-même et ceux qui t'écoutent[i]. » Et encore :
« Il ne faut pas que le serviteur du Seigneur soit querelleur,

---

1. Il n'est pas rare de voir les Grecs mettre sous cette expression
l'idée d'une vie heureuse et prospère. Cf. SOPHOCLE, *Phil.* 505. Mais
la philosophie lui donne une résonance morale (voir le texte d'Aristote cité plus haut, page 151, note 4) et le christianisme devait lui
faire écho.

2. Il s'agit de la communauté chrétienne, selon *II Cor.* 11, 2.

πρὸς πάντας, διδακτικόν, ἀνεξίκακον[j]. » Καὶ προϊὼν δέ φησι·
« Σὺ δὲ μένε ἐν οἷς ἔμαθες καὶ ἐπιστώθης, εἰδὼς παρὰ τίνος
10 ἔμαθες καὶ ὅτι ἀπὸ βρέφους τὰ ἱερὰ γράμματα οἶδας, τὰ
δυνάμενά σε σοφίσαι[k]. » Καὶ πάλιν· « Πᾶσα γραφὴ θεόπνευσ-
τος καὶ ὠφέλιμος, φησί, πρὸς διδασκαλίαν, πρὸς ἔλεγχον, πρὸς
ἐπανόρθωσιν, πρὸς παίδευσιν τὴν ἐν δικαιοσύνῃ, ἵνα ἄρτιος
ᾖ ὁ τοῦ Θεοῦ ἄνθρωπος[l]. » Ἄκουε δὲ καὶ τῷ Τίτῳ περὶ τῆς
15 τῶν ἐπισκόπων καταστάσεως διαλεγόμενος τί προστίθησιν·
« Δεῖ γάρ, φησίν, εἶναι τὸν ἐπίσκοπον ἀντεχόμενον τοῦ κατὰ
τὴν διδαχὴν πιστοῦ λόγου, ἵνα δυνατὸς ᾖ καὶ τοὺς ἀντιλέγοντας ἐλέγχειν[m]. » Πῶς οὖν ἰδιώτης τις ὤν, ὡς οὗτοί
φασι, τοὺς ἀντιλέγοντας ἐλέγχειν δυνήσεται καὶ ἐπιστομίζειν;
20 τίς δὲ χρεία προσέχειν τῇ ἀναγνώσει καὶ ταῖς γραφαῖς, εἰ
ταύτην δεῖ τὴν ἰδιωτείαν ἀσπάζεσθαι; Σκήψεις ταῦτα καὶ
προφάσεις καὶ ῥαθυμίας καὶ ὄκνου προσχήματα.

Ἀλλὰ τοῖς ἱερεῦσι, φησί, ταῦτα διατάττεται· καὶ γὰρ περὶ
ἱερέων ἡμῖν ὁ λόγος νῦν. Ὅτι δὲ καὶ τοῖς ἀρχομένοις, ἄκουε
25 τί πάλιν ἑτέροις ἐν ἑτέρᾳ ἐπιστολῇ παραινεῖ· « Ὁ λόγος τοῦ
Χριστοῦ ἐνοικείτω ἐν ὑμῖν πλουσίως ἐν πάσῃ σοφίᾳ[n]. » Καὶ
πάλιν· « Ὁ λόγος ὑμῶν πάντοτε ἐν χάριτι ἅλατι ἠρτυμένος
εἰδέναι πῶς δεῖ ἑνὶ ἑκάστῳ ἀποκρίνεσθαι[o]. » Καὶ τὸ πρὸς
ἀπολογίαν ἑτοίμους εἶναι ἅπασιν εἴρηται, Θεσσαλονικεῦσι
30 δὲ ἐπιστέλλων· « Οἰκοδομεῖτε, φησίν, εἰς τὸν ἕνα, καθὼς καὶ
ποιεῖτε[p]. » Ὅταν δὲ περὶ ἱερέων διαλέγηται· « Οἱ καλῶς

9-10 καὶ ἐπιστώθης — ἔμαθες om. B ‖ 11 σοφίσαι B FK : εἰς
σωτηρίαν add. cett. ‖ 12 φησί om. HJK ‖ 13 παίδευσιν B : παιδείαν
cett. ‖ 21-22 Σκήψεις καὶ προφάσεις B : σκῆψις καὶ πρόφασις cett. ‖
25 παραινεῖ : πῶς παραινεῖ λέγων C.

j. II Tim. 2, 24　　　　k. II Tim. 3, 14-15　　　l. II Tim. 3, 16
m. Tite 1, 7-9　　　　　n. Col. 3, 16　　　　　　o. Col. 4, 6
p. I Thess. 5, 11

1. Sur les termes employés dans l'Église primitive pour désigner
les différentes formes de ministère, voir A. Lemaire, *Les ministères
aux origines de l'Église*, Paris 1971, chap. xi, p. 178-190.

mais qu'il soit doux à l'égard de tous, sachant instruire, sachant patienter[j]. » Et il continue en disant : « Quant à toi, demeure ferme dans ce que tu as appris et dans ce à quoi tu as donné ta foi, sachant de qui tu l'as appris et que, dès l'enfance, tu connais les saintes Lettres capables de te rendre sage[k]. » Et encore : « Toute l'Écriture, dit-il, est inspirée de Dieu et utile à la fois pour instruire, pour reprendre, pour redresser, pour enseigner la justice, afin que l'homme de Dieu soit adapté à son rôle[l]. » Écoute-le aussi parler à Tite de la situation des épiscopes[1]. Qu'ajoute-t-il ? « Il faut que l'épiscope soit fermement attaché à prêcher la foi selon l'enseignement qu'il a reçu, pour qu'il soit capable de réfuter ceux qui lui font des objections[m]. » Comment donc, étant inhabile à parler, comme ceux-là le disent, pourra-t-il convaincre ceux qui lui font des objections et leur fermer la bouche ? Quelle utilité de s'appliquer à lire les Écritures, s'il faut chérir cette ignorance ? Excuses et prétextes que tout cela[2] et raisons qu'on met en avant pour dissimuler la négligence et la paresse !

Mais, dit-on, c'est un ordre donné aux prêtres[3] ; et en effet c'est des prêtres dont nous parlons maintenant. Quant à ceux qui sont soumis à l'autorité, écoute ce qu'il leur recommande dans une autre épître : « Que la parole du Christ habite en vous en toute sagesse[n]. » Et encore : « Que votre parole soit pleine de grâce et d'à-propos pour savoir comment il faut répondre à chacun[o]. » Quant à être prêts à se défendre[4], il l'a recommandé à tous en écrivant aux Thessaloniciens : « Édifiez-vous les uns les autres, dit-il, comme déjà vous le faites[p]. » Mais quand il parle aux prêtres[5] :

2. Expression aimée de Jean qui l'utilise aussi au singulier, comme le propose l'ensemble de nos mss, mais où ταῦτα invite à suivre B et à choisir le pluriel. Cf. *Ad Olymp.* VIII (II), 3, 12.

3. Il est évident que le mot ἱερεύς désigne ici *ceux qui ont reçu le sacerdoce*, évêques et prêtres.

4. *I Pierre* 3, 15.

5. Sur la hiérarchie dans les Églises fondées par saint Paul, voir J. DAUVILLIER, *loc. cit.* [*supra*, p. 202, note 1], p. 261.

προεστῶτες πρεσβύτεροι διπλῆς τιμῆς ἀξιούσθωσαν, μάλιστα
οἱ κοπιῶντες ἐν λόγῳ καὶ διδασκαλίᾳ[q]. » Καὶ γὰρ οὗτος ὁ
τελεώτατος τῆς διδασκαλίας ὅρος, ὅταν καὶ δι' ὧν πράττουσι
35 καὶ δι' ὧν λέγουσι τοὺς μαθητευομένους ἐνάγωσι πρὸς τὸν
μακάριον βίον ὃν ὁ Χριστὸς διετάξατο· οὐ γὰρ ἀρκεῖ τὸ
ποιεῖν πρὸς τὸ διδάσκειν. Καὶ οὐκ ἐμὸς ὁ λόγος, ἀλλ' αὐτοῦ
τοῦ Σωτῆρος· « Ὃς γὰρ ἄν, φησί, ποιήσῃ καὶ διδάξῃ, οὗτος
μέγας κληθήσεται[r]. » Εἰ δὲ τὸ ποιῆσαι διδάξαι ἦν, περιττῶς
40 τὸ δεύτερον ἔκειτο· καὶ γὰρ ἧρκει εἰπεῖν· ὃς ἂν ποιήσῃ, μόνον.
Νῦν δὲ τῷ διελεῖν ἀμφότερα δείκνυσιν ὅτι τὸ μὲν τῶν ἔργων
ἐστί, τὸ δὲ τοῦ λόγου καὶ ἀλλήλων δεῖται ἑκάτερα πρὸς τελείαν οἰκοδομήν. Ἢ οὐκ ἀκούεις τί φησι τοῖς πρεσβυτέροις
Ἐφεσίων τὸ τοῦ Χριστοῦ σκεῦος τὸ ἐκλεκτόν; « Διὸ γρηγο-
45 ρεῖτε, μνημονεύοντες ὅτι τριετίαν νύκτα καὶ ἡμέραν οὐκ
ἐπαυσάμην μετὰ δακρύων νουθετῶν ἕνα ἕκαστον ὑμῶν[s]. »
Τίς γὰρ χρεία τῶν δακρύων ἢ τῆς διὰ τῶν λόγων νουθεσίας,
οὕτω τοῦ βίου αὐτῷ λάμποντος τοῦ ἀποστολικοῦ;

θ'. Ὅτι τούτου
μὴ παρόντος
τῷ ἱερεῖ,
πολλὴν ἀνάγκη
5 τοὺς ἀρχομένους
ζημίαν ὑφίστασθαι

Ἀλλὰ πρὸς μὲν τὴν τῶν ἐντολῶν
ἐργασίαν δύναιτ' ἂν ἡμῖν οὗτος πολὺ
συμβάλλεσθαι μέρος· οὐδὲ γὰρ ἐκεῖ
μόνον αὐτὸν τὸ πᾶν κατορθοῦν
φαίην ἄν, ὅταν δὲ ὑπὲρ δογμάτων
ἀγὼν κινῆται καὶ πάντες ἀπὸ τῶν
αὐτῶν μάχωνται γραφῶν, ποίαν
ἰσχὺν ὁ βίος ἐνταῦθα ἐπιδεῖξαι δυνήσεται; Τί τῶν πολλῶν
ὄφελος ἱδρώτων, ὅταν μετὰ τοὺς μόχθους ἐκείνους ἀπὸ τῆς
10 πολλῆς τις ἀπειρίας εἰς αἵρεσιν ἐκπεσὼν ἀποσχισθῇ τοῦ
σώματος τῆς Ἐκκλησίας; Ὅπερ οἶδα πολλοὺς παθόντας ἐγώ.
Ποῖον αὐτῷ κέρδος τῆς καρτερίας; Οὐδέν, ὥσπερ οὖν οὐδὲ

---

32 μάλιστα] + φησίν J ‖ 34 καὶ om. B ‖ 42 πρὸς : εἰς C ‖ 43 τελείαν
[τὴν τ. C] BC K : τὴν [τῶν add. E D] ἀλλήλων cett. ‖ 46 ὑμῶν om. K.
θ'. 3 συμβάλλεσθαι B : συμβαλέσθαι cett. ‖ 4 τὸ πᾶν BC HJK :
τὰ πάντα cett.

q. I Tim. 5, 17   r. Matth. 5, 19   s. Act. 20, 31

« Que les presbytres qui président la communauté soient
jugés dignes d'un tel honneur, surtout ceux qui s'épuisent
dans la parole et l'enseignement[q]. » En effet, telle est la
manière d'atteindre la perfection de l'enseignement, lorsque
par ses actes et par ses paroles on amène ses disciples à la
vie bienheureuse que le Christ a prescrite ; car il ne suffit pas
d'agir pour enseigner et ce n'est pas moi qui le dis, mais le
Sauveur lui-même : « Celui, dit-il, qui agira et qui ensei-
gnera, celui-là sera appelé grand[r]. » Si agir c'était enseigner,
le second terme serait superflu et il lui aurait suffi de dire :
celui qui agira. Mais, en réalité, par la distinction qu'il fait
entre les deux, il montre que les actes sont une chose et la
parole une autre et que les deux sont nécessaires pour une
édification parfaite[1]. N'entends-tu pas ce qu'il dit aux
anciens d'Éphèse, ce vase choisi du Christ[2] ? « C'est pourquoi, veillez et souvenez-vous que nous n'avons cessé pendant trois ans de reprendre avec larmes chacun de vous[s]. »
A quoi servent les larmes et les reproches exprimés, puisque
sa vie apostolique brillait d'un tel éclat ?

**9. Si ce talent
manque au prêtre,
ceux qui sont sous
son autorité subissent
nécessairement
un grand dommage**

Sans doute, dans l'accomplissement des commandements, cette
forme d'action serait-elle capable
de nous aider pour une grande
part ; je ne dirais pas, en effet,
qu'elle réussit pleinement à elle
seule, mais lorsque c'est au sujet
des dogmes que la lutte se livre et que tous combattent
avec les mêmes Écritures, quelle force alors pourra repré-
senter la vie ? De quelle utilité tant de sueurs, lorsque après
ces fatigues on tombe dans l'hérésie par suite d'une grande
inexpérience et qu'on se sépare du corps de l'Église ? Je
sais que beaucoup ont subi ce sort. A quoi sert la force
d'âme ? A rien, pas plus d'ailleurs qu'une foi saine, lorsqu'on

---

1. Cf. *I Cor.* 14, 12. Il s'agit de l'édification de l'Église.
2. Cf. *Act.* 9, 15.

ὑγιοῦς πίστεως, τῆς πολιτείας διεφθαρμένης. Διὰ δὴ ταῦτα
μάλιστα πάντων ἔμπειρον εἶναι δεῖ τῶν τοιούτων ἀγώνων τὸν
15 διδάσκειν τοὺς ἄλλους λαχόντα. Εἰ γὰρ καὶ αὐτὸς ἔστηκεν ἐν
ἀσφαλείᾳ, μηδὲν ὑπὸ τῶν ἀντιλεγόντων βλαπτόμενος, ἀλλὰ
τὸ τῶν ἀφελεστέρων πλῆθος τὸ ταττόμενον ὑπ᾽ ἐκείνῳ, ὅταν
ἴδῃ τὸν ἡγούμενον ἡττηθέντα καὶ οὐδὲν ἔχοντα πρὸς τοὺς
ἀντιλέγοντας εἰπεῖν, οὐ τὴν ἀσθένειαν τὴν ἐκείνου τῆς ἥττης
20 ἀλλὰ τὴν τοῦ δόγματος αἰτιῶνται σαθρότητα, καὶ διὰ τὴν τοῦ
ἑνὸς ἀπειρίαν ὁ πολὺς λεὼς εἰς ἔσχατον ὄλεθρον καταφέρεται·
κἂν γὰρ μὴ πάντῃ γένωνται τῶν ἐναντίων, ἀλλ᾽ ὅμως ὑπὲρ
ὧν θαρρεῖν εἶχον ἀμφιβάλλειν ἀναγκάζονται, καὶ οἷς μετὰ
πίστεως προσῆεσαν ἀκλινοῦς, οὐκέτι μετὰ τῆς αὐτῆς δύνανται
25 προσέχειν στερρότητος, ἀλλὰ τοσαύτη ζάλη ταῖς ἐκείνων
εἰσοικίζεται ψυχαῖς ἀπὸ τῆς ἥττης τοῦ διδασκάλου, ὡς καὶ
εἰς ναυάγιον τελευτῆσαι τὸ κακόν. Ὅσος δὲ ὄλεθρος καὶ ὅσον
συνάγεται πῦρ εἰς τὴν ἀθλίαν κεφαλὴν ἐκείνου, καθ᾽ ἕκαστον
τῶν ἀπολλυμένων τούτων, οὐδὲν δεήσῃ παρ᾽ ἐμοῦ μαθεῖν,
30 ἅπαντα αὐτὸς εἰδὼς ἀκριβῶς. Τοῦτο οὖν ἀπονοίας, τοῦτο
κενοδοξίας, τὸ μὴ θελῆσαι τοσούτοις ἀπωλείας αἴτιον
γενέσθαι, μηδὲ ἐμαυτῷ μείζονα προξενῆσαι τιμωρίαν τῆς νῦν
ἀποκειμένης ἐκεῖ; Καὶ τίς ἂν ταῦτα φήσειεν; Οὐδείς, πλὴν εἴ
τις μάτην μέμφεσθαι βούλοιτο καὶ ἐν ταῖς ἀλλοτρίαις φιλο-
35 σοφεῖν συμφοραῖς.

ΛΟΓΟΣ Ε΄ α΄. Ὅτι πολλοῦ
πόνου καὶ σπουδῆς
αἱ ἐν τῷ κοινῷ
ὁμιλίαι δέονται
5

Ὅσης μὲν ἐμπειρίας τῷ διδα-
σκάλῳ δεῖ πρὸς τοὺς ὑπὲρ τῆς ἀληθείας ἀγῶνας, ἱκανῶς ἡμῖν ἀποδέ-
δεικται· ἔχω δέ τι καὶ πρὸς τούτοις
ἕτερον μυρίων αἴτιον κινδύνων εἰπεῖν.

Μᾶλλον δὲ οὐκ ἐκεῖνο εἴποιμι ἂν αἴτιον ἔγωγε, ἀλλὰ τοὺς οὐκ
εἰδότας αὐτῷ χρῆσθαι καλῶς, ἐπεὶ τό γε πρᾶγμα αὐτὸ σωτηρίας τε καὶ πολλῶν πρόξενον γίνεται ἀγαθῶν, ὅταν τοὺς

---

19 τὴν² : αὐτὴν EG D HJ ‖ 34 εἴ BC : εἰ μή cett.
ΛΟΓΟΣ Ε΄. α΄. 5 ἕτερον : ἑτέρων B ‖ 7 χρῆσθαι B : χρήσασθαι
cett.

mène une vie corrompue. Il faut donc par-dessus tout que
celui qui a reçu la mission d'enseigner les autres ait fait
l'expérience de tels combats. En effet, s'il se tient ferme
lui-même, il ne subit aucun tort de la part de ceux qui le
contredisent, mais lorsque la foule des simples placée sous
son autorité voit celui qui la conduit dans une situation
inférieure et n'ayant rien à répondre à ceux qui le contredisent, ils n'imputent pas cette infériorité à sa faiblesse,
mais à la corruption du dogme et, à cause de l'inexpérience
d'un seul homme, l'ensemble du peuple est entraîné au
dernier degré de la ruine. En effet, même s'ils ne passent
pas au parti adverse, cependant sur les points où ils avaient
de l'assurance, ils sont contraints d'hésiter et ceux auxquels
ils allaient avec une confiance inébranlable, ils ne peuvent
plus s'attacher à eux avec la même fermeté, mais la tempête
pénètre dans les âmes par suite de l'infériorité du maître,
si bien que le mal finit par un naufrage. Quelle ruine et quel
feu s'accumulent sur la tête de ce malheureux à propos de
chacun de ceux qui périssent, tu n'auras pas besoin de
l'apprendre de moi, tu le sais toi-même parfaitement. Est-ce
de la folie ? est-ce de la vaine gloire que de ne pas vouloir
être cause de perdition pour tant de gens, ni donner prise
moi-même à un châtiment plus grand que celui qui m'attend
actuellement ? Qui oserait le dire ? Personne à moins que
l'on ne veuille faire de vains reproches et pratiquer la sagesse
au milieu des malheurs d'autrui[1].

tie **1. Les homélies
prononcées en public
exigent bien du
travail et du soin**

Quelle expérience il faut à celui
qui enseigne, lorsqu'il doit combattre pour la vérité, nous l'avons
suffisamment démontré ; j'ai de
plus à ajouter une autre cause de
mille dangers. Je dirais plutôt non pas que c'est une cause,
mais que la faute en est à ceux qui ne savent pas en bien
user, car cette chose, en elle-même, est génératrice de salut

1. Cf. *Adv. opp. vit. mon.* II, 8, *P G* 47, 343.

διακονουμένους εὕρῃ σπουδαίους τε ἄνδρας καὶ ἀγαθούς. Τί
10 οὖν τοῦτό ἐστιν; Ὁ πολὺς πόνος ὁ περὶ τὰς διαλέξεις τὰς
κοινῇ πρὸς τὸν λαὸν γινομένας ἀναλισκόμενος. Πρῶτον μὲν
γὰρ τὸ πλέον τῶν ἀρχομένων οὐκ ἐθέλουσιν ὡς πρὸς διδασκάλους διακεῖσθαι τοὺς λέγοντας, ἀλλὰ τὴν τῶν μαθητῶν τάξιν
ὑπερβάντες ἀντιλαμβάνουσι τὴν τῶν θεατῶν τῶν ἐν τοῖς
15 ἔξωθεν καθεζομένων ἀγῶσι. Καὶ καθάπερ ἐκεῖ τὸ πλῆθος μερί-
ζεται, καὶ οἱ μὲν τούτῳ, οἱ δὲ ἐκείνῳ προσνέμουσιν ἑαυτούς,
οὕτω δὴ καὶ ἐνταῦθα διαιρεθέντες, οἱ μὲν μετὰ τούτου, οἱ δὲ
μετὰ ἐκείνου γίνονται, πρὸς χάριν καὶ πρὸς ἀπέχθειαν
ἀκούοντες τῶν λεγομένων. Καὶ οὐ τοῦτο μόνον ἐστὶ τὸ
20 χαλεπόν, ἀλλὰ καὶ ἕτερον οὐδὲν ἔλαττον τούτου· ἢν γάρ τινα
συμβῇ τῶν λεγόντων μέρος τι τῶν ἑτέροις πονηθέντων
ἐνυφῆναι τοῖς λόγοις αὐτοῦ, πλείονα τῶν τὰ χρήματα κλεπ-
τόντων ὑφίσταται ὀνείδη, πολλάκις δὲ οὐδὲ λαβὼν παρ'
οὐδενὸς οὐδέν, ἀλλ' ὑποπτευθεὶς μόνον, τὰ τῶν ἑαλωκότων
25 ἔπαθε. Καὶ τί λέγω τῶν ἑτέροις πεπονημένων; Αὐτὸν τοῖς
εὑρήμασι τοῖς ἑαυτοῦ συνεχῶς χρήσασθαι οὐκ ἔνι· οὐ γὰρ
πρὸς ὠφέλειαν, ἀλλὰ πρὸς τέρψιν ἀκούειν εἰθίσθησαν οἱ πολλοί, καθάπερ τραγῳδῶν ἢ κιθαρῳδῶν καθήμενοι δικασταί,

---

10 περὶ : πρὸς C ‖ 18 καὶ : ἢ J ‖ 23-24 παρ'—οὐδέν om. B ‖ 25
ἔπαθε BC K : πέπονθε cett. ‖ 26 ἔνι B : ἔνεστιν J ἔστιν cett. ‖ 28
καὶ καθάπερ BC.

1. Par sa composition, le mot διάλεξις désigne un entretien, une
discussion entre deux ou plusieurs interlocuteurs. Chez les philosophes
de l'époque romaine, Musonius par exemple, il prend le sens d'entretien moral. Chez les chrétiens, accompagné de l'adjectif πνευματικός,
il a le sens d'entretiens spirituels. Voir JEAN CHRYSOSTOME, IVe Cat.
bapt. 25, SC 50, p. 195, li. 2. Ici, l'adverbe κοινῇ renforce l'expression
πρὸς τὸν λαόν, mais le terme διαλέξεις recouvre peut-être une participation active de l'assemblée par questions et réponses.
2. On trouve dans le discours de LIBANIOS, Sur sa propre fortune,
des témoignages concernant l'attitude des foules devant ses discours
(éd. Reiske p. 63 ; éd. Foerster no 87, p. 126) et de l'empereur Julien
lui-même (éd. Reiske p. 87 ; éd. Foerster no 129, p. 145).

et de biens nombreux, quand on trouve des gens zélés et
bons pour s'acquitter de ce service. Qu'est-ce donc que cette
chose ? C'est dépenser beaucoup de peine pour préparer
les discours qu'on adresse à l'assemblée du peuple[1]. Tout
d'abord, la plupart de ceux qui sont soumis à l'autorité ne
veulent pas considérer ceux qui parlent comme des maîtres,
mais ils dépassent le rôle de disciples et prennent celui de
spectateurs siégeant comme dans les joutes littéraires qui
se livrent chez les païens[2]. Et de même qu'ici la foule se
partage et que les uns s'attachent à celui-ci et les autres
à celui-là, ainsi chez nous ils se séparent en deux classes ;
les uns étant pour celui-ci et les autres pour celui-là, ils
écoutent ce qu'on leur dit soit avec faveur, soit avec hosti-
lité. Et ce n'est pas seulement cette attitude qui est pénible,
mais il y a une chose qui ne l'est pas moins ; en effet, s'il
arrive que l'un des orateurs introduise dans son propre
discours un texte qui a été élaboré par d'autres, il s'expose
à des injures plus nombreuses que les voleurs d'argent ;
or souvent il n'a rien pris à personne, mais il suffit qu'il soit
victime d'un soupçon pour subir le sort des voleurs. Et que
parlé-je d'un texte élaboré par d'autres ? On ne lui permet
pas de se servir habituellement de ce qu'il a trouvé lui-
même[3], car la foule a l'habitude d'écouter non pour en tirer
profit, mais pour son plaisir, comme ceux qui siègent pour
juger des acteurs tragiques ou des joueurs de cithare et le

---

3. Cette réflexion de Jean étonne quand on sait avec quelle facilité
il a repris tel ou tel thème dans son œuvre immense. Sur la nature
de ces reprises, voir Chr. BAUR, S. Jean Chrysostome et ses œuvres dans
l'histoire littéraire, Louvain-Paris 1907, p. 86-87. Mais les exigences
auxquelles il fait allusion sont probablement destinées à prouver
que le public est sans cesse avide de nouveautés. Lui, au contraire,
affirme qu'il ne craindra pas de se répéter pour arriver à un résultat.
Voir De consubst. Contra Anomaeos VII, 7, PG 48, 766, li. 47-49 ;
In Genes. hom. IX, 2, PG 53, 77, li. 38-40.

καὶ ἡ τοῦ λόγου δύναμις ἣν ἐξεβάλομεν νῦν, οὕτως ἐνταῦθα
30 γίνεται ποθεινὴ ὡς οὐδὲ τοῖς σοφισταῖς ὅταν πρὸς ἀλλήλους
ἀγωνίζεσθαι ἀναγκάζωνται. Γενναίας οὖν δεῖ κἀνταῦθα
ψυχῆς καὶ πολὺ τὴν ἡμετέραν ὑπερβαινούσης σμικρότητα ἵνα
τὴν ἄτακτον καὶ ἀνωφελῆ τοῦ πλήθους ἡδονὴν κολάζῃ καὶ
πρὸς τὸ ὠφελιμώτερον μετάγειν δύνηται τὴν ἀκρόασιν, ὡς
35 αὐτῷ τὸν λαὸν ἕπεσθαι καὶ εἴκειν, ἀλλὰ μὴ αὐτὸν ταῖς ἐκείνων
ἄγεσθαι ἐπιθυμίαις.

β′. Ὅτι τὸν εἰς
τοῦτο τεταγμένον
καὶ ἐγκωμίων
5 ὑπερορᾶν χρὴ
καὶ δύνασθαι λέγειν

Τούτου δὲ οὐδαμῶς ἔστιν ἐπιτυχεῖν, ἀλλ’ ἢ διὰ τούτοιν τοῖν δυοῖν,
τῆς τε τῶν ἐπαίνων ὑπεροψίας καὶ
τῆς ἐν τῷ λέγειν δυνάμεως. Κἂν
γὰρ τὸ ἕτερον ἀπῇ, τὸ λειπόμενον
ἄχρηστον γίνεται τῇ διαζεύξει θατέ-
ρου· ἄν τε γὰρ ἐπαίνων ὑπερορῶν μὴ προσφέρῃ διδασκαλίαν
τὴν ἐν χάριτι καὶ ἅλατι ἠρτυμένην, εὐκαταφρόνητος ὑπὸ τῶν
πολλῶν γίνεται, οὐδὲν ἀπὸ τῆς μεγαλοψυχίας κερδάνας
10 ἐκείνης· ἄν τε τοῦτο καλῶς κατορθώσας τὸ μέρος τῆς ἀπὸ
τῶν κρότων δόξης ἡττώμενος τύχῃ, εἰς ταὐτὸν πάλιν περιίσταται τὰ τῆς ζημίας αὐτῷ τε καὶ τοῖς πολλοῖς, πρὸς χάριν
τῶν ἀκουόντων μᾶλλον ἢ πρὸς ὠφέλειαν λέγειν μελετῶντι,
διὰ τὴν τῶν ἐπαίνων ἐπιθυμίαν. Καὶ καθάπερ ὁ μήτε πάσχων
15 τι πρὸς τὰς εὐφημίας, μήτε λέγειν εἰδὼς οὔτε εἴκειν ταῖς
τοῦ πλήθους ἡδοναῖς, οὔτε ὠφελεῖν ἀξιόλογόν τινα δύναται
ὠφέλειαν τῷ μηδὲν ἔχειν εἰπεῖν, οὕτω καὶ ὁ τῷ πόθῳ τῶν

β′. 1 Τούτου : τοῦτο B D ‖ 1 οὐδὲν ante οὐδαμῶς add. F ‖ 1-3
ἐπιτυχεῖν — τῶν om. B ‖ 7 προφέρῃ C E D HJ ‖ 11 ἡττώμενος B :
ἥττων ὢν C G HJK ἡττόνων AE D F ‖ 13 μελετῶντι : μελετῶντος
BC A K ‖ 15 εἴκειν B : εἴκη C E εἴκει cett. ‖ 17 ὠφέλειαν BC K :
om. F ὠφελεῖν cett. ‖ 17 ἔχειν : ἔχοντι F.

1. Après saint Paul (*I Cor.* 1, 17 et 2, 1-2), toute la tradition chrétienne s'élève contre le prestige que l'éloquence donnait à l'orateur.
En fait, à mesure que le christianisme s'est répandu dans les classes
cultivées, les prédicateurs ont dû employer les artifices de l'art oratoire en usage à cette époque. D'où une distorsion constante, au

prestige de l'éloquence que nous avons désormais bannie[1] devient aussi désirable qu'il l'est pour les sophistes lorsqu'ils sont contraints de lutter les uns contre les autres, et plus encore. Il est donc besoin dans ce cas d'une âme généreuse qui dépasse de beaucoup notre mesquinerie, pour réprimer le plaisir incontrôlable et vain de la foule et pour pouvoir ramener l'audition à quelque chose de plus utile, afin que le peuple suive le prédicateur et cède à son influence et non pas que ce soit le prédicateur qui soit emporté par les exigences de ces gens-là[2].

2. Celui qui est chargé de cet office doit dédaigner les éloges et aussi pouvoir parler

Or, il n'est absolument pas possible d'obtenir ce résultat sinon par deux choses : le mépris des louanges et la capacité de parler. Si l'une des deux manque, celle qui reste est inutile, étant séparée de l'autre ; si, en effet, méprisant les louanges, on ne donne pas un enseignement qui plaise et soit plein d'à-propos[3], on est dédaigné de la foule et l'on ne tire aucun profit de cette grandeur d'âme ; si, au contraire, en réussissant bien dans ce domaine, on se laisse vaincre par la gloire que procurent les applaudissements, il en résulte un tort égal pour soi et pour la foule quand, par désir des louanges, on s'efforce de parler pour plaire plutôt que pour être utile à ceux qui écoutent. Et de même que celui qui n'est pas sensible à la beauté du discours et qui ne sait pas parler ne peut ni être agréable à la foule, ni lui apporter une aide appréciable, puisqu'il ne peut rien dire, ainsi celui qui se laisse entraîner par la

---

ive siècle, entre les propos des orateurs chrétiens et leur pratique. Outre ses nombreuses déclarations sur ce thème, Jean a prononcé une homélie entière : *Non esse ad gratiam concionandum*, *P G* 50, 653-662.

2. Sur l'attitude pendant l'homélie, voir V, 8, 49-57.

3. Cf. *Col.* 4, 6 cité en IV, 8, 27. L'expression ἅλατι ἠρτυμένην ne doit pas être prise au sens où PLUTARQUE, par exemple, l'emploie dans son traité *De garrulitate* 514 F, *agréable, spirituel*, mais au sens de *qui a de la saveur*, c'est-à-dire un agrément qui rend la parole utile.

ἐγκωμίων ἑλκόμενος, ἔχων ἀμείνους ἐργάσασθαι τοὺς πολλούς, ἀντὶ τούτων παρέχει τὰ τέρψαι δυνάμενα μᾶλλον,
20 τούτων τοὺς ἐν τοῖς κρότοις θορύβους ὠνούμενος.

γ΄. Ὅτι ἂν μὴ
ἀμφότερα ἔχῃ,
ἄχρηστος ἔσται
5 τῷ πλήθει

Ἀμφοτέρωθεν οὖν ἰσχυρὸν εἶναι
τὸν ἄριστον ἄρχοντα δεῖ ἵνα μὴ
θατέρῳ θάτερον ἀνατρέπηται· ὅταν
γὰρ ἀναστὰς ἐν τῷ μέσῳ λέγῃ τὰ
τοὺς ῥαθύμως ζῶντας ἐπιστῦψαι

δυνάμενα, εἶτα προσπταίῃ καὶ διακόπτηται, καὶ ὑπὸ τῆς
ἐνδείας ἐρυθριᾶν ἀναγκάζηται, διερρύη τὸ κέρδος τῶν λεχθέν-
των εὐθέως. Οἱ γὰρ ἐπιτιμηθέντες, ἀλγοῦντες τοῖς εἰρημένοις
καὶ οὐκ ἔχοντες αὐτὸν ἑτέρως ἀμύνασθαι, τοῖς τῆς ἀμαθίας
10 αὐτὸν βάλλουσι σκώμμασι, τούτοις οἰόμενοι τὰ ἑαυτῶν συ-
σκιάζειν ὀνείδη. Διὸ χρή, καθάπερ τινὰ ἡνίοχον ἄριστον, εἰς
ἀκρίβειαν τούτων ἀμφοτέρων ἥκειν τῶν καλῶν, ἵνα ἀμφότερα
πρὸς τὸ δέον αὐτῷ μεταχειρίζειν ἐξῇ· καὶ γὰρ ὅταν αὐτὸς
ἀνεπίληπτος ἅπασι γένηται, τότε δυνήσεται μεθ' ὅσης βού-
15 λεται ἐξουσίας καὶ κολάζειν καὶ ἀνιέναι τοὺς ὑπ' αὐτῷ ταττομένους ἅπαντας· πρὸ δὲ τούτου οὐκ εὐμαρὲς τοῦτο ποιεῖν.
Τὴν δὲ μεγαλοψυχίαν οὐ μέχρι τῆς τῶν ἐπαίνων ὑπεροψίας
δείκνυσθαι χρὴ μόνον, ἀλλὰ καὶ περαιτέρω προάγειν, ἵνα
μὴ πάλιν ἀτελὲς ᾖ τὸ κέρδος.

18-19 ἔχων — πολλούς Β : ἀφ' ὧν ἀμείνους ἐργάσασθαι δυνήσεται
τοὺς πολλούς cett.
γ΄. 1 ἰσχυρότερον A F ‖ 2 δεῖ B : ante τὸν ἄριστον transp. cett. ‖
3 ἀνατρέψηται A ‖ 5 ἐπιστῦψαι : ἐπιστρέψαι C ‖ 6 διακόπτεται BC ‖
11 χρή om. EG D ‖ 12 ἥκειν BC G : εἴκειν AE D F ἐληλακέναι
HJK ‖ 15 αὐτὸν C ‖ 16 πρὸ δὲ τούτου : πρὸς δὲ τούτοις F ‖ 16 εὐμα-
ρῶς E ‖ 18 δείκνυσθαι B : ἐπιδείκνυσθαι cett. ‖ 18 χρὴ om. B ‖ 19
κέρδος BC K : ἔργον cett.

1. Au IVe siècle, les applaudissements étaient admis dans l'assemblée chrétienne. F. B. FERRARIUS, De ritu sacrarum Ecclesiae catho-
licae concionum, Paris 1664, donne une série de témoignages sur ce
point, chap. XXIV, p. 271, et sur les différentes manières d'applaudir,
chap. XXVI, p. 283. Jean décrit une assemblée, morne d'abord, puis
s'échauffant au contact de sa parole. Voir Daemones non gubernare

soif des éloges, alors qu'il pourrait rendre la multitude meilleure, lui offre plutôt, au lieu de cela, des paroles capables de charmer, achetant à ce prix le tumulte des applaudissements[1].

3. S'il n'a pas ces deux avantages, il sera inutile à la multitude

Il faut donc, pour exercer parfaitement l'autorité, être fort sur ces deux points, afin que l'un ne soit pas ruiné par l'autre ; en effet, lorsqu'il[2] se lève en public, s'il prononce des paroles susceptibles de blâmer[3] ceux qui vivent dans l'indolence et si ensuite il se heurte contre un obstacle et s'interrompt, s'il est contraint de rougir parce qu'il ne sait plus comment s'exprimer, le gain de ses paroles est aussitôt perdu. Ceux qui recevaient des remontrances, qui souffraient de ce qu'on leur disait, mais ne pouvaient se défendre d'une autre manière, le punissent en se moquant de son ignorance et pensent que les insultes les mettent à l'abri. C'est pourquoi, à la manière d'un excellent cocher, il faut qu'il tienne soigneusement les deux rênes, pour pouvoir les manœuvrer l'une et l'autre selon les besoins ; en effet, c'est lorsqu'il deviendra irréprochable aux yeux de tous qu'il aura tout pouvoir pour punir et pour réconforter tous ceux qui sont placés sous son autorité ; mais avant cela, il n'est pas facile d'agir ainsi. Il faut non seulement montrer de la grandeur d'âme au point de mépriser les louanges, mais encore aller de l'avant pour qu'en retour le résultat ne soit pas vain.

mundum I, 1, *P G* 49, 245. Il accueille les applaudissements comme une preuve de l'intérêt avec lequel les auditeurs reçoivent son enseignement, *In Genes. hom.* IV, 1, *P G* 53, 40, et comme le gage de leur amour pour Dieu, *Adv. Judaeos* I, 1, *P G* 48, 844.

2. Il = l'orateur.

3. Le verbe ἐπιστύφω est employé au sens propre pour indiquer les effets astringents produits par tel ou tel médicament. Au sens figuré, et plus rare, il signifie *réprimander*, *blâmer*. Liddell-Scott n'en donne qu'un exemple, contemporain de Jean : ALCIPHRON, *Epist.* lib. I, 3 et un autre d'époque postérieure.

δ΄. Ὅτι μάλιστα
βασκανίας τούτον
δεῖ καταφρονεῖν

Τίνος οὖν δεῖ καὶ ἑτέρου καταφρονεῖν; Βασκανίας καὶ φθόνου. Τὰς
δὲ ἀκαίρους κατηγορίας — καὶ γὰρ
ἀνάγκη τὸν προεστῶτα μέμψεις ὑπο-
5 μένειν ἀλόγους — οὔτε ἀμέτρως δεδοικέναι καὶ τρέμειν, οὔτε
ἁπλῶς παρορᾶν καλόν, ἀλλὰ χρή, κἂν ψευδεῖς τυγχάνωσιν
οὖσαι, κἂν παρὰ τῶν τυχόντων ἡμῖν ἐπάγωνται, πειρᾶσθαι
σβεννύναι ταχέως αὐτάς. Οὐδὲν γὰρ οὕτως αὔξει φήμην πονη-
ράν τε καὶ ἀγαθὴν ὡς τὸ πλῆθος τὸ ἄτακτον· ἀβασανίστως
10 γὰρ καὶ ἀκούειν καὶ ἐκλαλεῖν εἰωθός, ἁπλῶς τὸ ἐπελθὸν
ἅπαν φθέγγεται, τῆς ἀληθείας οὐδένα ποιούμενον λόγον.
Διὰ ταῦτα οὐ δεῖ τῶν πολλῶν καταφρονεῖν, ἀλλ᾽ ἀρχομένας
εὐθέως ἐκκόπτειν τὰς ὑποψίας τὰς πονηράς, πείθοντα τοὺς
ἐγκαλοῦντας, κἂν ἀλογώτατοι πάντων εἶεν, καὶ μηδὲν ὅλως
15 ἐλλείπειν τῶν δυναμένων ἀφανίσαι δόξαν οὐκ ἀγαθήν, ἣν δέ,
πάντα ποιούντων ἡμῶν, μὴ θέλωσιν οἱ μεμφόμενοι πείθεσθαι, τὸ τηνικαῦτα καταφρονεῖν. Ὡς ἐὰν φθάσῃ τις ταπει-
νοῦσθαι τοῖς συμπτώμασι τούτοις, οὐ δυνήσεταί ποτε γεν-
ναῖόν τι καὶ θαυμαστὸν ἀποτεκεῖν — ἡ γὰρ ἀθυμία καὶ αἱ
20 συνεχεῖς φροντίδες δειναὶ καταβαλεῖν ψυχῆς δύναμιν καὶ εἰς
ἀσθένειαν καταγαγεῖν τὴν ἐσχάτην —, οὕτως οὖν χρὴ τὸν
ἱερέα διακεῖσθαι πρὸς τοὺς ἀρχομένους ὥσπερ ἂν εἰ πατὴρ
πρὸς παῖδας ἄγαν νηπίους διακέοιτο· καὶ καθάπερ ἐκείνων
οὔτε ὑβριζόντων, οὔτε πληττόντων, οὔτε ὀδυρομένων ἐπι-
25 στρεφόμεθα, ἀλλ᾽ οὐδὲ ἡνίκα ἂν γελῶσι καὶ προσχαίρωσιν
ἡμῖν, μέγα ἐπὶ τούτῳ φρονοῦμέν ποτε, οὕτω καὶ τούτων μήτε

δ΄. 1 δεῖ : δεῖται Bᵃᶜ ‖ 3 κατηγορίας B K : κακηγορίας cett. ‖ 6
χρή : δεῖ K ‖ 6 τυγχάνωσιν B G HJ : τυγχάνουσιν cett. ‖ 10 ἐκλαλεῖν
BC F K : ἐγκαλεῖν cett. ‖ 10 εἰωθός : εἰωθώς C AE ‖ 12 ἀρχόμενον
C ‖ 13 ἐκκόπτειν : περικόπτειν HJK κόπτειν cett. ‖ 14 ὅλως om. A ‖
15 ἐλλείπειν : ἀλλ᾽ εἰπεῖν C ‖ 15 ἣν BC K : εἰ cett. ‖ 19 ἀθυμία :
ῥαθυμία D ‖ 20 δειναὶ : δύναιτ᾽ ἂν D FHJK ‖ 21 καταγαγεῖν B D :
ἀγαγεῖν cett. ‖ 22 εἰ : εἴ τις H ‖ 25 καὶ προσχαίρωσιν om. B ‖ 25
προσχαίρωσιν : χαίρουσιν C ‖ 26 ἡμῖν om. AEG D ‖ 26 τούτῳ : τοῦτο
C E ‖ 26 μήτε : οὔτε J.

**4. Il faut surtout
qu'il méprise
la jalousie**

Que faut-il encore mépriser d'autre ? La jalousie et la malveillance.
Il n'est pas bon de craindre déme-
surément ni de redouter les accusa-
tions[1] imméritées — en effet, celui qui est à la tête de la communauté doit nécessairement supporter les reproches injus-
tifiés —, ni non plus de les négliger simplement, mais il
faut, même si elles se trouvent être mensongères, même si
elles sont dirigées contre nous par le premier venu, s'efforcer
bien vite d'en éteindre la brûlure. En effet, rien ne fera
grandir autant une bonne ou une mauvaise réputation que
la foule indisciplinée ; comme elle a coutume d'écouter et
de bavarder sans contrôle, elle répète simplement ce qui lui
parvient, sans tenir aucun compte de la vérité. A cause de
cela, il ne faut pas mépriser la plupart des choses qu'elle dit,
mais il faut détruire les mauvais soupçons dès qu'ils se
forment en persuadant ceux qui vous accusent, même s'ils
sont les plus déraisonnables des hommes, et, en un mot,
ne rien négliger de ce qui peut faire disparaître une opinion
défavorable, mais si, malgré nos efforts, les censeurs ne
veulent pas se laisser persuader, alors il faut n'en pas tenir
compte. De même que si l'on accepte trop facilement d'être
humilié par ces jugements fortuits, on ne pourra jamais
accomplir rien de généreux et de digne d'admiration — car
le découragement et les soucis constants sont bons pour
abattre la force d'une âme et la réduire à l'extrême faiblesse —, ainsi le prêtre doit se comporter vis-à-vis de ceux
sur lesquels il exerce l'autorité comme se comporterait un
père vis-à-vis de ses très jeunes enfants : de même que nous
ne faisons pas attention à eux lorsqu'ils sont insolents,
qu'ils frappent ou qu'ils se fâchent, mais que nous n'en
concevons pas de vanité s'ils rient et nous font bonne mine,
de même il ne faut pas s'enfler sous les louanges, ni se

---

1. On se trouve en présence de deux variantes qui peuvent l'une et
l'autre se défendre ; cependant le mot μεμφόμενοι, quelques lignes
plus bas, nous fait choisir, là encore, la leçon de B.

τοῖς ἐπαίνοις ἐξογκοῦσθαι, μήτε καταπίπτειν τοῖς ψόγοις ὅταν ἀκαίρως γίνωνται παρ' αὐτῶν.

Χαλεπὸν δὲ τοῦτο, ὦ μακάριε, τάχα δέ, οἶμαι, καὶ ἀδύ-
30 νατον· τὸ γὰρ μὴ χαίρειν ἐπαινούμενον, οὐκ οἶδα εἴ τινι ἀνθρώπων ποτὲ κατώρθωται, τὸν δὲ χαίροντα, εἰκὸς καὶ ἐπιθυμεῖν ἀπολαύειν αὐτῶν, τὸν δὲ ἀπολαύειν ἐπιθυμοῦντα, πάντως καὶ ἐν ταῖς τούτων ἀποτυχίαις ἀνιᾶσθαι καὶ ἀλγεῖν ἀνάγκη. Ὥσπερ γὰρ οἱ γανύμενοι τῷ πλουτεῖν, ἡνίκα ἂν
35 καταπέσωσιν εἰς πενίαν, ἄχθονται καὶ οἱ τρυφᾶν εἰωθότες οὐκ ἂν ἀνάσχοιντο ζῆν εὐτελῶς, οὕτω καὶ οἱ τῶν ἐγκωμίων ἐρῶντες, οὐχ ὅταν ψέγωνται μόνον εἰκῇ, ἀλλὰ καὶ ὅταν μὴ ἐπαινῶνται συνεχῶς, καθάπερ λιμῷ τινι διαφθείρονται τὴν ψυχὴν καὶ μάλιστα ὅταν αὐτοῖς ἐντραφέντες τύχωσιν ἢ καὶ
40 ἑτέρους ἐπαινουμένους ἀκούσι. Τὸν δὲ μετὰ ταύτης τῆς ἐπιθυμίας εἰς τὸν τῆς διδασκαλίας ἀγῶνα παρελθόντα, πόσα πράγματα καὶ πόσας ἔχειν οἴει τὰς ἀλγηδόνας; Οὔτε τὴν θάλατταν ἔστι κυμάτων ἐκτὸς εἶναί ποτε, οὔτε τὴν ἐκείνου ψυχὴν φροντίδων καὶ λύπης.

ε'. Ὅτι ὁ λόγους εἰδὼς πλείονος δεῖται σπουδῆς ἢ ὁ ἀμαθής

Καὶ γὰρ ὅταν πολλὴν ἐν τῷ λέγειν δύναμιν ἔχῃ — τοῦτο δὲ ἐν ὀλίγοις εὕροι τις ἄν —, οὐδὲ οὕτω τοῦ πονεῖσθαι διηνεκῶς ἀπήλλακται·
5 ἐπειδὴ γὰρ οὐ φύσεως ἀλλὰ μαθή-
σεως τὸ λέγειν, κἂν εἰς ἄκρον αὐτοῦ τις ἀφίκηται, τότε αὐτὸν ἀφίησιν ἔρημον, ἂν μὴ συνεχεῖ σπουδῇ καὶ γυμνασίᾳ ταύτην θεραπεύῃ τὴν δύναμιν, ὥστε τοῖς σοφωτέροις μᾶλλον ἢ τοῖς ἀμαθεστέροις μείζων ὁ πόνος· οὐδὲ γὰρ ὑπὲρ τῶν αὐτῶν ἡ
10 ζημία ἀμελοῦσι τούτοις κἀκείνοις, ἀλλὰ τοσοῦτον αὕτη πλείων

27 ψόγοις] + δεῖ J ‖ 29 οἶμαι] + ὅτι AG H ‖ 33 ἀποτυχίαις] + λυπεῖσθαι καὶ ἐκκλίνειν καὶ JK ‖ 33 ἀλγεῖν B AEG D : ἀλύειν FHJK ἀλλύειν C ‖ 34 ἂν om. AEG D ‖ 37 ἀλλὰ καὶ : ἀλλ' C ‖ 40 δὲ B D : δὴ cett. ‖ 42 ἔχειν : σχεῖν AEG D H.

ε'. 7 ἂν : κἂν C ‖ 10 πλείων B FHJ : πλεῖον C K πλείονος AEG D.

laisser abattre par les blâmes lorsqu'ils sont faits mal à propos, venant de ces gens-là.

Cela est difficile, ô bienheureux, et je pense même que c'est impossible, car ne pas se réjouir quand on vous a fait des compliments, je ne sais pas si un homme y a jamais réussi, mais celui qui se réjouit, il faut s'attendre à ce qu'il désire en recevoir et celui qui désire en recevoir, s'ils lui font défaut, immanquablement s'en afflige et en souffre[1]. C'est comme ceux qui se targuent d'être riches ; quand ils tombent dans la pauvreté, ils s'irritent et, comme ils ont l'habitude d'une vie de luxe, ils ne sauraient se contenter de vivre chichement, de même ceux qui sont entichés d'éloges, ce n'est pas simplement quand ils sont blâmés, mais quand on ne les loue pas sans cesse, qu'ils ont l'âme atteinte d'une sorte de fringale et surtout lorsqu'on les a nourris d'éloges ou qu'ils entendent louer les autres. Celui qui arrive au combat qu'il faut livrer pour l'enseignement avec ce désir passionné, quels embarras et quelles souffrances penses-tu qu'il éprouve ? Il n'est pas possible que la mer échappe aux vagues, pas plus que son âme aux soucis et au chagrin.

5. Celui qui a fait des études a besoin de plus de zèle que celui qui n'a pas d'instruction

En effet, lorsqu'on a un grand talent de parole — on pourrait le trouver chez un petit nombre —, on n'est pas pour autant dispensé de travailler constamment ; car savoir parler n'est pas le fruit de la nature mais de l'étude et, même si l'on arrive au plus haut degré de cet art, on le laisse tel quel si l'on n'entretient pas ce talent avec un soin constant et par l'exercice, de sorte que l'effort est plus grand pour ceux qui sont plus savants que pour ceux qui sont plus ignorants ; car les uns et les autres ne sont pas punis pour les mêmes raisons s'ils montrent de la négligence, mais le châtiment est d'autant plus grand que plus grande

1. La variante ἀλύειν, *être saisi d'égarement*, donnée par plusieurs mss, pourrait être adoptée, mais il nous semble que le verbe ἀλγεῖν complète heureusement ἀνιᾶσθαι.

ὅσον καὶ τῆς κτήσεως ἑκατέρας τὸ μέσον. Κἀκείνοις μὲν οὐδ᾽ ἂν ἐγκαλέσειέ τις, μηδὲν ἄξιον λόγου παρέχουσιν· οὗτοι δέ, εἰ μὴ μείζονα τῆς δόξης ἧς ἅπαντες ἔχουσι περὶ αὐτῶν ἀεὶ προφέροιεν, πολλὰ παρὰ πάντων ἕπεται τὰ ἐγκλήματα.
15 Πρὸς δὲ τούτοις ἐκεῖνοι μὲν καὶ ἐπὶ μικροῖς μεγάλων ἂν τύχοιεν ἐπαίνων· τὰ δὲ τούτων, ἂν μὴ λίαν ᾖ θαυμαστὰ καὶ ἔκπληκτα, οὐ μόνον ἐγκωμίων ἐστέρηται, ἀλλὰ καὶ τοὺς μεμφομένους ἔχει πολλούς.

Οὐ γὰρ τοῖς λεγομένοις, ὡς ταῖς τῶν λεγόντων δόξαις,
20 κάθηνται δικάζοντες οἱ ἀκροαταί, ὥστε ὅταν κρατῇ τις ἁπάντων ἐν τῷ λέγειν, τότε μάλιστα πάντων αὐτῷ δεῖ πεπονημένης σπουδῆς· οὐδὲ γὰρ τοῦτο ὃ κοινὸν τῆς ἀνθρωπείας φύσεώς ἐστι, τὸ μὴ πάντα ἐπιτυγχάνειν, ἔξεστιν ἐκείνῳ παθεῖν, ἀλλ᾽ ἂν μὴ δι᾽ ὅλου συμφωνῇ τῷ μεγέθει τῆς ὑπολή-
25 ψεως αὐτοῦ τὰ λεγόμενα, σκώμματα μυρία καὶ μέμψεις λαβὼν ἄπεισι παρὰ τῶν πολλῶν. Καὶ οὐδεὶς ἐκεῖνο λογίζεται πρὸς αὐτὸν ὅτι καὶ ἀθυμία προσπεσοῦσα καὶ ἀγωνία καὶ φροντίς, πολλάκις δὲ καὶ θυμὸς ἐπεσκότισε τῷ τῆς διανοίας καθαρῷ καὶ τὰ τικτόμενα οὐκ ἀφῆκε προελθεῖν εἰλι-
30 κρινῆ, καὶ ὅτι ὅλως, ἄνθρωπον ὄντα, οὐκ ἔστι διὰ παντὸς εἶναι τὸν αὐτόν, οὐδὲ ἐν ἅπασιν εὐημερεῖν, ἀλλ᾽ εἰκός ποτε καὶ διαμαρτεῖν καὶ ἐλάττονα τῆς οἰκείας δειχθῆναι δυνάμεως. Τούτων οὐδέν, ὅπερ ἔφην, ἐννοῆσαι βούλονται, ἀλλ᾽ ὥσπερ ἀγγέλῳ δικάζοντες ἐπάγουσι τὰς αἰτίας. Καὶ ἄλλως δὲ πέφυ-
35 κεν ἄνθρωπος τὰ μὲν κατορθώματα τοῦ πλησίον καὶ πολλὰ ὄντα καὶ μεγάλα παρορᾶν· ἢν δὲ ἐλάττωμά που φανῇ, κἂν τὸ τυχὸν ᾖ, κἂν διὰ πολλοῦ συμβεβηκός, καὶ ἐπαισθάνεται ταχέως καὶ ἐπιλαμβάνεται προχείρως καὶ μέμνηται δια-

---

12-13 οὗτοι — ἔχουσι om. C ‖ 13 αὐτῶν [αὐτὸν B] : δὲ ἂν μὴ add. C ‖ 16 ἐπαίνων : τῶν ἐπαίνων A F ‖ 23 ἀνθρωπείας B K : ἀνθρωπίνης cett. ‖ 23 πάντα : πρὸς πάντα J ‖ 24 ἂν : εἰ C ‖ 28 ἐπεσκότισε : ἐπεσκότησε FJ.

1. Les deux formes données par les mss s'expliquent par l'existence de deux verbes parallèles, ἐπισκοτέω et ἐπισκοτίζω. Voir plus haut, p. 252, note 3.

est la différence de ce qu'ils ont chacun en propre. Personne ne saurait faire de reproches aux uns s'ils n'apportent rien qui mérite considération, mais si les autres ne s'élèvent pas sans cesse au-dessus de la réputation que tous leur font, mille reproches s'ensuivent de la part de tous. En outre, les premiers pourraient même obtenir de grandes louanges pour de petits exploits ; tandis que les exploits des seconds, s'ils ne suscitent pas l'admiration et l'étonnement, non seulement n'obtiennent pas d'éloges, mais ont de nombreux censeurs.

En effet, les auditeurs siègent là en juges non pas seulement de ce qui se dit, mais des opinions qu'on a sur ceux qui parlent ; aussi lorsque l'un d'eux l'emporte sur tous par sa parole lui faut-il, plus qu'à tous, un zèle prêt à l'effort ; car ce qui est le sort commun de la nature humaine, celui de ne pas réussir en tout, il est possible qu'il le subisse, mais si ses paroles ne sont pas pleinement accordées à la grandeur de l'idée qu'on se fait de lui, quand il a reçu mille quolibets et mille reproches de la part de la foule, il s'en va. Personne ne réfléchit à son égard que le découragement peut le saisir et l'angoisse et l'inquiétude, que souvent la passion a obscurci[1] la clarté de son intelligence et n'a pas laissé ce qu'il concevait s'exprimer clairement, qu'en un mot, étant homme[2], il ne lui est pas toujours possible d'être égal à lui-même ni de réussir en tout, mais qu'il est normal qu'il se trompe et qu'il se montre inférieur à son propre talent. On ne veut songer à rien de tout ce que j'ai dit, mais on accumule les accusations comme si l'on portait un jugement sur un ange. D'ailleurs, il est naturel à l'homme de dédaigner les vertus de son prochain, surtout si elles sont nombreuses et grandes ; mais si, par hasard, un défaut apparaît, même n'importe lequel, même s'il date d'il y a très longtemps, on s'en aperçoit rapidement, on le rappelle sans cesse, et ce

2. Jean souligne encore une fois la distance entre la misère de l'homme et la dignité à laquelle le prêtre est appelé. Cf. III, 5, 2 ; VI, 10, 5.

παντός, καὶ τὸ μικρὸν τοῦτο καὶ εὐτελὲς, τὴν τῶν πολλῶν
40 καὶ μεγάλων ἠλάττωσε δόξαν πολλάκις.

ϛʹ. Ὅτι τῆς ἀλόγου
τῶν πολλῶν ψήφου
οὔτε πάντη
καταφρονεῖν,
οὔτε πάντη
φροντίζειν δεῖ

Ὁρᾷς, ὦ γενναῖε, ὅτι μάλιστα τῷ
λέγειν δυναμένῳ πλείονος δεῖ τῆς
σπουδῆς, πρὸς δὲ τῇ σπουδῇ καὶ
ἀνεξικακίας τοσαύτης ὅσης οὐδὲ
ἅπαντες ὅσους πρότερόν σοι διῆλθον
ἐδέοντο· πολλοὶ γὰρ αὐτῷ συνεχῶς
ἐπιφύονται μάτην καὶ εἰκῇ καὶ
οὐδὲν ἔχοντες ἐγκαλεῖν πλὴν τοῦ παρὰ πᾶσιν εὐδοκιμεῖν
ἀπεχθάνονται. Καὶ δεῖ γενναίως φέρειν τὴν πικρὰν τούτων
10 βασκανίαν· τὸ γὰρ ἐπάρατον τοῦτο μῖσος ὅπερ εἰκῇ συλλέ-
γουσιν οὐ στέγοντες κρύπτειν, καὶ λοιδοροῦνται καὶ μέμφονται καὶ διαβάλλουσι λάθρᾳ καὶ πονηρεύονται φανερῶς.
Ψυχὴ δὲ ἀρξαμένη καθ᾽ ἕκαστον τούτων ἀλγεῖν καὶ παροξύνεσθαι οὐκ ἂν φθάσειε διαφθαρεῖσα τῇ λύπῃ· καὶ γὰρ οὐ
15 δι᾽ ἑαυτῶν αὐτὸν ἀμύνονται μόνον, ἀλλὰ καὶ δι᾽ ἑτέρων τοῦτο
ποιεῖν ἐπιχειροῦσι καὶ πολλάκις τινὰ τῶν οὐδὲν δυναμένων
εἰπεῖν ἐκλεξάμενοι, τοῖς ἐπαίνοις ἐπαίρουσι καὶ θαυμάζουσιν
ὑπὲρ τὴν ἀξίαν, οἱ μὲν μανίᾳ, οἱ δὲ καὶ ἀμαθίᾳ καὶ φθόνῳ
τοῦτο ποιοῦντες, ἵνα τὴν δόξαν τούτου καθέλωσιν, οὐχ ἵνα
20 δείξωσι θαυμαστὸν τὸν οὐκ ὄντα τοιοῦτον.

Οὐ πρὸς τούτους δὲ μόνους ἐκείνῳ τῷ γενναίῳ ὁ ἀγών,
ἀλλὰ καὶ πρὸς ἀπειρίαν ὅλου δήμου πολλάκις· ἐπειδὴ γὰρ οὐκ
ἔνεστιν ἐξ ἐλλογίμων ἀνδρῶν συλλέγεσθαι τοὺς συνερχο-
μένους ἅπαντας, ἀλλὰ τὸ πλέον τῆς Ἐκκλησίας μέρος ἐξ ἰδιω-

ϛʹ. 2 πλείονος : πολλῆς C ‖ 2 δεῖ : δεῖται C A D F ‖ 3 πρὸς δὲ τῇ
σπουδῇ om. C ‖ 3 πρὸς B : ἐπὶ cett. ‖ 5 ὅσους BC A : οὓς EG D FH
ὅσης JK ‖ 9 δεῖ om. C ‖ 11 λοιδοροῦνται BC A : λοιδοροῦσι cett. ‖
12 μέμφονται : καταμέμφονται HJK ‖ 14 οὐκ ἂν : κἂν C HJK ‖ 14
φθάσῃ C ‖ 14 διαφθαρῆναι EG D F ‖ 18 μανίᾳ B HJK : μανίᾳ μόνον
G F ἀμαθίᾳ C ἀμαθίᾳ μόνον A μωρίᾳ μόνον E D ‖ 21 μόνους B :
μόνον cett. ‖ 23 ἔνεστιν B A D H : ἔξεστιν E ἔστιν cett.

1. Les mss offrent ici un texte souvent perturbé par l'erreur d'un

détail qui est minime et de peu d'importance amoindrit souvent la gloire de bien des grands personnages.

6. Il ne faut ni mépriser totalement le jugement irréfléchi de la foule, ni s'en préoccuper avant tout

Tu vois, mon noble ami, qu'il faut bien plus de zèle à celui qui a plus de talent pour parler, mais outre le zèle, il faut une patience aussi grande que celle dont tous ceux que j'ai énumérés tout à l'heure étaient dépourvus ; en effet, beaucoup s'attaquent sans cesse à lui inutilement et sans raison ; n'ayant rien d'autre à lui reprocher que son renom auprès de tous, ils le détestent. Il faut supporter courageusement leur amère jalousie ; car ne pouvant tenir cachée cette haine maudite qu'ils accumulent sans raison, ils disent des injures, ils font des reproches, ils calomnient en secret et sont méchants au grand jour. Une âme qui a commencé à souffrir de chacune de ces choses et à s'en irriter ne tarderait pas à succomber au chagrin ; en effet, non seulement ils l'attaquent par eux-mêmes, mais encore ils essaient de le faire par l'intermédiaire d'autres personnes et souvent, ayant choisi de désigner quelqu'un qui est sans talent, ils le portent aux nues par leurs louanges et l'admirent plus qu'il ne le mérite ; les uns font cela par folie, les autres par ignorance[1] et par envie, pour détruire sa renommée et non pour présenter comme admirable celui qui n'est pas tel.

Cet homme courageux doit lutter non seulement contre ces gens-là, mais souvent contre l'inexpérience de tout un peuple ; en effet, comme il n'est pas possible que la foule de ceux qui se pressent au sermon soit uniquement formée d'hommes compétents, mais comme il arrive que la plus grande partie de l'Église est composée d'hommes sans

---

copiste qui a lu deux fois ἀμαθία, au lieu de μανία... ἀμαθία. Nous avons la preuve que la leçon de B est la bonne dans le ms. D qui donne un synonyme de μανία : μωρία.

25 τῶν συνῆχθαι συμβαίνει, τοὺς δὲ λοιποὺς καὶ αὐτοὺς ἐκείνων
μὲν εἶναι συνετωτέρους, τῶν δὲ λόγους κρῖναι δυναμένων
λείπεσθαι πολλῷ πλέον ἢ ὅσον ἐκείνων οἱ λοιποὶ πάντες, ἕνα
δὲ μόνον ἢ δεύτερον καθῆσθαι τὸν ταύτην κεκτημένον τὴν
ἀρετήν, ἀνάγκη τὸν ἄμεινον εἰπόντα ἐλάττονας ἀπενέγκασθαι
30 κρότους, ἔστι δὲ ὅτε μηδὲ ἐπαινεθέντα ἀπελθεῖν. Καὶ δεῖ πρὸς
ταύτας γενναίως παρεσκευάσθαι τὰς ἀνωμαλίας, καὶ τοῖς μὲν
δι' ἀμαθίαν ταῦτα πάσχουσι συγγινώσκειν, τοὺς δὲ διὰ
φθόνον τοῦτο ὑπομένοντας δακρύειν ὡς ἀθλίους ὄντας καὶ
ἐλεεινούς· μηδ' ἑτέρῳ δὲ τούτων ἐλάττω τὴν αὐτοῦ νομίζειν
35 γεγενῆσθαι δύναμιν. Οὐδὲ γάρ, εἰ ζωγράφος ὢν ἄριστος καὶ
πάντων κατὰ τὴν τέχνην κρατῶν, τὴν μετὰ πολλῆς τῆς
ἀκριβείας ἀναγεγραμμένην εἰκόνα ὑπὸ τῶν τῆς τέχνης ἀπεί-
ρων σκωπτομένην ἑώρα, ἔδει καταπεσεῖν καὶ τῇ κρίσει τῶν
οὐκ εἰδότων φαύλην ἡγεῖσθαι τὴν γραφήν, ὥσπερ οὐδὲ τὴν
40 ὄντως φαύλην θαυμαστήν τινα καὶ ἐπέραστον ἀπὸ τῆς τῶν
ἀτέχνων ἐκπλήξεως.

ζ'. Ὅτι πρὸς
τὸ τῷ Θεῷ
ἀρέσκον μόνον
5 δεῖ τοὺς λόγους
ῥυθμίζειν

Ὁ γὰρ ἄριστος δημιουργὸς αὐτὸς
ἔστω καὶ κριτὴς τῶν αὐτοῦ τεχνη-
μάτων καὶ καλὰ καὶ φαῦλα ταύτῃ
τιθέσθω τὰ γινόμενα, ὅταν ὁ τεχνη-
σάμενος αὐτὰ νοῦς ταύτας φέρῃ τὰς
ψήφους, τὴν δὲ τῶν ἔξωθεν δόξαν,
τὴν πεπλανημένην καὶ ἄτεχνον μηδὲ εἰς νοῦν βαλέσθω ποτέ.
Μὴ τοίνυν μήτε ὁ τῆς διδασκαλίας ἀναδεξάμενος τὸν ἀγῶνα
ταῖς τῶν ἔξωθεν εὐφημίαις προσεχέτω, μηδὲ ἀπὸ τούτων τὴν
10 ἑαυτοῦ καταβαλλέτω ψυχήν, ἀλλ' ἐργαζόμενος τοὺς λόγους

---

28 μόνον : μόλις FHJK ‖ 30 ἀπελθεῖν Β Κ : ἐπανελθεῖν cett.
‖ 34 νομίζειν om. Β ‖ 35 γεγενῆσθαι : γίνεσθαι Κ ‖ 39 ἡγεῖσθαι Β :
ἄγειν C FHJK λέγειν cett.
ζ'. 2 καὶ om. C.

1. Sur le public mélangé qui se pressait pour écouter l'homélie,
voir *Contra Judaeos et Gentiles...*, *P G* 48, 818 où Jean souligne qu'il
emploie un langage susceptible d'être compris par tous.

culture oratoire[1], ceux qui restent ont sans doute plus de compétence qu'eux, mais ceux qui restent, pris dans leur ensemble, sont beaucoup plus éloignés des vrais connaisseurs que la foule n'est éloignée d'eux et il n'y en a qu'un ou deux pour posséder cette qualité ; il s'ensuit nécessairement que l'orateur qui parle mieux suscite moins d'applaudissements et même parfois qu'il s'en va sans avoir été applaudi. Il faut donc se préparer courageusement à ces incohérences et pardonner à ceux qui éprouvent de tels sentiments à cause de leur ignorance, mais pleurer sur ceux qui subissent un tel traitement du fait de l'envie, car ils sont malheureux et dignes de pitié, et il ne faut pas croire que son efficacité est amoindrie par l'un ou l'autre de ces gens-là. En effet, si un excellent peintre qui l'emporte sur tous par son art voit le tableau qu'il a fait avec beaucoup de soin critiqué par des hommes inexpérimentés dans son art, il ne devrait pas se décourager, ni penser que la valeur de son dessin est diminuée par le jugement d'ignorants, pas plus qu'il ne devrait regarder une œuvre, mauvaise en réalité, comme admirable et digne d'être appréciée d'après l'ébahissement des incapables.

7. C'est seulement pour plaire à Dieu qu'il faut régler l'harmonie de ses discours

Que l'artiste soit lui-même le meilleur juge de ses œuvres et qu'ainsi elles soient considérées comme bonnes ou comme mauvaises, lorsque l'esprit qui les a conçues porte ces jugements ; mais la réputation qui vient des gens inexpérimentés[2], celle qui est le fruit de l'erreur ou de l'incapacité, qu'on ne lui fasse jamais place dans sa pensée. Celui qui s'est engagé dans le combat de l'enseignement, qu'il ne s'attache pas aux compliments des gens inexpérimentés et qu'il ne laisse pas non

2. Voir plus haut, p. 128, note 1. Il semble bien que l'expression οἱ ἔξωθεν désigne ici les gens sans culture dont Jean a parlé en 6, li. 24-25 et qui ne sont pas initiés aux règles de l'éloquence.

ὡς ἂν ἀρέσειε τῷ Θεῷ — οὗτος γὰρ αὐτῷ κανὼν καὶ ὅρος
ἔστω μόνος τῆς ἀρίστης δημιουργίας ἐκείνων, μὴ κρότοι,
μηδὲ εὐφημίαι —, εἰ μὲν ἐπαινοῖτο καὶ παρὰ τῶν ἀνθρώπων,
μὴ διακρουέσθω τὰ ἐγκώμια, μὴ παρεχόντων δὲ αὐτὰ τῶν
15 ἀκροατῶν, μὴ ζητείτω, μηδὲ ἀλγείτω· ἱκανὴ γὰρ αὐτῷ
παραμυθία τῶν πόνων καὶ πάντων μείζων, ὅταν ἑαυτῷ συνειδέναι δύνηται πρὸς ἀρέσκειαν τοῦ Θεοῦ συντιθεὶς καὶ ῥυθμίζων τὴν διδασκαλίαν.

η΄. Ὅτι ὁ μὴ
καταφρονῶν
ἐπαίνων πολλὰ
ὑποστήσεται δεινά

Καὶ γὰρ ἂν φθάσῃ τῇ τῶν ἀλόγων
ἐπαίνων ἐπιθυμίᾳ ἁλῶναι, οὐδὲν
αὐτῷ τῶν πολλῶν πόνων ὄφελος,
οὐδὲ τῆς ἐν τῷ λέγειν δυνάμεως· τὰς
5 γὰρ ἀνοήτους τῶν πολλῶν καταγνώ-
σεις μὴ δυναμένη φέρειν ψυχὴ ἐκλύεται καὶ τὴν περὶ τὸ λέγειν
ῥίπτει σπουδήν. Διὰ τοῦτο χρὴ μάλιστα πάντων πεπαιδεῦσθαι
ἐπαίνων ὑπερορᾶν· οὐ γὰρ ἀρκεῖ τὸ λέγειν εἰδέναι πρὸς τὴν
ταύτης τῆς δυνάμεως φυλακήν, ἂν μὴ καὶ τοῦτο προσῇ. Εἰ δέ
10 τις ἀκριβῶς ἐξετάζειν ἐθέλοι καὶ τὸν ἐν ἐνδείᾳ καθεστῶτα
ταύτης τῆς ἀρετῆς, εὑρήσει δεόμενον τοῦ τῶν ἐπαίνων καταφρονεῖν οὐχ ἧττον ἢ τοῦτον. Καὶ γὰρ πολλὰ ἁμαρτάνειν
ἀναγκασθήσεται, τῆς τῶν πολλῶν δόξης ἥττων γενόμενος·
ἀτονῶν γὰρ ἐξισωθῆναι τοῖς εὐδοκιμοῦσι κατὰ τὴν τοῦ
15 λέγειν ἀρετήν, ἐπιβουλεύειν τε καὶ διαφθονεῖσθαι αὐτοῖς καὶ
μέμφεσθαι μάτην καὶ πολλὰ τοιαῦτα ἀσχημονεῖν οὐ παραιτή-

13 μὲν : δὲ C ‖ 15 ἀκροατῶν B : ἀκουόντων cett. ‖ 15 μὴ ... μηδὲ
B : μήτε ... μήτε cett. ‖ 17 τοῦ B : om. cett.
η΄. 1 ἀλόγων om. C ‖ 7 μάλιστα : μᾶλλον K ‖ 12 γὰρ add. sup. l.
B J : om. cett. ‖ 13 ἥττων γενόμενος : ἐρῶν J.

1. Le verbe ῥυθμίζω a un sens technique chez les rhéteurs ; il
désigne l'attention donnée aux fins de phrases, appelées *clausules*,
qui devaient se terminer selon des schémas très élaborés pour produire
un effet agréable à l'oreille. Étant donné le contexte, on peut penser
que Jean fait allusion à cette coquetterie littéraire qui ne lui était
pas inconnue, puisqu'on a pu s'appuyer sur l'étude des clausules pour
prouver l'authenticité d'une de ses œuvres, *Sur la vaine gloire et l'éducation des enfants*, SC 188, p. 58, n. 1. Voir aussi St. Skimina, *De*

plus, à cause d'eux, l'abattement envahir son âme, mais lorsqu'il compose ses discours que ce soit pour plaire à Dieu — celui-ci, en effet, est la règle et le but unique du travail auquel il se livre pour les rendre excellents et non les applaudissements et les compliments —, et s'il arrivait qu'il reçoive des louanges aussi de la part des hommes, qu'il ne repousse pas les éloges, mais si les auditeurs ne lui en décernent pas, qu'il ne les recherche pas et qu'il n'en souffre pas ; car ce sera une récompense suffisante de ses peines, et plus grande que tout, s'il peut avoir la conviction de composer ses discours et d'en régler l'harmonie[1] pour plaire à Dieu.

8. Qui ne méprise pas les louanges sera exposé à bien des dangers En effet, s'il s'est laissé prendre par le désir des louanges que lui accordent les gens déraisonnables[2], ses nombreux efforts ne lui seront d'aucune utilité, pas plus que son talent oratoire ; car une âme qui ne peut supporter les jugements inconsidérés de la foule se relâche et renonce à tout effort dans le domaine de la parole. C'est pourquoi il faut surtout s'entraîner à dédaigner toutes les louanges ; car il ne suffit pas de savoir parler pour garder son efficacité, si l'on n'y ajoute cette disposition d'esprit. Mais si l'on voulait examiner la chose en détail, on trouvera que celui qui manque de ce talent n'a pas moins besoin que l'autre de mépriser les louanges. En effet, il sera contraint de faire bien des erreurs s'il se laisse dominer par l'opinion de la foule : manquant de valeur, il n'hésitera pas, pour être jugé égal à ceux qui ont la réputation de bien parler, à leur tendre des pièges, à leur porter envie, à les critiquer sans

---

Johannis Chrysostomi Rythmo Oratorio, cum 36 tabulis (Archiwum Filologiczne Polskiej Akademij Umiej nᵒ 6), Cracovie 1927.
2. L'épithète est très péjorative dans la bouche de Jean qui suit la tradition grecque sur ce point. L'adjectif ἄλογος est souvent accolé au mot ζῷον, pour désigner les bêtes avec une nuance de mépris, car elles sont dépourvues de raison, λόγος.

σεται, ἀλλὰ πάντα τολμήσει, κἂν τὴν ψυχὴν ἀπολέσαι δέῃ,
ὑπὲρ τοῦ τὴν ἐκείνων δόξαν εἰς τὴν τῆς ἰδίας εὐτελείας καταγαγεῖν ταπεινότητα. Πρὸς δὲ τούτοις καὶ τῶν ἱδρώτων
20 ἀποστήσεται τῶν περὶ τὸ πονεῖν, νάρκης ὥσπερ τινὸς κατασκεδασθείσης αὐτοῦ τῆς ψυχῆς· τὸ γὰρ πολλὰ μοχθοῦντα ἐλάττονα καρποῦσθαι ἐγκώμια ἱκανὸν καταβαλεῖν καὶ τρέψαι πρὸς
ὕπνον βαθὺν τὸν οὐ δυνάμενον ἐγκωμίων καταφρονεῖν, ἐπεὶ
καὶ γεωργός, ὅταν εἰς λεπτόγειον κάμῃ χωρίον καὶ πέτρας
25 ἀναγκάζηται γεωργεῖν, ταχέως ἀφίσταται τοῦ πονεῖν, ἢν μὴ
πολλὴν περὶ τὸ πρᾶγμα κεκτημένος ᾖ τὴν προθυμίαν ἢ λιμοῦ
δέος ἐπικείμενον ἔχῃ.

Εἰ γὰρ οἱ μετὰ πολλῆς τῆς ἐξουσίας δυνάμενοι λέγειν τοσαύτης δέονται τῆς γυμνασίας πρὸς τὴν τῆς κτήσεως φυλακήν,
30 ὁ μηδὲν ὅλως συναγαγών, ἀλλ᾽ ἐν τοῖς ἀγῶσιν ἀναγκαζόμενος μελετᾶν, πόσην ὑποστήσεται τὴν δυσχέρειαν, πόσον
θόρυβον, πόσην ταραχήν, ἵνα πολλῷ τῷ μόχθῳ μικρόν τι
συναγαγεῖν δυνηθῇ; Ἄν δέ τις καὶ τῶν μετ᾽ αὐτὸν τεταγμένων καὶ τὴν ἐλάττω τάξιν λαχόντων, ἐν τῷ μέρει τούτῳ μᾶλ-
35 λον ἐκείνου διαφανῆναι δυνηθῇ, θείας τινὸς δεῖ ψυχῆς ἐνταῦθα
ὥστε μὴ ἁλῶναι βασκανίᾳ, μηδὲ ὑπὸ ἀθυμίας καταπεσεῖν· τὸ
γὰρ ὑπὸ τῶν ἐλαττόνων παρευημερεῖσθαι αὐτὸν ἐν ἀξιώματι
καθεστῶτα μείζονι καὶ φέρειν γενναίως, οὐ τῆς τυχούσης,
οὐδὲ τῆς ἡμετέρας, ἀλλά τινος ἀδαμαντίνης ἂν εἴη ψυχῆς.
40 Κἂν μὲν ἐπιεικὴς ᾖ καὶ μέτριος ἄγαν ὁ παρευδοκιμῶν,
φορητὸν ὁπωσοῦν γίνεται τὸ πάθος· ἂν δὲ καὶ θρασὺς καὶ
ἀλαζὼν καὶ φιλόδοξος, θάνατον ἐκείνῳ καθ᾽ ἑκάστην εὐκτέον
ἡμέραν, οὕτως αὐτῷ πικρὰν καταστήσει τὴν ζωήν, ἐπεμβαίνων φανερῶς, καταμωκώμενος λάθρα, τῆς ἐξουσίας πολλὰ
45 παρασπῶν τῆς ἐκείνου, πάντα αὐτὸς εἶναι βουλόμενος. Μεγίστην δὲ ἐν ἅπασι τούτοις ἀσφάλειαν τὴν ἐν τῷ λέγειν κέκτηται

17 δέῃ B : om. F δέοι cett. ‖ 21 κατασκεδασθείσης B A D HJK :
κατασκευασθείσης EG F ἐπιπεσούσης C ‖ 21 τῆς ψυχῆς B K : τῇ
ψυχῇ cett. ‖ 24 ὁ γεωργός HJ ‖ 24 λεπτόγειον BC K : λεπτόγαιον
cett. ‖ 33 Ἄν B : ἐὰν cett. ‖ 33 αὐτὸν B K : αὐτοῦ cett. ‖ 37 ὑπὸ :
παρὰ K ‖ 46 ἅπασι] + τὴν AEG D HJ.

raison et à se mal comporter dans beaucoup de cas analogues, mais son audace n'aura pas de bornes, même s'il
faut perdre son âme pour rabaisser leur gloire au niveau de
sa propre incapacité. En outre, il renoncera aux efforts
qu'entraîne le travail, comme si une sorte de torpeur avait
envahi son âme ; car obtenir des éloges insuffisants quand
on s'est donné beaucoup de peine, c'est bon pour démo-
raliser et plonger dans un sommeil profond celui qui ne
peut mépriser les éloges ; c'est comme le paysan, quand il
se fatigue pour un sol ingrat et qu'il est contraint de
labourer dans un sol pierreux, il renonce bientôt à se donner
plus de peine, s'il n'est pas animé d'une grande ardeur pour
cette entreprise ou s'il n'est pas talonné par la faim.

Si, en effet, ceux qui ont une grande capacité de parole
ont besoin d'entraînement pour garder ce qu'ils possèdent,
celui qui n'a absolument rien à donner et qui se trouve
forcé de prendre part à des joutes oratoires, quel désagré-
ment, quel trouble, quelle agitation éprouvera-t-il pour
pouvoir à grand-peine rassembler un petit quelque chose !
Mais si quelqu'un de ceux qui sont placés sous ses ordres
et qui occupe un rang inférieur peut briller plus que lui
dans ce domaine, il faut alors une âme en quelque sorte
divine pour ne pas être saisi de jalousie et ne pas céder au
découragement ; en effet, être dépassé par des inférieurs
quand on jouit d'une plus grande considération, et le supporter courageusement, ce n'est certes pas le propre d'une
âme ordinaire pas plus que de la nôtre, mais d'une âme
de diamant. Cependant, lorsque celui qui vous surpasse en
renommée est modéré et tout à fait mesuré, la souffrance
est, en quelque sorte, supportable ; mais s'il est arrogant
et vantard et passionné de gloire, il faut souhaiter la mort
chaque jour à notre homme, tant l'autre lui rend la vie
pénible en l'attaquant aux yeux de tous, en se moquant
en secret, en accaparant bien des éléments de sa puissance,
en voulant lui-même être tout. Dans tous ces dangers, quand
on a confiance dans son talent oratoire, on se ménage une

παρρησίαν καὶ τὴν τοῦ πλήθους περὶ αὐτὸν σπουδὴν καὶ τὸ
φιλεῖσθαι παρὰ τῶν ἀρχομένων ἁπάντων.

῍Η οὐκ οἶδας ὅσος ταῖς τῶν χριστιανῶν ψυχαῖς λόγων ἔρως
50 εἰσεκώμασε νῦν καὶ ὅτι μάλιστα πάντων οἱ τούτους ἀσκοῦντες
ἐν τιμῇ, οὐ παρὰ τοῖς ἔξωθεν μόνον, ἀλλὰ καὶ παρὰ τοῖς τῆς
πίστεως οἰκείοις; Πῶς οὖν ἄν τις ἐνέγκοι τοσαύτην αἰσχύνην,
ὅταν αὐτοῦ μὲν φθεγγομένου πάντες σιγῶσι καὶ διενοχλεῖσθαι
νομίζωσι καὶ τοῦ λόγου τὸ τέλος ὥσπέρ τινα πόνων ἀνά-
55 παυσιν περιμένωσι, θατέρου δὲ καὶ μακρὰ λέγοντος μετὰ
μακροθυμίας ἀκούωσι καὶ παύσεσθαι μέλλοντος δυσχεραίνωσι
καὶ σιγᾶν βουλομένου παροξύνωνται; Ταῦτα γὰρ εἰ καὶ μικρά
σοι δοκεῖ νῦν εἶναι καὶ εὐκαταφρόνητα, διὰ τὸ ἀπείρατον,
ἀλλ᾽ ἱκανά γέ ἐστι προθυμίαν σβέσαι καὶ ψυχῆς παραλῦσαι
60 δύναμιν, ἣν μὴ πάντων τις ἑαυτὸν τῶν ἀνθρωπίνων ἀνασπάσας παθῶν, ὁμοίως ταῖς ἀσωμάτοις μελετήσῃ διακεῖσθαι
δυνάμεσιν αἳ μήτε φθόνῳ, μήτε δόξης ἔρωτι, μήτε ἑτέρῳ τινὶ
τοιούτῳ θηρῶνται νοσήματι. Εἰ μὲν οὖν τίς ἐστιν ἀνθρώπων
τοιοῦτος ὡς δύνασθαι τὸ δυσθήρατον τοῦτο καὶ ἀκαταγώνιστον
65 καὶ ἀνήμερον θηρίον, τὴν τῶν πολλῶν δόξαν, καταπατεῖν καὶ
τὰς πολλὰς αὐτῆς ἐκτεμεῖν κεφαλάς, μᾶλλον δὲ μηδὲ φῦναι
τὴν ἀρχὴν συγχωρεῖν, δυνήσεται εὐκόλως καὶ τὰς πολλὰς
ταύτας ἀποκρούεσθαι προσβολὰς καὶ εὐδίου τινὸς ἀπο-

---

53 διενοχλεῖσθαι B : διοχλεῖσθαι cett. ‖ 56 μακροθυμίας B K :
προθυμίας cett. ‖ 56 δυσχεραίνωσι : δυσχεραίνουσι C om. A ‖ 58
ἀπείρατον B : ἀπειρότατον C ἀπείραστον cett. ‖ 59 καὶ om. K ‖ 59-
60 καὶ — δύναμιν : ψυχῆς καὶ τὴν δύναμιν αὐτῆς παραλῦσαι C ‖ 60
ἣν BC D K : ἂν cett. ‖ 61 ἀνασπάσας : ἀναπαύσας EG ‖ 66 ἐκτεμεῖν
BC E D K : ἐκτέμνειν cett. ‖ 68 εὐδίου B : εὐδεινοῦ EGᵃᶜ F εὐδιεινοῦ
Gᵖᶜ εὐδινοῦ cett.

1. Sur le sens de οἰκεῖος, voir plus haut, p. 250, note 2. A l'adresse
des chrétiens saisis par la passion de l'éloquence, Jean répète en toute
occasion que l'église n'est pas un théâtre. Par exemple, *De statuis hom.*
II, 4, *PG* 49, 38 : Οὐκ ἔστι θέατρον ἡ ἐκκλησία ἵνα πρὸς τέρψιν
ἀκούωμεν· ὠφεληθέντας ἀπιέναι χρή. « L'église n'est pas
un théâtre pour que nous y prenions plaisir à écouter. Il faut s'en
aller en ayant tiré profit de ce qui s'est dit. » Mais il avoue qu'il n'est
pas insensible aux applaudissements, même s'il en connaît la vanité.

grande sécurité, la faveur de la foule à son égard et l'affection de tous ceux sur lesquels on exerce son autorité.

Ne sais-tu pas quelle passion de l'éloquence s'est emparée
actuellement de l'âme des chrétiens et que ceux qui s'y
adonnent sont tenus plus que tous en estime non seulement
chez les païens, mais chez ceux qui sont des familiers de la
foi[1] ? Comment donc supporterait-on une telle honte
lorsque tous s'enferment dans le silence quand le prédicateur ouvre la bouche, pensant qu'il les ennuie et attendant
la fin du discours comme un soulagement à leurs maux,
tandis que dans l'autre cas, même si l'orateur parle longtemps, ils l'écoutent avec plaisir, sont navrés quand il va
s'arrêter et furieux quand il veut se taire ? Bien que cela te
semble actuellement de peu d'importance et sans intérêt,
parce que tu n'as pas d'expérience, c'est suffisant pour
éteindre l'ardeur, pour affaiblir la force de l'âme, à moins
que, s'étant dégagé des passions humaines, on ne s'exerce
à vivre comme les puissances incorporelles qui ne sont
poursuivies ni par l'envie, ni par l'amour de la gloire, ni
par quelque autre affection de ce genre. S'il existe un tel
homme capable de fouler aux pieds cette bête difficile à
vaincre et sauvage, la faveur de la foule, et de trancher ses
multiples têtes, ou plutôt de ne pas tolérer son empire,
il pourra facilement déjouer ses multiples attaques et profiter, en quelque sorte, d'un port tranquille[2] ; mais s'il ne

---

In Act. apost. hom. XXX, 4, *P G* 60, 226 : Πιστεύσατέ μοι... ἐπειδὰν
λέγων κροτῶμαι, παρ' αὐτὸν μὲν τὸν καιρὸν ἀνθρώπινόν τι πάσχω...
καὶ γάννυμαι καὶ διαδέχομαι. « Croyez-moi... lorsque mon discours
est applaudi, sur le moment j'éprouve un certain sentiment humain
... et j'accueille cela avec plaisir. »

2. Les mss donnent différentes lectures de ce mot, mais aucun de
ceux que nous avons utilisés ne donne la forme εὐδιεινοῦ qui est une
correction de mss postérieurs dont G porte la trace ; elle est signalée
par Montfaucon et inspirée sans doute par l'expression platonicienne
εὐδιεινὴν γαλήνην πάσχων. Deux formes restent donc proposées :
εὐδινοῦ et εὐδίου. Dans l'impossibilité de savoir quelle est celle que
l'auteur a utilisée, nous faisons confiance au ms. B.

λαύειν λιμένος· ταύτης δὲ οὐκ ἀπηλλαγμένος πόλεμόν τινα
70 πολυειδῆ καὶ θόρυβον συνεχῆ καὶ ἀθυμίας καὶ τῶν λοιπῶν
παθῶν τὸν ὄχλον κατασκεδάζει τῆς ἑαυτοῦ ψυχῆς. Τί δεῖ τὰς
λοιπὰς καταλέγειν δυσκολίας ἃς οὔτε εἰπεῖν οὔτε μαθεῖν
δυνήσεταί τις, μὴ ἐπὶ τῶν πραγμάτων γενόμενος αὐτῶν;

ΛΟΓΟΣ Ϛ′   α′. Ὅτι καὶ   Καὶ τὰ μὲν ἐνταῦθα τοιαῦτα οἷάπερ
          ταῖς εὐθύναις   ἤκουσας· τὰ δὲ ἐκεῖ πῶς οἴσομεν,
          τῶν ἑτέροις   ὅταν καθ᾽ ἕκαστον τῶν πιστευθέντων
          ἀναγκαζώμεθα τὰς εὐθύνας ὑπέ-
5   ἁμαρτανομένων χειν; Οὐ γὰρ μέχρις αἰσχύνης ἡ
          ὑπόκεινται οἱ ἱερεῖς ζημία, ἀλλὰ καὶ αἰώνιος ἐκδέχεται
κόλασις. Τὸ γὰρ « Πείθεσθε τοῖς ἡγουμένοις ὑμῶν καὶ ὑπείκετε, ὅτι αὐτοὶ ἀγρυπνοῦσιν ὑπὲρ τῶν ψυχῶν ὑμῶν[a] », εἰ καὶ
πρότερον εἶπον, ἀλλ᾽ οὐδὲ νῦν σιωπήσομαι· ὁ γὰρ φόβος
10 ταύτης τῆς ἀπειλῆς συνεχῶς κατασείει μου τὴν ψυχήν. Εἰ γὰρ
τῷ μόνον ἕνα σκανδαλίζοντι καὶ ἐλάχιστον συμφέρει ἵνα
μύλος ὀνικὸς κρεμασθῇ εἰς τὸν τράχηλον αὐτοῦ καὶ καταποντισθῇ εἰς τὴν θάλατταν καὶ πάντες οἱ τὴν συνείδησιν τῶν
ἀδελφῶν τύπτοντες εἰς αὐτὸν ἁμαρτάνουσι τὸν Χριστόν, οἱ μὴ
15 μόνον ἕνα καὶ δύο καὶ τρεῖς, ἀλλὰ πλήθη τοσαῦτα ἀπολλύντες,
τί ποτε ἄρα πείσονται καὶ ποίαν δώσουσι δίκην; Οὐδὲ γὰρ
ἀπειρίαν ἔστιν αἰτιάσασθαι, οὐδὲ εἰς ἄγνοιαν καταφυγεῖν,
οὐδὲ ἀνάγκην προβαλέσθαι καὶ βίαν, ἀλλὰ θᾶττον ἄν τις τῶν
ἀρχομένων, εἴ γε ἐνῆν, ἐν ταῖς οἰκείαις ἁμαρτίαις ἐχρήσατο
20 ταύτῃ τῇ καταφυγῇ ἢ ἐν ταῖς ἑτέρων οἱ προεστῶτες. Τί
δή ποτε; Ὅτι ὁ ταχθεὶς τὰς τῶν ἄλλων ἀγνοίας ἐπανορθοῦν
καὶ τὸν διαβολικὸν πόλεμον προμηνύειν ἐρχόμενον οὐ δυνή-

---

71 κατασκεδάζει : κατασκευάζει B^{pc} D FK ‖ 71 τῆς ... ψυχῆς BC
K : τῇ ... ψυχῇ cett.
ΛΟΓΟΣ Ϛ′. α′. 3 ὅταν : ὅτι C ‖ 7 πείθεσθαι C ‖ 8 ὑπήκηται αὐτοῖς
C ‖ 8 ὑμῶν] + ὡς λόγον ἀποδώσοντες C FHJK ‖ 11 καὶ ἐλάχιστον
om. B ‖ 12-13 εἰς — καταποντισθῇ om. E ‖ 12 εἰς : περὶ D ‖ 13
καταποντισθῇ : ῥίψη D ‖ 13-14 οἱ ... τύπτοντες BC FK : ὅσοι ...
τύπτουσιν cett. ‖ 15 καὶ ... καὶ B : ἢ ... ἢ C μηδὲ ... καὶ K μηδὲ ...
μηδὲ cett. ‖ 22 ἀρχόμενον B.

peut s'en dégager, il fera fondre sur son âme une guerre aux mille formes, un trouble continuel, le découragement et la foule de toutes les autres passions. Pourquoi faut-il énumérer les autres difficultés ? On ne pourra ni en parler, ni les connaître, si l'on n'est pas en pleine action.

rtie **1. Les prêtres sont responsables aussi des fautes commises par les autres**

Voilà les épreuves de la vie présente telles que tu les as entendues, mais comment supporterons-nous celles de la vie future, quand nous serons obligés de rendre des comptes sur chacun de ceux qui nous ont été confiés ? C'est que la punition ne se limite pas à la honte qu'on éprouve, mais comporte aussi un châtiment éternel ! En effet, la parole « Obéissez à ceux qui vous conduisent et soyez dociles parce qu'ils veillent sur vos âmes[a] », bien que je l'aie déjà citée[1], je la répéterai encore maintenant, car la crainte de cette menace agite continuellement mon âme. Si, lorsqu'on n'a scandalisé qu'un seul homme, fût-il du rang le plus humble, il convient d'avoir une pierre meulière attachée au cou et d'être précipité dans la mer[2] et si tous ceux qui blessent la conscience de leurs frères pèchent contre le Christ lui-même, ceux qui sont cause non seulement de la perte d'un homme ou de deux ou trois mais d'un si grand nombre, que subiront-ils donc et quelle punition leur sera infligée ? En effet, on ne peut invoquer son inexpérience, ni se réfugier dans l'ignorance, ni mettre en avant la nécessité et la contrainte, mais c'est un de ceux qui sont soumis à l'autorité, si cela était permis, qui utiliserait cette excuse à l'occasion de ses propres fautes plutôt que ceux qui ont le pouvoir sur celles des autres. Pourquoi donc ? Parce que celui qui a reçu la charge de dissiper l'ignorance des autres et de dénoncer la guerre menaçante

a. Hébr. 13, 17

1. Voir en III, 14, 74-76.
2. Cf. *Matth.* 18, 6.

σεται προβαλέσθαι τὴν ἄγνοιαν, οὐδὲ εἰπεῖν· Οὐκ ἤκουσα τῆς
σάλπιγγος, οὐ προήδειν τὸν πόλεμον. Ἐπὶ τούτῳ γὰρ ἐκά-
25 θισεν, ὡς ὁ Ἰεζεκιὴλ φησιν, ἵνα καὶ τοῖς ἄλλοις σαλπίζῃ καὶ
προμηνύῃ τὰ μέλλοντα δυσχερῆ. Καὶ διὰ τοῦτο ἀπαραίτητος
ἡ κόλασις, κἂν εἷς ὢν ὁ ἀπολωλὼς τύχῃ· « ἐὰν γὰρ τῆς ῥομ-
φαίας ἐρχομένης μὴ σαλπίσῃ τῷ λαῷ, μηδὲ σημάνῃ, φησίν,
ὁ σκοπὸς καὶ ἐλθοῦσα ἡ ῥομφαία λάβῃ ψυχήν, αὐτὴ μὲν διὰ
30 τὴν ἀνομίαν αὐτῆς ἐλήφθη, τὸ δὲ αἷμα αὐτῆς ἐκ χειρὸς τοῦ
σκοποῦ ἐκζητήσω[b]. »

β'. Ὅτι τῶν
μοναζόντων
ἀκριβείας
5 δέονται πλείονος

Παῦσαι τοίνυν ἡμᾶς ὠθῶν εἰς
οὕτως ἄφυκτον δίκην· οὐ γὰρ ὑπὲρ
στρατηγίας οὐδὲ βασιλείας ἡμῖν ὁ
λόγος, ἀλλ' ὑπὲρ πράγματος ἀγγε-
λικῆς ἀρετῆς δεομένου. Καὶ γὰρ
τῶν ἀκτίνων αὐτῶν καθαρωτέραν τῷ ἱερεῖ τὴν ψυχὴν εἶναι δεῖ
ἵνα μή ποτε αὐτὸν ἔρημον καταλιμπάνῃ τὸ Πνεῦμα τὸ ἅγιον,
ἵνα δύνηται λέγειν· « Ζῶ δὲ οὐκέτι ἐγώ, ζῇ δὲ ἐν ἐμοὶ Χριστός[c]. » Εἰ γὰρ οἱ τὴν ἔρημον οἰκοῦντες καὶ πόλεως καὶ ἀγορᾶς
10 καὶ τῶν ἐκεῖθεν ἀπηλλαγμένοι θορύβων καὶ διαπαντὸς λιμένων καὶ γαλήνης ἀπολαύοντες οὐκ ἐθέλουσι θαρρεῖν τῇ τῆς
διαίτης ἐκείνης ἀσφαλείᾳ, ἀλλὰ μυρίας ἑτέρας προστιθέασι
φυλακάς, πάντοθεν ἑαυτοὺς περιφράττοντες καὶ μετὰ πολλῆς τῆς ἀκριβείας καὶ λέγειν ἅπαντα καὶ πράττειν σπουδά-
15 ζοντες ἵνα μετὰ παρρησίας καὶ καθαρότητος εἰλικρινοῦς, ὅσον
εἰς ἀνθρωπείαν ἧκε δύναμιν, προσιέναι τῷ Θεῷ δύνωνται,

---

24 προήδειν : προϊδεῖν C ‖ 31 ζητήσω K.
β'. 3 βασιλείας BC D K : ὑπὲρ βασιλείας cett. ‖ 7 μή B : μηδέ
cett. ‖ 7 αὐτὸν : αὐτὴν D ‖ 7 καταλιμπάνῃ B D : ἐγκαταλιμπάνῃ
cett. ‖ 11 λιμένος FHJK ‖ 11 ἐθέλουσι : ἀνέχονται J ‖ 12 ἀλλὰ] +
καὶ F.

b. Éz. 33, 6   c. Gal. 2, 20

1. Jean adapte librement le texte d'*Ézéchiel* 33, 3-6 à sa propre
phrase, alors qu'il en cite plus bas le dernier verset presque littéralement.
2. Sur la promesse du Christ touchant la présence de l'Esprit dans
l'âme des apôtres, voir *Jn* 20, 22 ; *II Cor.* 13, 3 et *Rom.* 15, 18.

du diable ne pourra pas mettre son ignorance en avant et dire : Je n'ai pas entendu la trompette, je n'ai pas prévu la guerre. S'il était assis à son poste, comme dit Ézéchiel, c'était pour sonner de la trompette aux oreilles des autres et pour annoncer les difficultés à venir[1]. A cause de cela le châtiment sera inexorable, même s'il n'y a qu'un seul homme perdu ; car lorsque apparaît le glaive, « si le guetteur ne sonne pas de la trompette aux oreilles du peuple et s'il n'avertit pas, dit-il, et si la venue du glaive supprime la vie d'un homme, celle-ci a sans doute été supprimée parce qu'il a violé la Loi, mais je redemanderai le sang de la victime à la main du guetteur[b] ».

**2. Ils ont besoin
de plus
de discernement
que les moines**

Cesse donc de nous menacer d'un châtiment aussi inévitable ; car notre discours ne concerne pas le commandement militaire ni la royauté, mais il concerne une chose qui exige la vertu des anges. En effet, l'âme du prêtre doit être plus pure que les rayons du soleil, pour que jamais l'Esprit Saint ne l'abandonne[2], pour qu'il puisse dire : « Je ne vis plus, mais c'est le Christ qui vit en moi[c]. » Si, en effet, ceux qui habitent le désert, qui sont loin de la ville et de l'agora et de ses agitations et qui jouissent constamment du calme dans le port ne veulent pas se prévaloir de leur sécurité dans cet état, mais y ajoutent mille autres précautions en s'enfermant en eux-mêmes et s'efforcent dans tous les cas de parler et d'agir avec un zèle extrême de façon à pouvoir se présenter devant Dieu avec confiance et avec une pureté intacte, autant que le permet la condition humaine[3], celui qui est revêtu du sacerdoce, de quelle

---

3. Allusion évidente à la vie monastique délibérément choisie pour se préserver des souillures du monde. Sur le monachisme, la pensée de Jean varie selon le but qu'il se propose et selon les époques de sa vie. Dans le *De sacerdotio* où il s'agit de mettre en relief les vertus éminentes nécessaires au prêtre, il arrive à l'auteur de présenter le monachisme comme un refuge offert aux âmes trop faibles pour affronter les

πόσης οἴει δεῖν τῷ ἱερωμένῳ καὶ δυνάμεως καὶ βίας ὥστε
δυνηθῆναι παντὸς ἐξαρπάσαι μολυσμοῦ τὴν ψυχὴν καὶ ἀσινὲς
τὸ πνευματικὸν τηρῆσαι κάλλος;

20 Καὶ γὰρ πολλῷ μείζονος αὐτῷ δεῖ καθαρότητος ἢ ἐκείνοις
καὶ ᾧ μείζονος δεῖ, οὗτος πλείοσιν ἀνάγκαις ἐκείνων ὑπόκειται ταῖς δυναμέναις αὐτὸν ῥυποῦν, ἢν μὴ τῇ διηνεκεῖ
νήψει καὶ τῷ πολλῷ τόνῳ χρησάμενος ἄβατον αὐταῖς ἐργά-
σηται τὴν ψυχήν. Καὶ γὰρ προσώπων εὐμορφία καὶ κινη-
25 μάτων διάθρυψις καὶ βαδίσεως ἐπιτήδευσις καὶ φωνῆς
διάκλασις καὶ ὀφθαλμῶν ὑπογραφαὶ καὶ παρειῶν ἐπιγραφαὶ
καὶ πλεγμάτων συνθέσεις καὶ τριχῶν βαφαὶ καὶ ἱματίων
πολυτέλεια καὶ χρυσίων ποικιλία καὶ λίθων κάλλος καὶ
μύρων εὐοδμία καὶ τἆλλα πάντα ἃ τὸ γυναικεῖον ἐπιτηδεύει
30 γένος, ἱκανὰ θορυβῆσαι ψυχήν, ἢν μὴ πολλῇ τῇ τῆς σωφροσύνης αὐστηρότητι ἀπεσκληκυῖα τύχῃ. Ἀλλὰ τὸ μὲν ὑπὸ
τούτων ταράττεσθαι, θαυμαστὸν οὐδέν· τὸ δὲ καὶ διὰ τῶν
τούτοις ἐναντίων δύνασθαι βάλλειν τὸν διάβολον καὶ κατα-

---

19 τηρῆσαι : συντηρῆσαι AG J ‖ 23 αὐταῖς BC HJK : αὐτῇ cett.
‖ 26-27 καὶ παρειῶν — βαφαὶ om. A ‖ 26 ἐπιγραφαὶ : ἐπιτρίμματα FJK
‖ 27 πλεγμάτων : βλεμμάτων C ‖ 27 σύνθεσις C K ‖ 28 ποικιλία : εὐ-
πρέπεια FK ‖ 29 εὐοδμία B : εὐωδία HJ εὐωδίαι cett. ‖ 29 γυναικεῖον :
γυναίκιον K γυναίων C.

épreuves de la vie apostolique et, de ce fait, il le dévalorise quelque
peu, alors qu'il l'avait exalté dans l'*Adversus oppugnatores vitae monas-
ticae*, *PG* 47, 319-386. Voir le dossier réuni par I. AUF DER MAUR,
*Mönchtum und Glaubensverkündigung in den Schriften des hl. Johannes
Chrysostomus* (coll. *Paradosis* 14), Fribourg 1959. Voir aussi J.-M. LE-
ROUX, « Monachisme et communauté chrétienne d'après saint Jean
Chrysostome », dans *Théologie de la vie monastique*, *Études sur la
tradition patristique* (coll. Théologie), Paris 1961.

1. La nécessité pour le prêtre de se garder pur est fondée, chez
Grégoire de Nazianze et chez Jean, sur deux motifs identiques :
a) être pur pour s'approcher de Dieu, *De fuga* 95, *SC* 247, p. 212-214 =
De sacerd. III, 4, 10 ; *b*) être pur pour purifier les autres, *De fuga* 71,
SC 247, p. 184 = *De sacer.* VI, 2.

2. C'est-à-dire à ceux qui habitent dans la solitude.

3. Deux formes se trouvent en concurrence dans les mss : ἐπι-

énergie et de quelle force penses-tu qu'il a besoin pour pouvoir préserver son âme de toute flétrissure et conserver sans tache sa beauté spirituelle[1] ?

En effet, la pureté lui est beaucoup plus nécessaire qu'à ceux-là[2] et celui qui a de plus grands devoirs est exposé plus qu'eux à des obligations contraignantes capables de le souiller si, n'étant pas constamment sur ses gardes et très attentif, il n'y rend pas son âme inaccessible. Et certes, le modelé du visage, des allures affectées, une démarche étudiée, des inflexions de voix, des yeux faits et des joues fardées[3], des cheveux disposés avec recherche et teints, le luxe des vêtements, l'abondance des bijoux en or, la beauté des pierres précieuses, la douce senteur des parfums et tous les autres raffinements qu'emploie l'engeance féminine[4] sont propres à troubler l'âme, lorsqu'elle n'est pas mise en défense par une sévère maîtrise de soi. Cependant qu'on soit troublé par ces excitations, rien d'étonnant ; mais que le diable puisse atteindre et percer de traits l'âme des

---

γραφαί et ἐπιτρίμματα. Si l'on se reporte à l'usage de Chrysostome, on constate qu'il emploie ἐπιγραφαί au sens métaphorique de *peintures* pour désigner les belles paroles et, naturellement, avec un sens péjoratif, par exemple *Ab exil. epist.* 9, 21, *SC* 103, p. 104. On peut penser que cette nuance péjorative se retrouve ici et que, de plus, Jean a voulu faire un effet de style en opposant ὑπογραφαί, le fard qu'on met sous les yeux, et ἐπιγραφαί, celui qu'on met sur les joues. Mais lorsqu'il parle des fards, il emploie aussi l'expression ἐπιτρίμματα παρειῶν, *Ad Olymp.* X (III), 12, 15-18 et 76-78. Ici, cependant, cette leçon n'est donnée que par des mss postérieurs FJK. Devant l'accord des autres mss avec les meilleurs témoins BC, nous choisissons, sans conviction, la forme ἐπιγραφαί. Sur les fards, voir B. GRILLET, *Les femmes et les fards dans l'Antiquité grecque*, éd. du C.N.R.S., Lyon 1975.

4. Le mot γυναικεῖος s'emploie comme adjectif pour désigner, sans nuance particulière, ce qui appartient à la femme. Cf. ESCHYLE, *Choeph.* 630 ; JEAN CHRYSOSTOME, *Ad Olymp.* VIII (II), 5, 31 ; XVI (XVII), 1, 40. Mais le mot prend volontiers chez Jean un sens péjoratif que le contexte suggère ici.

τοξεύειν τὰς τῶν ἀνθρώπων ψυχὰς τοῦτό ἐστι τὸ πολλῆς
35 ἐκπλήξεως καὶ ἀπορίας μεστόν.

γ΄. Ὅτι πλείονος
εὐκολίας ἀπολαύει
ὁ μονάζων παρὰ
5 τὸν Ἐκκλησίας
προεστῶτα

Ἤδη γάρ τινες ταῦτα ἐκφυγόντες
τὰ θήρατρα, τοῖς πολὺ τούτων
ἀφεστηκόσιν ἑάλωσαν· καὶ γὰρ καὶ
ἠμελημένη ὄψις καὶ αὐχμῶσα κόμη
καὶ ῥυπῶσα στολὴ καὶ σχῆμα ἀνεπί-
πλαστον καὶ ἦθος ἁπλοῦν καὶ ῥῆμα
ἀφελὲς καὶ βάδισις ἀνεπιτήδευτος καὶ ἀσχημάτιστος φωνὴ
καὶ τὸ πενίᾳ συζῆν καὶ τὸ καταφρονεῖσθαι καὶ τὸ ἀπροστάτευτον καὶ ἡ μόνωσις πρῶτον μὲν εἰς ἔλεον τὸν ὁρῶντα, ἀπ'
10 ἐκείνου δὲ εἰς τὸν ἔσχατον ἤγαγεν ὄλεθρον. Καὶ πολλοὶ τὰ
πρότερα ἐκφυγόντες δίκτυα, τὰ διὰ τῶν χρυσίων καὶ τῶν
μύρων καὶ τῶν ἱματίων καὶ τῶν λοιπῶν ὧν εἶπον συγκείμενα
τούτοις τοῖς τοσοῦτον αὐτῶν ἀφεστηκόσιν εὐκόλως ἐνέπεσαν
καὶ ἀπώλοντο. Ὅταν οὖν καὶ διὰ πενίας καὶ διὰ πλούτου καὶ
15 διὰ καλλωπισμοῦ καὶ διὰ σχήματος εἰκῆ κειμένου καὶ διὰ
τρόπων τῶν τε ἐπιτηδευτῶν καὶ τῶν ἀπλάστων καὶ ἁπάντων
ἁπλῶς ὧν ἀπηριθμησάμην ὁ πόλεμος ἀναρριπίζηται τῇ τοῦ
θεωμένου ψυχῇ, καὶ τὰ μηχανήματα αὐτὸν περιστοιχίζῃ
πανταχόθεν, πόθεν ἀναπνεῦσαι δυνήσεται, τοσούτων κύκλῳ
20 περικειμένων παγίδων; ποίαν κατάδυσιν εὑρεῖν, οὐ λέγω
πρὸς τὸ μὴ κατὰ κράτος ἁλῶναι — τοῦτο γὰρ οὐ πάνυ χαλεπόν —, ἀλλὰ καὶ πρὸς τὸ ἀτάραχον τῶν μιαρῶν λογισμῶν
τὴν ἑαυτοῦ φυλάξαι ψυχήν; Καὶ παρίημι τὰς τιμάς, τὰς
μυρίων αἰτίας κακῶν. Αἱ μὲν γὰρ παρὰ τῶν γυναικῶν γινό-
25 μεναι τῷ τῆς σωφροσύνης λυμαίνονται τόνῳ καὶ καταβάλ-
λουσι πολλάκις ὅταν τις μὴ διαπαντὸς ἀγρυπνεῖν εἰδῇ πρὸς

γ΄. 8 καὶ τὸ πενίᾳ συζῆν om. C ‖ 11 τῶν² om. C ‖ 13 ἐνέπεσον
HJK ‖ 15 εἰκῆ κειμένου : ἠμελημένου C ‖ 16 ἀπλάστων — ἁπάντων
om. AEG D ‖ 16-17 καὶ² — ἁπλῶς om. F ‖ 16 ἁπάντων B H : διὰ
πάντων C JK ‖ 20 παγίδων : παγῶν B K ‖ 21 τοῦτο] + μὲν C A
HJK ‖ 23 τὰς² om. C ‖ 24 μυρίων B : τῶν μυρίων cett. ‖ 26 κατα-
βάλλουσι B : δὲ add. cett. ‖ 26 διαπαντὸς ἀγρυπνεῖν : διαγρυπνεῖν
AEG D HJ.

hommes par des moyens opposés à ceux-là, c'est un sujet
de grand étonnement et qui plonge dans l'embarras.

**3. Le moine jouit
d'une situation
plus facile
que celui qui est
à la tête de l'Église**

En effet, certains qui jusque-là
avaient échappé à ces filets ont été
pris par des moyens tout à fait
différents : un aspect négligé, une
chevelure mal soignée, une robe
tachée, une attitude sans recherche,
une manière d'être simple, une parole sans détours, une
démarche qui n'est pas étudiée et une voix sans artifice,
le fait de vivre pauvrement, d'être comptée pour rien,
d'être sans protecteur et isolée conduit d'abord à la pitié
celui qui en est le témoin, puis, de là, à la perte et à la ruine
dernière. Bien des hommes qui avaient auparavant échappé
aux filets que représentent les bijoux et les parfums, les
vêtements et tous les charmes accumulés dont j'ai fait
mention sont tombés facilement et se sont perdus pour des
causes tellement différentes[1] ! Puisque la pauvreté aussi
bien que la richesse, un aspect élégant aussi bien qu'un
aspect négligé, des manières recherchées aussi bien que des
manières naturelles, en un mot tout ce que nous avons
énuméré rallume la guerre dans l'âme de celui qui en est
le témoin et que les machinations l'assaillent de toutes
parts, comment pourra-t-il reprendre haleine, puisqu'il
est enveloppé de tels filets ? quelle échappatoire trouver,
je ne dis pas pour ne pas être pris de force — cela n'est pas
difficile —, mais pour protéger son âme contre le trouble
causé par ces motifs impurs ? Et je passe sous silence les
honneurs, cause d'une multitude de maux. En effet, les
uns, qui nous sont rendus par les femmes, sont battus
en brèche par une maîtrise de soi toujours en éveil et ne
nous abattent la plupart du temps que si l'on ne songe pas

---

1. Jean a stigmatisé non seulement la coquetterie des femmes du
monde, mais encore l'art subtil avec lequel les vierges consacrées
attirent l'attention par la pauvreté de leur mise. Cf. *Ad Olymp.* VIII
(II), 9, 16-24.

τὰς τοιαύτας ἐπιβουλάς· τὰς δὲ παρὰ τῶν ἀνδρῶν, ἢν μὴ
μετὰ πολλῆς τις δέξηται τῆς μεγαλοψυχίας, δύο ἐναντίοις
ἁλίσκεται πάθεσι, τῇ τε τῆς θωπείας δουλοπρεπείᾳ καὶ τῇ
30 τῆς ἀλαζονείας ἀνοίᾳ τοῖς μὲν θεραπεύουσιν αὐτὸν ὑποκύπ-
τειν ἀναγκαζόμενος, διὰ δὲ τὰς παρ' ἐκείνων τιμὰς κατὰ
τῶν ἐλαττόνων ἐξογκούμενος καὶ εἰς τὸ τῆς ἀπονοίας
ὠθούμενος βάραθρον.

Ταῦτα εἴρηται μὲν παρ' ἡμῶν, ὅσην δὲ ἔχει τὴν βλάβην,
35 οὐκ ἄν τις ἄνευ τῆς πείρας μάθοι καλῶς· οὐ γὰρ δὴ ταῦτα
μόνον, ἀλλὰ καὶ τούτων πολλῷ πλείονα καὶ σφαλερώτερα τῷ
ἐν τῷ μέσῳ στρεφομένῳ συμπίπτειν ἀνάγκη γένοιτ' ἄν. Ὁ δὲ
τὴν ἐρημίαν στέργων πάντων μὲν ἔχει τὴν ἀτέλειαν· εἰ δέ
ποτε αὐτῷ καὶ λογισμὸς ἄτοπος ὑπογράψειέ τι τοιοῦτον,
40 ἀλλ' ἀσθενὴς ἡ φαντασία καὶ ταχέως σβεσθῆναι δυναμένη,
διὰ τὸ μὴ προσκεῖσθαι ἔξωθεν τὴν ἀπὸ τῆς θεωρίας ὕλην τῇ
φλογί. Καὶ ὁ μὲν μοναχὸς ὑπὲρ ἑαυτοῦ μόνου δέδοικεν· εἰ δὲ
καὶ ἑτέρων φροντίζειν ἀναγκασθείη, ἀλλ' εὐαριθμήτων λίαν,
εἰ δὲ καὶ πλείονες εἶεν, ἀλλὰ τῶν ἐν ταῖς ἐκκλησίαις ἐλάττους
45 τέ εἰσι καὶ τὰς ὑπὲρ ἑαυτῶν φροντίδας πολλῷ κουφοτέρας
παρέχουσι τῷ προστάτῃ, οὐ διὰ τὴν ὀλιγότητα μόνον, ἀλλ'
ὅτι καὶ πάντες τῶν κοσμικῶν εἰσιν ἀπηλλαγμένοι πραγμάτων
καὶ οὔτε παῖδας, οὔτε γυναῖκα, οὔτε ἄλλο τι μεριμνᾶν ἔχουσι
τοιοῦτο. Τοῦτο δὲ αὐτοὺς λίαν τε εἶναι εὐπειθεῖς τοῖς ἡγου-
50 μένοις καὶ τὸ κοινὴν τὴν οἴκησιν ἔχειν ἐποίησεν ὡς δύνασθαι
αὐτῶν τὰ πταίσματα ἀκριβῶς συνορᾶν τε καὶ ἐπανορθοῦν,
ὅπερ οὐ μικρὸν πρὸς ἀρετῆς ἐπίδοσιν.

27 ἢν : εἰ B ἂν F ‖ 30 ἀνοίᾳ : ἀπονοίᾳ K ‖ 31-32 τιμὰς — ἐλαττόνων
om. J ‖ 36 τούτων BC : τὰ τούτων cett. ‖ 36-37 τῷ ... στρεφομένῳ
B ʳᶜ : τῶν ... στρεφομένων B ᵃᶜ τοῖς ... στρεφομένοις cett. ‖ 37 τῷ
μέσῳ BC : μέσῳ cett. ‖ 38 ἐρημίαν B : ἔρημον cett. ‖ 46 προστάτῃ
B K : προεστῶ τι cett. ‖ 49 τοιοῦτο BC : τοιοῦτον cett. ‖ 52
ἐπίδοσιν : ἐπιστασία διδασκάλου διηνεκής glosam add. codd.

1. Sur les bienfaits de la correction fraternelle, voir Basile, *Reg.*

à être constamment vigilant devant ces pièges insidieux,
tandis que les autres, qui nous sont rendus par des hommes,
si on ne les accueille pas avec beaucoup de force d'âme,
on est partagé entre deux dispositions contraires, la servilité qui naît de la flatterie, la folie qui naît de la jactance ;
car on est contraint de se courber devant ceux qui vous
flattent et, d'autre part, on se gonfle à cause des honneurs
qu'ils vous rendent à propos des moindres choses et l'on
est poussé dans le gouffre de l'orgueil.

Toutes ces épreuves nous les avons énumérées, mais quel
tort elles causent on ne pourrait le savoir sans en avoir fait
l'expérience ; car il n'y a pas que celles-là, mais il y en a
de beaucoup plus nombreuses et il serait presque fatal
qu'elles s'accumulent dangereusement sur celui qui vit
dans le monde. Au contraire, celui qui chérit la solitude est
exempt de tous les embarras ; mais s'il arrivait un jour
qu'une idée extravagante lui mette sous les yeux quelque
chose de tel, du moins l'évocation manque de relief et l'on
peut rapidement l'effacer, puisqu'elle n'apporte pas du
dehors, pour qui la regarde, un aliment à la flamme. Le
moine n'a que lui seul à craindre ; s'il arrive qu'il soit
obligé de s'occuper des autres, du moins peut-on facilement
les compter ; même s'ils étaient plus nombreux, du moins
sont-ils inférieurs en nombre à ceux qui se trouvent dans les
églises et les soucis qu'ils occasionnent à celui qui les dirige
sont beaucoup moins lourds, non seulement à cause de leur
petit nombre, mais parce que tous sont loin des affaires du
monde et qu'ils n'ont ni enfants ni femme, ni d'autre souci
de ce genre. Cela les rend parfaitement dociles à ceux qui
les conduisent ainsi que le fait d'avoir une habitation
commune, si bien qu'ils peuvent voir ensemble leurs fautes
et les corriger, ce qui n'est pas sans importance pour la
vertu[1].

fus. tract. VII, 3, *PG* 31, 932. Cf. JÉRÔME, *Epist.* XXV, 9, *CUF*,
p. 121.

δ'. Ὅτι τῆς
οἰκουμένης
τὴν προστασίαν
ἐμπιστεύεται ὁ
ἱερεὺς καὶ ἕτερα
πράγματα φρικτά

Τῶν δὲ ὑπὸ τῷ ἱερεῖ τεταγμένων
τὸ πλέον βιωτικαῖς πεπέδηται φροντίσι, καὶ τοῦτο αὐτοὺς ἀργοτέρους
πρὸς τὴν τῶν πνευματικῶν ἐργασίαν
καθίστησιν· ὅθεν ἀνάγκη τῷ διδα-
σκάλῳ σπείρειν καθ᾽ ἑκάστην, ὡς
εἰπεῖν, ἡμέραν, ἵνα τῇ γοῦν συνε-
χείᾳ δυνηθῇ κρατηθῆναι παρὰ τοῖς ἀκούουσι τῆς διδασκαλίας
ὁ λόγος. Καὶ γὰρ πλοῦτος ὑπέρογκος καὶ δυναστείας μέγεθος
καὶ ῥαθυμία ἀπὸ τρυφῆς προσγινομένη καὶ πολλὰ ἕτερα πρὸς
τούτοις συμπνίγει τὰ καταβαλλόμενα σπέρματα, πολλάκις
δὲ ἡ τῶν ἀκανθῶν πυκνότης οὐδὲ μέχρι τῆς ἐπιφανείας ἀφίησι
τὸ σπειρόμενον πεσεῖν. Ἤδη δὲ καὶ θλίψεως ὑπερβολὴ καὶ
πενίας ἀνάγκη καὶ ἐπήρειαι συνεχεῖς καὶ ἄλλα τοιαῦτα τοῖς
προτέροις ἐναντία ἀπάγει τῆς περὶ τὰ θεῖα σπουδῆς, τῶν δὲ
ἁμαρτημάτων οὐδὲ τὸ πολλοστὸν αὐτοῖς μέρος δυνατὸν
γενέσθαι καταφανές· πῶς γάρ, ὧν τοὺς πλείονας οὐδὲ ἐκ
προσόψεως ἴσασι; Καὶ τὰ μὲν πρὸς τὸν λαὸν αὐτῷ τοσαύτην
ἔχει τὴν ἀμηχανίαν.

Εἰ δέ τις τὰ πρὸς τὸν Θεὸν ἐξετάσειεν, οὐδὲν ὄντα εὑρήσει
ταῦτα, οὕτω μείζονος καὶ ἀκριβεστέρας ἐκεῖνα δεῖται τῆς
σπουδῆς. Τὸν γὰρ ὑπὲρ ὅλης πόλεως, τί λέγω πόλεως, πάσης
μὲν οὖν τῆς οἰκουμένης πρεσβεύοντα καὶ δεόμενον ταῖς
ἁπάντων ἁμαρτίαις ἵλεων γενέσθαι τὸν Θεόν, οὐ τῶν ζώντων
μόνον, ἀλλὰ καὶ τῶν ἀπελθόντων, ὁποῖόν τινα εἶναι χρή;
Ἐγὼ μὲν γὰρ καὶ τὴν Μωϋσέως καὶ τὴν Ἠλίου παρρησίαν
οὐδέπω πρὸς τὴν τοσαύτην ἱκετηρίαν ἀρκεῖν ἡγοῦμαι. Καὶ
γὰρ ὥσπερ τὸν ἅπαντα κόσμον πεπιστευμένος καὶ αὐτὸς ὢν
ἁπάντων πατήρ, οὕτω πρόσεισι τῷ Θεῷ, δεόμενος τοὺς

δ'. 3 αὐτοὺς om. B ‖ 7 τὴν ἡμέραν C ‖ 8 συνεχείᾳ : συνηθείᾳ B ‖
8 παρὰ om. C ‖ 13 συμπεσεῖν AE D F ‖ 21 ἐκεῖνα om. C ‖ 22 πόλεως[1]
BC : τῆς πόλεως cett. ‖ 22 τί : καὶ τί D FHJK ‖ 25 ὁποῖον : ποῖον C.

1. Cf. Matth. 13, 22.
2. Il s'agit du prêtre en face de ceux qui l'écoutent, li. 8.

4. Au prêtre est confiée la direction du monde entier et d'autres missions redoutables

Ceux qui sont placés sous l'autorité du prêtre sont le plus souvent empêtrés dans les soucis du monde et cela les rend plus négligents pour vaquer aux choses spirituelles ; d'où la nécessité pour le maître de semer chaque jour, pour ainsi dire, afin que l'enseignement de la doctrine, à force d'être entendu, puisse du moins avoir toute son efficacité auprès de ceux qui l'écoutent. Et en effet, une richesse démesurée, un pouvoir étendu, la paresse qui résulte d'une vie facile et beaucoup d'autres causes s'unissent pour étouffer les semences jetées en eux ; souvent la densité des buissons ne laisse même pas tomber le grain jusqu'à la surface du sol[1]. De plus, l'excès de la souffrance, la contrainte de la pauvreté, les menaces continuelles et beaucoup d'autres choses contraires aux précédentes détournent du souci des choses divines ; quant aux fautes, il ne leur est pas possible d'en voir la plus petite partie ; comment donc cela pourrait-il être, puisqu'ils n'en connaissent même pas de loin la plus grande ? Voilà l'immense difficulté que revêt pour lui l'apostolat qui s'adresse au peuple[2].

Mais si l'on examinait les rapports avec Dieu, on trouvera que ces difficultés ne sont rien, tant il faut dans ce domaine un zèle plus grand et plus attentif. Un homme qui est l'ambassadeur d'une ville entière, que dis-je d'une ville ? de toute la terre et qui prie Dieu d'être indulgent aux fautes de tous, non seulement des vivants, mais encore de ceux qui sont partis[3], quel doit-il être ? Quant à moi je pense que la confiance de Moïse et celle d'Élie ne suffisent pas pour une telle supplication. En effet, comme s'il avait la charge du monde entier et s'il était lui-même le père de tous, ainsi il s'avance devant Dieu, le priant d'éteindre

3. C'est le terme employé pour désigner les morts. Voir *In epist. I ad Cor. hom.* XL, 5, li. 41, *P G* 61, 361. Cf. BRIGHTMAN, vol. I, Appendice C, p. 474, li. 31.

30 ἀπανταχοῦ πολέμους σβεσθῆναι, λυθῆναι τὰς ταραχάς,
εἰρήνην, εὐετηρίαν, τῶν ἑκάστῳ κακῶν ἐπικειμένων καὶ ἰδίᾳ
καὶ δημοσίᾳ, ταχεῖαν αἰτῶν ἀπαλλαγήν. Δεῖ δὲ πάντων
αὐτὸν ὑπὲρ ὧν δεῖται τοσοῦτο διαφέρειν ἐν ἅπασιν ὅσον τὸν
προεστῶτα τῶν προστατευομένων εἰκός. Ὅταν δὲ καὶ τὸ
Πνεῦμα τὸ ἅγιον καλῇ καὶ τὴν φρικωδεστάτην ἐπιτελῇ
35 θυσίαν καὶ τοῦ κοινοῦ πάντων συνεχῶς ἐφάπτηται δεσπότου,
ποῦ τάξομεν αὐτόν, εἰπέ μοι; πόσην δὲ αὐτὸν ἀπαιτήσομεν
καθαρότητα καὶ πόσην εὐλάβειαν; Ἐννόησον γὰρ ὁποίας τὰς
ταῦτα διακονουμένας χεῖρας εἶναι χρή, ὁποίαν τὴν γλῶτταν
τὴν ἐκεῖνα προχέουσαν τὰ ῥήματα, τίνος δὲ οὐ καθαρωτέραν
40 καὶ ἁγιωτέραν τὴν τοσοῦτο πνεῦμα ὑποδεξομένην ψυχήν.
Τότε καὶ ἄγγελοι παρεστήκασι τῷ ἱερεῖ καὶ οὐρανίων δυνάμεων ἅπαν τὸ βῆμα καὶ ὁ περὶ τὸ θυσιαστήριον πληροῦται
τόπος εἰς τιμὴν τοῦ κειμένου. Καὶ τοῦτο ἱκανὸν μὲν καὶ ἐξ
αὐτῶν πεισθῆναι τῶν ἐπιτελουμένων τότε.

45 Ἐγὼ δὲ καί τινος ἤκουσα διηγουμένου ποτὲ ὅτι αὐτῷ τις
πρεσβύτης, θαυμαστὸς ἀνὴρ καὶ ἀποκαλύψεις ὁρᾶν εἰωθώς,
ἔλεγεν ὄψεως ἠξιῶσθαι τοιαύτης καὶ κατὰ τὸν καιρὸν ἐκεῖνον
ἄφνω πλῆθος ἀγγέλων ἰδεῖν, ὡς αὐτῷ δυνατὸν ἦν, στολίδας
ἀναβεβλημένων λαμπρὰς καὶ τὸ θυσιαστήριον κυκλούντων

30 ἀπανταχοῦ BC A : ἀπανταχῆ cett. ‖ 31 τῶν : πάντων τῶν HJK ‖
33 δεῖται : διά τε C ‖ 33 τοσοῦτο B : τοσούτων K τοσοῦτον cett. ‖
37 γὰρ om. C ‖ 42 τὸ βῆμα : τάγμα βοᾷ B ‖ 44 πεισθῆναι : πιστευθῆναι
C ‖ 44 τελουμένων HJK ‖ 45 Ἐγὼ — ποτὲ om. E D ‖ 45 ποτὲ :
τότε JK ‖ 47 ἠξιοῦσθαι C ‖ 47 τοιαύτης B : ποτὲ add. cett. ‖ 48 στολίδας B : στολὰς cett.

1. Il semble qu'on entend ici un écho de la prière d'intercession en
usage dans l'Église d'Antioche. Voir BRIGHTMAN, p. 480, nᵒ 25 :
Θεῷ δεόμενος τοὺς ἀπανταχοῦ πολέμους σβεσθῆναι, λυθῆναι τὰς ταραχάς... Cf. Oraison de la liturgie romaine du Vendredi Saint : « Oremus...
Deum patrem omnipotentem ut cunctis mundum purget erroribus,
morbos auferat », etc.
2. Voir ci-dessus, p. 146, note 1.
3. Le βῆμα, au sens strict, est une tribune légèrement surélevée
(le *vetus interpres* traduit par *tribunal*) et placée devant le sanctuaire

partout les guerres, de mettre fin aux troubles, demandant
la paix, l'abondance et une délivrance rapide de tous les
maux qui menacent chacun dans le domaine privé et en
public[1]. Autant il faut qu'il soit supérieur en toutes choses
sur tous ceux pour lesquels il prie, autant il convient que
celui qui est à la tête de la communauté l'emporte sur ceux
qui forment la communauté. Alors qu'il appelle l'Esprit
Saint[2], qu'il accomplit le sacrifice qui inspire une immense
crainte, qu'il est en rapports constants avec le maître
commun de tous, où le placerons-nous ? dis-moi. Quelle
pureté et quelle piété exigerons-nous de lui ? Imagine, en
effet, quelles doivent être les mains qui accomplissent un
tel service, quelle doit être la langue qui exprime de telles
paroles ; sur qui ne doit-elle pas l'emporter en pureté et
en sainteté l'âme qui va recevoir cet Esprit ? Alors, les
anges se tiennent autour du prêtre et tout le *bêma*[3] et tout
l'espace autour de l'autel sont remplis de puissances
célestes[4] en l'honneur de celui qui est là. Ce qui s'accomplit
alors suffit à emporter la conviction.

Quant à moi, j'ai entendu raconter qu'un vieillard,
homme admirable et habitué à avoir des révélations, disait
qu'il avait été favorisé d'un tel spectacle et qu'à ce moment
il avait vu soudain, dans la mesure où cela lui était possible,
une foule d'anges revêtus de robes étincelantes et entourant
l'autel, s'inclinant comme on verrait le faire, lorsque paraît

---

où se tiennent les lecteurs et les chantres. Par extension, le mot
désigne le sanctuaire lui-même. Cependant, il semble bien que Jean
parle ici de deux lieux différents : τὸ βῆμα καὶ ὁ τόπος. On peut alors
comprendre le sanctuaire (dans son ensemble) et l'espace qui entoure
immédiatement l'autel. C'est ainsi que l'interprète J. DANIÉLOU dans
son *Introduction* aux homélies *Sur l'incompréhensibilité...*, SC 28 bis,
p. 58.

4. Sur la présence des anges à la liturgie, voir *In Act. apost. hom.*
XXI, 5, *PG* 60, 170 : Ἐν χερσὶν ἡ θυσία καὶ πάντα πρόκειται ηὐτρε-
πισμένα· πάρεισι ἄγγελοι, ἀρχάγγελοι. « La victime est en mains et
tout est là bien préparé ; sont présents les anges, les archanges. »

50 καὶ κάτω νευόντων, ὡς ἂν εἴ τις στρατιώτας παρόντος βασιλέως ἐστηκότας ἴδοι· καὶ ἔγωγε πείθομαι. Καὶ ἕτερος δέ τις
ἐμοὶ διηγήσατο, οὐ παρ' ἑτέρου μαθών, ἀλλ' αὐτὸς ἰδεῖν
ἀξιωθεὶς καὶ ἀκοῦσαι, ὅτι τοὺς μέλλοντας ἐνθένδε ἀπαίρειν,
ἂν τύχωσι τῶν μυστηρίων μετασχόντες ἐν καθαρᾷ συνειδήσει,
55 ὅταν ἀποπνεῖν μέλλωσι, δορυφοροῦντες αὐτοὺς δι' ἐκεῖνο τὸ
ληφθέν, ἀπάγουσιν ἐνθένδε ἄγγελοι. Σὺ δὲ οὔπω φρίττεις εἰς
οὕτως ἱερὰν τελετὴν τοιαύτην εἰσάγων ψυχὴν καὶ τὸν τὰ
ῥυπαρὰ ἐνδεδυμένον ἱμάτια εἰς τὸ τῶν ἱερέων ἀναφέρων
ἀξίωμα ὃν καὶ τοῦ λοιποῦ τῶν δαιτυμόνων χοροῦ ἐξέωσεν ὁ
60 Χριστός; Φωτὸς δίκην τὴν οἰκουμένην καταυγάζοντος λάμ-
πειν δεῖ τοῦ ἱερέως τὴν ψυχήν· ἡ δὲ ἡμετέρα τοσοῦτον ἔχει
περικείμενον αὐτῇ σκότος ἐκ τῆς πονηρᾶς συνειδήσεως ὡς
ἀεὶ καταδύεσθαι καὶ μηδέποτε δύνασθαι μετὰ παρρησίας εἰς
τὸν αὐτῆς ἀτενίσαι δεσπότην.

65 Οἱ ἱερεῖς τῆς γῆς εἰσιν οἱ ἅλες· τὴν δὲ ἡμετέραν ἄνοιαν καὶ
τὴν ἐν ἅπασιν ἀπειρίαν τίς ἂν ἐνέγκοι ῥᾳδίως, πλὴν ὑμῶν τῶν
καθ' ὑπερβολὴν ἡμᾶς ἀγαπᾶν εἰθισμένων; Οὐ γὰρ μόνον καθα-
ρὸν οὕτως ὡς τηλικαύτης ἠξιωμένον διακονίας, ἀλλὰ καὶ λίαν
συνετὸν καὶ πολλῶν ἔμπειρον εἶναι δεῖ. Καὶ πάντα μὲν εἰδέναι
70 τὰ βιωτικὰ τῶν ἐν μέσῳ στρεφομένων οὐχ ἧττον, πάντων δὲ
ἀπηλλάχθαι μᾶλλον τῶν τὰ ὄρη κατειληφότων μοναχῶν.
Ἐπειδὴ γὰρ ἀνδράσιν αὐτὸν ὁμιλεῖν ἀνάγκη καὶ γυναῖκας
ἔχουσι καὶ παῖδας τρέφουσι καὶ θεράποντας κεκτημένοις καὶ

56 οὔπω Β : οὐδέπω cett. ‖ 60 Φωτὸς Β Κ : φωτὸς γὰρ cett. ‖ 62
ὡς om. Κ ‖ 63 καὶ — δύνασθαι om. Β ‖ 65 οἳ² om. J ‖ 67 εἰθισμένων
Β Κ : ἠθισμένων C εἰωθότων cett. ‖ 68 τηλικαύτης : τοιαύτης AEG D.

1. Cf. De bapt. Christi 4, P G 49, 370 ; In Ascens. Domini 1, P G 49,
443.

2. Cf. deux prières de la liturgie des défunts dans l'Église latine,
l'une chantée à l'entrée du corps à l'église : « Subvenite, Sancti Dei,
occurrite angeli Domini... et in sinu Abrahae angeli deducant te » ;
l'autre, au départ du corps : « In paradisum deducant te angeli... »
Dans une fresque de l'église de la Péribleptos, à Mistra, l'artiste a
représenté, comme une sorte d'illustration de ce thème, Jean Chrysostome s'avançant précédé d'un ange porteur de lumière.

3. C'est-à-dire la grâce du sacerdoce.

le prince[1], les soldats qui sont là debout, et pour moi, je le crois. Un autre m'a raconté, non pour l'avoir appris d'un troisième, mais ayant eu la faveur de le voir et de l'entendre lui-même, que ceux qui vont s'en aller d'ici-bas, s'ils se trouvent avoir pris part aux mystères avec une conscience pure, lorsqu'ils sont sur le point d'exhaler leur dernier soupir, des anges leur font cortège depuis ici-bas[2] à cause de ce qu'ils ont reçu[3]. Et toi, ne trembles-tu donc pas en amenant à la célébration de mystères aussi saints une âme telle que la mienne, en élevant au rang des prêtres celui qui est revêtu de vêtements malpropres, celui que le Christ a chassé du chœur des invités[4] ? Il faut que l'âme du prêtre brille à la manière d'un flambeau qui éclaire la terre tout entière[5] ; la nôtre est enveloppée d'une telle ombre provenant d'une mauvaise conscience qu'elle y est sans cesse plongée et qu'elle ne peut plus lever avec confiance les yeux vers son maître.

Les prêtres sont le sel de la terre[6] ; mais qui supporterait facilement notre sottise et notre manque d'expérience en toutes choses, sinon vous qui êtes habitués à nous aimer de façon exagérée ? En effet, il faut non seulement qu'il soit pur pour être jugé digne d'un tel service, mais encore qu'il soit très averti et qu'il possède une expérience étendue. Il ne doit pas moins connaître les choses de la vie que ceux qui vivent dans le monde[7], mais il doit se tenir éloigné de toutes ces choses plus que les moines qui ont gagné les montagnes[8]. Comme il lui faut vivre en compagnie d'hommes qui ont une femme, qui élèvent des enfants, qui possèdent

---

4. Cf. *Matth.* 22, 11.　　　5. *Ibid.* 5, 14.　　　6. *Ibid.* 5, 13.

7. Par l'expression οἱ ἐν μέσῳ ou ἐν τῷ μέσῳ στρεφόμενοι, Jean désigne couramment les chrétiens vivant dans le monde par opposition aux moines vivant dans la solitude.

8. Il s'agit des montagnes autour d'Antioche. Cf. *Adv. opp. vit. mon.* I, 8, *PG* 47, 329 : Πρὸς τὴν ἔρημον μεταστῆναι καὶ τῶν ὅρων τὰς κορυφὰς οἰκίζειν. « S'en aller au désert et habiter les sommets des montagnes. »

πλοῦτον περιβεβλημένοις πολὺν καὶ δημόσια πράττουσι καὶ
75 ἐν δυναστείαις οὖσι, ποικίλον αὐτὸν εἶναι δεῖ. Ποικίλον δὲ
λέγω, οὐχ ὕπουλον, οὐ κόλακα, οὐχ ὑποκριτήν, ἀλλὰ πολλῆς
μὲν ἐλευθερίας καὶ παρρησίας ἀνάμεστον, εἰδότα δὲ καὶ
συγκατιέναι χρησίμως ὅταν ἡ τῶν πραγμάτων ὑπόθεσις τοῦτο
ἀπαιτῇ καὶ χρηστὸν εἶναι ὁμοῦ καὶ αὐστηρόν. Οὐ γάρ ἐστιν
80 ἑνὶ τρόπῳ χρῆσθαι τοῖς ἀρχομένοις ἅπασιν, ἐπειδὴ μηδὲ
ἰατρῶν παισὶν ἑνὶ νόμῳ τοῖς κάμνουσι προσφέρεσθαι καλόν,
μηδὲ κυβερνήτῃ μίαν ὁδὸν εἰδέναι τῆς πρὸς τὰ πνεύματα
μάχης· καὶ γὰρ καὶ ταύτην τὴν ναῦν συνεχεῖς περιστοιχί-
ζονται χειμῶνες, οἱ δὲ χειμῶνες οὗτοι οὐκ ἔξωθεν προσ-
85 βάλλουσι μόνον, ἀλλὰ καὶ ἔνδοθεν τίκτονται, καὶ πολλῆς
χρεία καὶ συγκαταβάσεως καὶ ἀκριβείας. Πάντα δὲ ταῦτα
τὰ διάφορα εἰς ἓν τέλος ὁρᾷ, τοῦ Θεοῦ τὴν δόξαν, τῆς Ἐκκλησίας τὴν οἰκοδομήν.

ε΄. Ὅτι πρὸς   Μέγας ὁ τῶν μοναχῶν ἀγὼν καὶ
πάντα ἐπιτήδειον   πολὺς ὁ μόχθος· ἀλλ' εἴ τις τῇ καλῶς
εἶναι χρὴ   ἱερωσύνῃ διοικουμένῃ τοὺς ἐκεῖθεν
τὸν ἱερέα   ἱδρῶτας παραβάλοι, τοσοῦτον εὑρή-
5   σει τὸ διάφορον ὅσον ἰδιώτου καὶ
βασιλέως τὸ μέσον. Ἐκεῖ μὲν γὰρ εἰ καὶ πολὺς ὁ πόνος, ἀλλὰ
κοινὸν τῆς ψυχῆς καὶ τοῦ σώματος τὸ ἀγώνισμα· μᾶλλον δὲ τὸ

76 οὐ κόλακα om. K ‖ 76 οὐ B : οὐδὲ cett. ‖ 76 οὐχ² B : οὐδὲ K καὶ
cett. ‖ 79 ἐστιν om. B ‖ 80 χρῆσθαι B : χρήσασθαι cett. ‖ 81 νόμῳ :
μόνῳ AG K τρόπῳ J ‖ 81 τοῖς B : πᾶσι τοῖς cett. ‖ 87 εἰς BC K :
πρὸς cett.

1. L'adjectif ποικίλος s'applique à un tableau peint de différentes
couleurs, à des animaux au pelage bigarré. D'où, au sens moral, avec
une nuance péjorative, *variable*, *changeant*. Bien plus, l'adverbe
ποικίλως qualifie l'action du démon chez GRÉGOIRE DE NYSSE.
Cf. *De vita Moysis* II, 278, *SC* 1ter, p. 294, li. 7. Ce n'est pas le cas ici,
puisque Jean précise qu'il s'agit d'une adaptation souple aux besoins
des chrétiens vivant dans le monde. Cf. *De laud. Pauli* V, *P G* 50, 499,
li. 34 où cet adjectif s'applique à la sagesse de Paul. De même, il
emploie le verbe ποικίλλω au sujet du Christ, *De consubst. Contra
Anomaeos* VII, 6, *P G* 48, 766, li. 25, parce qu'il a su parler de façon

des serviteurs, qui sont environnés de grandes richesses, qui gèrent les affaires de l'État, qui ont des charges importantes, il faut qu'il soit divers[1]. Divers, je ne dis pas trompeur[2], ni flatteur, ni hypocrite, mais plein de liberté et de confiance, sachant se mettre à la portée des autres de façon efficace, lorsque les circonstances l'exigent, être à la fois bon et sans complaisance. En effet, il n'est pas possible de traiter de la même manière tous ceux qu'on a sous son autorité, puisqu'il ne convient pas non plus que les médecins appliquent un seul traitement à leurs malades, ni que le pilote ne connaisse qu'un seul moyen de lutter contre les vents ; car des tempêtes constantes assiègent ce vaisseau et ces tempêtes ne viennent pas seulement de l'extérieur, mais elles s'élèvent de l'intérieur ; elles exigent beaucoup de souplesse[3] et de perspicacité. Toutes ces choses différentes n'ont qu'un but : la gloire de Dieu et l'édification de l'Église.

5. Il faut que le prêtre soit apte à tous les ministères Rude est le combat que livrent les moines et nombreuses sont leurs fatigues, mais si l'on comparait les sueurs qu'ils répandent avec la charge du sacerdoce, lorsqu'on l'exerce bien, on trouvera une aussi grande différence qu'entre un simple particulier et un prince. Chez les moines, si l'effort est grand, du moins la lutte se livre-t-elle entre

---

différente de ce qui concerne sa double nature, selon les besoins de ses auditeurs.

2. Au contraire, le mot ὕπουλος, terme de médecine formé sur οὐλή, *cicatrice*, désigne ce qui est sous la cicatrice, qui n'est cicatrisé que de façon superficielle, donc qui trompe par ses apparences. Cf. SOPHOCLE, *O.R.* 1396, κάλλος ὕπουλον, beauté trompeuse.

3. La composition du mot indique une différence de niveau, d'où *condescendance*. Jean parle souvent de la συγκατάβασις de Dieu pour l'homme. Le contexte et le voisinage du mot ἀκρίβεια suggèrent plutôt ici une adaptation aux circonstances et aux êtres dans leur diversité. Voir *I Cor.* 9, 22.

πλέον τῇ τοῦ σώματος κατορθοῦται κατασκευῇ. Κἂν μὴ
τοῦτο ἰσχυρὸν ᾖ, μένει καθ' ἑαυτὴν ἡ προθυμία, οὐκ ἔχουσα
10 εἰς ἔργον ἐξελθεῖν· καὶ γὰρ καὶ νηστεία σύντονος καὶ χαμευνία
καὶ ἀγρυπνία καὶ ἀλουσία καὶ ὁ πολὺς ἱδρὼς καὶ τὰ λοιπὰ ὅσα
πρὸς τὴν τοῦ σώματος ἐπιτηδεύουσι ταλαιπωρίαν πάντα
οἴχεται, τοῦ κολάζεσθαι μέλλοντος οὐκ ὄντος ἰσχυροῦ. Ἐνταῦθα δὲ καθαρὰ τῆς ψυχῆς ἡ τέχνη καὶ οὐδὲν τῆς τοῦ σώμα-
15 τος εὐεξίας προσδεῖται, ὥστε δεῖξαι τὴν αὐτῆς ἀρετήν. Τί
γὰρ ἡμῖν ἡ τοῦ σώματος ἰσχὺς συμβάλλεται πρὸς τὸ μήτε
αὐθάδεις εἶναι, μήτε ὀργίλους, μήτε προπετεῖς, ἀλλὰ νηφα-
λίους καὶ σώφρονας καὶ κοσμίους καὶ τἆλλα πάντα δι' ὧν
ἡμῖν ὁ μακάριος Παῦλος τὴν τοῦ ἀρίστου ἱερέως ἀνεπλή-
20 ρωσεν εἰκόνα;

ϛ'. Ὅτι οὐχ
οὕτω τὸ μονάζειν
ὡς τὸ πλήθους
προεστάναι καλῶς
5 καρτερίας σημεῖον

Ἀλλ' οὐκ ἐπὶ τῆς τοῦ μονάζοντος
ἀρετῆς ἔχοι τις ἂν τοῦτο εἰπεῖν.
Ἀλλὰ καθάπερ τοῖς μὲν θαυματο-
ποιοῖς ὀργάνων δεῖ πολλῶν καὶ τρο-
χῶν καὶ σχοινίων καὶ μαχαιρῶν, ὁ
δὲ φιλόσοφος ἅπασαν ἐν τῇ ψυχῇ
κειμένην ἔχει τὴν τέχνην, τῶν ἔξωθεν οὐ δεόμενος, οὕτω δὴ
καὶ ἐνταῦθα. Ὁ μὲν μοναχὸς καὶ τῆς σωματικῆς εὐπαθείας
προσδεῖται καὶ τόπων πρὸς τὴν διαγωγὴν ἐπιτηδείων, ἵνα

ε'. 10 νηστεία σύντονος BC K : νηστεῖαι σύντονοι cett. ‖ 10-11
χαμευνία ... ἀγρυπνία BC : χαμευνίαι ... ἀγρυπνίαι cett. ‖ 11 ἱδρὼς Β
J^pc : σίδηρος cett. ‖ 14 — ζ' 15 κα]θαρὰ — μισότεκνος om. G ‖
18 καὶ¹ om. Β ‖ 19 Παῦλος] + καὶ Β ‖ 20 ἀνεπλήρωσεν : ἀνεπιπλή-
ρωσεν C ἀνετύπτωσεν J.
ϛ'. 7 οὐ Β : οὐδὲν cett. ‖ 8 μὲν] + γὰρ HJK

1. Travail, veilles, jeûnes, c'est le programme de l'ascèse monastique destinée à lutter contre l'action du démon. Voir ÉVAGRE,
Practikos, chap. 49, *SC* 171, Paris 1971, tome II, p. 49. Il faut y
ajouter l'abstinence de bains, ἀλουσία, mentionnée par Jean en VI,
5, 11, qui est considérée comme une marque de force d'âme et classée
« parmi les plus grandes vertus ». Voir *Vie de Jean l'Hésychaste*,
éd. A.-J. FESTUGIÈRE, *Les moines d'Orient*, III, 3, p. 15. De même
DIADOQUE DE PHOTICÈ, *Sur la perfection spirituelle*, chap. LII, *SC* 5,

l'âme et le corps ; bien plus le résultat de la lutte est atteint grâce à l'état dans lequel se trouve le corps. Si le corps n'est pas assez fort, l'ardeur reste à l'intérieur ne pouvant se traduire en action ; en effet, le jeûne continuel, le coucher sur la dure, les veilles, le fait de ne pas se laver, le travail accompli avec beaucoup d'efforts[1] et tout le reste des exercices qui habituent à mortifier le corps, tout disparaît lorsque celui qui doit subir ces pénitences est privé des forces physiques suffisantes. Mais dans le monde l'âme seule exerce son activité, elle n'a pas besoin avoir un corps en bon état pour montrer sa vertu. A quoi nous sert la force du corps pour ne pas être arrogant, ni coléreux, ni impulsif, mais sobre, tempérant, mesuré et pour avoir toutes les autres vertus dont le bienheureux Paul a composé l'image du prêtre parfait[2] ?

6. Ce n'est pas tant mener la vie des moines que bien diriger le peuple qui est un signe de force d'âme

Cependant on ne pourrait en dire autant de la vertu du moine. Mais comme il faut aux charlatans[3] beaucoup d'instruments, des roues, des cordes et des épées, tandis que l'art de vivre du vrai chrétien[4] réside tout entier dans son âme, car il n'a pas besoin d'éléments extérieurs, il en est de même ici. Le moine a besoin d'un corps en bonne santé, de lieux adaptés à son genre de vie, qu'ils ne soient pas trop éloignés

Paris 1966³, présente l'abstinence de bains comme « une preuve de courage et de haute tempérance ».

2. I *Tim.* 3, 2.

3. Voir *De statuis hom.* XIX, 4, *P G* 49, 195, un passage où Jean décrit les performances diverses de ces θαυματοποιοί. Sur son goût des exemples empruntés aux jeux et aux divertissements populaires, voir A. PUECH, *S. Jean Chrysostome et les mœurs de son temps*, Paris 1891, chap. v, Les spectacles, p. 266-287.

4. Dans le vocabulaire de l'époque, le φιλόσοφος est l'homme vertueux par excellence et dans les textes chrétiens, le chrétien authentique, celui qui met en accord sa foi et son action ou, dans un sens plus restreint, le moine. Voir plus haut, p. 63, note 3.

10 μήτε ἄγαν ἀπῳκισμένοι τῆς τῶν ἀνθρώπων ὦσιν ὁμιλίας καὶ
τὴν ἀπὸ τῆς ἐρημίας ἔχωσιν ἡσυχίαν, ἔτι δὲ καὶ τῆς ἀρίστης
μὴ ἀμοιρῶσι κράσεως τῶν ὡρῶν· οὐδὲν γὰρ οὕτως ἀφόρητον
τῷ κατατρυχομένῳ νηστείαις ὡς ἡ τῶν ἀέρων ἀνωμαλία, τῆς
δὲ τῶν ἱματίων κατασκευῆς καὶ διαίτης ἕνεκεν ὅσα πράγματα
15 ἔχειν ἀναγκάζονται, πάντα αὐτουργεῖν αὐτοὶ φιλονεικοῦντες,
οὐδὲν δέομαι λέγειν νῦν.

Ὁ δὲ ἱερεὺς οὐδενὸς τούτων εἰς τὴν αὐτοῦ δεήσεται χρείαν,
ἀλλ᾽ ἀπερίεργος καὶ κοινὸς ἐν ἅπασίν ἐστι τοῖς οὐκ ἔχουσι
βλάβην, τὴν ἐπιστήμην ἅπασαν ἐν τοῖς τῆς ψυχῆς θησαυροῖς
20 ἀποκειμένην ἔχων. Εἰ δέ τις τὸ μένειν ἐφ᾽ ἑαυτῷ καὶ τὰς τῶν
πολλῶν ὁμιλίας ἐκτρέπεσθαι θαυμάζοι, καρτερίας μὲν τοῦτο
δεῖγμα καὶ αὐτὸς εἶναι φαίην ἄν, οὐ μὴν ἁπάσης τῆς ἀνδρείας
τῆς ἐν τῇ ψυχῇ τεκμήριον ἱκανόν. Ὁ μὲν γὰρ εἴσω λιμένων
ἐπὶ τῶν οἰάκων καθήμενος οὔπω τῆς τέχνης ἀκριβῆ δίδωσι
25 βάσανον, τὸν δὲ ἐν μέσῳ τῷ πελάγει καὶ τῷ χειμῶνι δυνη-
θέντα διασῶσαι τὸ σκάφος, οὐδεὶς ὅστις οὐκ ἂν φαίη κυβερνήτην ἄριστον εἶναι. Οὐ τοίνυν ἡμῖν οὐδὲ τὸν μοναχὸν θαυμαστέον ἂν εἴη λίαν καὶ μεθ᾽ ὑπερβολῆς ὅτι μένων ἐφ᾽ ἑαυτοῦ οὐ
ταράττεται, οὐδὲ διαμαρτάνει πολλὰ καὶ μεγάλα ἁμαρτήματα·
30 οὐδὲ γὰρ ἔχει τὰ παρακινοῦντα καὶ διεγείροντα τὴν ψυχήν.
Ἀλλ᾽ εἴ τις πλήθεσιν ὅλοις ἑαυτὸν ἐκδεδωκὼς καὶ τὰς τῶν
πολλῶν φέρειν ἁμαρτίας ἀναγκασθεὶς ἔμεινεν ἀκλινὴς καὶ
στερρός, ὥσπερ ἐν γαλήνῃ τῷ χειμῶνι τὴν ψυχὴν διακυβερ-
νῶν, οὗτος κροτεῖσθαι καὶ θαυμάζεσθαι παρὰ πάντων ἂν εἴη
35 δίκαιος· ἱκανῶς γὰρ τῆς οἰκείας ἀνδρείας τὴν δοκιμασίαν
ἐπεδείξατο.

19 βλάβην : χρείαν βλάβης C ‖ 20 τις Β : post θαυμάζοι transp.
cett. ‖ 20 ἑαυτῷ Β Ε : ἑαυτοῦ F ἑαυτὸν Η ἑαυτῶν cett. ‖ 21
καρτερίας : τῆς καρτερίας Β ‖ 28 θαυμαστέον : θαυμαστὸν ΑΕ D.

1. Il semble que Jean parle ici d'expérience. Son biographe, Palladios, Dialogue V, éd. Coleman-Norton, p. 29, li. 1-3, décrit en ces
termes l'état déplorable où l'avait réduit le froid dans les montagnes
qui avoisinent Antioche où il passa six ans : Νεκροῦται τὰ ὑπὸ γαστέρα,
πληγεὶς ἀπὸ τοῦ κρύους τὰς περὶ τοὺς νεφροὺς δυνάμεις. « Les organes

du commerce des hommes, mais qu'ils jouissent de la tranquillité procurée par la solitude et, de plus, d'une excellente
température ; en effet, rien n'est aussi intolérable pour
celui qui est épuisé par le jeûne que l'inconstance du climat[1] et d'autre part, tout ce qu'ils sont forcés d'avoir dans
le domaine des vêtements et de la nourriture, ils rivalisent
les uns avec les autres pour se le procurer par eux-mêmes ;
je n'ai pas à en parler maintenant.

Au contraire, le prêtre n'aura nullement besoin de tout
cela pour son entretien ; il est sans souci, il a part à tout ce
qui n'est pas répréhensible, il possède toute la science qui
réside dans les trésors de l'âme. Si rester avec soi-même
et fuir les réunions nombreuses était un sujet d'admiration
pour quelqu'un, je dirais moi aussi que c'est une preuve de
force morale et cependant ce n'est pas un témoignage suffisant de tout le courage qui se trouve dans l'âme. En effet,
celui qui est dans le port assis au gouvernail n'a pas encore
l'occasion de donner la preuve exacte de son art, tandis que
celui qui est au milieu de la mer et dans la tempête et qui
peut sauver sa barque, personne ne pourrait nier qu'il est un
pilote excellent. Certes, on ne saurait admirer de façon
excessive et exagérée le moine qui, restant en tête à tête
avec lui-même, n'éprouve pas de trouble, ne commet pas
beaucoup de fautes, ni des fautes graves ; car il n'a rien
pour chatouiller[2] ni exciter son âme. Mais si quelqu'un
s'étant livré à des foules entières, s'étant condamné à porter
les péchés de la multitude restait ferme et solide, gouver-
nant son âme dans la tempête comme par un temps calme,
celui-là il serait juste de l'applaudir et de l'admirer plus
que tous ; il a donné une preuve suffisante de son propre
courage.

---

sous-abdominaux se paralysent, les fonctions avoisinant les reins
ayant été atteintes par le froid. »

2. Le verbe παρακνίζω dérivé de κνάω, *frotter*, est un mot rare.
On en retrouve l'équivalent en latin chez JÉRÔME, *Epist.* LXXV, 8.
« Si clericatus te titillat desiderium... »

ζ'. Ὅτι οὐχ
ὑπὲρ τῶν αὐτῶν
τῷ τε καθ᾽ ἑαυτὸν
ὄντι καὶ τῷ
5 ἐν μέσῳ
στρεφομένῳ
ἡ ἄσκησίς ἐστιν

Μὴ τοίνυν μηδὲ αὐτὸς θαυμάσῃς
εἰ τὴν ἀγορὰν φεύγοντες ἡμεῖς καὶ
τὰς τῶν πολλῶν συνουσίας οὐκ
ἔχομεν τοὺς κατηγοροῦντας πολ-
λούς· οὐδὲ γὰρ εἰ καθεύδων οὐχ
ἡμάρτανον, οὐδ᾽ εἰ μὴ παλαίων οὐκ
ἔπιπτον, οὐδ᾽ εἰ μὴ μαχόμενος οὐκ
ἐβαλλόμην, θαυμάζειν ἐχρῆν. Τίς

γάρ, εἰπέ, τίς δυνήσεται κατειπεῖν καὶ ἀποκαλύψαι τὴν
10 μοχθηρίαν τὴν ἐμήν; ὁ ὄροφος οὗτος καὶ ὁ οἰκίσκος; Ἀλλ᾽
οὐκ ἂν δύναιντο ῥῆξαι φωνήν. Ἀλλ᾽ ἡ μήτηρ ἡ μάλιστα
πάντων εἰδυῖα τὰ ἐμά; Μάλιστα μὲν οὐδὲ πρὸς αὐτήν ἐστί
μοί τι κοινόν, οὐδὲ εἰς φιλονεικίαν ἤλθομεν πώποτε· εἰ δὲ καὶ
τοῦτο ἦν συμβάν, οὐδεμία οὕτως ἐστὶ μήτηρ ἄστοργος καὶ
15 μισότεκνος ὡς τοῦτον ὃν ὤδινε καὶ ἔτεκε καὶ ἔθρεψε, μηδε-
μιᾶς ἀναγκαζούσης προφάσεως, μηδὲ βιαζομένου τινός,
κακίζειν καὶ διαβάλλειν παρὰ πᾶσιν. Ἐπεὶ ὅτι γε, εἴ τις τὴν
ἡμετέραν πρὸς ἀκρίβειαν ἐθέλοι βασανίζειν ψυχήν, πολλὰ
αὐτῆς εὑρήσει τὰ σαθρά, οὐδὲ αὐτὸς ἀγνοεῖς, ὁ μάλιστα
20 πάντων ἡμᾶς τοῖς ἐγκωμίοις ἐπαίρειν παρὰ πᾶσιν εἰωθώς.
Καὶ ὅτι γε οὐ μετριάζων ταῦτα λέγω νῦν, ἀνάμνησον σαυτὸν
ὁσάκις εἶπον πρὸς σέ, λόγου τοιούτου γενομένου πολλάκις
ἡμῖν· ὅτι, εἴ τις αἵρεσίν μοι προὐτίθει, ποῦ μᾶλλον βουλοίμην
εὐδοκιμεῖν ἐν τῇ τῆς Ἐκκλησίας προστασίᾳ ἢ κατὰ τὸν τῶν
25 μοναχῶν βίον, μυρίαις ἂν ψήφοις τὸ πρότερον ἐδεξάμην
ἔγωγε· οὐ γὰρ διέλιπόν ποτε μακαρίζων πρὸς σὲ τοὺς ἐκείνης
τῆς διακονίας προστῆναι δυνηθέντας καλῶς. Ὅτι δὲ ὅπερ
ἐμακάριζον, οὐκ ἂν ἔφυγον ἱκανῶς ἔχων μετελθεῖν, οὐδεὶς
ἀντερεῖ.

ζ'. 1 μηδὲ : μήτε AE FHJ ‖ 2 εἰ B : ὅτι cett. ‖ 4 κατηγοροῦντας
B : κατηγόρους cett. ‖ 13 τι : τὸ C om. K ‖ 15 ἔθρεψε BC K : ἐξέτρεψε
cett.

1. Cf. VI, 12, 58 où se trouve le même terme. Jean laisse supposer
que, tout en vivant dans le monde, il a choisi comme résidence une
pièce modeste.
2. Cette phrase coïncide avec ce que faisait pressentir le début du

**7. L'ascèse
ne porte pas
sur les mêmes points
pour celui qui vit
retiré en lui-même
et pour celui qui vit
au milieu du monde**

Ne t'étonne pas toi-même que nous n'ayons pas beaucoup d'accusateurs, puisque nous fuyons l'agora et la fréquentation de la foule ; pas plus qu'il ne faudrait s'étonner que je ne pèche pas alors que je dors, que je ne tombe pas alors que je lutte, que je ne frappe pas alors que je me bats. Qui donc, dis-moi, qui pourra décrire et dévoiler ma misère ? Ce toit que voici et cette petite chambre[1] ? Mais ils ne pourraient émettre un son. Serait-ce ma mère qui, plus que personne, est au courant de mes affaires ? Mais je n'ai pas de rapports avec elle[2] et nous n'en sommes jamais venus à nous disputer ; toutefois, si cela était arrivé, il n'y a pas une mère tellement dépourvue d'affection et qui ait une telle haine à l'égard de ses enfants qu'elle puisse blâmer et accuser devant tous, sans aucun motif contraignant et sans que personne ne l'y pousse, celui qu'elle a porté, mis au monde et nourri. Cependant si quelqu'un voulait examiner notre âme avec soin, il y trouvera beaucoup de souillures, tu ne l'ignores pas, bien que tu aies, plus que tous, l'habitude de nous combler d'éloges devant tout le monde. Je ne parle pas ainsi pour minimiser mes fautes ; souviens-toi combien de fois je te l'ai dit, lorsque nous parlions ensemble sur ce sujet : si quelqu'un m'offrait le choix d'acquérir une bonne réputation en étant à la tête de l'Église ou en partageant la vie des moines, j'accorderais tous mes suffrages à la première proposition ; en effet, je n'ai jamais cessé devant toi de proclamer heureux ceux qui pouvaient assumer comme il convient ce service. Ce que j'estimais digne d'envie, ajoutais-je, je ne le fuirais pas si je pouvais être à la hauteur de la tâche ; personne ne dira le contraire.

Dialogue : tout en résistant à son ami, Jean semble s'être peu à peu détaché de sa mère, ce qui justifie le discours qu'elle lui tient en I, 2, 37-96.

30 Ἀλλὰ τί πάθω; Οὐδὲν οὕτως ἄχρηστον εἰς Ἐκκλησίας προστασίαν ὡς αὕτη ἡ ἀργία καὶ ἡ ἀμελετησία ἣν ἕτεροι μὲν
ἄσκησίν τινα εἶναι νομίζουσιν· ἐγὼ δὲ αὐτὴν ὡσπερεὶ παραπέτασμα τῆς οἰκείας ἔχω φαυλότητος, τὰ πλείονα τῶν ἐλατ-
τωμάτων τῶν ἐμαυτοῦ ταύτῃ συγκαλύπτων καὶ οὐκ ἐῶν
35 φαίνεσθαι. Ὁ γὰρ ἐθισθεὶς τοσαύτης ἀπολαύειν ἀπραγμο-
σύνης καὶ ἐν ἡσυχίᾳ διάγειν πολλῇ, κἂν μεγάλης ᾖ φύσεως,
ὑπὸ τῆς ἀνασκησίας θορυβεῖται καὶ ταράττεται καὶ τῆς
οἰκείας δυνάμεως περικόπτει μέρος οὐ μικρὸν τὸ ἀγύμναστον.
Ὅταν δὲ ὁμοῦ καὶ βραδείας ᾖ διανοίας καὶ τῶν τοιούτων
40 ἀγώνων ἄπειρος, τοῦτο δὴ τὸ ἡμέτερον, τῶν λιθίνων οὐδὲν
διοίσει ταύτην δεξάμενος τὴν οἰκονομίαν. Διὰ τοῦτο τῶν ἐξ
ἐκείνης ἐρχομένων τῆς παλαίστρας εἰς τοὺς ἀγῶνας τούτους
ὀλίγοι διαφαίνονται· οἱ δὲ πλείους ἐλέγχονται καὶ καταπίπτουσι καὶ πράγματα ὑπομένουσιν ἀηδῆ καὶ χαλεπά. Καὶ
45 οὐδὲν ἀπεικός· ὅταν γὰρ μὴ περὶ τῶν αὐτῶν οἵ τε ἀγῶνες
ὦσι καὶ τὰ γυμνάσια, τῶν ἀγυμνάστων ὁ ἀγωνιζόμενος οὐδὲν
διενήνοχε. Δόξης μάλιστα δεῖ καταφρονεῖν τὸν εἰς τοῦτο
ἐρχόμενον τὸ στάδιον, ὀργῆς ἀνώτερον εἶναι, συνέσεως
ἔμπλεων πολλῆς. Τούτῳ δὲ τῷ τὸν μονήρη στέργοντι βίον
50 οὐδεμία γυμνασίας ὑπόθεσις πρόκειται· οὔτε γὰρ τοὺς παρο-
ξύνοντας ἔχει πολλοὺς ἵνα μελετήσῃ κολάζειν τοῦ θυμοῦ τὴν
δύναμιν, οὔτε τοὺς μακαρίζοντας καὶ κροτοῦντας ἵνα παι-
δευθῇ τοὺς παρὰ τῶν πολλῶν διαπτύειν ἐπαίνους· τῆς τε ἐν
ταῖς Ἐκκλησίαις ἀπαιτουμένης συνέσεως οὐ πολὺς αὐτοῖς
55 λόγος. Ὅταν οὖν ἔλθωσιν εἰς τοὺς ἀγῶνας ὧν μὴ μεμελετήκασι τὴν πεῖραν ἀποροῦνται, ἰλιγγιῶσιν, εἰς ἀμηχανίαν

30 Οὐδὲν : οὐδὲν γὰρ E D HJ ‖ 32 τινα B : τινα θαυμαστὴν
cett. ‖ 35 Ὁ : ὅτι C ‖ 35 ἐθισθεὶς : ἐνεθισθεὶς C K ‖ 40 ἀγώνων BC K :
λόγων καὶ ἀγώνων cett. ‖ 40 λιθίνων BC HJK : λίθων cett. ‖ 49
ἔμπλεων B HJ : ἔμπλεως D ἔμπλεω cett. ‖ 49 Τούτῳ B AE τοῦτο
G D τούτων cett. ‖ 50 οὐδεμίας AEG D F ‖ 52 μακαρίζοντας B :
θαυμάζοντας cett. ‖ 55 λόγος : ὁ λόγος C D ‖ 55-56 εἰς τοὺς — ἀποροῦνται om. A ‖ 56 ἀποροῦνται om. E ‖ 56-57 εἰς ἀμηχανίαν ἐκπίπτουσι om. E D ‖ 56 ἀμηχανίας AG F.

1. Voir ci-dessus, p. 127, note 2.

Mais à quoi suis-je exposé[1] ? Rien n'est aussi nuisible au gouvernement de l'Église que la paresse, la négligence que d'autres prennent pour de l'ascèse, mais que moi je considère comme le paravent de ma propre misère, masquant ainsi la plupart de mes défaillances et ne les laissant pas apparaître. En effet, celui qui a été habitué à vivre dans une telle absence de soucis et à passer sa vie dans une tranquillité profonde, même s'il a une riche nature, est gêné et troublé par le défaut d'exercice et le fait de ne pas s'entraîner diminue considérablement sa propre vigueur. Mais quand à la fois on a un esprit lent et qu'on est inexpérimenté dans ces combats, ce qui est notre cas, on sera exactement comme une borne, si l'on est chargé de ce ministère. C'est pourquoi bien peu nombreux sont les hommes qui se distinguent parmi ceux qui passent de cette palestre à ce combat[2], mais plus nombreux sont ceux qui sont accusés, qui tombent et qui supportent une quantité de choses désagréables et pénibles. Rien d'étonnant à cela ; en effet, lorsque le combat et les luttes ne se livrent pas pour les mêmes motifs, celui qui combat est dans la même situation que ceux qui n'ont pas d'entraînement. Celui qui vient à ce stade doit avant tout mépriser la gloire, être au-dessus de la colère et plein d'intelligence. Mais à celui qui aime la vie solitaire aucune occasion de s'exercer n'est offerte, car il n'a pas beaucoup de gens qui l'irritent pour l'obliger à réprimer l'ardeur de son emportement, ni qui le félicitent[3] et l'applaudissent, pour lui apprendre à mépriser les éloges venus de la foule ; quant à l'intelligence qui est exigée dans les Églises[4], ils n'en font pas grand cas. Voilà pourquoi, lorsqu'ils viennent au combat, ils n'ont pas l'expérience de ce dont ils ne se sont pas occupés, ils sont saisis de vertige, ils ne savent comment s'en tirer et, outre le fait qu'ils ne font

2. Voir ci-dessus, p. 211, note 4.

3. Nous choisissons le texte de B, beaucoup plus expressif et qui s'accorde mieux avec le verbe suivant.

4. Voir ci-dessus, p. 114, note 3.

ἐκπίπτουσι καὶ πρὸς τῷ μηδὲν ἐπιδοῦναι πρὸς ἀρετὴν καὶ
ἅπερ ἔχοντες ἦλθον πολλοὶ πολλάκις ἀπώλεσαν.

Καὶ ὁ Βασίλειος·

η΄. Ὅτι εὐκολώτερον   Τί οὖν; τοὺς ἐν τῷ μέσῳ στρεφο-
τὴν ἀρετὴν   μένους καὶ πραγμάτων φροντίζον-
οἱ καθ' ἑαυτοὺς   τας βιωτικῶν καὶ τετριμμένους πρὸς
5   ὄντες ἢ οἱ   μάχας καὶ λοιδορίας καὶ μυρίας δει-
πολλῶν φροντίζοντες   νότητος γέμοντας καὶ τρυφᾶν εἰδό-
κατορθοῦσιν   τας, ἐπιστήσομεν τῇ τῆς Ἐκκλησίας
                      οἰκονομίᾳ;

ΙΩ. Εὐφήμει, ἔφην, ὦ μακάριε σύ· τούτους γὰρ οὐδ' εἰς νοῦν
10 βάλλεσθαι δεῖ, ὅταν ἱερέων ἐξέτασις ᾖ, ἀλλ' εἴ τις μετὰ τοῦ
πᾶσιν ὁμιλεῖν καὶ συναναστρέφεσθαι δύναιτο τὴν καθαρότητα
καὶ τὴν ἀταραξίαν, τήν τε ἁγιωσύνην καὶ καρτερίαν καὶ
νῆψιν καὶ τὰ ἄλλα τὰ τοῖς μοναχοῖς προσόντα ἀγαθὰ φυλάττειν ἀκέραια καὶ ἀπαρασάλευτα μᾶλλον τῶν μεμονωμένων
15 ἐκείνων. Ὡς ὅ γε πολλὰ μὲν ἔχων ἐλαττώματα, δυνάμενος δὲ
αὐτὰ τῇ μονώσει καλύπτειν καὶ ποιεῖν ἄπρακτα τῷ μηδενὶ
καταμιγνύναι ἑαυτόν, οὗτος εἰς μέσον ἐλθὼν οὐδὲν ἕτερον ἢ
τὸ καταγέλαστος γενέσθαι κερδανεῖ καὶ κινδυνεύσει μειζόνως, ὃ μικροῦ δεῖν ἐπάθομεν ἂν ἡμεῖς, εἰ μὴ ἡ τοῦ Θεοῦ
20 κηδεμονία τὸ πῦρ ταχέως ἀνέσχε τῆς ἡμετέρας κεφαλῆς·
οὐ γὰρ ἔστι λαθεῖν τὸν οὕτω διακείμενον, ὅταν ἐν τῷ φανερῷ
καταστῇ, ἀλλὰ πάντα τότε ἐλέγχεται. Καὶ καθάπερ τὰς
μεταλλικὰς ὕλας δοκιμάζει τὸ πῦρ, οὕτω καὶ ἡ τοῦ κλήρου
βάσανος τὰς τῶν ἀνθρώπων διακρίνει ψυχάς, κἂν ὀργίλος τις

---

57 ἐκπίπτουσι Β : ἐμπίπτουσι cett.
η΄. 2 τῷ μέσῳ BC : μέσῳ cett. ‖ 9 Εὐφήμει : οὔ φημι AEG D F ‖
9 τοῦτο HJK ‖ 13 ἀγαθὰ om. C ‖ 22 πάντα τότε : πάντοτε EG D F.

1. Dans le mot κλῆρος, la notion de tirage au sort s'est effacée.
Ce mot désigne l'ensemble du clergé qui vit dans le monde par opposition aux moines qui vivent dans la solitude. Cf. De compunctione I,
5, PG 47, 401 : Καὶ οὐδένα ἂν εὕροις ταχέως οὐ βιωτικὸν ἄνδρα, οὐ
μοναχόν, οὐ τοῦ κλήρου ταύτης ἐλεύθερον τῆς ἁμαρτίας. « Et l'on ne

aucun progrès dans la vertu, beaucoup perdent souvent ce qu'ils avaient en arrivant.

Alors Basile :

8. Ceux qui vivent retirés en eux-mêmes pratiquent plus facilement la vertu que ceux qui ont le souci du grand nombre

Eh quoi ! ceux qui vont et viennent au milieu du monde, qui ont pour objet de préoccupation les choses d'ici-bas, qui s'exténuent à se battre et à dire des injures, qui sont pleins d'une habileté aux mille tours et qui savent jouir de la vie, est-ce ceux-là que nous placerons au gouvernement de l'Église ?

JEAN. Tais-toi, dis-je, ô bienheureux que tu es ; en effet, quand on examine les candidats au sacerdoce, il ne faut même pas penser à ces gens-là, mais à celui, s'il en est un, qui tout en vivant au milieu de la foule et en restant proche d'elle, pourrait garder intactes et inébranlables la pureté, la sérénité, la sainteté, la fermeté, la sobriété et toutes les vertus qui sont l'apanage des moines, plutôt que de ceux dont j'ai fait mention. Certes, celui qui a beaucoup de défauts peut les cacher dans la solitude et les rendre sans effet, puisqu'il n'est en relation avec personne ; s'il se mêle au monde, il n'y gagnera rien d'autre que d'être un objet de risée et il s'exposera à un grand danger, ce qui nous serait pour un peu arrivé si la sollicitude de Dieu n'avait rapidement détourné le feu de notre tête ; car celui qui est dans de telles dispositions ne peut passer inaperçu, lorsqu'il se présente au grand jour, mais tout le confond alors. De même que le feu éprouve les métaux, ainsi être au rang des clercs[1] est une pierre de touche[2] qui opère un tri parmi les

trouverait certainement personne, ni homme vivant dans le monde, ni moine, ni clerc qui soit exempt de cette faute. »

2. Le terme βάσανος désigne la pierre de touche qui décèle l'or ; ainsi le sacerdoce révèle la véritable valeur d'un homme. Une telle affirmation est en rapport avec les qualités que Jean exige du candidat au sacerdoce.

25 ᾖ, κἂν μικρόψυχος, κἂν φιλόδοξος, κἂν ἀλαζών, κἂν ὅ τι
δή ποτε ἕτερον, ἅπαντα ἐκκαλύπτει καὶ γυμνοῖ ταχέως τὰ
ἐλαττώματα, οὐ γυμνοῖ δὲ μόνον, ἀλλὰ καὶ χαλεπώτερα καὶ
ἰσχυρότερα αὐτὰ καθίστησι. Καὶ γὰρ τὰ τοῦ σώματος τραύματα προστριβόμενα δυσίατα γίνεται, καὶ τὰ τῆς ψυχῆς πάθη
30 κνιζόμενα καὶ παροξυνόμενα μᾶλλον ἀγριαίνεσθαι πέφυκε
καὶ τοὺς ἔχοντας αὐτὰ πλείονα ἁμαρτάνειν βιάζεται· καὶ
γὰρ εἰς ἔρωτα δόξης ἐπαίρει τὸν μὴ προσέχοντα καὶ εἰς ἀλα-
ζονείαν καὶ εἰς χρημάτων ἐπιθυμίαν, ὑποσύρει δὲ καὶ εἰς
τρυφὴν καὶ εἰς ἄνεσιν καὶ ῥαθυμίαν καὶ κατὰ μικρὸν εἰς τὰ
35 περαιτέρω τούτων ἐκ τούτων τικτόμενα κακά.
   Πολλὰ γάρ ἐστιν ἐν τῷ μέσῳ τὰ δυνάμενα ψυχῆς ἀκρίβειαν
ἐκλῦσαι καὶ τὸν ἐπ᾽ εὐθείας διακόψαι δρόμον. Καὶ πρῶτον
ἁπάντων αἱ πρὸς τὰς γυναῖκας ὁμιλίαι· οὐδὲ γὰρ ἔστι τὸν
προεστῶτα καὶ παντὸς τοῦ ποιμνίου κηδόμενον τοῦ μὲν τῶν
40 ἀνδρῶν ἐπιμελεῖσθαι μέρους, τὸ δὲ τῶν γυναικῶν παρορᾶν,
ὃ μάλιστα δεῖται προνοίας πλείονος διὰ τὸ πρὸς τὰς ἁμαρτίας
εὐόλισθον· ἀλλὰ δεῖ καὶ τῆς τούτων ὑγιείας, εἰ καὶ μὴ ἐκ
πλείονος, ἀλλ᾽ οὖν ἐξ ἴσης φροντίζειν τῆς μοίρας τὸν λαχόντα
τὴν ἐπισκοπὴν διοικεῖν. Καὶ γὰρ ἐπισκοπεῖσθαι αὐτὰς ἡνίκα
45 ἂν κάμνωσι καὶ παρακαλεῖν ἡνίκα ἂν πενθῶσι καὶ ἐπιπλήτ-
τειν ῥαθυμούσαις καὶ βοηθεῖν καταπονουμέναις ἀνάγκη.
Τούτων δὲ γινομένων, πολλὰς ἂν εὕροι τὰς παρεισδύσεις ὁ
πονηρός, εἰ μὴ ἠκριβωμένη τις ἑαυτὸν τειχίσειε φυλακῇ· καὶ
γὰρ ὀφθαλμὸς βάλλει καὶ θορυβεῖ ψυχήν, οὐχ ὁ τῆς ἀκολάστου
50 μόνον, ἀλλὰ καὶ ὁ τῆς σώφρονος καὶ κολακεῖαι μαλάσσουσι
καὶ τιμαὶ καταδουλοῦνται· καὶ ἀγάπη ζέουσα — τοῦτο δὴ τὸ
πάντων αἴτιον τῶν ἀγαθῶν — μυρίων γέγονε αἴτιον κακῶν τοῖς
οὐκ ὀρθῶς χρησαμένοις αὐτῇ. Ἤδη δὲ καὶ φροντίδες συνε-

---

26 ἅπαντα : om. AEG D F ‖ 28 γὰρ B : om. cett. ‖ 37 ἐπ᾽ εὐθείας C
HJK : ἐπὶ Θεὸν B ᵖ ᶜ ἐπιθυμίας cett. ‖ 41 πλείονος : μείζονος K ‖ 41
τὰς ἁμαρτίας BC K : ἁμαρτίαν cett. ‖ 46 βοηθεῖν BC HK : ἐπι-
βοηθεῖν cett. ‖ 49 καὶ θορυβεῖ ψυχήν om. C.

1. Voir plus haut, p. 254, note 1.

âmes des hommes ; si l'on est coléreux, pusillanime, amou-
reux de la gloire, vantard ou n'importe quoi d'autre, tout
cela se dévoile et les défauts sont vite mis à nu ; cette situation ne les met pas seulement à nu, mais elle les rend plus
pénibles et les accentue fortement. En effet, les blessures
du corps deviennent plus difficiles à guérir si on les irrite ;
les passions de l'âme, quand on les chatouille et qu'on les
exacerbe deviennent naturellement plus sauvages et forcent
ceux qui en sont affligés à commettre des fautes plus nombreuses, car elles entraînent à l'amour de la gloire, quand
on n'y prend garde, à la dissimulation, au désir des richesses ;
elles attirent sournoisement à la vie facile, au laisser-aller,
au découragement et, insensiblement, plus loin encore
jusqu'aux malheurs qui en découlent.

Il y a beaucoup de choses au milieu du monde capables
de relâcher le soin attentif de l'âme et de briser l'élan de la
vertu. Et avant tout, les entretiens avec les femmes ; car
il n'est pas possible que le chef de la communauté, qui prend
soin du troupeau tout entier, s'occupe des hommes et néglige
les femmes, ce qui requiert plus d'attention à cause de leur
facilité à se laisser glisser dans les fautes, mais il doit s'in-
quiéter, sinon davantage, du moins autant, de leur santé,
quand il a reçu la charge de leur surveillance. Il faut, en
effet, leur rendre visite si elles sont malades, les consoler
si elles sont dans la peine, les réprimander dans leurs accès
de paresse, leur porter secours lorsqu'elles sont accablées.
Quand cela arrive, nombreux sont les moyens que pourrait
trouver le Méchant[1] pour s'insinuer, si l'on ne s'entourait
pas d'une garde rigoureuse. En effet, le regard frappe et
trouble l'âme, non pas seulement quand on n'a pas l'intention de se contrôler, mais encore quand on est réservé : les
flatteries amollissent, les honneurs rendent servile ; même
si l'on est brûlant de charité — ce qui est certes la cause
de tous les biens —, ce peut être la cause d'une quantité de
malheurs pour ceux qui ne savent pas en user comme il faut.
D'autre part, il est déjà arrivé que des soucis continuels ont

χεῖς ἤμβλυναν τὸ τῆς διανοίας ὀξὺ καὶ μολύβδου βαρύτερον τὸ
55 πτηνὸν ἀπειργάσαντο· καὶ θυμὸς δὲ προσπεσὼν καπνοῦ δίκην
τὰ ἔνδον κατέσχεν ἅπαντα.

θ΄. Ὅτι οὐ χρὴ
καταφρονεῖν τῆς τῶν
πολλῶν ὑπολήψεως,
5　　　κἂν ψευδὴς
οὖσα τύχῃ

Τί ἄν τις λέγοι τὰς λοιπὰς βλάβας,
τὰς ὕβρεις, τὰς ἐπηρείας, τὰς μέμψεις, τὰς παρὰ τῶν μειζόνων, τὰς
παρὰ τῶν ἐλαττόνων, τὰς παρὰ τῶν
συνετῶν, τὰς παρὰ τῶν ἀσυνέτων;
Τοῦτο γὰρ δὴ μάλιστα τὸ γένος τῆς

ὀρθῆς ἀπεστερημένον κρίσεως, μεμψίμοιρον τέ ἐστι καὶ οὐκ
ἂν εὐκόλως ἀπολογίας ἀνάσχοιντό ποτε. Τὸν δὲ προεστῶτα
καλῶς, οὐδὲ τούτων δεῖ καταφρονεῖν, ἀλλὰ πρὸς ἅπαντας
10 περὶ ὧν ἂν ἐγκαλῶσι διαλύεσθαι μετὰ πολλῆς τῆς ἐπιεικείας
καὶ πραότητος, συγγινώσκοντα μᾶλλον αὐτοῖς τῆς ἀλόγου
μέμψεως ἢ ἀγανακτοῦντα καὶ ὀργιζόμενον. Εἰ γὰρ ὁ μακάριος Παῦλος μὴ κλοπῆς ὑπόνοιαν λάβῃ παρὰ τοῖς μαθηταῖς
ἔδεισε καὶ διὰ τοῦτο προσέλαβε καὶ ἑτέρους εἰς τὴν τῶν
15 χρημάτων διακονίαν, ἵνα « μή τις ἡμᾶς μωμήσηται, φησίν, ἐν
τῇ ἁδρότητι ταύτῃ τῇ διακονουμένῃ ὑφ᾽ ἡμῶν[d] », πῶς ἡμᾶς
οὐ πάντα δεῖ ποιεῖν ὥστε τὰς πονηρὰς ἀναιρεῖν ὑποψίας, κἂν
ψευδεῖς, κἂν ἀλόγιστοι τυγχάνωσιν οὖσαι, κἂν σφόδρα τῆς
ἡμετέρας ἀπέχωσι δόξης; Οὐδενὸς γὰρ ἁμαρτήματος τοσοῦτον
20 ἡμεῖς ἀφεστήκαμεν ὅσον κλοπῆς ὁ Παῦλος· ἀλλ᾽ ὅμως καὶ
τοσοῦτον ἀφεστηκὼς τῆς πονηρᾶς ταύτης πράξεως, οὐδὲ
οὕτως ἠμέλησε τῆς τῶν πολλῶν ὑπονοίας, καίτοι λίαν οὔσης
ἀλόγου καὶ μανιώδους. Μανία γὰρ ἦν τοιοῦτον ὑποπτεῦσαί
τι περὶ τῆς μακαρίας καὶ θαυμαστῆς ἐκείνης ψυχῆς· ἀλλ᾽
25 ὅμως οὐδὲν ἧττον καὶ ταύτης τῆς ὑποψίας, τῆς οὕτως ἀλόγου
καὶ ἣν οὐδεὶς ἂν μὴ παραπαίων ὑπώπτευσε πόρρωθεν ἀναιρεῖ
τὰς αἰτίας. Καὶ οὐ διέπτυσε τὴν τῶν πολλῶν ἄνοιαν, οὐδὲ

θ΄. 1 Τί : τίς E D ‖ 1 λέγοι B : εἴπῃ C εἴποι cett. ‖ 1 λοιπὰς B :
ἐκ τῆς [τῆς om. E] λύπης cett. ‖ 3 τὰς[1] — μειζόνων om. B ‖ 6 τὸ
γένος om. B ‖ 19 ἀπέχουσαι C K ‖ 23 Μανία BC : μανίας cett. ‖ 24
τι om. BC ‖ 24 ψυχῆς BC FK : κεφαλῆς cett.

d. II Cor. 8, 20

émoussé la fine pointe de l'âme et ont rendu son envol plus lourd que du plomb ; il y a aussi la colère qui se répand comme la fumée et qui envahit tout l'intérieur.

9. Il ne faut pas mépriser l'opinion de la foule, même quand elle se trouve être fausse

Que pourrait-on énumérer encore parmi les choses capables de nuire ? Les insolences, les insultes, les reproches, ceux qui viennent des plus puissants, ceux qui viennent des plus modestes, ceux qui viennent des gens intelligents, ceux qui viennent des sots. En effet, les gens qui sont privés d'un bon jugement font sans cesse des reproches et il arrive qu'ils ne supportent pas facilement qu'on se défende. Celui qui est à la tête de la communauté ne doit pas les mépriser, mais il doit devant tous réfuter les reproches qu'on lui fait et cela avec beaucoup de modération et de douceur, pardonnant les critiques injustifiées plutôt que de s'indigner et de se mettre en colère. Si, en effet, le bienheureux Paul craignit d'être soupçonné de vol par ses disciples et à cause de cela en choisit d'autres pour distribuer ses secours aux pauvres afin « que personne ne nous blâme, dit-il, au sujet de ces grosses sommes d'argent dont nous avons la charge[d] », comment ne devons-nous pas tout faire pour supprimer les mauvais soupçons, même s'ils sont mensongers, même s'ils sont sans fondement, même s'ils ne concordent pas avec notre réputation ? En effet, nous ne sommes pas éloigné de tout péché autant que Paul l'était du vol et cependant, bien qu'il fût tellement éloigné de cette mauvaise action, il n'a pas négligé, dans une telle situation, le soupçon que les gens faisaient peser sur lui, bien que ce soupçon fût tout à fait déraisonnable et fou. Car c'était de la folie de soupçonner d'une telle faiblesse cette âme bienheureuse et admirable ; et cependant, il n'en supprime pas moins d'avance les causes de cette supposition, bien que celle-ci fût tellement déraisonnable que personne n'aurait pu la concevoir sans perdre le sens. Il ne méprise pas la sottise des gens et ne dit pas : A qui

εἶπε· Τίνι γὰρ ἂν ἐπέλθοι ποτὲ τοιαῦτα περὶ ἡμῶν ὑπονοεῖν
καὶ ἀπὸ τῶν σημείων καὶ ἀπὸ τῆς ἐπιεικείας τῆς ἐν τῷ βίῳ,
30 πάντων ἡμᾶς καὶ τιμώντων καὶ θαυμαζόντων; Ἀλλὰ πᾶν
τοὐναντίον καὶ ὑπείδετο καὶ προσεδόκησε ταύτην τὴν πονη-
ρὰν ὑπόνοιαν καὶ πρόρριζον αὐτὴν ἀνέσπασε, μᾶλλον δὲ οὐδὲ
φῦναι τὴν ἀρχὴν ἀφῆκε. Διὰ τί; « Προνοοῦμεν γάρ, φησί,
καλά », οὐ μόνον ἐνώπιον Κυρίου, ἀλλὰ καὶ « ἐνώπιον ἀνθρώ-
35 πων[e]. »

Τοσαύτη δεῖ, μᾶλλον δὲ καὶ πλείονι κεχρῆσθαι σπουδῇ ὥστε
μὴ μόνον αἰρομένας κατασπᾶν καὶ κωλύειν τὰς φήμας τὰς
οὐκ ἀγαθάς, ἀλλὰ καὶ πόρρωθεν ὅθεν ἂν γένοιντο προορᾶν καὶ
τὰς προφάσεις ἐξ ὧν τίκτονται προαναιρεῖν, μὴ περιμένειν
40 αὐτὰς συστῆναι καὶ ἐν τοῖς τῶν πολλῶν διαθρυληθῆναι στό-
μασι· τηνικαῦτα γὰρ οὔτε εὔπορον αὐτὰς ἀφανίσαι λοιπόν,
ἀλλὰ καὶ λίαν δυσχερές, τάχα δὲ καὶ ἀδύνατον, οὔτε ἀζήμιον
τῷ μετὰ τὴν τῶν πολλῶν βλάβην τοῦτο γίνεσθαι. Ἀλλὰ γὰρ
μέχρι τίνος οὐ στήσομαι διώκων ἀκίχητα; Τὸ γὰρ ἁπάσας
45 τὰς ἐκεῖ δυσχερείας καταλέγειν οὐδὲν ἕτερόν ἐστιν ἢ πέλαγος
ἀναμετρεῖν. Καὶ γὰρ ὅταν τις αὐτὸς παντὸς καθαρεύσῃ
πάθους, ὃ τῶν ἀδυνάτων ἐστίν, ἵνα τὰ τῶν ἄλλων ἐπανορ-
θώσῃ πταίσματα, μυρία ὑπομένειν ἀναγκάζεται δεινά· προστε-
θέντων δὲ καὶ τῶν οἰκείων νοσημάτων, θέα τὴν ἄβυσσον τῶν
50 πόνων καὶ τῶν φροντίδων καὶ ὅσα πάσχειν ἀνάγκη τῶν τε
οἰκείων καὶ τῶν ἀλλοτρίων βουλόμενον περιγενέσθαι κακῶν.

ι΄. Ὅτι οὐ μέγα
σῶσαι ἑαυτόν

Καὶ ὁ Βασίλειος·
Νῦν δέ, φησίν, οὐ δεῖ σοι πόνων,
οὐδὲ φροντίδας ἔχεις κατὰ σαυτὸν
ὤν.

31 ὑπείδετο B : προείδετο C G F προίδετο E D προεῖδε HJK
προείλατο A ‖ 33 προνοούμενοι AEG H ‖ 34 ἀλλὰ om. B ‖ 39 μὴ :
καὶ μὴ FHJK.
ι΄. 2 οὐ δεῖ σοι : οὐδὲ σὺ C EG D[ac] ‖ 2 πόνων : πόνον EG D ‖
3 ἔχεις : ἔχειν C.

e. Rom. 12, 17

pourrait jamais venir l'idée de penser de telles choses de nous, puisqu'en se fondant soit sur des miracles, soit sur la modération qui préside à notre vie, tous nous estiment et nous admirent ? Au contraire, il a prévu et devancé ce méchant soupçon, il l'a arraché dans sa racine, ou plutôt dès le début il ne l'a pas laissé grandir. Pourquoi ? « Nous avons le souci du bien, dit-il, non seulement devant le Seigneur, mais encore devant les hommes[e]. »

Il faut déployer autant et même plus de zèle non seulement pour détruire et écarter les mauvais bruits qui se répandent, mais encore prévoir de loin d'où ils pourraient venir et supprimer les prétextes qui les font naître, ne pas tolérer qu'ils prennent corps et qu'ils fassent l'objet des conversations de tout le monde, car il n'est pas facile alors de les faire disparaître, mais c'est très difficile et même impossible. Et ce n'est pas sans dommage, car cela ne se produit pas sans causer du tort à tout le monde. Mais ne vais-je pas m'arrêter et jusqu'où poursuivrai-je l'insaisissable[1] ? Car énumérer toutes les difficultés, c'est comme vouloir mesurer la mer dans ses profondeurs. En effet, lorsqu'on est à l'abri de toute passion, ce qui est parmi les choses impossibles, si l'on veut redresser tous les faux pas des autres, on est forcé de s'exposer à mille dangers ; mais quand on y ajoute ses propres défauts, contemple[2] l'abîme de peines et de soucis et tout ce que doit supporter celui qui veut triompher de ses propres maux et de ceux des autres.

Alors Basile :

10. Ce n'est pas rien de se sauver soi-même

Maintenant, dit-il, tu n'as pas besoin d'efforts et tu n'as pas de soucis, puisque tu vis retiré en toi-même.

---

1. Tournure familière à Jean. Cf. *Ad Olymp.* VII (I), 1, 22 ; *De prov. Dei* 7, 38, 4. C'est probablement une réminiscence de *Iliade* XVII, 75.
2. On a ici l'impératif du verbe θεάω qui appartient au grec tardif.

5 ΙΩ. Ἔχω μέν, ἔφην, καὶ νῦν· πῶς γὰρ ἔστιν, ἄνθρωπον ὄντα
καὶ τὸν πολύμοχθον τοῦτον βιοῦντα βίον, φροντίδων ἀπηλλάχθαι καὶ ἀγωνίας; Ἀλλ' οὐκ ἔστιν ἴσον εἰς πέλαγος ἄπειρον
ἐμπεσεῖν καὶ ποταμὸν παραπλεῖν· τοσοῦτο γὰρ τούτων
κἀκείνων τῶν φροντίδων τὸ μέσον. Νῦν μὲν γὰρ εἰ μὲν δυνη-
10 θείην καὶ ἑτέροις γενέσθαι χρήσιμος, βουλοίμην ἂν καὶ αὐτὸς
καὶ πολλῆς μοι τοῦτο ἔργον εὐχῆς· εἰ δὲ οὐκ ἔστιν ἕτερον
ὀνῆσαι, ἐμαυτὸν γοῦν ἐὰν ἐγγένηται διασῶσαι καὶ τοῦ κλύδωνος ἐξελεῖν, ἀρκεσθήσομαι τούτῳ.

Εἶτα τοῦτο οἴει μέγα, φησίν, εἶναι, ὁ Βασίλειος, ὅλως
15 δὲ καὶ σωθήσεσθαι νομίζεις, ἑτέρῳ μηδενὶ γενόμενος χρήσιμος;

ΙΩ. Εὖ καὶ καλῶς, ἔφην, εἴρηκας· οὐδὲ γὰρ αὐτὸς τοῦτο
πιστεύειν ἔχω ὅτι σώζεσθαι ἔνεστι τὸν οὐδὲν εἰς τὴν τοῦ
πλησίον κάμνοντα σωτηρίαν· οὐδὲ γὰρ ἐκεῖνον τὸν δείλαιον
ὤνησέ τι τὸ μὴ μειῶσαι τὸ τάλαντον, ἀλλ' ἀπώλεσε τὸ μὴ
20 πλεονάσαι καὶ διπλοῦν προσενεγκεῖν. Πλὴν ἀλλ' ἐπιεικεστέραν
μοι τὴν τιμωρίαν οἶμαι ἔσεσθαι ἐγκαλουμένῳ διὰ τί μὴ καὶ
ἑτέρους ἔσωσα ἢ διὰ τί καὶ ἑτέρους καὶ ἐμαυτὸν προσαπώλεσα,
πολὺ χείρων γενόμενος μετὰ τὴν τοσαύτην τιμήν. Νῦν μὲν
γὰρ τοσαύτην ἔσεσθαί μοι πιστεύω τὴν κόλασιν ὅσην ἀπαιτεῖ
25 τῶν ἁμαρτημάτων τὸ μέγεθος· μετὰ δὲ τὸ δέξασθαι τὴν ἀρχὴν
οὐ διπλῆν μόνον καὶ τριπλῆν, ἀλλὰ καὶ πολλαπλασίονα, τῷ τε
πλείονας σκανδαλίσαι καὶ τῷ μετὰ μείζονα τιμὴν προσκροῦ-
σαι τῷ τετιμηκότι Θεῷ.

14 ὁ Βασίλειος om. E ‖ 19 ἀλλ' BC : ἀλλὰ καὶ cett. ‖ 19 τὸ : τῷ C
F ‖ 20 προσενεγκεῖν B : προσαγαγεῖν cett. ‖ 22 διὰ τί καὶ ἑτέρους
om. B ‖ 23 μὲν om. C.

1. Il s'agit du serviteur qui n'a reçu qu'un talent. Cf. *Matth.* 25, 24.
2. Bien que le membre de phrase διὰ τί καὶ ἑτέρους ne se trouve
pas dans B, nous suivons les autres mss qui donnent un sens plus
satisfaisant, puisque le texte répond mieux ainsi à la question posée
par Basile, li. 14-15. Les responsabilités du chrétien à l'égard des
autres hommes ont toujours été au premier plan des préoccupations

JEAN. Même maintenant j'en ai, dis-je. Comment peut-il se faire qu'étant homme et menant la vie de ce monde féconde en souffrances, je sois à l'abri des soucis et des luttes ? Cependant, ce n'est pas la même chose de tomber dans l'abîme de la mer et de traverser un fleuve ; car telle est la distance qui sépare mes soucis des tiens. Actuellement, si je pouvais rendre service aux autres, je le désirerais moi aussi, et cette activité serait l'objet de tous mes vœux ; mais s'il n'est pas possible d'être utile à un autre, si du moins je peux me sauver moi-même et échapper à la tempête, je m'en contenterai.

Et tu penses, dit Basile, que c'est une grande chose et tu crois qu'il suffit de se sauver, sans être utile à autrui ?

JEAN. Certes, tu as raison de parler ainsi, dis-je, car moi non plus je ne crois pas possible de se sauver sans faire aucun effort pour le salut de son prochain ; en effet, il n'a servi à rien à ce malheureux[1] de ne pas diminuer la valeur du talent, mais il fut perdu pour ne pas l'avoir augmentée et fait doubler. Cependant, je pense que le châtiment sera moins sévère pour moi s'il m'est demandé pourquoi je n'en ai pas sauvé d'autres que s'il m'est demandé pourquoi j'ai causé la perte et des autres[2] et de moi-même, étant devenu bien pire après un tel honneur. En réalité, j'ai confiance que la punition sera proportionnée à la grandeur de mes fautes, tandis qu'après avoir reçu l'autorité, il ne serait pas seulement double ou triple, mais multiple pour celui qui en aurait scandalisé un plus grand nombre et pour celui qui, après un plus grand honneur, aurait offensé Dieu qui l'en a gratifié.

de Jean, depuis le jour de son ordination jusqu'aux derniers moments de son apostolat à Constantinople. Voir *In Act. apost. hom.* XX, 4, *PG* 60, 162 : Οὐδὲν ψυχρότερον χριστιανοῦ ἑτέρους μὴ σώζοντος. « Il n'y a rien de plus froid qu'un chrétien qui ne sauve pas les autres. » Voir aussi tout le développement qui suit ce texte.

ια΄. Ὅτι πολλῷ
χαλεπωτέρα μένει
τιμωρία τὰ τῶν
5 ἱερέων ἁμαρτήματα
ἢ τὰ τῶν ἰδιωτῶν

Διά τοι τοῦτο καὶ τῶν Ἰσραηλιτῶν κατηγορῶν σφοδρότερον, τούτῳ
δείκνυσιν αὐτοὺς μείζονος ὄντας
κολάσεως ἀξίους τῷ μετὰ τὰς παρ'
αὐτοῦ γενομένας εἰς αὐτοὺς τιμὰς
ἁμαρτεῖν, ποτὲ μὲν λέγων· « Πλὴν
ὑμᾶς ἔγνων ἐκ πασῶν τῶν φυλῶν τῆς γῆς, διὰ τοῦτο ἐκδικήσω
ἐφ' ὑμᾶς τὰς ἀσεβείας ὑμῶν[f]. » Ποτὲ δέ· « Ἔλαβον ἐκ τῶν
υἱῶν ὑμῶν εἰς προφήτας καὶ ἐκ τῶν νεανίσκων ὑμῶν εἰς
10 ἁγιασμόν[g]. » Καὶ πρὸ τῶν προφητῶν δεῖξαι βουλόμενος ὅτι
τὰ ἁμαρτήματα μείζονα ἐκδέχεται πολλῷ τὴν τιμωρίαν ὅταν
ὑπὸ τῶν ἱερέων γίνηται ἢ ὅταν ὑπὸ τῶν ἰδιωτῶν, προστάττει
τοσαύτην ὑπὲρ τῶν ἱερέων προσάγεσθαι τὴν θυσίαν ὅσην
ὑπὲρ παντὸς τοῦ λαοῦ· τοῦτο δὲ οὐδὲν ἕτερον δηλοῦντός ἐστιν
15 ἢ ὅτι μείζονος βοηθείας δεῖται τὰ τοῦ ἱερέως τραύματα καὶ
τοσαύτης ὅσης ὁμοῦ τὰ παντὸς τοῦ λαοῦ. Μείζονος δὲ οὐκ ἂν
ἐδεῖτο εἰ μὴ χαλεπώτερα ἦν· χαλεπώτερα δὲ γίνεται, οὐ τῇ
φύσει, ἀλλὰ τῇ ἀξίᾳ τοῦ τολμῶντος αὐτὰ ἱερέως βαρούμενα.
Καὶ τί λέγω τοὺς ἄνδρας τοὺς τὴν λειτουργίαν μετιόντας;
20 Αἱ γὰρ θυγατέρες τῶν ἱερέων αἷς οὐδεὶς πρὸς τὴν ἱερωσύνην
λόγος ὅμως διὰ τὸ πατρικὸν ἀξίωμα τῶν αὐτῶν ἁμαρτημάτων
πολὺ πικροτέραν ὑπέχουσι τὴν τιμωρίαν· καὶ τὸ μὲν πλημμέλημα ἴσον αὐταῖς καὶ ταῖς τῶν ἰδιωτῶν θυγατράσι, πορνεία γὰρ ἀμφοτέρα, τὸ δὲ ἐπιτίμιον πολλῷ τούτων χαλεπώ-
25 τερον. Ὁρᾷς μεθ' ὅσης σοι δείκνυσιν ὑπερβολῆς ὁ Θεὸς ὅτι

ια΄. 8 ἀσεβείας BC FK : ἀδικίας cett. ‖ 10 προφητῶν BC FK :
προφητῶν ἐπὶ τῶν θυσιῶν cett. ‖ 18 ἀλλὰ τῇ ἀξίᾳ B : ἀλλ' ὑπὸ τῆς
ἀξίας cett. ‖ 25 ὑπερβολῆς B : τῆς περιουσίας cett.

f. Amos 3, 2   g. Amos 2, 11

1. On a ici une variante, τὰς ἀσεβείας, différente du texte reçu,
πάσας τὰς ἁμαρτίας. Il est possible que Jean dicte de mémoire, mais
il est plus probable que la tournure employée est une attestation de la
version en usage à Antioche. Voir l'édition Nairn, p. 174-177.
2. Dans son sens général, le mot ἰδιώτης désigne celui qui ne par-

11. Les fautes des prêtres sont passibles d'un châtiment beaucoup plus grand que les fautes de ceux qui ne sont pas prêtres

C'est pourquoi en faisant de plus durs reproches aux enfants d'Israël, il montre par là qu'ils sont dignes d'un plus grand châtiment, parce qu'ils ont péché après les honneurs qu'il leur a accordés. Tantôt il dit : « Je vous ai distingués parmi toutes les tribus de la terre, c'est pourquoi je ferai retomber sur vous vos impiétés[1] », tantôt : « J'ai pris vos fils pour en faire des prophètes et parmi vos jeunes hommes pour le service divin[g]. » Et voulant montrer qu'avant les prophètes le châtiment que reçoivent les fautes est beaucoup plus grand lorsqu'elles sont commises par des prêtres et non par ceux qui ne sont pas prêtres[2], il ordonne que le sacrifice fait en faveur des prêtres soit aussi grand que pour le peuple tout entier[3]. Son unique but est de montrer que les blessures des prêtres ont davantage besoin de secours et d'un secours aussi grand que celles du peuple tout entier. Elles n'en auraient pas davantage besoin si elles n'étaient pas plus graves ; or, elles sont plus graves non par nature, mais elles pèsent d'un plus grand poids à cause de la dignité du prêtre qui a osé les commettre. Et pourquoi parler de ceux qui assurent le service de l'autel ? Les filles des prêtres, qui n'ont aucun rapport avec le sacerdoce, sont punies cependant d'un châtiment plus sévère à cause de la dignité de leur père[4] ; certes, la faute était égale pour elles et pour les filles de ceux qui n'étaient pas prêtres[5], car c'était pour les unes et les autres la fornication, mais leur châtiment était beaucoup plus sévère. Tu vois quelle grande insistance met Dieu à montrer qu'il

ticipe pas à une dignité quelconque : politique, militaire, littéraire. Il s'agit évidemment ici de la dignité sacerdotale.

3. Cf. *Lév.* 4, 3.
4. *Ibid.* 21, 9 et *Deut.* 22, 21.
5. Voir ci-dessus, note 2.

πολλῷ πλείονα τῶν ἀρχομένων ἀπαιτεῖ τὸν ἄρχοντα τιμω-
ρίαν· οὐ γὰρ δήπου ὁ τὴν ἐκείνου θυγατέρα δι᾽ ἐκεῖνον μειζόνως τῶν ἄλλων κολάζων τὸν καὶ ἐκείνῃ τῆς προσθήκης τῶν
βασάνων αἴτιον ἴσην τοῖς πολλοῖς εἰσπράξεται δίκην, ἀλλὰ
30 πολλῷ μείζονα. Καὶ μάλα γε εἰκότως· οὐ γὰρ εἰς αὐτὸν
περιίσταται μόνον ἡ ζημία, ἀλλὰ καὶ τὰς τῶν ἀσθενεστέρων
καὶ εἰς αὐτὸν βλεπόντων καταβάλλει ψυχάς. Τοῦτο καὶ ὁ
Ἰεζεκιὴλ διδάξαι βουλόμενος, διΐστησιν ἀπ᾽ ἀλλήλων τὴν
τῶν κριῶν καὶ τὴν τῶν προβάτων κρίσιν.

ιβ΄. Ἐκ παραδειγμάτων
παράστασις
καὶ τῆς ὀδύνης
5 τῆς διὰ τὴν προσδοκίαν
τῆς ἱερωσύνης
γενομένης
καὶ τοῦ φόβου

Ἆρά σοι δοκοῦμεν λόγον ἔχοντα
πεφοβῆσθαι φόβον; Πρὸς γὰρ τοῖς
εἰρημένοις, νῦν μὲν εἰ καὶ πολλοῦ
μοι δεῖ πόνου πρὸς τὸ μὴ δὴ κατα-
γωνισθῆναι τέλεον ὑπὸ τῶν τῆς
ψυχῆς παθῶν, ἀλλ᾽ ὅμως ἀνέχομαι
τὸν πόνον καὶ οὐ φεύγω τὸν ἀγῶνα.

Καὶ γὰρ ὑπὸ κενοδοξίας ἁλίσκομαι
μὲν καὶ νῦν, ἀναφέρω δὲ πολλάκις καὶ ὅτι ἑάλων, συνορῶ·
10 ἔστι δὲ ὅτε καὶ ἐπιτιμῶ τῇ δουλωθείσῃ ψυχῇ. Ἐπιθυμίαι μοι
προσπίπτουσιν ἄτοποι καὶ νῦν· ἀλλ᾽ ἀργοτέραν ἀνάπτουσι τὴν
φλόγα, τῶν ὀφθαλμῶν ἔξωθεν οὐκ ἐχόντων ἐπιλαβέσθαι τῆς
τοῦ πυρὸς ὕλης. Τοῦ δὲ κακῶς τὸν δεῖνα λέγειν καὶ λεγόμενον
ἀκούειν ἀπήλλαγμαι παντελῶς, τῶν διαλεγομένων οὐ παρόν-
15 των· οὐ γὰρ δὴ οὗτοι οἱ τοῖχοι δύναιντ᾽ ἂν ἀφεῖναι φωνήν.
Ἀλλ᾽ οὐχὶ καὶ τὴν ὀργὴν ὁμοίως δυνατὸν διαφυγεῖν, καίτοι
γε τῶν παροξυνόντων οὐκ ὄντων· μνήμη γὰρ πολλάκις
ἀνδρῶν ἀτόπων προσπεσοῦσα καὶ τῶν ὑπ᾽ αὐτῶν γενομένων
ἐξοιδεῖν μοι τὴν καρδίαν ποιεῖ, πλὴν ἀλλ᾽ οὐκ εἰς τέλος·
20 ταχέως γὰρ αὐτὴν φλεγμαίνουσαν καταστέλλομεν καὶ πεί-

---

29 πολλοῖς : ἄλλοις FHJK ‖ 33 διδάξαι B K δεῖξαι : cett.
ιβ΄. 7 τὸν πόνον : τῶν [τὸν H] πόνων D FHJK ‖ 11 προσπίπτουσι
μὲν C ‖ 12 ἔξωθεν : τῶν ἔξωθεν.

1. Cf. Éz. 34, 17.
2. Cf. même expression en VI, 7, 11.
3. On aura une idée de ces scandales en lisant le Dialogue de PAL-

exige une punition beaucoup plus importante pour celui qui exerce l'autorité que pour ceux qui lui sont soumis, car s'il châtie plus durement que les autres la fille d'un prêtre, il n'exigera pas de celui qui est pour elle la cause de plus grandes épreuves un châtiment égal à celui qu'il impose à la foule, mais beaucoup plus grand. Et c'est tout à fait juste, car le dommage ne se limite pas à lui seul, mais il atteint aussi les âmes les plus faibles qui ont les yeux fixés sur lui. Ézéchiel, voulant enseigner cette vérité, sépare les uns des autres les boucs et les brebis[1].

12. D'après des exemples, description du chagrin et de la crainte éprouvés dans l'attente du sacerdoce

Ne te semble-t-il pas que nous avons raison d'éprouver de la crainte ? Outre ce que nous avons dit, même si j'ai beaucoup de peine à ne pas être complètement vaincu par les passions de mon âme, cependant j'assume cette peine et je ne fuis pas le combat. Certes, encore maintenant, je suis victime de la vaine gloire, j'en porte souvent le poids et je vois bien que je suis pris ; mais il y a des fois où je fais des reproches à mon âme réduite en esclavage. Encore maintenant, des désirs étranges fondent sur moi, mais ils allument une flamme moins ardente, lorsque les yeux ne peuvent rencontrer au-dehors de matière qui attise le feu. Quant à dire du mal de quelqu'un ou à en entendre, j'en suis bien éloigné, puisque je n'ai personne avec qui m'entretenir, car ces murs ne sauraient émettre un son[2]. Toutefois, il ne m'est pas possible de fuir la colère de la même façon, bien qu'il n'y ait personne pour l'exciter ; en effet le souvenir fréquent d'hommes indignes et de ceux qui dépendent d'eux me fait gonfler le cœur[3] ; mais ce n'est pas pour longtemps, car nous réprimons bientôt l'enflure elle-même, nous nous

LADIOS, chap. XIV et XV sur l'affaire d'Antoninos, évêque simoniaque d'Éphèse, et des prêtres qu'il a ordonnés.

θομεν ἡσυχάζειν εἰπόντες ὅτι λίαν ἀσύμφωνον καὶ τῆς ἐσχάτης ἀθλιότητος τὰ οἰκεῖα ἀφέντας κακά, τὰ τῶν πλησίον περιεργάζεσθαι. Ἀλλ' οὐκ εἰς τὸ πλῆθος ἐλθὼν καὶ ταῖς μυρίαις
ἀποληφθεὶς ταραχαῖς, δυνήσομαι ταύτης ἀπολαύειν τῆς νου-
25 θεσίας, οὐδὲ τοὺς ταῦτα παιδαγωγοῦντας λογισμοὺς εὑρεῖν·
ἀλλ' ὥσπερ οἱ κατὰ κρημνῶν ὑπό τινος ῥεύματος ἢ καὶ ἑτέρως ὠθούμενοι, τὴν μὲν ἀπώλειαν εἰς ἣν τελευτῶσι προορᾶν
δύνανται, βοήθειαν δέ τινα ἐπινοεῖν οὐκ ἔχουσιν, οὕτω καὶ
αὐτὸς εἰς τὸν πολὺν τῶν παθῶν θόρυβον ἐμπεσών, τὴν μὲν
30 κόλασιν καθ' ἑκάστην αὐξομένην μοι τὴν ἡμέραν δυνήσομαι
συνορᾶν, ἐν ἐμαυτῷ δὲ γενέσθαι καθάπερ νῦν καὶ ἐπιτιμῆσαι
πάντοθεν τοῖς νοσήμασι λυττῶσι τούτοις οὐκέτι ὁμοίως
εὔπορον ἐμοὶ καθάπερ καὶ πρότερον.

Ἐμοὶ γὰρ ψυχή τίς ἐστιν ἀσθενὴς καὶ μικρὰ καὶ εὐχείρωτος
35 οὐ τούτοις μόνον τοῖς πάθεσιν, ἀλλὰ καὶ τῷ πάντων πικροτέρῳ
φθόνῳ καὶ οὔτε ὕβρεις, οὔτε τιμὰς μετρίως ἐπίσταται φέρειν,
ἀλλὰ μεθ' ὑπερβολῆς ἐκεῖναί τε ἐπαίρουσιν αὐτὴν καὶ ταπει-
νοῦσιν αὗται. Ὥσπερ οὖν θηρία χαλεπά, ὅταν μὲν εὐσωματῇ
καὶ σφριγᾷ, τῶν πρὸς αὐτὰ μαχομένων κρατεῖ, καὶ μάλιστα
40 ὅταν ἀσθενεῖς ὦσι καὶ ἄπειροι, εἰ δέ τις αὐτὰ λιμῷ κατα-
τήξειε, τόν τε θυμὸν αὐτοῖς ἐκοίμισε καὶ τῆς δυνάμεως τὸ
πλέον ἔσβεσεν, ὡς καὶ τὸν μὴ λίαν γενναῖον ἀναδέξασθαι τὸν
πρὸς ταῦτα ἀγῶνα καὶ πόλεμον, οὕτω καὶ τὰ πάθη τῆς ψυχῆς,
ὁ μὲν ἀσθενῆ ποιῶν ὑπὸ τοῖς ὀρθοῖς αὐτὰ τίθησι λογισμοῖς, ὁ

---

21 ἀσύμφωνον B : ἀσύμφορον cett. ‖ 27 ἑτέρως B : ἑτέρας ἀνάγκης
cett. ‖ 31 νῦν B K : καὶ νῦν cett. ‖ 32 πάντοθεν om. C ‖ 32 οὐκέτι
BC : οὐκ ἐθ' K οὐχ cett. ‖ 37-38 ἐκεῖναι ... αὗται BC : αὗται ...
ἐκεῖναι cett.

1. Ici encore, on a préféré la leçon de B à celle des autres mss,
parce qu'elle paraît s'accorder davantage avec la pensée de Jean,
qui affectionne les métaphores musicales. Des recherches ont été
faites sur ce point par P.-M. DELEERSNYDER, *La musique dans la
spiritualité de Jean Chrysostome*, Maîtrise de l'Université de Lille III,
1974 (exemplaire dactylographié).

invitons à rester en paix en nous disant que c'est une véritable faute[1] et la dernière des misères de laisser de côté ses
propres maux et de s'occuper indûment de ceux du voisin.
Mais si je vais vers la foule et si j'ai été repris par une quantité d'agitations, je ne pourrai pas profiter de ces bons avis,
ni découvrir les raisonnements qui me guident dans cette
voie ; de même que des gens entraînés dans des rapides par
un courant ou d'une autre manière peuvent voir d'avance
la fin qui les attend, mais ne peuvent imaginer un secours
quelconque, ainsi moi-même quand je serai tombé dans le
trouble profond que suscitent les passions, je pourrai
prendre une vue d'ensemble de la punition qui pour moi
augmente chaque jour, mais il ne me sera plus aussi facile
qu'auparavant de rester en moi-même, comme maintenant,
et d'infliger un blâme à cette meute de misères qui, de
toutes parts, font rage.

C'est que j'ai une âme faible et dépourvue de grandeur
qui se laisse facilement prendre non seulement par ces
passions, mais aussi par la susceptibilité, plus irritante que
toutes ; elle ne saurait accueillir ni injures ni honneurs avec
mesure, mais les uns l'excitent à l'excès et les autres la
dépriment. Ainsi donc, comme des bêtes sauvages dangereuses, lorsqu'elles sont pleines de force et de vigueur[2],
dominent ceux qui les attaquent et surtout lorsque ces derniers sont faibles et sans expérience, mais si on les réduit
par la faim, on calme leur fureur et on éteint la plus grande
partie de leur ardeur pour ne pas avoir à livrer un combat
et une guerre trop violents, ainsi les passions de l'âme :
celui qui les affaiblit les place sous l'empire des raisonne-

---

2. Cf. *Adv. opp. vit. mon.* II, 5, *PG* 47, 338 où le même groupe de
mots est employé. On le trouve déjà chez Aristophane, *Nub.* 797.
L'influence possible de ce dernier a été étudiée par Q. Cataudella,
« Giovanni Crisostomo 'imitatore' di Aristofane », *Athaeneum*,
nova serie, anno XVIII, 1940, p. 236-243.

45 δὲ τρέφων ἐπιμελῶς χαλεπωτέραν αὐτῷ τὴν πρὸς αὐτὰ καθίστησι μάχην καὶ οὕτως αὐτῷ φοβερὰ ταῦτα ἀπεργάζεται ὡς
ἐν δουλείᾳ καὶ δειλίᾳ τὸν πάντα χρόνον βιοῦν. Τίς οὖν τῶν
θηρίων τούτων ἡ τροφή; Κενοδοξίας μὲν τιμαὶ καὶ ἔπαινοι, ἀπονοίας δὲ ἐξουσίας καὶ δυναστείας μέγεθος, βασκανίας δὲ αἱ
50 τῶν πλησίον εὐδοκιμήσεις, φιλαργυρίας, αἱ τῶν παρεχόντων
φιλοτιμίαι, ἀκολασίας, τρυφὴ καὶ αἱ συνεχεῖς τῶν γυναικῶν
ἐντεύξεις, καὶ ἕτερον ἑτέρου. Πάντα δὲ ταῦτα εἰς μὲν τὸ μέσον
ἐλθόντι σφοδρῶς ἐπιθήσεται καὶ σπαράξει μοι τὴν ψυχὴν καὶ
φοβερὰ ἔσται καὶ χαλεπώτερόν μοι τὸν πρὸς αὐτὰ ποιήσει
55 πόλεμον. Ἐνταῦθα δὲ καθημένῳ, μετὰ πολλῆς μὲν καὶ οὕτως
ὑποταγήσεται τῆς βίας, ὑποταγήσεται δ᾽ οὖν ὅμως τῇ τοῦ
Θεοῦ χάριτι καὶ τῆς ὑλακῆς αὐτοῖς οὐδὲν ἔσται πλέον. Διὰ
ταῦτα τὸν οἰκίσκον φυλάττω τοῦτον καὶ ἀπρόσιτος καὶ ἀσυ-
νουσίαστος καὶ ἀκοινώνητος, καὶ μυρίας ἑτέρας τοιαύτας
60 μέμψεις ἀκούειν ἀνέχομαι, ἡδέως μὲν ἂν αὐτὰς ἀποτριψάμε-
νος, τῷ δὲ μὴ δύνασθαι δακνόμενος καὶ ἀλγῶν· οὐδὲ γὰρ
εὔπορόν μοι ὁμιλητικόν τε ὁμοῦ γενέσθαι καὶ ἐπὶ τῆς παρούσης ἀσφαλείας μένειν. Δι᾽ ὃ καὶ αὐτόν σε παρακαλῶ, τὸν
ὑπὸ τοσαύτης δυσχερείας ἀπειλημμένον ἐλεεῖν μᾶλλον ἢ
65 διαβάλλειν.

Ἀλλ᾽ οὐδέπω σε πείθομεν· οὐκοῦν ὥρα λοιπὸν ὃ μόνον
εἶχον ἀπόρρητον πρὸς σὲ καὶ τοῦτο ἐκβαλεῖν. Καὶ ἴσως μὲν
ἄπιστον εἶναι δόξει πολλοῖς· ἐγὼ δὲ αὐτὸ οὐδὲ οὕτως εἰς μέσον
ἐνεγκεῖν αἰσχυνθήσομαι. Εἰ γὰρ καὶ πονηρᾶς συνειδήσεως καὶ

---

46 φοβερὰ ΒC : φοβερώτερα cett. ‖ 46 ταῦτα om. Β ‖ 49 ἐξουσίας
ΒΚ : ἐξουσία cett. ‖ 50 πλησίον Β G JK : πλησίων cett. ‖ 50 εὐδοκιμήσεις : παρατροπαί C ‖ 53 μοι ΒC F : μου cett. ‖ 54 φοβερὰ :
φοβερώτερα ‖ 54 αὐτὰ : ταῦτα Β‖ 55-56 καὶ οὕτως — ὑποταγήσεται² :
ὑποταγῆς ἔσται C ‖ 56 τῆς βίας ὑποταγήσεται om. Β JK ‖ 56 τῆς
om. E D H ‖ 58 ἀπρόσιτος Βᵃᶜ C : ἀπρόϊτος Βᵖᶜ cett. ‖ 59 καὶ
ἀκοινώνητος om. Κ ‖ 66 ὥρα] + μοι FHJ.

---

1. Voir ci-dessus, p. 83, note 4. L'importance de la raison dans
la vie morale apparaît de façon particulièrement évidente dans les

ments justes[1], mais celui qui les entretient avec soin se prépare contre elles un combat plus difficile et se les rend ainsi plus redoutables au point de vivre constamment dans l'esclavage et la crainte. Quelle est donc la nourriture de ces bêtes sauvages ? De la vaine gloire, ce sont les honneurs ; de l'orgueil, c'est la grandeur de la puissance et du pouvoir ; de l'envie, c'est la bonne renommée du prochain ; de l'avarice, l'ambition d'égaler les gens riches ; de la licence, le luxe et les relations continuelles avec les femmes et ainsi de suite. Toutes, si je viens au milieu du monde, se dresseront violemment contre moi et mettront mon âme en pièces, elles seront redoutables et me rendront la guerre contre elles encore plus pénible. Tandis que si je reste ici, j'aurai certes à employer beaucoup de forces pour les soumettre, mais cependant elles seront soumises par la grâce de Dieu et seront désormais réduites à aboyer. C'est pourquoi je me confine dans cette petite chambre, inaccessible[2], sans compagnie, insociable, et je supporte d'entendre bien d'autres reproches ; j'aimerais certes en être débarrassé et j'éprouve une morsure et je souffre dans mon impuissance, car il ne m'est pas facile d'être à la fois sociable et de rester dans ma sécurité actuelle. Alors, je t'en prie, celui qui est victime d'une situation si difficile, prends-le en pitié plutôt que de le mal juger.

Mais nous ne t'avons pas encore persuadé ; la seule chose que je t'ai cachée, le moment est désormais venu de l'exprimer devant toi. Peut-être semblera-t-elle incroyable à beaucoup ; quant à moi, même dans ces conditions, je ne rougirai pas de la livrer en public. Si ce que je dis est la

---

lettres de direction adressées par Jean à Olympias, *SC* 13 bis, Introd., p. 49-53.

2. Les mss B et C donnent ἀπρόσιτος qui se dit d'une montagne inaccessible, mais aussi d'une personne. Dans le ms. B le sigma a été barré, mais il s'agit sans doute d'une correction de scribe. De même en F, la forme aberrante ἀπροιστος témoigne d'une mauvaise graphie de ἀπρόσιτος.

70 μυρίων ἁμαρτημάτων ἔλεγχος τὸ λεγόμενον, τοῦ μέλλοντος
ἡμᾶς κρίνειν Θεοῦ πάντα εἰδότος ἀκριβῶς, τί πλέον ἡμῖν ἐκ
τῆς τῶν ἀνθρώπων ἀγνοίας ἐγγενέσθαι δυνήσεται. Τί οὖν ἐστι
τὸ ἀπόρρητον; Ἀπὸ τῆς ἡμέρας ἐκείνης ἐν ᾗ ταύτην ἐνέθηκάς
μοι τὴν ὑποψίαν, πολλάκις ἐκινδύνευσέ μοι παραλυθῆναι τὸ
75 σῶμα τέλεον, τοσοῦτος μὲν φόβος, τοσαύτη δὲ ἀθυμία
κατέσχε μου τὴν ψυχήν. Τῆς γὰρ Χριστοῦ νύμφης τὴν δόξαν
ἐννοῶν, τὴν ἁγιωσύνην, τὸ κάλλος τὸ πνευματικόν, τὴν
σύνεσιν, τὴν εὐκοσμίαν, καὶ τὰ ἐμαυτοῦ λογιζόμενος κακά,
οὐ διελίμπανον ἐκείνην τε πενθῶν καὶ ἐμαυτὸν ταλανίζων, καὶ
80 στένων συνεχῶς καὶ διαπορῶν πρὸς ἐμαυτὸν ἔλεγον· Τίς ἄρα
ταῦτα συνεβούλευσε; τί τοσοῦτον ἥμαρτεν ἡ τοῦ Θεοῦ
Ἐκκλησία; τί τηλικοῦτο παρώξυνε τὸν αὐτῆς δεσπότην ὡς τῷ
πάντων ἀτιμοτάτῳ παραδοθῆναι ἐμοὶ καὶ τοσαύτην ὑπομεῖναι αἰσχύνην; Ταῦτα πολλάκις κατ' ἐμαυτὸν λογιζόμενος
85 καὶ τοῦ λίαν ἀτόπου μηδὲ τὴν ἐνθύμησιν δυνάμενος ἐνεγκεῖν,
ὥσπερ οἱ παραπλῆγες ἐκείμην ἀχανής, οὔτε ὁρᾶν οὔτε ἀκούειν
τι δυνάμενος. Τῆς δὲ ἀμηχανίας με τῆς τοσαύτης ἀφείσης
— καὶ γὰρ ἔστιν ὅτε καὶ ὑπεξίστατο —, διεδέχετο δάκρυα καὶ
ἀθυμία, καὶ μετὰ τὸν τῶν δακρύων κόρον, ἀντεισῄει πάλιν ὁ
90 φόβος, ταράττων καὶ θορυβῶν καὶ διασείων μοι τὴν διάνοιαν.
Τοσαύτη ζάλη τὸν παρελθόντα συνέζων χρόνον· σὺ δὲ
ἠγνόεις καὶ ἐν γαλήνῃ με διάγειν ἐνόμιζες. Ἀλλὰ νῦν σοι
ἀποκαλύψαι πειράσομαι τὸν χειμῶνα τῆς ἐμῆς ψυχῆς· τάχα
γάρ μοι καὶ ἀπὸ τούτου συγγνώσῃ, τὰ ἐγκλήματα ἀφείς.
95 Πῶς οὖν σοι, πῶς αὐτὸν ἐκκαλύψωμεν; Εἰ μὲν σαφῶς ἐθέλοις
ἰδεῖν, ἑτέρως οὐκ ἐνῆν ἀλλ' ἢ τὴν καρδίαν γυμνώσαντα τὴν
ἐμήν. Ἐπειδὴ δὲ τοῦτο ἀδύνατον, δι' ἀμυδρᾶς τινος εἰκόνος,

---

70 λεγόμενον BC D K : λεγόμενον ᾗ cett. ‖ 79 πενθῶν : ἐπαινῶν
AEG D ‖ 79 ἐμαυτὸν : ἑαυτὸν AEG D F ‖ 79 ταλανίζων om. BC
A K ‖ 80 ἔλεγον] + ταῦτα HJ ‖ 87 ἀφείσης : ἀφιείσης C HJK ‖
93 ἀποκαλύψαι : ἐκκαλύψομαι D ‖ 95 ἐκκαλύψωμεν BC A : ἐκκαλύ-
ψομεν cett. ‖ 96 ἐνῆν B : ἂν εἴη cett. ‖ 96 γυμνώσαντα BC A D : ἀπο-
γυμνώσαντα EG F -σαντι HJK.

preuve d'une mauvaise conscience et de bien des fautes, puisque Dieu, qui sait parfaitement toutes choses, doit nous juger, quel avantage aurons-nous à ce que les autres l'ignorent ? quel est donc ce secret ? A partir du jour où tu m'as confié ce projet, j'ai failli voir mes forces m'abandonner définitivement si grande fut la crainte, si grand fut le découragement qui ont saisi mon âme. En réfléchissant à la gloire de l'épouse du Christ[1], à sa sainteté, à sa beauté spirituelle, à son intelligence, à sa grâce et en faisant le compte de mes propres maux, je ne cessais de la plaindre et de me trouver malheureux et, en gémissant continuellement et plongé dans l'embarras, je me disais en moi-même : Qui a pris une telle décision ? comment l'Église de Dieu a-t-elle pu commettre une telle faute ? en quoi a-t-elle irrité son maître pour être livrée à moi qui suis le plus indigne de tous et pour supporter une telle honte ? Réfléchissant souvent à cela en moi-même et ne pouvant supporter la pensée de quelque chose d'aussi extravagant, j'étais là comme des gens frappés de démence, bouche bée, ne pouvant ni rien voir, ni rien entendre. Quand j'étais délivré d'une telle perplexité — il y a en effet des instants où elle faisait trêve —, alors succédaient larmes et découragement et, après le flot des larmes, venait à son tour la crainte troublant, agitant et secouant ma pensée.

Voilà dans quelle tempête je vivais ces temps passés ; toi, tu l'ignorais et tu croyais que je passais ma vie dans le calme. Mais maintenant, je m'efforcerai de te découvrir l'orage de mon âme, car devant cette confidence tu me pardonneras bientôt, après avoir abandonné tes griefs. Comment donc, comment me faire comprendre de toi ? Si tu voulais voir clair, il n'y aurait pas d'autre moyen que de mettre mon cœur à nu. Mais puisque cela est impossible,

---

1. Cf. III, 6, 69. Il s'agit de l'Église, épouse du Christ. Voir Ph. Rancillac, *L'Église manifestation de l'Esprit*, chap. ii, Théologie de l'Église.

ὡς ἂν οἷός τε ὦ, πειράσομαί σοι τὸν τῆς ἀθυμίας τέως ὑπο-
δεῖξαι καπνόν· σὺ δὲ ἐκ τῆς εἰκόνος τὴν ἀθυμίαν σύλλεγε
100 μόνην.

Ὑποθώμεθα εἶναί τινι μνηστὴν τοῦ πάσης τῆς ὑφ᾽ ἡλίῳ
κειμένης γῆς βασιλεύοντος θυγατέρα, ταύτην τε τὴν κόρην
κάλλος τε ἔχειν ἀμήχανον οἷον καὶ τὴν ἀνθρωπείαν ὑπερβαῖνον φύσιν, καὶ τούτῳ τὸ τῶν γυναικῶν ἁπασῶν φῦλον ἐκ
105 πολλοῦ τοῦ διαστήματος νικᾶν, καὶ ψυχῆς ἀρετὴν τοσαύτην
ὡς καὶ τὸ τῶν ἀνδρῶν γένος τῶν τε γενομένων τῶν τε ἐσο-
μένων ποτὲ πολλῷ τῷ μέτρῳ κατόπιν ἀφεῖναι, καὶ πάντας μὲν
ὑπερβῆναι φιλοσοφίας ὅρους τῇ τῶν τρόπων εὐκοσμίᾳ, πᾶσαν
δὲ κρύψαι σώματος ὥραν τῷ τῆς οἰκείας ὄψεως κάλλει· τὸν
110 δὲ ταύτης μνηστῆρα, μὴ διὰ ταῦτα μόνον περικαίεσθαι τῆς
παρθένου, ἀλλὰ καὶ χωρὶς τούτων πάσχειν τι πρὸς αὐτὴν καὶ
τῷ πάθει τούτῳ τοὺς μανικωτάτους τῶν πώποτε γενομένων
ἀποκρύψαι ἐραστῶν. Εἶτα μεταξὺ τῷ φίλτρῳ καιόμενον
ἀκοῦσαί ποθεν ὅτι τὴν θαυμαστὴν ἐρωμένην ἐκείνην τῶν
115 εὐτελῶν τις καὶ ἀπερριμμένων ἀνδρῶν καὶ δυσγενὴς καὶ τὸ
σῶμα ἀνάπηρος καὶ πάντων τῶν ὄντων μοχθηρότατος μέλλοι
πρὸς γάμον ἄγεσθαι. Ἆρά σοι μικρόν τι μέρος τῆς ἡμετέρας
ὀδύνης παρεστήσαμεν; καὶ ἀρκεῖ μέχρι τούτου στῆσαι τὴν
εἰκόνα; Τῆς μὲν ἀθυμίας ἕνεκεν ἀρκεῖν οἶμαι· καὶ γὰρ διὰ
120 τοῦτο μόνον αὐτὴν παρειλήφαμεν.

99 σὺ : σοὶ B FHJK ‖ 99 σύλλεγε : ἔνεστι συλλέγειν FHJK ‖
100 μόνην : μόνον C AEG D ‖ 102 βασιλεύσαντος B ‖ 104 ὑπερβαῖνον
B : ὑπερβαίνων C ὑπερβαίνειν G ᵖᶜ FHJK ὑπερβαίνοντα AE D ‖ 113
ἀποκρύψαι : ἀποκρύψας C ‖ 115 ἀνδρῶν om. B ‖ 115 καὶ² B om.
cett. ‖ 115 δυσγενὴς : δύστηνος AEG D ‖ 116 τῶν ὄντων om. K ‖
117 ἄγεσθαι BC : ἀγαγέσθαι cett.

1. Le mot εἰκών ne peut se traduire ici par *image* pour désigner le
long développement qui va suivre, mais le vocabulaire de la technique littéraire l'emploie aussi pour désigner une comparaison.
On consultera utilement H. DEGEN, *op. cit.* [p. 23, n. 2].

2. Jean utilise de nombreuses comparaisons pour faire comprendre
les terribles effets de l'ἀθυμία. Voir Concordance des *Lettres à Olympias*, SC 13 bis, au mot ἀθυμία, p. 459.

c'est par une comparaison[1] bien imparfaite que j'essaierai malgré tout, autant que j'en serai capable, de te montrer la sombre épaisseur de mon chagrin[2] ; toi, de cette comparaison ne retiens que ma peine[3].

Supposons que la fille d'un roi qui commande à toute la terre éclairée par le soleil est fiancée à un homme, que cette jeune fille est d'une beauté extraordinaire dépassant la nature humaine et qu'ainsi elle l'emporte sur l'ensemble de toutes les femmes, que la valeur de son âme est si grande qu'elle laisse loin derrière elle toute la race des humains, de ceux qui ont existé et de ceux qui existeront ; par sa conduite, elle dépasse en excellence toutes les limites de la vie morale, par l'éclat de son aspect, elle éclipse, au physique, toute beauté ; son fiancé ne brûle pas seulement pour la jeune fille à cause de ces avantages, mais indépendamment de cela, il éprouve de la passion à son égard et cette passion fait disparaître dans l'ombre les amants les plus fous de tous ceux qui ont jamais existé. Puis, tandis qu'il brûle sous l'effet de ce sortilège, voici qu'il apprend que cette merveilleuse bien-aimée, un homme du commun et parmi les plus méprisés[4], un homme de basse condition, laid physiquement et le plus vil de tous les êtres, est sur le point de l'épouser. Avons-nous pu évoquer devant toi la plus petite partie de notre chagrin et suffit-il d'en esquisser jusqu'à ce point l'image ? Je pense qu'elle donne une image suffisante de notre tristesse et c'est pour cela seulement que nous l'avons évoquée.

---

3. Les mss FHJK donnent l'infinitif συλλέγειν et σοὶ en tête de phrase, mais ils ajoutent ἔνεστιν pour justifier à la fois l'infinitif et le datif. On retrouve partiellement cette construction en B : σοὶ... σύλλεγε. Le *vetus interpres latinus* traduit : « Tu vero memento ostendere », ce qui justifie la variante proposée par C AEG D, que nous adoptons.

4. Le mot a un sens péjoratif très accentué : *complètement rejeté de la société*. C'est encore une de ces exagérations en usage dans la rhétorique.

Ἵνα δέ σοι καὶ τοῦ φόβου καὶ τῆς ἐκπλήξεως ὑποδείξω τὸ μέτρον, ἐφ' ἑτέραν πάλιν ἴωμεν ὑπογραφήν. Καὶ ἔστω στρατόπεδον ἐκ πεζῶν καὶ ἱππέων καὶ ναυμαχῶν συνειλεγμένον ἀνδρῶν, καὶ καλυπτέτω μὲν τὴν θάλατταν ὁ τῶν τριήρων
125 ἀριθμός, καλυπτέτω δὲ τὰ τῶν πεδίων πλήθη καὶ τὰς τῶν ὁρῶν κορυφὰς αἱ τῶν πεζῶν καὶ ἱππέων φάλαγγες, καὶ ἀντιλαμπέτω μὲν ἡλίῳ τῶν ὅπλων ὁ χαλκὸς καὶ ταῖς ἐκεῖθεν πεμπομέναις ἀκτῖσιν ἡ τῶν περικεφαλαιῶν καὶ τῶν ἀσπίδων ἀνταφιέσθω μαρμαρυγή· ὁ δὲ τῶν δοράτων κτύπος καὶ ὁ τῶν
130 ἵππων χρεμετισμὸς πρὸς αὐτὸν φερέσθω τὸν οὐρανὸν καὶ μήτε θάλασσα φαινέσθω μήτε γῆ, ἀλλὰ χαλκὸς καὶ σίδηρος πανταχοῦ. Ἀντιπαραταττέσθωσαν δὲ αὐτοῖς καὶ πολέμιοι, ἄγριοί τινες ἄνδρες καὶ ἀνήμεροι· ἐνεστηκέτω δὲ ἤδη καὶ ὁ τῆς συμβολῆς καιρός.
135 Εἶτα ἁρπάσας τις ἐξαίφνης μειράκιον τῶν ἐν ἀγρῷ τραφέντων καὶ τῆς πηκτίδος καὶ τῆς καλαύροπος πλέον εἰδότων οὐδέν, καθοπλιζέτω μὲν αὐτὸ ὅπλοις χαλκοῖς· περιαγέτω δὲ τὸ στρατόπεδον ἅπαν καὶ δεικνύτω λόχους καὶ λοχαγούς, τοξότας, σφενδονιστάς, ταξιάρχους, στρατηγούς, ὁπλίτας,
140 ἱππέας, ἀκοντιστάς, τριήρεις, τριηράρχους, τοὺς ἐκεῖ πεφραγμένους στρατιώτας, τῶν ἐν ταῖς ναυσὶν ἀποκειμένων μηχανημάτων τὸ πλῆθος· δεικνύτω δὲ καὶ τὴν τῶν πολεμίων

---

121 ὑποδείξω BC K : παραστήσω cett. ‖ 128 ἀντιπεμπομέναις HJ ‖ 129 καταφιέσθω B ‖ 135 ἐν om. J ‖ 135 τῷ ἀγρῷ AEG FJ ‖ 136 εἰδότος C ‖ 139 σφενδονιστάς BC EG : σφενδονήτας cett. ‖ 142-144 δεικνύτω — πλῆθος om. J.

1. Ὑπογραφή, *ce qu'on trace au-dessus* (voir VI, 2, 26), peut désigner une *inscription* ; ici, pris dans un sens métaphorique, il appartient au vocabulaire de la critique littéraire dont le terme technique est l'*ecphrasis* ; c'est une *esquisse*, un *tableau* qu'on trace en imagination (cf. PLATON, *Rep.* 404d). De même le verbe ὑπογράφειν qu'on trouve en III, 4, 33 : Basile est invité à imaginer le tableau d'Élie à la tête d'une foule innombrable.

2. Le terme *phalange* était réservé aux fantassins et ne convient pas à une formation de cavalerie.

Mais pour te montrer la grandeur de notre crainte et de notre stupeur, passons à une autre description[1]. Qu'apparaisse une armée composée de fantassins, de cavaliers, de matelots ; le nombre des vaisseaux cache la mer, les phalanges de fantassins et de cavaliers[2] cachent l'étendue des plaines et les sommets des montagnes, l'airain des armes reluit sous le soleil, l'éclat des casques et des boucliers étincelle des rayons qu'il renvoie ; le bruit des lances et le hennissement des chevaux s'élèvent jusqu'au ciel même ; on ne voit ni la mer ni la terre, mais ce n'est plus partout qu'airain et fer. Que soient rangés aussi face à face des ennemis sauvages et cruels ; et que vienne maintenant l'heure de l'engagement.

Alors, que quelqu'un aille prendre un jeune homme parmi ceux qui ont été élevés aux champs et qui ne connaissent rien d'autre que la flûte[3] et la houlette, qu'il le revête d'armes d'airain, qu'il lui fasse parcourir le camp tout entier, qu'il lui montre les corps de troupes et leurs commandants, les archers, les frondeurs, les taxiarques[4], les stratèges, les hoplites, les cavaliers, les hommes armés de javelots, les trières et leurs commandants, les soldats qui sont là en rangs serrés, la multitude des machines de guerre

3. Le mot πηκτίς désigne d'ordinaire un instrument à cordes utilisé pour accompagner la poésie lyrique, à Lesbos en particulier. Mais il est clair que nous sommes ici dans un contexte bucolique. Or, nous savons que la flûte de Pan était un assemblage de tuyaux (voir la fabrication de la flûte de Pan dans THÉOCRITE, *Idylle* 8). On peut penser que πηκτίς dérivé de πήγνυμι désigne cet assemblage. D'ailleurs, le *vetus interpres latinus* l'a bien compris ainsi et traduit par *fistula*.

4. Le mot λόχος est un terme militaire qui désigne un groupe de vingt-cinq hommes et λοχαγός celui qui les commande. Le taxiarque commande à une division d'infanterie, mais le mot peut aussi s'employer pour le commandement d'une armée navale. Il est difficile de savoir à quoi correspondent les mots dans cette débauche d'imagination.

παράταξιν ἅπασαν καὶ ὄψεις ἀποτροπαίους τινὰς καὶ σκευὴν
ὅπλων ἐξηλλαγμένην καὶ πλῆθος ἄπειρον καὶ φάραγγας καὶ
145 κρημνοὺς βαθεῖς καὶ δυσχωρίας ὁρῶν· δεικνύτω δὲ ἔτι παρὰ
τοῖς ἐναντίοις καὶ πετομένους ἵππους διά τινος μαγγανείας καὶ
ὁπλίτας δι᾽ ἀέρος φερομένους καὶ πάσης γοητείας δύναμίν τε
καὶ ἰδέαν. Καταλεγέτω δὲ καὶ τὰς τοῦ πολέμου συμφοράς,
τῶν ἀκοντίων τὸ νέφος, τῶν βελῶν τὰς νιφάδας, τὴν πολλὴν
150 ἀχλὺν ἐκείνην καὶ τὴν ἀορασίαν, τὴν ζοφωδεστάτην νύκτα
ἣν τὸ τῶν τοξευμάτων συνίστησι πλῆθος, ἀποστρέφον τῇ
πυκνότητι τὰς ἀκτῖνας, τὴν κόνιν οὐχ ἧττον τοῦ σκότους τοὺς
ὀφθαλμοὺς ἀμαυροῦσαν, τοὺς τῶν αἱμάτων χειμάρρους, τῶν
πιπτόντων τὰς οἰμωγάς, τῶν ἑστώτων τοὺς ἀλαλαγμούς, τῶν
155 κειμένων τοὺς σωρούς, τροχοὺς αἵματι βαπτιζομένους, ἵππους
αὐτοῖς ἀναβάταις πρηνεῖς φερομένους ἀπὸ τοῦ πλήθους τῶν
κειμένων νεκρῶν, τὴν γῆν φύρδην ἅπαντα ἔχουσαν, αἷμα καὶ
τόξα καὶ βέλη, ἵππων ὁπλὰς καὶ ἀνθρώπων κεφαλὰς ὁμοῦ
κειμένας καὶ βραχίονας καὶ τράχηλον καὶ κνημῖδα καὶ στῆθος
160 διακοπέν, ἐγκεφάλους ξίφεσι προσπεπλασμένους, ἀκίδα
βέλους ἐκκεκλασμένην καὶ ὀφθαλμὸν ἔχουσαν ἐμπεπερονη-
μένον. Καταλεγέτω καὶ τὰ τοῦ ναυτικοῦ πάθη, τριήρεις τὰς
μὲν ἐν μέσοις ἀναπτομένας τοῖς ὕδασι, τὰς δὲ αὐτοῖς ὁπλίταις
καταδυομένας, τόν τῶν ὑδάτων ἦχον, τὸν τῶν ναυτῶν θόρυβον,
165 τὴν τῶν στρατιωτῶν βοήν, τῶν κυμάτων καὶ τῶν αἱμάτων
μιγνυμένων τὸν ἀφρὸν καὶ ὁμοῦ τοῖς πλοίοις ἐπεισιόντα πᾶσι,
τοὺς ἐπὶ τῶν καταστρωμάτων νεκρούς, τοὺς καταποντιζο-
μένους, τοὺς ἐπιπλέοντας, τοὺς εἰς τοὺς αἰγιαλοὺς ἐκβρασ-
σομένους, τοὺς ἔνδον τοῖς κύμασι περικλυζομένους καὶ ταῖς
170 ναυσὶν ἀποφράττοντας τὴν ὁδόν. Καὶ πάσας ἀκριβῶς διδάξας
τὰς τοῦ πολέμου τραγῳδίας, προστιθέτω καὶ τὰ τῆς αἰχμα-
λωσίας δεινὰ καὶ τὴν παντὸς θανάτου χαλεπωτέραν δουλείαν.
Καὶ ταῦτα εἰπών, κελευέτω τὸν ἵππον ἀναβαίνειν εὐθέως καὶ
τοῦ στρατοπέδου παντὸς ἐκείνου στρατηγεῖν. Ἆρα οἴει πρὸς

---

145 δυσχωρίας B FHJ : δυσχαιρίας C δυσχερείας AEG D K ‖
155 τοὺς σωρούς B : τὰς σωρείας cett. ‖ 155 αἵμασι C ‖ 159 βραχίονας B : βραχίονα cett. ‖ 159 τράχηλον B : τροχὸν cett. ‖ 165 αἱμά-

accumulées sur les vaisseaux ; qu'on lui montre aussi les
ennemis rangés en ligne de bataille, leur aspect propre à
faire reculer, le déploiement des armes diverses, la foule
innombrable, les profondeurs des ravins et des précipices,
les montagnes inaccessibles ; de plus, par une sorte de pro-
dige, qu'on lui fasse voir au-dessus des ennemis, des hoplites
portés à travers les airs et la puissance et l'image de toute
une sorcellerie. Qu'on lui énumère les malheurs de la guerre,
l'ombre formée par les javelots, les traits qui tombent
comme flocons de neige, l'obscurité profonde qui empêche
de rien voir, la nuit épaisse que produit la multitude des
traits interceptant par leur densité les rayons du soleil, la
poussière qui aveugle les yeux autant que l'ombre, les ruisseaux de sang, les gémissements des blessés, les cris des
combattants, les monceaux de cadavres, les roues des chars
baignées de sang, les chevaux emportés tête baissée avec
leur cavalier loin de la foule des morts étendus, la terre
portant tout pêle-mêle, sang, javelots et flèches, sabots des
chevaux, têtes des hommes, cervelles collées aux glaives,
pointe de flèche brisée portant un œil qu'elle a transpercé.
Qu'on lui énumère les vicissitudes du combat naval, les
trières qui flambent au milieu des flots, celles qui coulent
avec les hoplites eux-mêmes, le mugissement des eaux, le
tumulte des matelots, le cri des soldats, l'écume où se
mêlent les vagues et le sang envahissant tous les bateaux
à la fois, les morts sur les ponts des navires, ceux qui sont
engloutis, ceux qui surnagent, ceux qui sont rejetés sur le
rivage, ceux qui sont submergés par les vagues et qui
obstruent la route aux navires. Après l'avoir instruit en
détail des tragédies de la guerre, qu'on y ajoute les horreurs
de la captivité et de l'esclavage plus pénible que toute
mort. Et après lui avoir dit cela, qu'on le fasse aussitôt
monter à cheval et commander à toute cette armée. Penses-

των] + ὁμοῦ AEG D ‖ 166 μιγνυμένων BC A F : -ύμενον cett. ‖
166 ἐπεισιόντα B HJK : ἐπεισιῶντα C ἐπιόντα AEG D F ‖ 172 δεινὰ
BC K : κακὰ cett.

175 τὴν διήγησιν μόνον ἀρκέσειν τὸν μειρακίσκον ἐκεῖνον, ἀλλ'
οὐκ ἀπὸ πρώτης ὄψεως εὐθέως ἀφήσειν τὴν ψυχήν;

ιγ'. Ὅτι παντὸς
πολέμου χαλεπώτερος
ὁ τοῦ διαβόλου
5   πειρασμός

Καὶ μή με νομίσῃς ἐπαίρειν τὸ
πρᾶγμα τῷ λόγῳ· μηδ' ὅτι τῷ
σώματι τούτῳ καθάπερ τινὶ δεσμω-
τηρίῳ κατακλεισθέντες, τῶν ἀορά-
των οὐδὲν δυνάμεθα ἰδεῖν, μεγάλα

τὰ εἰρημένα εἶναι νομίσῃς. Πολὺ γὰρ ταύτης τῆς μάχης μείζονα καὶ φρικωδεστέραν εἶδες ἄν, εἰ τοῦ διαβόλου τὴν ζοφωδεστάτην παράταξιν καὶ τὴν μανιώδη συμβολὴν τούτοις τοῖς
ὀφθαλμοῖς ἰδεῖν ἠδυνήθης ποτέ· οὐ γὰρ χαλκὸς ἐκεῖ καὶ
10 σίδηρος, οὐδὲ ἵπποι καὶ ἅρματα καὶ τροχοί, οὐδὲ πῦρ καὶ
βέλη, ταῦτα τὰ ὁρατά, ἀλλ' ἕτερα πολὺ τούτων φοβερώτερα
μηχανήματα. Οὐ δεῖ τούτοις τοῖς πολεμίοις θώρακος, οὐδὲ
ἀσπίδος, οὐδὲ ξιφῶν καὶ δοράτων, ἀλλ' ἀρκεῖ μόνη ἡ ὄψις τῆς
ἐπαράτου στρατιᾶς ἐκείνης παραλῦσαι ψυχήν, ἣν μὴ λίαν οὖσα
15 γενναία τύχῃ καὶ πρὸ τῆς οἰκείας ἀνδρείας πολλῆς ἀπολαύσῃ
τῆς παρὰ τοῦ Θεοῦ προνοίας. Καὶ εἴ γε ἦν δυνατόν, τὸ σῶμα
ἀποδύντα τοῦτο ἢ καὶ μετὰ αὐτοῦ τοῦ σώματος δυνηθῆναι
καθαρῶς καὶ ἀφόβως ἅπασαν τὴν ἐκείνου παράταξιν καὶ τὸν
πρὸς ἡμᾶς πόλεμον ὀφθαλμοφανῶς ἰδεῖν, εἶδες ἂν οὐ χειμάρ-
20 ρους αἱμάτων, οὐδὲ σώματα νεκρά, ἀλλὰ ψυχῶν πτώματα
τοσαῦτα καὶ τραύματα οὕτω χαλεπὰ ὡς ἅπασαν ἐκείνην τοῦ
πολέμου τὴν ὑπογραφὴν ἣν ἄρτι διῆλθον πρὸς σὲ παίδων τινὰ
ἀθύρματα εἶναι νομίσαι καὶ παιδιὰν μᾶλλον ἢ πόλεμον, τοσοῦτοι οἱ καθ' ἑκάστην πληττόμενοι τὴν ἡμέραν. Τὰ δὲ τραύματα
25 οὐκ ἴσην ἐργάζεται τὴν νέκρωσιν, ἀλλ' ὅσον ψυχῆς καὶ σώματος τὸ μέσον τοσοῦτον ἐκείνης καὶ ταύτης τὸ διάφορον· ὅταν

175 διήγησιν BC K : διοίκησιν cett. ‖ 175 μόνον B : μόνην C ἐκείνην cett. ‖ 175 τὸ μειρακίσκιον ἐκεῖνο AEG.
ιγ'. 1 μή : μήτε E ‖ 6 εἶναι om. K ‖ 6 νομίσῃς : νόμιζε AE D ‖
7 μεῖζον C ‖ 8 συμβολὴν : συμβουλὴν K ‖ 11 ταῦτα BC FK : οὐδὲ
ταῦτα cett. ‖ 12 οὐδὲ B A K : ἀλλ' οὐδὲ C καὶ cett. ‖ 13 οὐδὲ : καὶ
C ‖ 13 μόνη : μόνον C A ‖ 14 ψυχήν : τὴν ψυχήν ‖ 15 ἀπολαύσῃ B :
ἀπολαύει C A ἀπολαύῃ cett. ‖ 22 τινὰ : τινῶν B ‖ 23 παιδίαν : παι-
γνίαν K.

tu que ce pauvre garçon[1] soutiendra ce récit et qu'à première vue il ne rendra pas l'âme ?

13. Être tenté par le diable est plus redoutable que toute guerre

Et ne crois pas que j'exagère la réalité en parlant, ni qu'enfermé dans ce corps comme dans une prison nous ne pouvons rien voir des choses invisibles et ne considère pas ce que je dis comme des énormités. En effet, beaucoup plus grand et plus redoutable que ce combat serait le déploiement des forces du diable si jamais tu pouvais voir avec les yeux de l'âme cet affrontement insensé ; car ici ce n'est pas l'airain ni le fer, ce ne sont pas les chevaux, les chars et les roues, ni feu ni traits ; tout cela est visible, mais il y a d'autres machinations beaucoup plus redoutables que celles-là. Dans ces combats, il n'est pas besoin de cuirasse ni de bouclier, ni d'épées ni de lances, mais à elle seule la vue de cette armée maudite suffit à paralyser l'âme, à moins qu'elle ne soit particulièrement noble et qu'au lieu de son propre courage, si abondant qu'il soit, elle puisse jouir du secours venu de Dieu. Et s'il était possible qu'ayant abandonné son corps, ou avec le corps même, on puisse voir clairement et sans crainte tous les artifices qu'il[2] déploie et, de façon distincte, la guerre qu'il nous livre, tu verrais non des ruisseaux de sang ni des cadavres, mais des défaillances spirituelles, des blessures aussi graves, au point que tu considérerais tout ce tableau de la guerre que je t'ai décrite comme des jeux d'enfants et comme une plaisanterie plutôt qu'une guerre, si nombreux sont ceux qui, chaque jour, sont frappés. Les blessures ne causent pas une mort comparable, mais aussi grande est la distance entre l'âme et le corps, aussi grande est la différence entre cette mort-là et celle-ci ; en effet, lorsque l'âme reçoit le coup et tombe, elle ne reste

---

1. Diminutif de μειράκιον, le mot est employé ici avec une nuance de pitié. On le retrouve avec la même nuance dans *Cum presb.* 1, li. 5 et li. 42 appliqué à Jean lui-même.
2. Il = le démon.

γὰρ λάβῃ τὴν πληγὴν ἡ ψυχὴ καὶ πέσῃ, οὐ κεῖται καθάπερ τὸ
σῶμα ἀνεπαισθήτως, ἀλλὰ βασανίζεται μὲν ἐντεῦθεν ἤδη τῇ
πονηρᾷ συνειδήσει τηκομένη, μετὰ δὲ τὴν ἐνθένδε ἀπαλ-
30 λαγήν, κατὰ τὸν τῆς κρίσεως καιρὸν ἀθανάτῳ παραδίδοται
τιμωρίᾳ. Εἰ δέ τις ἀναλγήτως ἔχοι πρὸς τὰς τοῦ διαβόλου
πληγάς, μεῖζον ὑπὸ τῆς ἀναισθησίας ἐκείνῳ γίνεται τὸ δεινόν·
ὁ γὰρ ἐπὶ τῇ προτέρᾳ πληγῇ μὴ δηχθεὶς εὐκόλως δέχεται καὶ
δευτέραν καὶ μετ' ἐκείνην ἑτέραν. Οὐ γὰρ διαλιμπάνει μέχρι
35 τῆς ἐσχάτης ἀναπνοῆς παίων ὁ μιαρός, ὅταν εὕρῃ ψυχὴν
ὑπτίαν καὶ τῶν προτέρων καταφρονοῦσαν πληγῶν.

Εἰ δὲ καὶ τῆς συμβολῆς τὸν τρόπον ἐξετάζειν ἐθέλοις, πολὺ
ταύτην σφοδροτέραν καὶ ποικιλωτέραν ἴδοις ἄν· οὔτε γὰρ
κλοπῆς καὶ δόλου τοσαύτας τις οἶδεν ἰδέας ὅσας ἐκεῖνος ὁ
40 μιαρός· ταύτῃ γοῦν τὴν πλείονα κέκτηται δύναμιν, οὔτε
ἔχθραν τις οὕτως ἀκήρυκτον δύναται ἔχειν πρὸς τοὺς ἄγαν
πολεμιωτάτους αὐτῷ ὅσην πρὸς τὴν ἀνθρωπείαν φύσιν ὁ
πονηρός. Καὶ τὴν προθυμίαν δὲ εἴ τις ἐξετάζοι μεθ' ἧς μάχε-
ται ἐκεῖνος, ἀνθρώπους μὲν ἐνταῦθα καὶ γελοῖον παραβαλεῖν·
45 εἰ δέ τις τὰ ὀργιλώτατα καὶ ἀπηνέστατα τῶν θηρίων ἐκλε-
ξάμενος ἀντιτιθέναι θέλοι τῇ τούτου μανίᾳ, πραότατα ὄντα καὶ
ἡμερώτατα εὑρήσει τῇ παραβολῇ, τοσοῦτος οὗτος πνεῖ θυμόν,
ταῖς ἡμετέραις προσβάλλων ψυχαῖς. Καὶ ὁ τῆς μάχης δὲ χρό-
νος ἐνταῦθα μὲν βραχὺς καὶ ἐν τῷ βραχεῖ δὲ αὐτῷ πολλαὶ αἱ
50 ἀνακωχαί· καὶ γὰρ νὺξ ἐπελθοῦσα καὶ ὁ τοῦ σφάζειν κάματος
καὶ τροφῆς καιρὸς καὶ πολλὰ ἕτερα διαναπαύειν τὸν στρατιώτην πέφυκεν, ὡς καὶ ἀποδῦναι τὴν παντευχίαν καὶ ἀναπνεῦσαι
μικρὸν καὶ σίτῳ καὶ ποτῷ καταψῦξαι καὶ ἑτέροις πολλοῖς τὴν
προτέραν ἀνακτήσασθαι δύναμιν. Ἐπὶ δὲ τοῦ πονηροῦ οὐκ
55 ἔστι τὰ ὅπλα καταθέσθαι ποτέ, οὐκ ἔστιν ὕπνον ἄρασθαι τὸν
βουλόμενον ἄτρωτον μένειν διαπαντός· ἀνάγκη γὰρ δυοῖν

27-28 καθάπερ — βασανίζεται om. B ‖ 32 ἐκείνης AEG D F ‖
33 δέχεται B : δέξεται cett. ‖ 34 μέχρι BC K : μέχρι καὶ cett. ‖ 38
καὶ ποικιλωτέραν om. C ‖ 38 ἴδοις : ἴδοι τις K ‖ 41 δύναται B : δυνήσεται cett. ‖ 43 πονηρός B : πονηρὸς δαίμων ἐκεῖνος cett. ‖ 44 ἀνθρώποις D HJK ‖ 44 παραβαλεῖν : παραβάλλειν C G παραλαβεῖν D ‖
51 διαναπαύειν : διαναπνεῦσαι A.

pas gisante comme un corps inanimé, mais dès ici-bas elle subit l'épreuve qu'impose la mauvaise conscience ; puis, quand elle est partie d'ici-bas, au moment du jugement, elle est frappée d'un châtiment éternel. Cependant, si quelqu'un est insensible aux premiers coups du diable, le malheur est plus grand pour cet homme-là à cause de son insensibilité, car celui qui n'a pas été sensible au premier coup, en recevra facilement un second et, après celui-là, un autre. C'est que le Mauvais[1] ne cesse de frapper jusqu'au dernier souffle, lorsqu'il trouve une âme indolente et qui méprise les premiers coups.

Mais si tu voulais comparer la nature de l'engagement, tu verrais que celui-ci est beaucoup plus violent et beaucoup plus varié ; car nul ne connaît autant de formes de ruse et de tromperie que ce Méchant. Ce qui est sûr c'est qu'ainsi il a une plus grande force et qu'on ne peut avoir une haine aussi implacable contre ses pires ennemis que celle du Mauvais contre la nature humaine. Si l'on évaluait l'ardeur avec laquelle il combat, il serait ridicule d'établir une comparaison avec des hommes, mais si l'on voulait, en choisissant les bêtes les plus hargneuses et les plus cruelles, les placer en face de sa folie, on s'apercevra, en les comparant, qu'elles sont plus douces et plus apprivoisées, tant il respire la colère lorsqu'il s'élance sur nos âmes. De plus, la durée du combat entre les hommes est brève et dans ce laps de temps il y a bien des périodes de calme ; en effet, la nuit arrive, on se lasse d'égorger, le moment vient de manger et beaucoup d'autres raisons qui sont de nature à laisser le soldat prendre du repos, déposer son armure et souffler un peu, se refaire en mangeant et en buvant, retrouver par beaucoup d'autres moyens sa première vigueur. Mais quand il s'agit du Mauvais, il n'est jamais permis de déposer les armes, il n'est pas permis à celui qui veut rester toujours indemne de se livrer au sommeil, car il lui faut de deux

1. Voir plus haut, p. 254, note 1.

θάτερον ἢ πεσεῖν καὶ ἀπολέσθαι γυμνωθέντα ἢ διαπαντὸς
καθωπλισμένον ἑστῶτα καὶ ἐγρηγορότα εἶναι. Καὶ γὰρ
ἐκεῖνος διαπαντὸς ἔστηκε μετὰ τῆς αὐτοῦ παρατάξεως, τὰς
60 ἡμετέρας ῥαθυμίας παρατηρῶν, πλείονά τε εἰσφέρων σπουδὴν
εἰς τὴν ἡμετέραν ἀπώλειαν ἢ εἰς τὴν σωτηρίαν ἡμεῖς τὴν
ἑαυτῶν. Καὶ τὸ μὴ ὁρᾶσθαι δὲ αὐτὸν ὑφ' ἡμῶν καὶ τὸ ἐξα-
πίνης ἐπιτίθεσθαι, ἃ μάλιστα τῶν μυρίων ἐστὶν αἴτια κακῶν
τοῖς οὐκ ἐγρηγορόσι διαπαντός, πολὺ τούτον ἀπορώτερον
65 ἐκείνου δείκνυσι τὸν πόλεμον. Ἐνταῦθα οὖν ἡμᾶς ἤθελες
στρατηγεῖν τοῖς στρατιώταις τοῦ Χριστοῦ; Ἀλλὰ τῷ διαβόλῳ τοῦτο ἦν στρατηγεῖν· ὅταν γὰρ ὁ διατάττειν καὶ δια-
κοσμεῖν τοὺς λοιποὺς ὀφείλων πάντων ἀσθενέστατος καὶ
ἀπειρότατος ᾖ, προδοὺς ὑπὸ τῆς ἀπειρίας τοὺς πιστευθέντας,
70 τῷ διαβόλῳ μᾶλλον ἐστρατήγησεν ἢ τῷ Χριστῷ.

Ἀλλὰ τί στένεις; τί δακρύεις; Οὐ γὰρ θρήνων ἄξια τὰ κατ'
ἐμὲ νῦν, ἀλλ' εὐφροσύνης καὶ χαρᾶς.

ΒΑΣ. Ἀλλ' οὐχὶ καὶ τὰ ἐμά, φησίν, ἀλλὰ μυρίων ἄξια ταῦτα
κοπετῶν· νῦν γὰρ μόλις ἠδυνήθην συνιδεῖν οἷ τῶν κακῶν με
75 ἤγαγες. Ἐγὼ μὲν γὰρ εἰσῆλθον πρὸς σέ, ὅ τι ποτὲ ὑπὲρ σοῦ
πρὸς τοὺς ἐγκαλοῦντας ἀπολογήσομαι δεόμενος μαθεῖν· σὺ
δέ με ἐκπέμπεις ἑτέραν ἀνθ' ἑτέρας φροντίδα ἐνθείς. Οὐ γὰρ
ἔτι μοι μέλει τί πρὸς ἐκείνους ὑπὲρ σοῦ, ἀλλὰ τί πρὸς τὸν Θεὸν
ὑπὲρ ἐμαυτοῦ καὶ τῶν ἐμῶν ἀπολογήσομαι κακῶν. Ἀλλά σου
80 δέομαι καὶ ἀντιβολῶ, εἴ τί σοι μέλει τῶν ἐμῶν, εἴ τις παρά-
κλησις ἐν Χριστῷ, εἴ τι παραμύθιον ἀγάπης, εἴ τινα σπλάγχνα
καὶ οἰκτιρμοί — καὶ γὰρ οἶδας ὅτι με μάλιστα πάντων αὐτὸς
εἰς τοῦτον τὸν κίνδυνον ἤγαγες —, χεῖρα ὄρεξον καὶ λέγων

58 ἑστῶτα κ. ἐγρ. εἶναι Β : ἑστάναι κ. ἐγρ. cett. ‖ 74 οἷ τῶν :
εἰς οἷον βόθρον D ‖ 75 ὅ : ὅτι EG D F ‖ 75 ὑπὲρ σοῦ om. C ‖ 81
τινα edd. : τις C A F τι cett.

choses l'une ou tomber et mourir dépouillé de son armure, ou rester debout tout armé et éveillé. En effet, lui, il est toujours debout avec son déploiement de forces, guettant notre négligence, employant plus de zèle à nous perdre que nous à nous sauver nous-même. Et comme nous ne le voyons pas et qu'il nous attaque à l'improviste, ce qui est surtout une source de maux sans nombre pour ceux qui ne sont pas constamment vigilants, il montre que sa guerre à lui est beaucoup plus redoutable que celle des hommes. Alors donc, tu aurais voulu que je sois à la tête des soldats du Christ ? Mais c'était combattre pour le diable ; en effet, lorsque celui qui doit placer aux différents postes et ranger les autres en bon ordre est plus faible que tous, en livrant par son manque d'expérience ceux qui lui ont été confiés, il combat pour le diable plutôt que pour le Christ.

Mais pourquoi gémir ? pourquoi pleurer ? Ce qui me concerne actuellement n'est pas un sujet de larmes, mais de bonheur et de joie.

BASILE. Il n'en est pas de même pour moi, dit-il, mais tout cela mérite qu'en signe de douleur, je me frappe la poitrine sans relâche ; en effet, actuellement, je peux à peine prendre conscience des maux dans lesquels tu m'as entraîné. Moi, je suis venu te trouver pour savoir comment répondre à ceux qui me feraient des reproches à ton sujet ; toi, au contraire, tu me renvoies en me causant un autre souci, en plus des autres. Car peu importe désormais ce que je pourrai leur répondre à ton sujet, mais ce que je pourrai répondre à Dieu à mon sujet et au sujet de mes propres misères. Mais je t'en prie et t'en supplie, si tu as quelque souci de mes affaires, s'il existe une aide dans le Seigneur, si la charité peut apporter quelque consolation, si tu as un peu d'entrailles et de pitié[1] — car tu sais que c'est toi, plus que tous les autres, qui m'as mis dans cette situation difficile —, tends-moi la main en me disant et en faisant ce qui peut me

---

1. Cf. *Phil.* 2, 1.

καὶ πράττων τὰ δυνάμενα ἡμᾶς ἀνορθοῦν, μηδὲ ἀνάσχῃ πρὸς
85 γοῦν τὸ βραχύτατον ἡμᾶς ἀπολιπεῖν, ἀλλὰ νῦν μᾶλλον ἢ πρότερον κοινὰς ποιεῖσθαι τὰς διατριβάς.

Ἐγὼ δὲ μειδιάσας·

ΙΩ. Καὶ τί συμβαλέσθαι, ἔφην, τί δέ σε ὀνῆσαι δυνήσομαι
πρὸς τοσοῦτον πραγμάτων ὄγκον; Ἀλλ’ ἐπειδή σοι τοῦτο ἡδύ,
90 θάρρει, ὦ φίλη κεφαλή· τὸν καιρὸν γὰρ καθ’ ὃν ἂν ἐξῇ σοι τῶν
ἐκεῖθεν φροντίδων ἀναπνεῖν, καὶ παρέσομαι καὶ παρακαλέσω
καὶ τῶν εἰς δύναμιν τὴν ἐμὴν ἐλλείψω οὐδέν.

Ἐπὶ τούτοις πλέον ἐκεῖνος δακρύσας ἀνίσταται· ἐγὼ δὲ
αὐτῷ περιχυθεὶς καὶ καταφιλήσας τὴν κεφαλήν, προὔπεμπον,
95 παρακαλῶν γενναίως φέρειν τὸ συμβεβηκός.

Πιστεύω γάρ, ἔφην, τῷ καλέσαντί σε Χριστῷ καὶ τοῖς
ἰδίοις ἐπιστήσαντι προβάτοις ὅτι τοσαύτην ἐκ τῆς διακονίας
ταύτης κτήσῃ παρρησίαν ὡς καὶ ἡμᾶς κατὰ τὴν ἡμέραν
ἐκείνην κινδυνεύοντας εἰς τὴν αἰώνιόν σου δέξασθαι σκηνήν.

85 βραχύτατον] hic des. mut. F ‖ 92 ἐλλείψω Β : ἐλλείψεται C K
ἐλλείψει cett. ‖ 99 σκηνήν] + doxol. E ἐν αὐτῷ Χριστῷ τῷ Θεῷ
ἡμῶν ᾧ ἡ δόξα καὶ τὸ κράτος νῦν καὶ ἀεὶ καὶ εἰς τοὺς αἰῶνας. Ἀμήν.

réconforter et ne supporte même pas un instant de m'abandonner, mais maintenant plus que jamais fais que nos vies
s'écoulent ensemble.

Alors moi, souriant :

JEAN. Comment pourrai-je prendre ma part, dis-je, comment pourrai-je t'être utile devant une telle masse d'occupations ? Mais puisque cela te fait plaisir, courage, ô tête
chérie[1] ; au moment où il te sera possible de reprendre
haleine au milieu des soucis qu'elles entraînent, je serai
présent[2] et je te consolerai et rien ne te manquera de ce qui
est en mon pouvoir.

A ces mots, il se lève au milieu de ses larmes ; mais moi,
après m'être jeté à son cou et l'avoir embrassé, je le
reconduisis en l'engageant à supporter courageusement ce
qui lui arrivait.

J'ai confiance, en effet, dis-je, dans le Christ qui t'a
appelé et qui a mis sous ta garde les brebis qui lui appartiennent, que ce ministère te donnera l'assurance de nous
accueillir, nous aussi, en ce grand jour où nous affronterons
le jugement[3], dans l'éternité qui sera ta demeure.

---

1. Appellation homérique, *Il.* VIII, 281, passée dans la prose.

2. On a déduit de ce passage que Basile avait été nommé dans un
évêché voisin d'Antioche et que Raphanée était dans ce cas. Mais
il nous semble que c'est forcer le texte.

3. Par cette tournure emphatique, Jean désigne le jour de sa mort.
Cf. *Cum presb.* li. 307-308 où est employée la même tournure pour
désigner le jour du jugement, comme l'indique la suite de la phrase.

PREMIÈRE HOMÉLIE
LORSQU'IL FUT ORDONNÉ PRÊTRE

INTRODUCTION
A LA PREMIÈRE HOMÉLIE

L'homélie prononcée par Jean Chrysostome le jour de son ordination est le complément nécessaire du *De sacerdotio*. Cette charge devant laquelle il a reculé autrefois, voici qu'il la reçoit aujourd'hui des mains de l'évêque Flavien. Lui qui analyse avec tant de perspicacité les raisons de son refus, que va-t-il dire maintenant qu'il consent à recevoir « ce joug rude et pesant[1] » ? En l'écoutant, n'oublions pas qu'il s'agit d'un discours d'apparat et que Jean se trouve parfaitement capable de faire face à cette obligation.

On imagine sans peine ses auditeurs frémissant d'impatience devant la perspective d'un régal oratoire[2]. Il n'était pas un inconnu pour cette foule : on savait qu'il aimait parler et qu'il parlait bien ; pendant cinq ans, entre 381 et 386, il avait eu de multiples rapports avec les chrétiens d'Antioche, car ses fonctions de diacre lui en fournissaient tous les jours l'occasion. « Que le diacre soit l'oreille et l'œil et la bouche, le cœur et l'âme de l'évêque, pour que celui-ci n'ait pas à s'occuper de tout, mais seulement des choses plus importantes[3]. » Transmission des requêtes et

---

1. *Cum presbyter...* li. 304-305.
2. *De sacerd.* V, 1, 11-19.
3. *Const. apost.* liv. II, chap. xliv, paragr. 4, éd. Funk, Paderborn

distribution des secours[1], entretiens avec les catéchumènes[2], assistance aux côtés du célébrant pendant les offices[3] et surveillance dans l'église[4], autant d'activités qui mettaient continuellement le diacre en relations avec les fidèles. Du prestige dont il jouissait alors auprès d'eux, Palladios nous a laissé le témoignage : « Alors que son aptitude à l'enseignement resplendissait déjà de toutes parts et que le peuple trouvait à son contact un adoucissement à l'amertume de la vie, il est ordonné prêtre[5]. »

On savait aussi que Jean ne le cédait en rien aux orateurs à la mode. Ses dons naturels, un talent exceptionnel pour la parole, avaient été mis en valeur par l'apprentissage de la rhétorique[6]. Quelle que soit la date choisie pour sa naissance[7], il avait entre trente-six et quarante ans lors-

---

1905, p. 139 : Πλὴν ἔστω ὁ διάκονος τοῦ ἐπισκόπου ἀκοὴ καὶ ὀφθαλμὸς καὶ στόμα, καρδία τε καὶ ψυχή, ἵνα μὴ ᾖ τὰ πολλὰ μεριμνῶν ὁ ἐπίσκοπος ἀλλὰ μόνα τὰ κυριώτερα.

1. *Ibid.* II, xxxi, 1, p. 113.

2. Dans l'homélie *In Act. apost.* XLVI, 3, *PG* 60, 325, Jean raconte comment un diacre de ses amis (lui peut-être ?) a suppléé par sa catéchèse à la négligence des prêtres qui baptisaient en foule sans préparation suffisante ; mais l'importance de cet enseignement fait que pendant les premiers siècles et en temps ordinaire l'évêque assumait cette charge. Voir J. GAUDEMET, *L'Église dans l'Empire romain, IVᵉ-Vᵉ siècles*, Paris 1958, p. 593-594. Cependant, ses obligations se multipliant et le nombre des candidats au baptême augmentant, l'évêque peut confier la catéchèse aux prêtres qui l'assistent, comme en témoignent les catéchèses de Jean prononcées alors qu'il était prêtre à Antioche et dont huit ont été éditées dans *SC* 50. Quant à la catéchèse assumée par un diacre, c'était un fait exceptionnel.

3. Cf. *De incompr.* IV, 5, *SC* 28 bis, p. 260, li. 390-391 et *Const. apost.* II, LIV, 1, p. 155.

4. *In Act. apost. hom.* XXIV, 4, *PG* 60, 190 et *Const. apost.* II, LVII, 2, p. 159.

5. PALLADIOS, *Dialogue* V, éd. Coleman-Norton, p. 29, li. 9-11. Ἤδη δὲ τῆς διδασκαλικῆς αὐτοῦ ἀρετῆς διαλαμπούσης καὶ τῶν λαῶν ἐκ τῆς τοῦ βίου ἅλμης γλυκαινομένων αὐτοῦ τῇ συντυχίᾳ, πρεσβύτερος χειροτονεῖται.

6. *De sacerd.* I, 1, li. 9-12 et note 1 de la p. 62.

7. Voir Introd. au *De sacerd.*, p. 9, note 2.

qu'il fut ordonné. A cet âge, un orateur est en pleine possession de ses moyens. Ce jour-là, plus que jamais, Jean devait
se montrer à la hauteur d'une réputation déjà bien établie.
On comprend que son discours fût attendu.

Le plan

Le plan est simple : un développement central qui se
divise en deux parties et se trouve encadré par un prologue
et un épilogue.

Implications païennes et chrétiennes

Il n'est pas nécessaire d'avoir beaucoup fréquenté les rhéteurs pour reconnaître ici, outre le plan classique, un certain nombre de *topoi* chers aux orateurs de tous les temps et d'autres, plus spécialement réservés au genre encomiastique : celui qui prend la parole s'en juge indigne ; il demande la bienveillance des auditeurs ; le personnage dont il fait l'éloge est doué d'éminentes qualités ; la preuve en est qu'il peut rivaliser avec les plus illustres. Tout cela n'a rien d'original.

Cependant, à y regarder de plus près, certains traits marquants d'une personnalité qui se révélera d'année en année apparaissent déjà. On voit d'abord que Jean est très profondément imprégné de la spiritualité de l'Ancien Testament. L'offrande en retour des biens accordés s'impose à lui comme un rite traditionnel. A un moment aussi important de sa vie, il veut, à l'exemple d'Abel, offrir des prémices. Ce seront les prémices d'une parole qui, durant dix-huit ans[1], devait rester tout entière au service de Dieu et des hommes.

D'autre part, on peut dire qu'il est, parmi les Pères de l'Église, celui dont l'œuvre et la vie sont le plus directement inspirées par l'esprit de louange. Ce n'est pas un hasard si Palladios, son disciple et son biographe, rapporte qu'au moment de mourir ses dernières paroles furent : Δόξα τῷ Θεῷ πάντων ἕνεκεν, « Gloire à Dieu pour tout[2]. » Sans doute le récit de cette mort est-il embelli de détails peu vraisemblables, étant donné les circonstances[3], mais Jean avait assez

---

1. Jean a prêché, à Antioche, de 386 à 398 et, à Constantinople, de 398 à 404.

2. *Dial.* XI, p. 68, li. 10-11.

3. *Ibid.* Jean demande des vêtements blancs... il change de chaussures... il distribue les vêtements qui lui restaient aux assistants...

souvent rendu gloire à Dieu pour que ces paroles revinssent
encore une fois sur ses lèvres. En tout cas, au moment où
il prononce sa première homélie, nul texte ne pouvait
s'accorder davantage avec ses dispositions intérieures que
celui du psaume 148 : c'est un appel à la louange universelle.

Et tout d'abord, louange qui monte de la terre. En vrai
fils de son pays, Jean était sensible à tout ce qui l'entourait,
au rythme des saisons, à la diversité des fleurs et des animaux[1], au charme de ce site d'Antioche dont on a dit qu'il
était « l'un des plus beaux du monde[2] ». On trouverait facilement dans son œuvre de multiples comparaisons empruntées à la nature qui ne sont pas de simples ornements
recommandés par les sophistes[3], mais qui prouvent son
enthousiasme devant la création.

Cependant le psalmiste ne se contente pas de faire appel
au monde visible. L'invitation s'étend au monde invisible.
Là encore, Jean est naturellement accordé à la louange du
ciel qui s'unit à celle de la terre[4]. Dans le *Dialogue sur le
sacerdoce*, il voit les anges assister aux mystères[5], il les voit
faire cortège, à l'heure de la mort, à ceux qui ont digne-
ment assumé leur sacerdoce[6]. Aujourd'hui, il n'est pas seul ;
tout le cosmos chante avec lui. Le discours pourrait se poursuivre en un long commentaire du psaume qui vient d'être

---

1. Les fleurs et les animaux qu'on peut admirer sur les mosaïques
d'Antioche et de Daphné, au musée de l'actuelle Antakia, disent assez
le goût des Antiochiens pour la nature. Sur un sujet analogue, on lira
avec intérêt J. Pargoire, « L'amour de la campagne à Byzance et les
villas impériales », *Échos d'Orient* 11, 1908, p. 15-22.

2. Chr. Baur, *Der hl. Chrysostomus...*, vol. I, p. 28.

3. On aura une idée de ces procédés en lisant l'étude de L. Méri-
dier, *L'influence de la seconde sophistique sur l'œuvre de Grégoire de
Nysse*, Paris 1906, p. 126 et 142-144.

4. *In illud* : « *Si esurierit inimicus* » 4, *PG* 51, 179 : « Songe, toi qui
as été initié, de quelle initiation tu es favorisé, avec qui tu fais monter
l'hymne mystique, avec qui tu clames le « Trois fois saint », et *De
incompr. hom.* I, *SC* 28 bis, p. 126, li. 310-316.

5. *De sacerd.* VI, 4, li. 41-43 et 45-51.

6. *Ibid.* VI, 4, 51-56.

lu. Chrysostome ne sera jamais à court d'éloquence pour se répandre en variations sur un thème donné.

Mais soudain — et c'est ici que sa technique oratoire le sert — il abandonne son premier sujet. Grâce à une transition habile où il se présente comme indigne de s'unir à la louange universelle, il se réfugie dans l'éloge de celui qui l'a ordonné. L'*encomion* est le genre littéraire le plus aimé des rhéteurs. Ils en ont établi les règles en fonction des personnes ou des objets qu'il faut louer[1]. L'orateur s'avance donc sur un terrain soigneusement balisé où l'originalité ne réside que dans l'utilisation ingénieuse de thèmes trop connus.

Or si Jean s'est toujours montré très sévère devant « le charlatanisme de l'éloquence païenne[2] », paradoxalement, sans aucune gêne, il a repris ses habitudes de style et certains de ses développements moraux, mais avec une grande liberté. Celle-ci se remarque d'abord dans le choix des qualités qu'il met en relief chez Flavien : maîtrise de soi, détachement des biens de ce monde, mépris de la richesse. Certes, on ne saurait nier qu'un écho de la morale grecque se fait entendre dans la manière dont l'évêque a su dominer ses passions, avec le souci de ne pas dépasser la mesure, mais son but n'était pas d'atteindre l'idéal du juste milieu, c'était de garder intactes ses forces physiques pour servir jusqu'au

---

1. Ménandre, dans *Rhet. gr.*, vol. III, p. 334-367. On comparera utilement les procédés employés ici par Jean avec ceux de Grégoire de Nazianze. Voir sur ce point M. Guignet, *Saint Grégoire de Nazianze et la rhétorique*, Paris 1911, en particulier chap. xii, Les discours épidictiques, p. 268-317.

2. *De sacerd.* IV, 6, 63. Sur la position de Jean devant la culture oratoire, voir *De sacerd.*, p. 284, note 1. Si Chrysostome est tellement sévère pour les rhéteurs, ce n'est pas qu'il soit insensible à la beauté de l'éloquence, mais parce que les païens n'ont d'autre souci que la gloire. Voir *De Lazaro concio* III, 3, *P G* 48, 59 : « Ils ne cherchent pas le bien commun, mais ils visent seulement à être admirés. » Jean leur oppose l'exemple des apôtres : « Ils n'ont pas composé toutes ces œuvres pour la vaine gloire, comme les païens, mais pour le salut de ceux qui les écoutaient. »

bout la communauté[1]. Si la maîtrise de soi est une vertu admirée chez les païens comme chez les chrétiens, la richesse est un des avantages que la sagesse antique se plaît à compter parmi les éléments d'une vie heureuse[2]. Jean, lui, porte sur le monde un regard de chrétien. Les béatitudes évangéliques ne sont pas conformes à l'idéal de bonheur humain élaboré par la pensée païenne. Le véritable mérite de l'évêque est d'avoir su se dégager de sa fortune et l'orateur n'hésite pas à le dire[3]. Accord subtil de ce que le paganisme et le christianisme ont de meilleur pour élever l'homme au-dessus de lui-même ; nuances auxquelles on doit être sans cesse attentif pour comprendre que Flavien n'est pas présenté ici comme un sage selon la philosophie, mais comme un saint selon le cœur de Dieu.

Il est vrai que cet éloge rappelle en plus d'un endroit les morceaux de bravoure qu'on trouve chez les sophistes. Pour en apprécier la sincérité, on pourra se reporter au passage du *De sacerdotio* où Jean exalte en des accents émus la beauté et l'incomparable grandeur de la paternité spirituelle. Baptême, Pénitence, Eucharistie, « si toutes ces choses ne s'accomplissent par nul autre intermédiaire que par ces mains saintes, je veux dire celles du prêtre[4] », voici qu'une nouvelle grâce s'ajoute aux autres : celle de l'ordination. Une nouvelle relation aussi s'établit entre celui qui a conféré la dignité du sacerdoce et celui qui l'a reçu. Comment Jean ne ferait-il pas appel à toutes les ressources de l'éloquence pour dire son attachement filial et son admiration à celui qui est, à la fois, « père, maître, berger, pilote[5] » de tout un peuple ? L'orateur se voit obligé par la tradition

---

1. *Cum presb.* li. 240-245.
2. Cf. PLATON, *Gorgias* 451e ; *Euthyd.* 279a ; ARISTOTE, *Éth. Nic.* I, 8, 1099b.
3. *Cum presb.* li. 167-169.
4. *De sacerd.* III, 6, li. 6-8.
5. Voir *Cum presb.* li. 294-295.

d'avouer son impuissance devant tant de mérites[1]. Sans doute l'exprime-t-il dans des termes dont l'emphase est déconcertante[2]. Mais au-delà des conventions littéraires, une réalité mystérieuse l'unit désormais à celui dont il fait l'éloge : ils sont, l'un et l'autre, devant le Seigneur, des « compagnons de service[3] ».

On ne saurait trop y insister pour rendre ce texte accessible à un lecteur moderne : que celui-ci veuille bien admettre les impératifs de la rhétorique, les exigences d'une époque où le style orné était une condition indispensable pour se faire entendre, qu'il oublie les comparaisons audacieuses et les hyperboles défiant toute mesure, qu'il écoute seulement la voix de Jean d'Antioche devenu, ce jour même, prêtre de Jésus-Christ pour l'éternité.

---

1. Cf. MÉNANDRE, *Rhet. gr.*, vol. III, p. 368, li. 9-11.
2. *Cum presb.* li. 295-300. Il est vrai que plusieurs de ces termes sont empruntés à saint Paul lui-même. Voir ci-dessous, p. 418, note 1.
3. *Ibid.* li. 150.

HISTOIRE DU TEXTE

I. TRADITION MANUSCRITE

L'homélie *Cum presbyter fuit ordinatus*[1] est loin d'avoir
une tradition manuscrite aussi riche que celle du *De sacerdotio*. Nous avons trouvé onze manuscrits seulement qui
donnent ce texte. Encore les deux derniers sont-ils des
copies faites par Savile. D'autre part, dans la tradition
manuscrite, cette homélie a une vie tout à fait indépendante du *De sacerdotio* avec lequel elle n'est jamais réunie.
C'est dire qu'elle a toujours été considérée comme ce qu'elle
est en réalité, un discours de circonstance, à propos d'un
événement unique, sans lien avec d'autres textes.

1. Table des manuscrits

1. A Dublinensis W 131, ff. 194ᵛ-200   Xᵉ s.
2. B Genuensis Bibl. Franz. Miss. urb. gr. 12.
      ff. 114-119
3. C Monacensis gr. 6, ff. 5-7ᵛ, 4ʳᵛ
4. D Holmensis A 792 b, ff. 49-55ᵛ   Xᵉ-XIᵉ s.
5. K Athous Pantocr. 1, ff. 206ᵛ-212ᵛ   XIᵉ s².

1. Le titre latin donné à ce discours varie selon les éditeurs. Voir
plus bas, Histoire des éditions, p. 384 s. : Saville, *Cum presbyter esset
ordinatus* ; Fronton du Duc, *Cum presbyter esset designatus* ; Montfaucon, *Cum presbyter fuit ordinatus*.
2. Notre travail était achevé lorsque Mme J. Kecskeméti, de
l'Institut de Recherche et d'Histoire des Textes, nous a signalé

2. Classement des manuscrits

L'étude des caractéristiques extérieures : intitulés, doxo-logies, fait apparaître dès l'abord l'originalité de A. Dans l'intitulé, la mention ὅταν ἐχειροτονήθη ἐπίσκοπος Κωνσταντινουπόλεως contient une erreur manifeste, le membre de phrase εἰς τὸν ἐπίσκοπον est omis, l'expression εἰς τὸ πλῆθος est complétée par τῶν συνελθόντων au lieu de τοῦ λαοῦ donné par tout le reste de la tradition, enfin on trouve, dans ce ms. seulement, la mention supplémentaire de deux circonstances : εἰς τὸ πρῶτος εἶπεν μετὰ τὴν χειροτονίαν· ἐλέχθη ἐν τῷ ἄμβωνι τῆς μεγάλης ἐκκλησίας, « ... sur le fait qu'il a parlé le premier après l'ordination ; ⟨homélie⟩ prononcée à l'ambon de la Grande église[1] ».

l'existence de ce manuscrit. Grâce à l'aimable envoi du microfilm par l'Institut Patriarcal d'Études Patristiques de Thessalonique, nous avons pu en faire la collation et le situer dans le stemma. Une analyse détaillée de ce manuscrit a été faite par le Père M. AUBINEAU, « Textes de Jean Chrysostome et Sévérien de Gabala : Athos, Pantocrator 1 », dans Jahrbuch der österreichischen Byzantinistik, Vienne 1976, p. 25-30.

1. Ces indications doivent être inspirées par un texte de Sozo-MÈNE, HE VIII, 5, 1, GCS 50, p. 357. Celui-ci décrit l'empressement de la foule à entendre Jean et l'attitude bienveillante du prédicateur : « Se mêlant à tous , il enseignait assis à l'ambon des lecteurs. » Quant à la Grande église, il s'agit de l'église d'Antioche appelée aussi « église d'or » à cause de sa coupole dorée. Jean fait plusieurs fois allusion au luxe de ce monument, en particulier In epist. ad Ephes. hom. X, 2, PG 52, 78 où il parle de « l'or qui couvre le toit ».

Parmi les doxologies, celle de A offre également une rédaction originale. La liaison avec le nom du Christ se fait par μεθ' οὗ τῷ πατρὶ δόξα au lieu de ᾧ ἡ δόξα ; de plus, cette doxologie est trinitaire, alors que les autres mss ne mentionnent que le Christ ; enfin elle contient la formule νῦν καὶ ἀεὶ, absente des autres mss, sauf de C. Ce ms. se sépare, lui aussi, du reste de la tradition par le fait que sa doxologie est trinitaire, mais il ne semble pas appartenir au même groupe que A, car la formulation de cette doxologie est différente. Cet indice est d'ailleurs trop ténu pour le rattacher dès maintenant à un groupe, puisqu'il est gravement mutilé du début. En tout cas, ces détails incitent à classer à part le ms. A et à se méfier de ses variantes.

L'examen du texte lui-même confirme-t-il ces hypothèses ? C'est en étudiant les additions, les omissions et les lacunes, les variantes qu'on pourra répondre.

A. Additions

On ne sera pas étonné de les trouver groupées en A :

li. 26   ἐπιρροῆς] + ἡμᾶς   A
li. 26   ξηρανθὲν] + ἅπαν   A
li. 28   πολλάκις] + μετὰ ἀκριβείας   A
li. 122   ἐστι] + ὁ ἁμαρτωλὸς   A
li. 160   γνώμας] + βουλὰς   A

Quant au ms. C, il n'offre aucune de ces additions caractéristiques, ce qui montre bien son indépendance par rapport au ms. A. En revanche, voici quelques additions qui permettent d'esquisser deux groupes, l'un avec EGHJ :

li. 32   πολλοῦ] + τοῦ   EGHJ
li. 119   μοι] + ὅτι   EGHJ
li. 313   κράτος] + καὶ ἡ προσκύνησις   EGHJ

l'autre avec BDFIK :

li. 110   εἶδες] + καὶ   BDFIK
li. 122   πονηρὸν] + ἡ ἁμαρτία θηρίον πονηρὸν   BDFIK

B. Omissions et lacunes

En relevant les omissions et les lacunes, on voit se dégager de nouveau l'originalité de A, qui sera classé à part dans la famille α, et se reformer les deux groupes précédents :

li. 1   περὶ om.   A
li. 15-16 καθὼς θεωρεῖτε om.   A
li. 23   ἄν om.   A
li. 111   ἦν ἐν οὐράνῳ δυνατὸν   om.   A
li. 214   φησίν om.   A

li. 3   ὄντως om.   EGHJ
li. 15   νῦν om.   EHJ

li. 182   γάρ om.   BDFIK
li. 182   φησί om.   BFHIK
li. 281   des. mut.   νεότητι   DFI

C. Variantes

Les variantes confirment ces premiers groupements :

li. 14   ταχέως A :   τάχα cett.
li. 48   καὶ τοὺς A :   καίτοι cett.
li. 134   ἀπέκοψεν A :   ἀποκόψας cett.
li. 213   περιβεβλημένος A :   περικείμενος cett.
li. 280   οὐδὲ γευσόμεθα πολλὰ τοῦ μέτρου A : οὐδέπω ἠρξάμεθα
           ἀλλὰ cett.

li. 16   καὶ : ὅτι   EGHJ
li. 20   ἔρρεον : ῥέοντας   EGHJ
li. 26   ταὐτὸν δ : ταῦτα ἃ   EGHJ
li. 131-132 τὴν ... εὐεξίαν : τῇ ... εὐεξίᾳ   EGHJ
li. 34   οἴχεται : οἰχήσεται   BDFIK
li. 65   ὅσῳ ... τοσούτῳ : ὅσον ... τοσοῦτον   BDFIK
li. 181-182 ἐξ αὐτῶν : ἐξ [ἐξ om. F] αὐτοῦ τοῦ Χριστοῦ   BDFIK

Quant au ms. C, il est difficile de le classer avec certitude, puisqu'il ne commence qu'à la ligne 104. Sa doxologie faisait pressentir une certaine originalité, mais dans plusieurs cas typiques son texte s'aligne sur EGHJ :

li. 122   πονηρὸν ἡ ἁμαρτία θηρίον   om.   C EGHJ
li. 159   τοιγαροῦν   C EGHJ
li. 280   ἡμῖν   C EGHJ

Nous le ferons donc entrer avec EGHJ dans la famille β tout en sachant qu'il garde une certaine autonomie, comme nous l'avons indiqué dans le stemma.

3. Choix des manuscrits pour l'établissement de l'apparat critique

Contrairement à ce qui arrive d'ordinaire pour les œuvres de Jean Chrysostome dont la tradition est souvent très riche, le petit nombre de mss contenant ce texte ne laisse guère la possibilité de faire un choix.

Nous avons cependant éliminé les mss I et J. En effet, I est une copie de F, comme l'attestent les variantes ou les additions qu'ils ont en propre :

li. 69   λέγων. Φέρετε : φέρειν   FI
li. 116   καὶ : γὰρ   FI
li. 135   οὖν : τοίνυν   FI
li. 142   ἀστραπῶν] + ἐπαινέσομαι τοὺς συνδούλους   FI
li. 144   οὐρανὸν : δεσπότην   FI
li. 144   ὥσπερ οὖν καὶ αὐτός φησι : ὅτι δὲ καὶ ἐντεῦθεν δοξάζεται
          δείκνυσι καὶ αὐτὸς ὁ Χριστὸς λέγων   FI
li. 169   μεγάλῃ : πολυτελεῖ   FI
li. 256   ὃς] + καίτοι   FI

Quant à J, on ne rencontre pas de cas où il ne soit en accord avec le groupe EGH, si bien que la mention de ses variantes alourdirait inutilement l'apparat critique.

Enfin, après avoir collationné le ms. K arrivé en dernière heure de Thessalonique, nous avons constaté qu'il était étroitement apparenté à BD et nous n'avons pas cru utile de le retenir. C'est pourquoi nous avons établi l'apparat en utilisant seulement les huit mss suivants :

A CEGH BDF

STEMMA

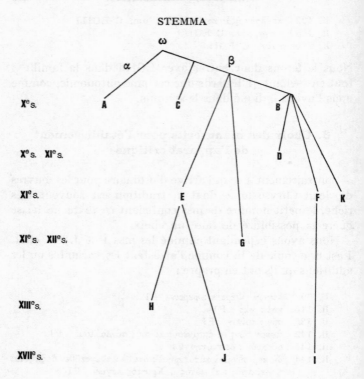

4. La version syriaque

Nous possédons une version syriaque de cette homélie[1].
Elle a plus d'une fois prouvé que le ms. A n'était pas à
suivre et confirmé notre choix de telle ou telle variante.
En voici quelques exemples :

li. 116 ἔστησα   A : ἐσίγησα cett. ainsi que le syriaque.
li. 118-119. Les mss. EGHJ subordonnent : ἐλεεινότερον...
ὅτι, de même le syriaque : *quoi de plus déplorable que...*

1. *Londinensis*, British Museum, Add. 14612, 242b-247a, vɪᵉ-
vɪɪᵉ s., d'après le catalogue de Wright.

li. 121. Après ἀπολείπεται, remplacé par ἀποκλείεται, A ajoute ἀλλ'εἰ καὶ ἐλεεινὸν τοῦτο... Le syriaque, comme les autres mss, dit seulement : *et c'est à bon droit.*

li. 122. Alors que BDFI ont πονηρὸν ἡ ἁμαρτία, le syriaque indique nettement qu'il s'agit du pécheur, non du péché. De plus BDFI répètent θηρίον πονηρὸν. On ne trouve pas trace de cette répétition dans le syriaque.

li. 142. Alors que les mss FI sont seuls à proposer ἐπαινέσομαι τοὺς συνδούλους après ἀστραπῶν, le syriaque, en suivant le reste de la tradition manuscrite, confirme qu'il s'agit d'une glose.

D'autre part, on remarque dans le syriaque une sorte de répulsion à traduire les membres de phrase qui lui paraissent superflus. C'est ainsi qu'il omet : li. 36 ἀρχόντων καὶ ἀρχο-μένων ; li. 224 οὐ — πείθομαι ; li. 253-254 ὡς ἔφθην εἰπών ; li. 268 πλήρη — τῆς νηός.

En revanche, il n'hésite pas à préciser ce qui ne lui semble pas assez clair. Par exemple, li. 272, à l'expression trop vague : *un autre homme,* il ajoute : *que le nôtre ;* li. 291, au lieu de *celui-ci,* il traduit : *notre père.*

On retrouve dans ce texte les habitudes du traducteur syriaque[1], sa fidélité, son peu de goût pour les formules oratoires, son souci d'expliciter ce qui allait de soi pour un lecteur grec. On doit donc estimer à sa juste valeur l'intérêt de cet apport.

5. Description des manuscrits utilisés dans l'apparat critique

1. *Dublinensis* W 131 : **A**, Dublin, Chester Beatty Library, xᵉ s., parch., 360 × 270 mm, 208 ff., 2 col., 36 li. (olim Athous Panteleimon 65).

---

1. Ces remarques confirment celles que nous avons pu faire dans une étude antérieure. Voir F. GRAFFIN et A.-M. MALINGREY, « La tradition syriaque des homélies sur l'incompréhensibilité de Dieu », dans *Epektasis, Mélanges patristiques offerts au cardinal Daniélou,* Paris 1972, p. 603-609.

Sermo cum presbyter ff. 194ᵛ-200

Ce ms., dont on a vu plus haut le caractère original, est aussi remarquable par le dessin primitif de sa pylè et de ses initiales formées d'un seul trait épais à la sépia. L'écriture est petite, mais parfaitement régulière.

Voir M. AUBINEAU, *Codices chrysostomici graeci* I, Paris 1968, p. 4.

2. *Genuensis gr.* 12 : **B**, Gênes, Bibl. Franz. Miss. urb., xᵉ s., parch., 320 × 244 mm, ıı + 305 ff., 2 col., 37 li.

Sermo cum presbyter ff. 114-119

Le texte de cette homélie est écrit de deux mains : ff. 114-116, écriture penchée, ductus qui semble indiquer un mouvement rapide ; ff. 116ᵛ-119, écriture droite conforme au modèle le plus courant du xᵉ s. Iotas généralement adscrits.

Voir Alb. EHRHARD, *Zur Catalogisierung der kleineren Bestände griechischer Handschriften in Italien. I. Genova*, in *Centralblatt für Bibliothekswesen* 10, 1893, p. 199.

3. *Monacensis gr.* 6 : **C**, Munich, Bayerische Staatsbibliothek, xᵉ s., parch., 360 × 245 mm, 326 ff., 2 col., 36 li.

Sermo cum presbyter ff. 5-7, 4ʳ⁻ᵛ

Outre l'ordre des ff. perturbé, ce manuscrit est incomplet. Inc. mut. li. 104 : Αἰνεῖτε τὸν κύριον...

Voir R. CARTER, *Codices chrysostomici graeci* II, Paris 1968, p. 40.

4. *Holmensis* A 792b : **D**, Stockholm, Kungliga Biblioteket, xᵉ-xıᵉ s., parch., 335 × 255 mm, 2 col., 30 li.

Sermo cum presbyter ff. 49-55ᵛ des. mut. li. 281 : τῇ νεότητι

Dans ce ms. très soigné, un bandeau enluminé précède l'intitulé de notre texte écrit en semi-onciale. Celui-ci est malheureusement mutilé de la fin. L'écriture est petite, mais très régulière. Au fᵒ 49, glose d'une écriture de la même époque : Μειράκιον λέγεται ἄχρι γενείου λαχνώσεως εἰς τὰ τρὶς ἕπτα ἔτη. Même glose en K.

Voir R. CARTER, *Codices chrysostomici graeci* III, Paris 1970, p. 35.

5. *Parisinus gr.* 754 : **E**, Paris, Bibl. nat., xie s., parch., 385 × 290 mm, 2 col., 687 pp., 32 li.

Sermo cum presbyter pp. 673-681, 684-686 (des. mut.)
Non esse ad gratiam concionandum pp. 682-683, inc. ἀναισθησίας, des. διεσώζετο μόνος, *P G* 50, 661, li. 1- 662, li. 13.

La présence dans notre texte d'un fragment de cette homélie est due à un déplacement de la page dont le texte devait se situer entre les pages 671 et 672 actuelles. La fin du *Sermo cum presbyter* est écrite sur papier par une main du xvie s. A la page 687, on lit un colophon : Ἡ βίβλος αὕτη πέφυκε τῆς παντουργοῦ Τριάδος τῆς ἐν τῇ νήσῳ Χαλκῇ τε μόνης τε τοῦ Εσόπτρου etc. Ces détails permettent d'identifier le *Paris. gr.* 754 avec le ms. consulté par Savile, d'après la notice qu'il a rédigée lui-même et dont on lira le texte plus loin, p. 384.

Voir H. OMONT, *Inventaire sommaire...* I, Paris 1886, p. 125-126 et *Missions archéologiques...*, Paris 1902, vol. II, p. 1117 ; J. DARROUZÈS, « Obits et colophons », in *Mélanges Orlandos*, Athènes 1964, p. 301-302 et p. 308.

6. *Taurinensis* 89 (B.I. 11) : **F**, Turin, Bibl. Naz., xie s., parch., 325 × 255 mm, iv + 463 ff., 2 col., 25 li.

Sermo cum presbyter ff. 344^v-350^v ; 463^rv ; des. mut. li. 281.

Ce texte se trouve inséré, on ne sait pourquoi, dans un ms. qui contient uniquement des textes de consolation : *A Théodore, A Stagyre*, etc. La plupart des mss de Gabriel Sévère, évêque de Philadelphie, se trouvant à la Bibliothèque nationale de Turin, on est en droit de penser que ce ms. est celui qui a été recopié par Savile et qui lui a servi pour son édition.

Voir J. PASINUS, *Codices manuscripti Bibliothecae Regii Taurinensis Athenaei*, Turin 1749, tome I, p. 87-88.

7. *Cantabrigiensis gr.* Nn I, 22 (2551) : **G**, Cambridge, University Library, xie-xiie s., parch. 330 × 230 mm, 166 ff., 2 col., 30 li.

Sermo cum presbyter ff. 6-13

Voir M. AUBINEAU, *Codices chrysostomici graeci*, I, Paris 1968, p. 16.

8. *Parisinus gr.* 768 : **H**, Paris, Bibl. nat., XIIIᵉ s., parch., 270 × 185 mm, 291 ff., pleine page, 35 li. (Colbert 1030).

Sermo cum presbyter ff. 286-291

Ce ms. est détérioré au coin supérieur interne des ff. 242-291, ce qui rend sa lecture parfois impossible. Mais la séquence des textes et la collation des variantes prouve que le *Parisinus gr.* 768 est une copie du *Parisinus gr.* 754.

Voir H. OMONT, *Inventaire sommaire...* I, Paris 1886, p. 134.

II. HISTOIRE DES ÉDITIONS

Le discours *Cum presbyter* a paru pour la première fois dans l'édition des œuvres de Jean Chrysostome par Savile, Oxford 1612, tome VI, p. 443-447, sous le numéro 38, notes au tome VIII, col. 803. L'éditeur donne dans ces notes des renseignements précieux sur cette partie de son travail : « Nous avons édité, comme nous l'avons pu, ce discours d'après un seul manuscrit appartenant à l'évêque de Philadelphie[1] et encore ce manuscrit n'est-il pas complet. Mais ensuite, nous avons trouvé une autre copie venant du monastère de la sainte Laure, dans l'île de Chalcis de Chalcédoine[2]. Nous avons ajouté le passage qui manquait et nous avons corrigé ce qui était mauvais, dans les notes de notre édition[3]. » Le premier manuscrit dont il s'agit est le

1. Il s'agit de Gabriel Sévère, sacré évêque de Philadelphie par le patriarche de Constantinople, mais en résidence à Venise. En effet, à partir de 1577, les Grecs de la République de Venise dépendaient, au point de vue religieux, du patriarcat de Constantinople. Voir Deno John GEANAKOPLOS, *Byzantium and the Renaissance. Greek Scholars in Venice*, Hamden (Connecticut) 1973, p. 68.

2. Par cette expression, Savile ne semble pas vouloir indiquer autre chose sinon que l'île de Chalcis (actuellement Halki) est proche de Chalcédoine (actuellement Kadiköy).

3. « Nos eam ex unico archiepiscopi Philadelphensis codice eoque minus integro edidimus, ut potuimus. Sed postea aliud nacti apographum ex monasterio S. Laurae ἐν Χαλκῇ νήσῳ τῆς Χαλκηδόνος, quod defuit et in appendice initio VIII tomi adjecimus et editionis nostrae menda in his notis sustulimus. » Cette note se trouve au tome VIII, col. 803 et la partie du texte recopiée par Savile, p. 100.

Taurinensis 89 (F), dont la copie par Savile est le *Bodleianus Auct.* E.3.14 (I). Le second est le *Parisinus gr.* 754 (E) pour lequel nous avons également le travail de Savile, le *Bodleianus Auct.* E.3.15 (J). Savile mentionne la date où il a fait cette copie et il ajoute : « Je l'écris pour la comparer avec l'exemplaire de l'évêque de Philadelphie[1]. » Si le groupe BDF, auquel se rattache I[2], ne mérite pas toujours confiance, la seconde copie, faite sur le manuscrit de Halki, rentre dans le groupe EGH, qui est de meilleure qualité, si bien que Savile écrit à juste titre qu'il a pu, grâce à lui, apporter des corrections utiles dans ses notes. On voit cependant que l'*editio princeps* a été établie sur une base très étroite.

En 1614, Fronton du Duc dans les *Opera S. Io. Chrysostomi*, t. IV, p. 953-961, notes p. 74-75, reproduit le texte de Savile.

En 1718, Montfaucon fait figurer ce texte dans ses *Opera omnia S. Io. Chrysostomi*, t. I, p. 436-443, notes p. 856[3]. Il suit en général le texte de Savile, mais il ajoute en note « Collata cum codice Colb. 1030 », c'est-à-dire avec le *Paris gr.* 768 auquel nous avons attribué le sigle H. Ainsi le texte primitif, établi tout d'abord sur un seul manuscrit, et encore défectueux, a pu être amélioré grâce à la collation de manuscrits d'un autre groupe, par Savile avec E, par Montfaucon avec H.

Notre information, un peu plus étendue, nous a permis de constater que le ms. A, malgré sa date vénérable, offre une version manifestement ornée, d'établir la supériorité du groupe EGHJ, soutenu par le syriaque, sur le groupe BDFI dont nous n'avons retenu que rarement les variantes, d'identifier les deux manuscrits dont Savile s'est servi pour

---

1. « Rescribo hanc conferendi causa cum exemplari episcopi Philadelphiae. » On note aussi la mention « Venetiis 1608. Vetustus est et membranaceus folio breviore. »

2. Voir ci-dessus notre classement des manuscrits, p. 379.

3. Ce texte est reproduit dans la *PG* 48, 693-700.

constituer le texte de l'*edito princeps*. Si le nombre de ceux qui offrent cette homélie n'est pas comparable à celui qu'on trouve habituellement pour éditer les autres œuvres de Jean Chrysostome, néanmoins les manuscrits que nous avons pu réunir nous ont permis d'établir un texte que nous espérons plus proche de l'original.

INDEX SIGLORUM

A	Dublinensis W 131	xe s.
B	Genuensis Bibl. Franz. Miss. urb. gr. 12	
C	Monacensis gr. 6	
D	Holmensis A 792 b	x^e-xie s.
E	Parisinus gr. 754	xie s.
F	Taurinensis 89 (B.I.11)	
G	Cantabrigiensis gr. Nn I, 22 (2551)	xie-xiie s.
H	Parisinus gr. 768	

Τοῦ αὐτοῦ
ὁμιλία πρώτη ὅτε πρεσβύτερος προεχειρίσθη
εἰς ἑαυτὸν καὶ εἰς τὸν ἐπίσκοπον καὶ εἰς τὸ πλῆθος τοῦ λαοῦ

(1) Ἆρα ἀληθῆ τὰ συμβάντα περὶ ἡμᾶς; καὶ γέγονεν ὄντως
τὰ γεγενημένα καὶ οὐκ ἐξηπατήμεθα; οὐδὲ νὺξ τὰ παρόντα
καὶ ὄναρ, ἀλλ᾽ ἡμέρα ὄντως ἐστὶ καὶ ἐγρηγόραμεν ἅπαντες; Καὶ
τίς ἂν ταῦτα πιστεύσειεν ὅτι ἡμέρας οὔσης, νηφόντων ἀνθρώ-
5 πων καὶ ἐγρηγορότων, μειρακίσκος εὐτελὴς καὶ ἀπερριμμένος
πρὸς ὕψος ἀρχῆς ἀνηνέχθη τοσοῦτον; Ἐν νυκτὶ μὲν γὰρ οὐδὲν
ἀπεικὸς τὰ τοιαῦτα συμβαίνειν. Ἤδη γοῦν τινες τὸ σῶμα
ἀνάπηροι καὶ μηδὲ τῆς ἀναγκαίας εὐποροῦντες τροφῆς, καθευ-
δήσαντες εἶδον ἑαυτοὺς ἀρτίους γεγενημένους καὶ καλοὺς καὶ

A CEGH BDF

Titulus. 1-3 Τοῦ αὐτοῦ — τοῦ λαοῦ om. C qui a verbis Αἰνεῖτε τὸν
Κύριον (li. 104) inc. mut. ‖ 2 ὁμιλία πρώτη EGH F : om. A ὁμιλία
[πρώτη om.] post τοῦ λαοῦ transp. BD ‖ 2-3 ὅτε — ἐπίσκοπον : εἰς
ἑαυτὸν ὅταν ἐχειροτονήθη ἐπίσκοπος Κωνσταντινουπόλεως A ‖ 3 καὶ[2]
om. A ‖ 3 τοῦ λαοῦ : τῶν συνελθόντων καὶ εἰς τὸ πρῶτος εἶπεν μετὰ
τὴν χειροτονίαν· ἐλέχθη ἐν τῷ ἄμβωνι τῆς μεγάλης Ἐκκλησίας. Κύριε
εὐλόγησον A.
(1) 1 περὶ om. A ‖ 3 ὄντως om. EGH ‖ 3 ἐγρηγορῶμεν F ‖ 4 οὔσης]
+ καὶ A ‖ 7 ἀπεικὼς A ‖ 9 καὶ[1] : τε καὶ A.

1. Le syriaque traduit : *aux évêques*. Ce pluriel semble désigner les
évêques réunis pour l'ordination.
2. Le grec utilise ici une figure de style employée en poésie et dans
le style recherché : l'hendiadys, qui dissocie deux termes dont l'un
est le complément de l'autre.

Du même
première homélie, lorsqu'il fut ordonné prêtre, adressée à lui-même, à l'évêque[1] et à la foule du peuple

(1) Est-ce vrai ce qui nous arrive ? est-ce réellement que les choses ont eu lieu et n'avons-nous pas été trompés ? les événements présents ne sont-ils pas un rêve dans la nuit[2], mais réellement[3] fait-il jour et sommes-nous tous éveillés ? Qui pourrait croire que, de jour, alors que tout le monde est dans son bon sens et éveillé[4], un tout jeune homme[5], pauvre et dédaigné, a été élevé à un si haut degré d'autorité[6] ? De nuit, il n'y a rien d'invraisemblable à ce que de telles choses arrivent. Déjà, sans doute, des infirmes qui n'avaient pas de quoi manger suffisamment se sont vus, en rêve, parfaitement constitués, beaux et jouissant d'une

3. A cause du goût de l'orateur pour les répétitions qui apparaît dans tout ce texte, et en nous appuyant sur le témoignage du syriaque, nous gardons la répétition de ὄντως, bien que le second adverbe figure seulement dans les groupes A BDF que nous ne suivons pas volontiers.

4. Les deux verbes sont souvent unis, comme dans *I Thess.* 5, 6 et *I Pierre* 5, 8. Le verbe νήφω signifie, au sens propre, *être sobre* ; il s'oppose à μεθύω, *s'enivrer*. Ici, il désigne l'homme en pleine possession de ses facultés, par opposition à celui qui est la proie des songes.

5. On a constaté dans le *De sacerdotio* qu'il était impossible de se fier à l'auteur pour avoir des indications chronologiques. Voir *De sacerd.* I, 2, 80 et la note 1 de la p. 70. Ses affirmations dans ce domaine sont toutes dévalorisées par l'αὔξησις, c'est-à-dire par l'exagération oratoire. On en trouvera maints exemples dans ce texte.

6. Jean présente volontiers le sacerdoce sous son aspect d'autorité. Voir *supra,* p. 80, note 5.

10 τραπέζης ἀπολαύοντας βασιλικῆς· ἀλλ' ἦν ὕπνος καὶ ὀνείρων
ἀπάτη τὰ φαινόμενα. Καὶ γὰρ τοιαύτη τῶν ὀνειράτων ἡ φύσις·
πανοῦργός τίς ἐστι καὶ θαυμαστὴ καὶ τοῖς παραδόξοις ἐντρυ-
φῶσα χαίρει. 'Αλλ' οὐκ ἐν ἡμέρᾳ ταῦτα, οὐδὲ ἐπ' αὐτῆς τῶν
πραγμάτων τῆς ἀληθείας τοῦτο τάχα συμβαῖνον ἴδοι τις ἄν.
15 'Αλλὰ πάντα νῦν συνέβη καὶ γέγονε καὶ τέλος ἔχει, καθὼς
θεωρεῖτε, ταῦτα δή, ταῦτα τῶν ὀνείρων ἀπιστότερα ὅτι πόλις
οὕτω μεγάλη καὶ πολυάνθρωπος, δῆμος θαυμαστὸς καὶ μέγας
πρὸς τὴν ἡμετέραν εὐτέλειαν κέχηνεν, ὡς μέγα τι καὶ γενναῖον
ἀκουσόμενος παρ' ἡμῶν.
20 Καίτοι καὶ εἰ κατὰ τοὺς ἀεννάως ῥέοντας ποταμοὺς πηγαὶ
λόγων ἐναπέκειντό μου τῷ στόματι, τοσούτων ἀθρόων συν-
δραμόντων πρὸς τὴν ἀκρόασιν, ταχέως ἀνεστάλη μοι τῷ φόβῳ
τὸ ῥεῖθρον καὶ ἀνεχαίτισεν ἂν εἰς τοὐπίσω τὰ νάματα· ὅταν δὲ
μὴ ποταμῶν, μηδὲ πηγῶν μόνον, ἀλλὰ ψεκάδος εὐτελοῦς

---

10 ὀνείρων : ὀνειράτων B ‖ 11 τὸ φαινόμενον A ‖ 12 θαυμαστὴ :
θαυματοποιὸς A ‖ 13 ταῦτα om. A ‖ 14 ταχέως A ‖ 15 'Αλλὰ πάντα :
ἀλλ'ἰδοὺ A ‖ 15 νῦν om. EH ‖ 15-16 καθὼς θεωρεῖτε om. A ‖ 16
θεωρεῖτε : φατε EGH ‖ 16 ταῦτα² : τὰ BDF καὶ τὰ A ‖ 16 ὅτι
EGH : καὶ cett. ‖ 17 δῆμος] + τε F ‖ 20 ἀεννάως GH : ἀεννάως E
ἀεννάους A BD ἀενάους F ‖ 20 ῥέοντας EGH : ἔρρεον cett. ‖ 20
πηγαὶ EGH : καὶ πηγαὶ cett. ‖ 21 ἀθρόων EH : ἀθρόον cett. ‖ 23
ἂν om. A ‖ 24 ἀλλὰ] + μηδὲ A F.

1. Encore un hendiadys où la fécondité de l'imagination et ses
fruits merveilleux sont dissociés dans le grec et mis grammaticalement
sur le même plan.

2. Les verbes συνέβη, γέγονε qui étaient employés dans l'interro-
gation du début, li. 1, sont repris ici dans la réponse affirmative et
complétés par l'expression τέλος ἔχει, qui insiste sur la réalisation
du fait.

3. Étant donné les habitudes oratoires des auteurs qui dénaturent
la réalité pour la rendre plus belle, il est difficile d'avoir des indications dignes de foi sur le nombre des habitants d'Antioche. Chr. BAUR,
dans l'ouvrage cité plus bas [p. 393, note 2], t. I, p. 29, propose cinq
cent mille ; V. SCHULTZE, « Antiocheia », dans Altchristliche Städte
und Landschaften, III, Gütersloh 1930, p. 152, propose huit cent
mille habitants. Pour avoir une idée de l'importance et de la splendeur de la ville, il faut lire la description faite par Libanios dans

table royale ; mais ils dormaient et ce qu'ils voyaient était une illusion des rêves. Telle est, en effet, la nature des songes : elle est capable d'inventer des merveilles[1], elle aime à faire ses délices des choses extraordinaires. Mais, de jour, celles-ci n'arrivent pas ; on ne saurait voir se produire soudain cette illusion devant la réalité des faits. Eh bien ! tout cela est arrivé, a eu lieu et se réalise[2] comme vous le voyez et voici ce qui est plus incroyable qu'un rêve : une ville si grande et si peuplée[3], une foule extraordinairement nombreuse est là, bouche bée[4] devant notre pauvreté, pour entendre de notre part quelque chose de grand et de noble[5].

Cependant, devant tant de gens accourus en foule pour m'écouter, même si des flots de paroles sortaient de ma bouche à la manière des fleuves qui coulent de façon intarissable, leur cours tarirait bientôt chez moi sous l'effet de la crainte[6] et les eaux remonteraient vers leur source ; mais puisque, au lieu du débit des fleuves et des sources, c'est seulement une petite pluie fine que nous avons en réserve, comment ne pas redouter que l'infime quantité

l'*Antiochikos*, traduit en français par A.-J. Festugière dans *Antioche païenne et chrétienne*, Paris 1959, p. 23-37.

4. Χαίνω signifie au sens propre *ouvrir la bouche*, le plus souvent sous l'effet de l'admiration. Jean aime à se servir de ce verbe pour parler des dispositions de ceux qui l'écoutaient. Par exemple, *In illud* : « *Hoc scitote* », *P G* 56, 271 : ... πρὸς τὴν ἀκρόασιν κεχηνότες. Sozo-mène s'en sert aussi pour parler de l'admiration des mêmes auditeurs, *HE* VIII, 5, 2, *GCS* 50, p. 357.

5. Les deux épithètes marquent nettement qu'il s'agit d'un discours solennel où chacun attend une démonstration d'éloquence, mais aussi plein de valeur spirituelle (c'est le sens que prend volontiers γενναῖος dans le vocabulaire de Jean).

6. C'est une tradition du discours oratoire que l'auteur souligne sa faiblesse devant la grandeur de sa tâche, d'où la crainte qui le saisit, li. 22-23, 42, et aussi l'angoisse, li. 34. Jean se conforme à cette règle, mais il lui donne une saveur personnelle en choisissant des exemples pittoresques : une petite pluie fine, un geste de la main qui se détend.

25 διασώζωμεν μέτρον, πῶς οὐ δέος μὴ καὶ αὐτὸ τὸ μικρὸν τῆς
ἐπιρροῆς ἐπιλείπῃ τῷ φόβῳ ξηρανθὲν καὶ γένηται ταὐτὸν ὃ
καὶ ἐπὶ τῶν σωμάτων συμβαίνειν εἴωθε; Τί δὲ γίνεται ἐπὶ τῶν
σωμάτων; Πολλὰ πολλάκις κατέχοντες τῇ χειρὶ καὶ τοῖς
δακτύλοις ἡμῶν σφίγγοντες, πτοηθέντες δὲ ἅπαντα ἐξε-
30 χέαμεν, χαυνωθέντων ἡμῶν τῶν νεύρων καὶ τοῦ τόνου τῆς
σαρκὸς χαλασθέντος. Τοῦτο δὴ δέος μὴ καὶ σήμερον γένηται
ἐπὶ τῆς ψυχῆς τῆς ἡμετέρας καὶ ἃ μετὰ πολλοῦ πόνου συνη-
γάγομεν ὑμῖν νοήματα, τὰ μικρὰ δὴ ταῦτα καὶ εὐτελῆ, ὑπὸ
τῆς ἀγωνίας ἐλασθέντα, φροῦδα οἰχήσηται καὶ τὴν διάνοιαν
35 ἡμῖν ἔρημην καταλιπόντα ἀποπτῇ. Διὸ δέομαι πάντων ὁμοίως
ὑμῶν, ἀρχόντων καὶ ἀρχομένων, ὅσην ἡμῖν ἀγωνίαν ἐνε-
βάλετε τῇ συνδρομῇ τῇ κατὰ τὴν ἀκρόασιν, τοσοῦτον ἐμπνεῦ-
σαι θάρσος ἡμῖν διὰ τῆς σπουδῆς τῆς κατὰ τὰς εὐχὰς καὶ
δεηθῆναι « τοῦ διδόντος ῥῆμα τοῖς εὐαγγελιζομένοις δυνάμει
40 πολλῇ[a] », « δοῦναι καὶ ἡμῖν λόγον ἐν ἀνοίξει τοῦ στόματος
ἡμῶν[b] ». Πάντως ὑμῖν πόνος οὐδεὶς τοσούτοις οὖσι καὶ
τηλικούτοις ἑνὸς μειρακίσκου ψυχὴν τῷ φόβῳ διαλυθεῖσαν
ἐπισφίγξαι πάλιν· δίκαιοι δὲ ἂν εἴητε ταύτην ἡμῖν παρασχεῖν
τὴν αἴτησιν, ἐπεὶ καὶ δι' ὑμᾶς τὸν κύβον ἀνερρίψαμεν τοῦτον,
45 δι' ὑμᾶς καὶ τὴν ὑμετέραν ἀγάπην ἧς οὐδὲν βιαιότερον οὐδὲ
τυραννικώτερον, ὅπου γε καὶ ἡμᾶς οὐ μάλα ἐμπείρως ἔχοντας

---

25 καὶ om. BD ‖ 26 ἐπιρροῆς] + ἡμᾶς A ‖ 26 ἐπιλείπῃ EGH B :
ἐπιλίπῃ DF ἐπιλήψῃ A ‖ 26 ζηρανθὲν] + ἅπαν A ‖ 26 ταὐτὸν ὃ A
BDF : ταῦτα ἃ EGᵃᶜ H ταῦτα ὃ Gᵖᶜ ‖ 28 πολλάκις] + μετὰ ἀκριβείας A ‖ 29 ἡμῶν om. A ‖ 29 ἐπισφίγγοντες A ‖ 29 ἄνωθεν πτοηθέντες A ‖ 29 δὲ : ἀθρόον A om. F ‖ 32 πολλοῦ τοῦ EGH ‖ 32 πόνου
om. A ‖ 33 τὰ om. A ‖ 34 ἐλαθέντα A DF ‖ 34 οἴχεται A EGH ‖
35 ἡμῶν BDF ‖ 38 θάρσους corr. ed. Paris. ‖ 41 Πάντως] + γε A ‖
43 δ' ἂν A ‖ 46 τυραννικώτερον A F : τυραννικώτερον ἦν cett.

a. Ps. 67, 12   b. Éphés. 6, 19

1. Sur cette formulation, voir également De sacerd. p. 80, note 5.
2. L'expression empruntée à la vie quotidienne souligne la part
d'aléa qu'entraîne le choix de toute vocation. La condition de l'homme
qui se consacre au service de Dieu expose son engagement à des vicis-

de ce qui est tombé ne se dessèche sous l'effet de la crainte
et que ne se produise ce qui d'ordinaire arrive dans le
domaine physique ? Qu'arrive-t-il donc dans le domaine
physique ? Souvent, quand nous tenons beaucoup de choses
dans la main en serrant les doigts, si nous sommes pris de
crainte, nous laissons tout échapper, parce que nos nerfs se
détendent et que la vigueur de l'étreinte se relâche. Or, il
est à craindre que cela ne se produise aujourd'hui dans
notre âme, que les pensées rassemblées pour vous à grand-
peine, bien peu importantes certes et sans valeur, ne
viennent à s'échapper sous le coup de l'angoisse et ne s'en-
volent en laissant notre esprit vide. C'est pourquoi, je vous
en supplie tous également, vous qui exercez l'autorité et
vous qui lui êtes soumis[1], autant vous avez suscité chez
nous d'angoisse en accourant pour nous entendre, autant
inspirez-nous de force par l'ardeur de vos prières et deman-
dez à « celui qui donne aux messagers de pouvoir s'exprimer
avec une grande puissance[a] » « de nous donner à nous aussi
l'éloquence, alors que nous allons ouvrir la bouche[b] ». Vous
n'aurez absolument aucune peine, vous qui avez une telle
valeur et qui êtes si nombreux, à réconforter un tout jeune
homme qui est seul, l'âme affaiblie par la crainte ; il serait
juste que vous accédiez à cette demande, puisque c'est à
cause de vous que nous avons jeté ce dé[2], à cause de vous
et à cause de l'amour que nous avons pour vous, en comparaison duquel rien n'est plus fort ni plus tyrannique. C'est
pourquoi nous qui n'avons pas l'habitude de parler, de

situdes qu'il ne peut prévoir en détail, mais Jean souligne dès l'abord
le motif de son propre engagement : il a agi par amour pour le peuple
chrétien. Il ne cessera de le prouver dans cette grande aventure où
il s'était embarqué et qui devait se terminer par le martyre. Voir
CASSIEN, *De incarnatione* VII, xxx, 1 : « Iohannes Constantinopoli-
tanorum antistitum decus... ad martyrii merita pervenit. » Dans
Chr. BAUR, *Der heilige Johannes Chrysostomus und seine Zeit*,
trad. anglaise par Sr M. Gonzaga, Londres-Glasgow 1959, vol. II,
chap. xxxviii, Chrysostom as a « martyr », p. 431-435, sont groupées
les références aux témoignages de ceux qui l'ont considéré comme tel.

τοῦ λέγειν, λέγειν ἀνέπεισε καὶ πρὸς τὸ τῆς διδασκαλίαν
στάδιον ἀποδύσασθαι παρεσκεύασε, καίτοι μηδέποτε πρότερος
τούτων ἁψαμένους τῶν παλαισμάτων, ἀλλ' ἀεὶ μετὰ τῶν
50 ἀκροατῶν ταττομένους καὶ τῆς ἀπράγμονος ἀπολαύοντας
ἡσυχίας.

Ἀλλὰ τίς οὕτω σκληρὸς καὶ δυσάγωγος ὡς τὸν ὑμέτερον
σύλλογον σιγῇ παρελθεῖν καὶ θερμοὺς εὑρὼν ἀκροάσεως
ἐραστὰς μὴ προσειπεῖν, κἂν ἁπάντων ἀνθρώπων ἀφωνότερος
55 ᾖ; Ἐβουλόμην οὖν πρῶτον ἐν ἐκκλησίᾳ μέλλων ἀφιέναι
λόγον, τῶν προοιμίων ἀπάρξασθαι τῷ τὴν γλῶσσαν ἡμῖν
ταύτην δεδωκότι Θεῷ· καὶ γὰρ οὕτως ἔδει. Οὐ γὰρ δὴ μόνον
ἅλωνος καὶ ληνοῦ, ἀλλὰ καὶ λόγων ἀπάρχεσθαι δεῖ τῷ Λόγῳ,
καὶ λόγων πολλῷ μᾶλλον ἢ δραγμάτων ὅσῳ καὶ ἡμῖν
60 οἰκειότερος οὗτος ὁ καρπὸς καὶ αὐτῷ προσφιλέστερος τῷ
τιμωμένῳ Θεῷ. Βότρυν μὲν γὰρ καὶ ἄσταχυν λαγόνες ἐκφέ-
ρουσι γῆς καὶ τρέφουσιν ὄμβρων ἐπιρροαὶ καὶ γηπόνων
θεραπεύουσι χεῖρες· ὕμνον δὲ ἱερὸν τίκτει μὲν εὐλάβεια
ψυχῆς, τρέφει δὲ συνειδὸς ἀγαθόν, δέχεται δὲ εἰς τὰ ταμιεῖα
65 τῶν οὐρανῶν ὁ Θεός. Ὅσῳ δὲ γῆς ἀμείνων ψυχή, τοσούτῳ

---

47 λέγειν om. A ‖ 48 παρεσκεύασε om. A ‖ 48 καίτοι : καὶ τούς A
‖ 48 μηδέπω A F ‖ 50 ἀπολαύοντας : ἀπολαύοντες A ἀπολαύοντος
G ‖ 52 δυσάγωγος EH : δυσανάγωγος cett. ‖ 58 καὶ[1] om. A ‖ 58
ληνοῦ : λιμοῦ A ‖ 58 Λόγῳ : Θεῷ A ‖ 59 δραγμάτων : πραγμάτων
A ‖ 59 ὅσῳ καὶ : καὶ γὰρ καὶ BF καὶ D ‖ 61 βότρυς ... ἄσταχυς A. ‖
65 ὅσον ... τοσοῦτον BDF.

1. Dans ce discours, on trouve de très nombreuses répétitions de
mots. Ce n'est pas négligence, mais, au contraire, procédé de style
recherché. Voir W. A. Maat, *A rhetorical study of John Chrysostom's De sacerdotio, Patristic Studies*, tome LXXI, 1944, chap. ii,
p. 9 et 10.

2. Le verbe ἀποδύομαι signifie, au sens propre, *se dévêtir* et, en
particulier, pour entrer dans le stade, l'athlète combattant nu.
L'expression τὸ τῆς διδασκαλίας στάδιον désigne l'enseignement
donné par l'évêque et les prêtres dans l'homélie et auquel Jean n'a pas
été jusqu'ici convié. Ceci n'exclut pas la possibilité d'un enseignement
donné aux catéchumènes, comme le prouve l'anecdote rapportée
par Jean lui-même. Voir ci-dessus, Introd., p. 368, note 2.

parler[1] il nous a persuadé et nous a engagé à nous mettre
en mesure d'entrer dans le stade de l'enseignement[2] bien
que nous n'ayons jamais encore jusqu'ici pris part à ces
luttes, mais que nous nous soyons toujours placé parmi les
auditeurs, jouissant d'une tranquillité exempte de tout
souci[3].

Mais qui serait assez dur et intraitable pour aborder
notre réunion en silence et, alors qu'on trouve des gens
passionnés d'écouter[4], pour ne pas s'adresser à eux, même
quand on est le moins éloquent de tous les hommes ? Je
voudrais donc, au moment de parler pour la première fois
dans l'église, consacrer les prémices de cette parole au Dieu
qui nous l'a donnée[5] ; et en effet, ce serait justice. Il faut,
certes, offrir les prémices du blé et du vin, mais aussi des
discours au Verbe[6] et des discours plutôt que des gerbes,
puisque ce fruit nous appartient en propre et qu'il est plus
agréable au Dieu que nous honorons. Ce sont les flancs de
la terre qui portent la grappe et l'épi, les chutes de pluie
les font pousser et les mains les soignent ; mais c'est la
piété de l'âme qui inspire une hymne sainte, elle est ali-
mentée par une bonne conscience et Dieu la reçoit dans les
greniers du ciel. Meilleure est l'âme, meilleur est ce qu'elle

3. Les attributions des diacres, attestées dès l'origine du christianisme (*Act.* 6, 3), ont été plus ou moins étendues selon les besoins,
au cours de l'histoire de l'Église, en particulier dans le domaine de la
prédication où nous voyons des diacres prendre la parole pour seconder
l'évêque dans son enseignement. Cf. IGNACE D'ANTIOCHE, *Ad Philad.*
XI, 1. Le texte de notre homélie permet d'affirmer qu'en 386 dans
l'Église d'Antioche, les diacres ne prêchaient pas. De même li. 55.

4. Voir *De sacerd.* V, 1, li. 12-19 et V, 8, li. 49-52.

5. Littéralement : cette langue. Cf. GRÉGOIRE DE NAZIANZE, *Orat.*
XLIII, ch. 82, 1. (*Discours funèbres*, éd. Boulenger, Paris 1908,
p. 230). Ταῦτά σοι παρ' ἡμῶν, ὦ Βασίλειε, τῆς ἡδίστης σοί ποτε
γλώττης...

6. Il est évident qu'il y a ici un jeu de mots voulu entre les deux sens
du mot λόγος, la parole et le Verbe, seconde personne de la Trinité.

καὶ αὕτη βελτίων ἐκείνης ἡ φορά. Διά τοι τοῦτο καὶ τῶν
προφητῶν τις, ἀνὴρ θαυμαστὸς καὶ μέγας, Ὠσηὲ ὄνομα
αὐτῷ, τοῖς τῷ Θεῷ προσκεκρουκόσι καὶ μέλλουσιν ἵλεων
καταστήσειν αὐτὸν παραινεῖ λέγων· « Φέρετε μεθ' ἑαυτῶν »,
70 οὐχὶ βοῶν ἀγέλας, οὐδὲ σεμιδάλεως μέτρα τόσα καὶ τόσα,
οὐδὲ τρυγόνα καὶ περιστεράν, οὐδὲ ἄλλο τι τῶν τοιούτων
οὐδέν, ἀλλὰ τί; « Φέρετε μεθ' ἑαυτῶν λόγους c », φησί. Καὶ
ποία θυσία λόγος; ἴσως εἴποι τις ἄν. Μεγίστη μὲν οὖν,
ἀγαπητέ, καὶ σεμνοτάτη καὶ τῶν ἄλλων ἁπασῶν βελτίων.
75 Καὶ τίς ταῦτά φησιν; Αὐτὸς ὁ ταῦτα μάλιστα πάντων εἰδὼς
ἀκριβῶς, ὁ γενναῖος καὶ μέγας Δαυΐδ. Τῷ γὰρ Θεῷ ποτε
εὐχαριστήρια θύων ἐπὶ νίκῃ πολέμου γεγενημένῃ οὑτωσί πώς
φησιν· « Αἰνέσω τὸ ὄνομα τοῦ Θεοῦ μου μετ' ᾠδῆς· μεγαλυνῶ
αὐτὸν ἐν αἰνέσει d. » Εἶτα τῆς θυσίας ταύτης τὴν ὑπεροχὴν
80 ἡμῖν ἐνδεικνύμενος, ἐπήγαγε. « Καὶ ἀρέσει τῷ Θεῷ ὑπὲρ
μόσχον νέον κέρατα ἐκφέροντα καὶ ὁπλάς e. »

Ἐβουλόμην μὲν οὖν καὶ αὐτὸς ταῦτα σήμερον καταβαλεῖν
τὰ ἱερεῖα καὶ τὸ θυσιαστήριον ἀπὸ τῶν θυμάτων τούτων
αἱμάξαι τὸ πνευματικόν· ἀλλὰ τί πάθω; Σοφός τις ἀνὴρ
85 ἐπιστομίζει με καὶ φοβεῖ λέγων. « Οὐχ ὡραῖος αἶνος ἐν στόματι ἁμαρτωλοῦ f. » Καθάπερ γὰρ ἐπὶ τῶν στεφάνων οὐχὶ τὰ
ἄνθη μόνον εἶναι χρὴ καθαρά, ἀλλὰ καὶ τὴν ὑφαίνουσαν αὐτὰ
χεῖρα· οὕτω καὶ ἐπὶ τῶν ὕμνων τῶν ἱερῶν οὐχὶ τοὺς λόγους
εὐλαβείας μετέχειν χρὴ μόνον, ἀλλὰ καὶ τὴν πλέκουσαν αὐτοὺς
90 ψυχήν. Ἡμῖν δὲ ἐναγής τίς ἐστι καὶ ἀπαρρησίαστος καὶ πολ-

68 ἵλεω EGH D ‖ 69 λέγων· Φέρετε : φέρειν F ‖ 70 καὶ τόσα om.
A ‖ 75 Καὶ om. F ‖ 77 χαριστήρια A F ‖ 77 οὑτωσί πως : οὕτως A ‖
78 φησιν : εἶπέν φησιν A ἔλεγεν F.

c. Os. 14, 3   d. Ps. 68, 31   e. Ibid. 32   f. Sir. 15, 9

1. Dans le De sacerdotio, Jean insiste sur la nécessité pour le prêtre
d'aspirer sans cesse à la perfection, pour que son enseignement ait
toute sa portée et soit rendu fécond par Dieu. Voir III, 8, li. 12-16.
2. Cf. Lc 2, 24.
3. Cette formule est fréquente dans le De sacerdotio, II, 6, 42 ;
IV, 1, 42-43 ; VI, 7, 30 (voir p. 127, note 2).

produit[1]. C'est pourquoi un prophète, homme admirable et grand, Osée était son nom, donne un conseil à ceux qui ont offensé Dieu et qui veulent se le rendre favorable en disant : « Apportez avec vous... », non des troupeaux de bœufs ni des mesures de fleur de farine en quantité, ni une tourterelle et une colombe[2], ni rien d'autre du même genre, mais quoi ? « Apportez avec vous des paroles[c] », dit-il. Et en quoi la parole est-elle un sacrifice ? pourrait-on peut-être dire. C'est le plus grand, mon ami, et le plus saint et il est meilleur que tous les autres. Et qui dit cela ? celui qui le sait bien mieux que nous, le noble et grand David. En offrant un jour des sacrifices d'action de grâce après une victoire remportée à la guerre, il dit à peu près : « Je louerai le nom de mon Dieu, je le célébrerai dans un chant de louange[d]. » Ensuite, nous montrant l'excellence de ce sacrifice, il a ajouté : « Et cela plaira à Dieu plus qu'un jeune bélier qui a déjà cornes et sabots[e]. »

Et moi aussi donc, j'aurais voulu aujourd'hui immoler ces victimes et ensanglanter de ces sacrifices l'autel spirituel ; mais que vais-je faire[3] ? Un sage me ferme la bouche et m'effraie en disant : « La louange n'est pas de saison dans la bouche du pécheur[f]. » En effet, de même que pour les couronnes il ne faut pas seulement que les fleurs soient pures, mais que soient pures aussi les mains de celui qui les a tressées, ainsi pour les hymnes saintes, il ne faut pas que les paroles seulement soient empreintes de piété, mais aussi l'âme qui les a composées. Or, la nôtre est, en quelque sorte, sous le coup d'une malédiction[4] et saisie de crainte

---

4. Le mot a un sens très fort. C'est le contraire de εὐαγής, *qui est en bons rapports avec le sacré*, l'un et l'autre étant dérivés de ἄγος, consécration, et marquant par leur préfixe la nature des relations de l'homme avec la divinité. Voir P. CHANTRAINE, *Dict. étym. de la langue grecque*, Paris 1968, tome I, p. 13, article ἄγος. Il semble que Jean connaissait la valeur du mot dans le vocabulaire religieux païen et qu'il veut le faire passer ici au moyen de l'adjectif τις qui correspond au latin *quasi*.

λῶν γέμουσα τῶν ἁμαρτημάτων. Τοὺς δὲ οὕτω διακειμένους οὐχ οὗτος ἐπιστομίζει μόνον ὁ νόμος, ἀλλὰ καὶ ἕτερος ἀρχαιότερος ἐκείνου καὶ πρὸ ἐκείνου τεθείς. Καὶ τοῦτον εἰσήνεγκεν ὁ περὶ τῶν θυσιῶν ἡμῖν ἄρτι διαλεχθεὶς Δαυΐδ, εἰπὼν γάρ·
95 « Αἰνεῖτε τὸν Κύριον ἐκ τῶν οὐρανῶν, αἰνεῖτε αὐτὸν ἐν τοῖς ὑψίστοις. Αἰνεῖτε τὸν Κύριον ἐκ τῆς γῆς[g] », καὶ τὴν κτίσιν καλέσας ἑκατέραν, τὴν ἄνω, τὴν κάτω, τὴν αἰσθητήν, τὴν νοητήν, τὴν ὁρωμένην, τὴν οὐχ ὁρωμένην, τὴν ὑπὲρ τὸν οὐρανόν, τὴν ὑπὸ τὸν οὐρανόν, καὶ χορὸν ἕνα στήσας ἐξ ἑκα-
100 τέρας καὶ οὕτω τὸν βασιλέα τῶν ὅλων παρακελευσάμενος ἀνυμνεῖν, οὐδαμοῦ τὸν ἁμαρτωλὸν ἐκάλεσεν, ἀλλὰ καὶ ἐνταῦθα αὐτῷ τὰς θύρας ἀπέκλεισε.

(2) Καὶ ἵνα σαφέστερον ὑμῖν γένηται τὸ λεγόμενον, αὐτὸν ὑμῖν ἄνωθεν ἀναγνώσομαι τὸν ψαλμόν· « Αἰνεῖτε τὸν Κύριον
105 ἐκ τῶν οὐρανῶν, αἰνεῖτε αὐτὸν ἐν τοῖς ὑψίστοις· αἰνεῖτε αὐτὸν πάντες οἱ ἄγγελοι αὐτοῦ, αἰνεῖτε αὐτὸν πᾶσαι αἱ δυνάμεις αὐτοῦ[h]. » Εἶδες ἀγγέλους αἰνοῦντας, εἶδες ἀρχαγγέλους, εἶδες τὰ Χερουβὶμ καὶ τὰ Σεραφίμ, τὰς ἀνωτέρας δυνάμεις; Ὅταν γὰρ εἴπῃ· « πᾶσαι αἱ δυνάμεις αὐτοῦ », πάντα τὸν ἄνω
110 περιλαμβάνει δῆμον. Μή που τὸν ἁμαρτωλὸν εἶδες; Πῶς γὰρ

92 οὗτος : οὕτως A ‖ 93 Καὶ[a] : καὶ γὰρ καὶ F ‖ 96 ὑψίστοις] + καὶ μετ' ὀλίγα πάλιν εἰπών F ‖ 99 ἕνα στήσας A F : ἀναστήσας cett. ‖ 100 ἑκατέρας] + τῆς κτίσεως A.
(2) 104 Αἰνεῖτε hic inc. mut. C ‖ 105 οὐρανῶν] + φησίν F ‖ 110 παραλαμβάνει F ‖ 110 πῶς γὰρ : καὶ πῶς γὰρ BD καὶ πῶς F.

g. Ps. 148, 1.7   h. Ibid. 1-2

1. C'est une tradition du discours chrétien, qui recouvre d'ailleurs une réalité dont l'orateur peut avoir une conscience aiguë, que de se présenter comme pécheur. Elle remplace l'aveu que fait l'orateur païen de son impuissance devant la grandeur du sujet, à moins que les deux ne coexistent chez l'orateur chrétien.

2. Cf. Apoc. 5, 11-14. Le psaume 148 semble particulièrement bien choisi, puisque c'est une invitation à la louange universelle et que cette louange associe le ciel et la terre à l'action de grâce de celui qui a été élevé « à la dignité du sacerdoce » (De sacerd. I, 3, 5-6). Sur la prière des anges qui s'unit à celle de la terre, voir In Oziam hom. I, 1, PG 56, 97, De incompr. IV, SC 28 bis, p. 260, li. 408-420 et Introd.,

et pleine de péchés[1]. Pour ceux qui sont dans de telles conditions, ce n'est pas seulement la loi ci-dessus énoncée qui
leur ferme la bouche, mais une autre plus ancienne que celle-
là et établie avant elle. En effet, c'est David, lui qui nous
parlait tout à l'heure de sacrifices, qui l'a introduite en
disant : « Louez le Seigneur du haut des cieux, louez-le
dans les hauteurs. De la terre louez le Seigneur[g]. » Ayant
appelé chacune de ces créations, celle d'en haut et celle d'en
bas, celle qu'on perçoit par les sens, celle qu'on perçoit par
l'intelligence, celle qui est visible, celle qui est invisible,
celle qui est au-dessus du ciel, celle qui est sous le ciel et,
de chacune ayant formé un seul chœur[2], ayant invité ainsi
à chanter le roi de l'univers, nulle part il n'a convié le
pécheur, mais, dans ce cas, il lui a fermé la porte.

(2) Pour que mes paroles soient plus claires, je lirai le
psaume depuis le commencement[3]. « Louez le Seigneur du
haut des cieux, louez-le dans les hauteurs. Louez-le tous ses
anges, louez-le toutes ses puissances[h]. » Vois-tu les anges
occupés à le louer ? vois-tu les archanges ? vois-tu les Chérubins, les Séraphins, les puissances d'en haut ? Lorsqu'il
dit : « toutes ses puissances », il comprend tout le peuple
d'en haut. Vois-tu quelque part le pécheur ? Comment

p. 40-50, à quoi font écho BASILE, *De spiritu sancto* XVI, 38, *SC* 17 bis,
p. 382-384 et GRÉGOIRE DE NAZIANZE, *Poemata dogmatica* XXXIV,
PG 37, 515.

3. Les homélies de Chrysostome sont loin de nous donner les renseignements abondants que donnent les sermons d'Augustin sur le
cursus liturgique et dont A.-M. La Bonnardière a su tirer un si remarquable profit dans ses études de la *Biblia augustiniana* (Paris, Études
Augustiniennes). On est arrivé cependant à dégager un schéma
constant dans l'ordonnance de la messe. Voir M.-L. GUILLAUMIN,
« Bible et liturgie dans la prédication de Jean Chrysostome », dans
Jean Chrysostome et Augustin, Actes du Colloque de Chantilly 1974,
Paris 1975, p. 161-172 : une lecture de l'Ancien Testament, une lecture
tirée des épîtres, une lecture tirée de l'évangile ainsi que le chant d'un
psaume. Notre homélie permet de supposer que l'on avait chanté
à la synaxe, le jour de l'ordination de Jean, le psaume 68 que Jean
complète en citant le psaume 148.

ἦν ἐν οὐρανῷ δυνατὸν ὀφθῆναι, φησίν; Οὐκοῦν δεῦρό σε καὶ
εἰς τὴν γῆν καταγάγωμεν, πρὸς τὸ ἕτερον τοῦ χοροῦ μετα
στήσαντες μέρος· καὶ οὐδὲ ἐνταῦθα αὐτὸν ὄψει πάλιν. « Αἰνεῖτε
τὸν Κύριον ἐκ τῆς γῆς δράκοντες καὶ πᾶσαι ἄβυσσοι, τὰ
115 θηρία καὶ πάντα τὰ κτήνη, ἑρπετὰ καὶ πετεινὰ πτερωτά[i]. »
Οὐ μάτην, οὐδὲ εἰκῆ μεταξὺ ταῦτα λέγων ἐσίγησα, ἀλλὰ καὶ
συνεχύθη μοι τῆς διανοίας ὁ λογισμὸς καὶ πικρὸν προῆλθε
δακρῦσαι καὶ οἰμῶξαι μέγα. Τί γὰρ ἂν γένοιτο ἐλεεινότερον,
εἰπέ μοι, ὅτι σκορπίοι μὲν καὶ ἔχεις καὶ δράκοντες πρὸς τὴν
120 εὐφημίαν καλοῦνται τοῦ πεποιηκότος αὐτούς, μόνος δὲ ὁ
ἁμαρτωλὸς τῆς ἱερᾶς ταύτης χοροστασίας ἀπολείπεται; Καὶ
εἰκότως. Θηρίον γάρ ἐστι πονηρὸν καὶ ἀνήμερον, οὐκ εἰς τὰ
σύνδουλα τῶν σωμάτων τὴν κακίαν ἐπιδεικνύμενον, ἀλλ᾽ εἰς
τὴν δόξαν τὴν δεσποτικὴν τὸν ἰὸν τῆς πονηρίας ἐκχέον. « Δι᾽
125 ὑμᾶς γάρ, φησί, τὸ ὄνομά μου βλασφημεῖται ἐν τοῖς ἔθνεσι[j]. »
Διὰ τοῦτο αὐτόν, ὥσπερ ἐξ ἱερᾶς πατρίδος, τῆς οἰκουμένης
ἀπήλασεν ὁ προφήτης καὶ πρὸς τὴν ὑπερορίαν ἀπῴκισεν.
Οὕτω που καὶ μουσικὸς ἄριστος εὐαρμόστου κιθάρας τὴν
ἀπηχοῦσαν νευρὰν ἀποτέμνει ὥστε μὴ τῇ τῶν λοιπῶν φθόγ
130 γων ἁρμονίᾳ λυμήνασθαι, οὕτω καὶ ἰατρὸς τεχνικὸς τὸ σεση

---

111 ἦν ἐν οὐρανῷ δυνατὸν : ἁμαρτωλὸν τοῦτο A ‖ 111 σε transp.
post γῆν F ‖ 112 χοροῦ : χρόνου B ‖ 116 ἐσίγησα : ἔστησα A ‖ 116
καὶ : γὰρ F om. A ‖ 117 ἐπῆλθε A F ‖ 119 ὅτι EGH : ἀλλ᾽ ἢ ὅταν
A om. cett. ‖ 119 μὲν del. Sav. ‖ 120 καλῶνται A ‖ 121 ἀπολείπεται :
ἀποκλείεται ἀλλ᾽ εἰ καὶ ἐλεεινὸν τοῦτο, ἀλλὰ κατὰ λόγον γίνεται A ‖
122 ἐστι] + ὁ ἁμαρτωλὸς A ‖ πονηρὸν] + ἡ ἁμαρτία, θηρίον πονηρὸν
BDF ‖ 124 ἐκχέων A ‖ 126 τῆς οἰκουμένης om. D ‖ 128 καὶ] + ὁ F.

i. *Ibid.* 7.10   j. Is. 52, 5

1. Le mot μάτην joint à εἰκῆ forme une expression familière à
Chrysostome. Voir li. 139 et *De sacerd.*, p. 71, note 2 ainsi que l'index.
2. Alors que les mss CEGH ne précisent pas le sujet de ἐστι, parce
qu'ils se jugent indiqué assez clairement dans la phrase précédente
par ὁ ἁμαρτωλός, le ms. A le répète et les mss BDF le remplacent
par ἡ ἁμαρτία. Il s'agit évidemment non du péché, mais du pécheur

serait-il possible de le voir dans le ciel, dira-t-on ? Eh bien !
descends avec nous sur la terre et passons à une autre partie
du chœur ; tu ne le verras pas non plus ici. « De la terre louez
le Seigneur, dragons et vous tous les abîmes, bêtes sauvages
et troupeaux de toute sorte, reptiles et oiseaux ailés[i]. »
Ce n'est pas sans motif ni au hasard[1] que je me suis arrêté
tandis que je prononçais ces paroles, mais la suite logique
de ma pensée s'est troublée, l'envie m'est venue de pleurer
amèrement et de me livrer à de grandes lamentations. Que
pourrait-il y avoir de plus déplorable ? dis-moi : les scor-
pions, les reptiles, les dragons sont invités à louer celui qui
les a créés et seul, de ce chœur saint, le pécheur est écarté.
Et avec juste raison. En effet, c'est une bête méchante et
cruelle[2] qui montre sa malice en s'attaquant non aux corps
qui sont des compagnons de service[3], mais en répandant le
venin de la méchanceté sur la gloire du Maître. « A cause de
vous, dit le Seigneur, mon nom est blasphémé parmi les
nations[j]. » C'est pour cela que le prophète l'a exclu de la
terre comme d'une sainte patrie et l'a chassé au-dehors.
Ainsi, je pense, un excellent musicien enlève de sa cithare
bien accordée la corde qui sonne faux[4], pour qu'elle ne
trouble pas l'harmonie des autres sons ; ainsi un médecin

qu'on a trouvé li. 110 et qu'on retrouve à la fin du paragraphe,
li. 134. Pour la comparaison du pécheur avec une bête féroce, voir
In Act. apost. hom. XXVII, 2, *P G* 60, 207, où il est dit de l'ivrogne
qu'il est « une bête féroce plutôt qu'un homme » : θηρίον ἐστὶ μᾶλλον
ἢ ἄνθρωπος.

3. Jean utilise le terme σύνδουλος pour désigner le corps qui forme
avec l'âme le composé humain. Dans ce cas, il ne donne au mot
aucune nuance péjorative, mais il présente le corps comme l'instrument de l'âme. Par exemple *In epist. ad Gal.* V, 5, *P G* 61, 671 ;
In epist. ad Ephes. V, 4, *P G* 62, 41 ; *In psalm.* CLIII, 4, *P G* 55, 492.
Voir A. Mériaux, *Les rapports de l'âme et du corps dans l'œuvre de
Jean Chrysostome*, Mémoire de maîtrise, Université de Lille III, 1973
(exemplaire dactylographié).

4. Jean utilise volontiers les comparaisons avec les instruments
de musique. Voir *De sacerd.* VI, 12, 135-137 et *In Act. apost. hom.*
XXVII, 3, *P G* 60, 209.

πὸς ἐκκόπτει μέλος ὥστε μὴ τὴν ἐκεῖθεν λύμην τῇ τῶν λοιπῶν
μελῶν εὐεξίᾳ ἐπιδραμεῖν, οὕτω καὶ ὁ προφήτης ἐποίησεν
ὥσπερ ἀπηχοῦσαν νευρὰν καὶ ὥσπερ μέλος νενοσηκὸς τοῦ
παντὸς σώματος τῆς κτίσεως τὸν ἁμαρτωλὸν ἀποκόψας.

135 Τί οὖν ἂν εἴη πρακτέον ἡμῖν; Ἐπειδὴ ἀπερρίφημεν, ἐπειδὴ
ἐξεκόπημεν, ἀνάγκη πάντως σιγᾶν. Σιγήσομεν οὖν, εἰπέ μοι;
καὶ οὐδεὶς ἡμῖν συγχωρήσει τὸν Δεσπότην ὑμνῆσαι τὸν
ἡμέτερον, ἀλλ' εἰκῇ τὰς ὑμετέρας ἐκαλέσαμεν εὐχάς; εἰκῇ
πρὸς τὰς ὑμετέρας κατεφύγομεν πρεσβείας; Οὐκ εἰκῇ, μὴ
140 γένοιτο. Εὗρον γάρ, εὗρον καὶ ἕτερον δοξολογίας τρόπον,
αὐτῶν τῶν ὑμετέρων εὐχῶν μεταξὺ τῆς ἀπορίας ταύτης
ὥσπερ ἐν σκότει φανεισῶν ἀστραπῶν· ἔξεστι γὰρ καὶ τοὺς
ὁμοδούλους ἐπαινεῖν, τούτων δὲ ἐπαινουμένων, εἰς τὸν οὐρανὸν ἡ δόξα διαβήσεται πάντως, ὥσπερ οὖν καὶ αὐτός φησι·
145 « Λαμψάτω τὸ φῶς ὑμῶν ἔμπροσθεν τῶν ἀνθρώπων, ὅπως
ἴδωσι τὰ καλὰ ἔργα ὑμῶν καὶ δοξάσωσι τὸν Πατέρα ὑμῶν
τὸν ἐν τοῖς οὐρανοῖς ᵏ. » Ἰδοὺ οὖν καὶ ἕτερος δοξολογίας
τρόπος ὃν καὶ ἁμαρτωλῷ δυνατὸν εἰπεῖν, καὶ μὴ παραλῦσαι
τὸν νόμον.

150 (3) Τίνα οὖν, τίνα τῶν συνδούλων ἐπαινεσόμεθα; τίνα δὲ
ἄλλον ἀλλ' ἢ τὸν κοινὸν τῆς πατρίδος διδάσκαλον καὶ διὰ τῆς
πατρίδος καὶ τῆς οἰκουμένης ἁπάσης; Καθάπερ γὰρ ὑμᾶς

131-132 τῇ ... εὐεξίᾳ EGH : τὴν ... εὐεξίαν cett. ‖ 132 ἐπιδραμεῖν :
ἐπιλαβεῖν F ‖ 134 ἀπέκοψεν A ‖ 135 οὖν : τοίνυν F ‖ 135 Ἐπειδὴ] +
γὰρ F ‖ 136 σιγήσωμεν A G ‖ 137 καὶ om. CEGH ‖ 138 εὐχάς :
ψυχάς BD ‖ 139 τὴν ὑμετέραν κατεφύγωμεν πρεσβείαν A ‖ 141 εὐχῶν :
τρόπων H ‖ 142 σκότῳ BD ‖ 142 φανεισῶν] + ἡμῖν A ‖ 142 τινῶν
ἀστραπῶν ante ἐν σκότει tran⸱p. A ‖ 142 ἀστραπῶν] + ἐπαινέσομαι
τοὺς συνδούλους F ‖ 142 καὶ om. B ‖ 143-144 οὐρανὸν : Θεὸν A Δεσπότην F ‖ 144 ὥσπερ — φησι : ὅτι δὲ καὶ ἐντεῦθεν δοξάζεται δείκνυσι
καὶ αὐτὸς ὁ Χριστὸς λέγων F ‖ 147 οὖν : λοιπὸν F ‖ 148 ἁμαρτωλὸν C.
(3) 152 καὶ om. F.

k. Matth. 5, 16

1. Le mot est employé ici par Jean pour désigner ses frères dans le
sacerdoce. Celui-ci est une fonction, λειτουργία, accomplie par ceux
qui sont ensemble des serviteurs, σύνδουλοι ou ὁμόδουλοι au service

habile retranche le membre gangrené, pour que le mal ne se produise pas dans la partie saine du corps, ainsi le prophète a retranché le pécheur du corps entier de la création, comme une corde qui sonne faux, comme un membre malade.

Que devrions-nous donc faire ? Puisque nous avons été rejeté, puisque nous avons été retranché, il faut absolument nous taire. Nous tairons-nous ? dis-moi, et personne ne nous permettra donc de chanter notre Maître, mais c'est en vain que nous avons imploré vos prières ? c'est en vain que nous avons eu recours à votre intervention ? Non, ce n'est pas en vain, ce qu'à Dieu ne plaise ! En effet, j'ai trouvé, j'ai trouvé une autre manière de rendre gloire à Dieu ; vos prières elles-mêmes ont brillé au milieu de mon embarras comme des éclairs dans la nuit ; car il est possible de louer aussi ceux qui sont mes compagnons de service[1]. En les louant, leur gloire s'élèvera tout entière jusqu'au ciel[2], comme le Christ l'a dit lui-même : « Que votre lumière brille devant les hommes, afin qu'ils glorifient votre Père qui est dans les cieux[k]. » Voilà une autre manière de rendre gloire possible même à un pécheur sans transgresser la loi.

(3) Quel est-il donc ? quel est celui de nos compagnons de service que nous louerons ? quel autre sinon le maître commun de notre patrie et, à travers notre patrie, celui de la terre entière[3] ? En effet, de même qu'il vous a enseigné à lutter pour la vérité jusqu'à la mort, de même vous avez

---

du Seigneur. Cf. l'*Épitomé des Constitutions apostoliques*, 3, *SC* 11 bis, p. 44 : δὸς ἐπὶ τὸν δοῦλόν σου τοῦτον ... λειτουργοῦντα νυκτὸς καὶ ἡμέρας..., « accorde à ton serviteur... en te servant nuit et jour ».

2. Nous nous trouvons ici devant trois variantes également plausibles. Le syriaque a choisi le terme le plus simple θεὸν, comme le fait le ms. A. D'autre part, on a vu que les variantes uniques de I offraient peu de crédibilité. Nous choisissons οὐρανὸν qui s'impose par l'accord des autres mss et la reprise du terme dans la citation, li. 147.

3. L'hyperbole est un des moyens indispensables dans les éloges pour maintenir le ton élevé qui s'impose dans ce genre littéraire. Voir THÉON, *Progumnasmata*, dans *Rhet. gr.*, vol. II, p. 102-112.

οὗτος ἐπαίδευσε μέχρι θανάτου ὑπὲρ τῆς ἀληθείας ἐνίστασθαι,
οὕτως ὑμεῖς τοὺς ἄλλους ἀνθρώπους ἐδιδάξατε τῆς ψυχῆς
155 μᾶλλον ἢ τῆς εὐσεβείας ἀφίστασθαι. Βούλεσθε οὖν ἐντεῦθεν
αὐτῷ πλέξωμεν τοὺς τῶν ἐγκωμίων στεφάνους; Ἐβουλόμην
καὶ αὐτός, ἀλλ' ὁρῶ πέλαγος ἀχανὲς κατορθωμάτων καὶ
δέδοικα μὴ πρὸς τὸν πυθμένα κατενεχθεὶς ὁ λόγος ἀσθενήσῃ
πάλιν ἀναδραμεῖν. Ἀνάγκη τοιγαροῦν παλαιὰ διηγήσασθαι
160 κατορθώματα, ἀποδημίας, ἀγρυπνίας, φροντίδας, γνώμας,
μάχας, τρόπαια τροπαίοις καὶ νίκας νίκαις συναπτομένας,
πράγματα οὐχὶ τῆς ἡμετέρας μόνον, ἀλλὰ καὶ πάσης ἀνθρωπίνης μείζονα γλώττης, ἀποστολικῆς δεόμενα φωνῆς πνεύματι
κινουμένης ᾧ πάντα καὶ εἰπεῖν καὶ διδάξαι δυνατόν. Ἀλλὰ
165 τοῦτο παραδραμόντες τὸ μέρος, ἐφ' ἕτερον ἀσφαλέστερον
ἥξομεν ὃ καὶ ἐν ἀκατίῳ διαπλεῦσαι ἔνι μικρῷ. Φέρε οὖν τοὺς
περὶ τῆς ἐγκρατείας κινήσωμεν λόγους, πῶς ἐκράτησε γα-
στρός, πῶς ὑπερεῖδε τρυφῆς, πῶς κατεγέλασε τραπέζης πολυ-
τελοῦς, καὶ ταῦτα ἐν πολυτελεῖ τραφεὶς οἰκίᾳ. Τὸν μὲν γὰρ ἐν
170 πτωχείᾳ βεβιωκότα θαυμαστὸν οὐδὲν πρὸς τὸν αὐχμῶντα

---

153 ἐνίστασθαι BDF : ἵστασθαι cett. ‖ 154 διδάξατε A ‖ 156 πλέξωμεν A CE^ac G : πλέξομεν E^pc cett. ‖ 159 τοιγαροῦν CEGH : γὰρ
cett. ‖ 159 διηγεῖσθαι A ‖ 160 γνώμας] + βουλὰς A ‖ 164 καὶ¹ om.
A ‖ 164 Ἀλλὰ : διὸ δὴ A ‖ 166 ἐν om. A BDF ‖ 167 λόγους] + καὶ
εἴπωμεν F ‖ 169 πολυτελεῖ : μεγάλη F.

1. Jean fait sans doute allusion aux martyrs des persécutions
à Antioche : Ignace, Lucien, Babylas, Juventin et Maximin, Pélagie,
Romain dont il a prononcé les éloges contenus dans la *P G* 50. Par une
exagération propre à la rhétorique, Jean accorde le bénéfice du même
héroïsme à ses contemporains.

2. Comparaison spécialement recommandée par MÉNANDRE, dans
Rhet. gr., vol. III, p. 368-369. Cf. *Ad Olymp.* VIII (II), 10, 3-4,
SC 13 bis, p. 198.

3. Lors de l'affaire des statues, à l'occasion desquelles Jean pro-
nonça les homélies *De statuis* (*P G* 49, 15-222), Flavien avait fait le
voyage de Constantinople pour intercéder en faveur du peuple d'Antioche auprès de Théodose. Voir en particulier *Hom.* II, *P G* 49, 47-60
et *Hom.* XXI, *P G* 49, 211-222.

appris au reste des hommes à renoncer à la vie plutôt qu'à la piété[1]. Puisqu'il en est ainsi, voulez-vous que nous lui tressions les couronnes de nos éloges ? Quant à moi, je le voudrais bien, mais lorsque je contemple la mer infinie de ses vertus[2], je crains que mon discours, emporté dans les profondeurs, ne s'essouffle à remonter à la surface. Ainsi donc, il faudrait décrire les actes de vertu qu'il a accomplis autrefois, ses voyages[3], ses veilles, ses sollicitudes, ses jugements, ses luttes, ses trophées qui s'ajoutent aux trophées et ses victoires aux victoires, ses actions qui dépassent non seulement mes possibilités d'expression, mais encore toute expression humaine et qui requièrent la voix d'un apôtre inspiré par l'Esprit, lui qui peut exprimer et enseigner toutes choses[4]. Mais abandonnant ce domaine, nous en aborderons un plus sûr qu'il est permis de traverser avec un modeste bateau. Eh bien ! donc, nous nous mettrons à raconter l'empire qu'il exerce sur lui-même, comment il a su dominer son appétit, comment il a méprisé la vie facile, comment il s'est moqué du luxe de la table[5], bien qu'il ait été élevé dans une maison fastueuse[6]. En effet, celui

---

4. Cf. *Jn* 14, 26.

5. Jean reprochera souvent dans la suite aux chrétiens d'Antioche et de Constantinople leurs excès de table. Voir *In Matth. hom.* XLIV, 5, *PG* 57, 470-471 et LVII, 4, *PG* 58, 564 ; *In Act. apost.* XXII, 3, *PG* 60, 176 et XXVII, 3, *PG* 60, 208. Dans une *Lettre à Olympias*, VIII (II), 5, 1, Jean met au nombre de ses vertus sa retenue dans ce domaine : ... τὴν δὲ ἐπὶ τραπέζης καρτερίαν. Nombreux sont les traits qui rapprochent les personnages dont Jean fait l'éloge du sage stoïcien, mais ici et là les motifs de l'action ne sont pas les mêmes. Voir A.-J. Festugière, « Le sage et le saint », dans *L'Enfant d'Agrigente*, Paris 1941, p. 102-120 et M. Spanneut, *Le stoïcisme des Pères de l'Église, de Clément de Rome à Clément d'Alexandrie* (*Patristica Sorbonensia* 1), Paris 1969[2], p. 260-262.

6. Flavien appartenait à une riche famille d'Antioche. Il mena une vie ascétique dans le monde en compagnie de Diodore de Tarse avec lequel il défendit l'orthodoxie. Voir Théodoret, *HE* II, 19, *PG* 82, 1060 et S. Lenain de Tillemont, *Mémoires...*, tome X, Saint Flavien, p. 523-541.

τοῦτον καὶ σκληρὸν βίον ἐλθεῖν· ἔχει γὰρ τὴν πενίαν συνέμπορον καὶ συνοδοιπόρον καὶ τὸ φορτίον αὐτῷ καθ' ἑκάστης
ἐπικουφίζουσαν τὴν ἡμέραν. Ὁ δὲ πλούτου γενόμενος κύριον
οὐκ ἂν ῥᾳδίως τὰς ἐκεῖθεν λαβὰς ἀποδύσαιτο· τοσοῦτος τῶν
175 νοσημάτων ἑσμὸς τὴν τοιαύτην περιίπταται ψυχήν, καὶ νέφος
παθημάτων βαρὺ καὶ ζοφῶδες τὰς τῆς διανοίας διαφράττον
ὄψεις, οὐκ ἀφίησι πρὸς τὸν οὐρανὸν ἰδεῖν, ἀλλὰ κάτω νεύειν
βιάζεται καὶ πρὸς τὴν γῆν κεχηνέναι.

Καὶ οὐκ ἔστιν, οὐκ ἔστιν οὐδὲν ἕτερον οὕτω κώλυμα πρὸς
180 τὴν ἀποδημίαν τῶν οὐρανῶν ὡς πλοῦτος καὶ τὰ ἀπὸ τοῦ
πλούτου κακά. Καὶ οὐκ ἐμὸς οὗτος ὁ λόγος, ἀλλ' ἐξ αὐτοῦ τοῦ
Χριστοῦ ἡ ψῆφος καταβέβηκεν· «Εὐκοπώτερον γάρ ἐστι, φησί,
κάμηλον διὰ τρυπήματος ῥαφίδος εἰσελθεῖν ἢ πλούσιον εἰς τὴν
βασιλείαν τῶν οὐρανῶν[1]. » Ἀλλ' ἰδοὺ τὸ δύσκολον τοῦτο,
185 μᾶλλον δὲ ἀδύνατον, γέγονε δυνατόν· καὶ ὁ πάλαι Πέτρος ἠπόρει
πρὸς τὸν διδάσκαλον καὶ μαθεῖν ἐζήτει, τοῦτο διὰ τῆς πείρας
αὐτῆς ἔγνωμεν ἅπαντες, μᾶλλον δὲ καὶ τούτου πλέον. Οὐ γὰρ
δὴ μόνον οὗτος εἰς τὸν οὐρανὸν ἀνέβη, ἀλλὰ καὶ δῆμον εἰσάγει
τοσοῦτον, μετὰ τοῦ πλούτου καὶ ἕτερα τοῦ πλούτου οὐχ
190 ἥττονα κωλύματα ἔχων, νεότητα καὶ ὀρφανίαν ἄωρον αἳ
πᾶσάν εἰσιν ἀνθρώπων μᾶλλον ἱκαναὶ γοητεῦσαι ψυχήν·

171 βίον om. A B ‖ 171 γάρ] + διδάσκαλον τοῦ πράγματος A ‖ 171-
172 συνέμπορον καὶ συνοδοιπόρον om. F ‖ 172 καὶ συνοδοιπόρον om.
B ‖ 172 καὶ[1] : τε ὁμοῦ A ‖ 172 καὶ[2] om. F ‖ 174 ἀποδύεται BD ‖ 174
τοσούτων BD ‖ 174 τῶν om. BDF ‖ 175 τοιαύτην : τοσαύτην A ‖
175 καὶ : ἀλλὰ A διὸ καὶ καθάπερ F ‖ 176 βαρὺ : πυκνὸν F ‖ 176
ζοφῶδες : γνοφῶδες F ‖ 176 διαφράττον [-ων G] CEGH F : ἐμφράττον
[-ων B] BD διαρθείρον A ‖ 179 Καὶ οὐκ : οὐ γὰρ A ‖ 179 οὐδὲν ἕτερον
om. A ‖ 180 τὴν : τὴν εἰς A ‖ 181 Καὶ om. F ‖ 181 οὗτος om. C
181-182 ἐξ [ἐξ om. F] αὐτοῦ τοῦ Χριστοῦ BDF : ἐξ αὐτῶν cett.
182 ἡ om. F ‖ 182 καταβέβηκεν : ἐστιν ἐξενηνεγμένη εἰπόντος F ‖
182 καταβέβηκεν] + τῶν οὐρανῶν A ‖ 182 Εὐκολώτερον. corr. Sav.
‖ 182 γάρ om. BDF ‖ 182 φησίν om. H BF ‖ 183 διελθεῖν A ‖ 189
τοῦ πλούτου[2] : τούτου corr. Montf. ‖ 190 ἧττον A BD ‖ 190-191 ἃ …
ἱκανὰ DF ‖ 191 μᾶλλον om. F.

I. Matth. 19, 24

1. Cf. Ad Olymp. VIII (II), 8, 15-17, SC 13 bis, p. 188.

qui a vécu dans la pauvreté ne trouve pas étonnant d'adopter cette vie pauvre et rude[1] : la pauvreté est la compagne de sa vie et de son voyage, elle l'aide chaque jour à supporter son fardeau. Mais celui qui est maître d'une fortune ne saurait se préparer à de telles luttes, tant l'essaim des maladies[2] environne une telle âme, voilant la claire vue de sa pensée sous le nuage épais et sombre des passions et, ne lui permettant plus de regarder vers le ciel, il l'oblige à rester bouche bée, la tête baissée vers la terre[3].

Il n'y a rien, non il n'y a rien qui entrave notre marche vers les cieux comme la richesse et les maux qui en découlent. Ce n'est pas moi qui le dis, c'est l'affirmation venue du Christ lui-même : « Car il est plus facile[4], dit-il, à un chameau de passer par le trou d'une aiguille qu'à un riche d'entrer dans le royaume des cieux[1]. » Mais ce qui était difficile et impossible même, voici que cela est devenu possible ; et ce qui embarrassait Pierre autrefois devant son maître et ce qu'il cherchait à apprendre, cela nous l'avons tous appris par l'expérience et nous le savons même mieux que lui. En effet, non seulement celui-ci[5] est entré au ciel, mais il y introduit aussi tout un peuple et cela en étant riche et en ayant encore d'autres empêchements qui n'étaient pas moins encombrants que la richesse : la jeunesse, le fait d'avoir été de bonne heure orphelin, ce sont des choses bien plus capables d'ensorceler n'importe quelle âme humaine ;

2. Les passions comparées à une maladie sont un thème fréquent dans la philosophie morale des Grecs, en particulier chez les stoïciens. Voir M. POHLENZ, *Die Stoa*, Göttingen 1948, p. 145-153. Les textes sont groupés dans *SVF*, pour Chrysippe, p. 143-149 et pour Zénon, p. 205-215.

3. Le verbe χαίνω que nous avons vu au début, li. 18, marquer un état d'attente et d'admiration, étant employé ici avec l'expression πρὸς τὴν γῆν, désigne, au contraire, un état de découragement et d'abêtissement, sous l'action des passions mauvaises.

4. Tous les mss et le texte reçu donnent εὐκοπώτερον. C'est Savile qui a corrigé en εὐκολώτερον.

5. Il s'agit de Flavien.

τοιαύτας ἔχουσιν ἐπῳδάς, τοιαῦτα κατασκευάζουσι φάρμακα.
᾿Αλλὰ τούτων οὗτος ἐκράτησε καὶ τῶν οὐρανῶν ἐπελάβετο
καὶ πρὸς τὴν ἐκεῖ φιλοσοφίαν μετέθηκεν ἑαυτὸν καὶ οὔτε τὴν
195 λαμπρότητα τοῦ παρόντος ἐνενόησε βίου, οὔτε εἰς τὴν τῶν
προγόνων περιφάνειαν εἶδε· μᾶλλον δὲ εἰς τὴν τῶν προγόνων
εἶδε περιφάνειαν, οὐ τῶν κατὰ φυσικὴν ἀνάγκην συνδε-
δεμένων αὐτῷ, ἀλλὰ τῶν κατὰ προαίρεσιν εὐσεβείας αὐτῷ
προσηκόντων. Διὸ καὶ τοιοῦτος ἐγένετο.

200   Εἶδεν εἰς τὸν πατριάρχην ᾿Αβραάμ, εἶδεν εἰς τὸν μέγαν
Μωϋσῆν ὃς ἐν οἰκίᾳ τραφεὶς βασιλικῇ καὶ τραπέζης μετα-
σχὼν συβαριτικῆς καὶ μεταξὺ θορύβων ἀποληφθεὶς αἰγυπτια-
κῶν — ἴστε δὲ οἷα τὰ βαρβάρων, ὅσου τύφου καὶ φαντασίας
γέμει —, πάντα ἀτιμάσας ἐκεῖνα, πρὸς τὸν πηλὸν καὶ τὴν
205 πλινθείαν ηὐτομόλησε καὶ τῶν δούλων καὶ αἰχμαλώτων εἶναι
ἐπιθυμήσας, ὁ βασιλεὺς καὶ τοῦ βασιλέως υἱός. Τοιγάρτοι διὰ
τοῦτο μετὰ λαμπροτέρου πάλιν ἐπανῄει τοῦ σχήματος ἢ
πρότερον ἔχων ἀπέβαλε· μετὰ γὰρ τὴν φυγὴν καὶ τὴν παρὰ
τῷ κηδεστῇ θητείαν καὶ τὴν ἐπὶ τῆς ἀλλοτρίας ταλαιπωρίαν,
210 ἐπανῄει τοῦ βασιλέως ἡγούμενος, μᾶλλον δὲ τοῦ βασιλέως
γενόμενος θεός. « Τέθεικα γάρ σε, φησί, θεὸν τῷ Φαραώ [m]. »
Καὶ λαμπρότερος ἦν τοῦ βασιλέως, οὐ διάδημα ἔχων, οὐδὲ
ἁλουργίδα περικείμενος, οὐδὲ ζεῦγος ἐλαύνων χρυσοῦν, ἀλλὰ
πάντα ἐκεῖνον πατήσας τὸν τῦφον. « Πᾶσα γάρ, φησίν, ἡ δόξα

---

193 ᾿Αλλά : καὶ ἀλλὰ καὶ A ἀλλ᾽ ὅμως καὶ F ‖ 193 οὗτος : οὕτως
A B ‖ 195 ἐνόησε B ‖ 196-197 μᾶλλον — περιφάνειαν om. A ‖ 197
φυσικήν] + δὲ F ‖ 200 Εἶδεν] + γὰρ A ‖ 202 καὶ om. C ‖ 205
ἀπηυτομόλησε F ‖ καὶ[1] : μετὰ A om. F ‖ 206 ἐπεθύμησεν B ‖ 208
ἀπέβαλε : ἀπέλαβε A C ‖ 210 ἡγούμενος — βασιλέως om. A ‖ 211
τῷ om. F. ‖ 213 περικείμενος : περιβεβλημένος A. ‖ 214 φησίν F :
om. A ἦν cett.

m. Ex. 7, 1

1. Sur le sens du mot ἐπῳδή, voir *De sacerd.* I, 2, 30 et la note 1
de la p. 66.
2. Voir *De sacerd.* I, 2, 3 et la note 3 de la p. 63.
3. L'usage de la σύγκρισις, c'est-à-dire de la comparaison avec des
personnages illustres, est dans la tradition de l'éloge. Voir Théon,

elles comportent des charmes si trompeurs[1] ! elles préparent de tels poisons ! Eh bien ! lui, il s'est rendu maître de tout cela, il a pris possession du ciel, il a embrassé la philosophie d'en haut[2], il n'a pas songé aux brillantes apparences de la vie présente, il n'a pas considéré l'éclat de ses ancêtres, ou plutôt si, il a considéré l'éclat de ses ancêtres, mais non pas ceux qui lui ont été donnés de force par la nature, ceux auxquels il était apparenté par un choix délibéré que lui inspirait la piété. Et c'est pourquoi il est devenu semblable à eux.

Il a tourné ses yeux vers le patriarche Abraham[3], il a tourné ses yeux vers Moïse, lui qui, élevé dans le palais d'un roi et prenant part à une table digne des Sybarites, a connu les fêtes bruyantes des Égyptiens — vous savez ce que sont les fêtes barbares, de quelle fumée d'orgueil, de quel goût du faste elles sont pleines — ; il dédaigna tout et s'enfuit pour fabriquer des briques de terre[4], désirant faire partie[5] des prisonniers de guerre, lui roi et fils de roi[6]. Voilà donc pourquoi il revenait ensuite avec un éclat plus brillant que celui auquel il avait renoncé, car après l'exil, après le séjour chez son beau-père à titre de mercenaire[7], après sa vie misérable à l'étranger, il revenait considéré comme un roi et même plus qu'un roi, comme un dieu. « Je fais de toi, dit Yahweh, un dieu pour Pharaon[m]. » Et il était plus brillant que le roi[8] ; il n'avait pas de diadème, il n'était pas revêtu de pourpre, il ne conduisait pas un char d'or, mais il avait foulé aux pieds toute fumée d'orgueil. « Toute la gloire de la fille du roi, dit le psalmiste,

loc. cit., p. 112-115. Dans les éloges chrétiens, les personnages les plus souvent cités sont ceux de l'A.T.

4. Cf. Ex. 1, 14.
5. L'un des mss fait précéder τῶν δούλων de la préposition μετά, mais il s'agit d'une adjonction de scribe. Le verbe εἰμί seul, construit avec le génitif, peut signifier être au nombre de, faire partie de.
6. Voir la généalogie de Moïse, Ex. 6, 14-26.
7. Voir Ex. 2, 21.
8. Cf. Comparatio regis et monachi, PG 47, 381-392.

215 τῆς θυγατρὸς τοῦ βασιλέως ἔσωθεν[n]. » Ἐπανήει τοίνυν
σκῆπτρον ἔχων, διὸ οὐκ ἀνθρώποις ἐκέλευε μόνον, ἀλλ' οὐρανῷ
καὶ γῇ καὶ θαλάττῃ καὶ ἀέρων καὶ ὑδάτων φύσει καὶ λίμναις
καὶ πηγαῖς καὶ ποταμοῖς· πάντα γὰρ ὅσα ἐβούλετο ὁ Μωϋσῆς,
ταῦτα ἐγίνετο τὰ στοιχεῖα, καὶ ἐν ταῖς ἐκείνου χερσὶ μετε-
220 σχηματίζετο πάλιν ἡ κτίσις καὶ καθάπερ θεράπαινά τις
εὐγνώμων, δεσπότου φίλον ἰδοῦσα παραγενόμενον, πάντα
ἐπείθετο καὶ ὑπήκουε καθάπερ αὐτῷ τῷ δεσπότῃ.

Πρὸς ὃν οὗτος ἰδών, τοιοῦτος ἐγίνετο καὶ νέος ὤν, εἰ
δή ποτε ἐγένετο νέος — οὐ γὰρ ἔγωγε πείθομαι, οὕτως ἐξ
225 αὐτῶν αὐτῷ τῶν σπαργάνων πολιὸν φρόνημα ἦν —, ἀλλὰ καὶ
κατὰ τὸν τῆς ἡλικίας λόγον νέος ὤν, πάσης φιλοσοφίας ἐπελάβετο καὶ καταμαθὼν τὴν φύσιν τὴν ἡμετέραν ὅτι καθάπερ
χωρίον ἐστὶν ὑλομανοῦν, τὰ μὲν νοσήματα τῆς ψυχῆς τῷ
λόγῳ τῆς εὐσεβείας, καθάπερ δρεπάνῃ τινί, ῥᾳδίως ἐξέκοπτε,
230 καθαρὰς παρέχων τῷ γεωργῷ τὰς ἀρούρας πρὸς τὴν τῶν
σπερμάτων καταβολὴν καὶ δεχόμενος ἅπαντα, πρὸς τὸ βάθος
παρέπεμπεν· ὥστε κάτωθεν ῥιζωθέντα μήτε πρὸς τὴν τῆς
ἀκτῖνος ἐνδοῦναι προσβολήν, μήτε ὑπὸ τῶν ἀκανθῶν ἀποπνι-
γῆναι πάλιν.

235 Καὶ τὴν μὲν ψυχὴν ἐθεράπευεν οὕτω· τὰ δὲ τῆς σαρκὸς
σκιρτήματα τοῖς τῆς ἐγκρατείας φαρμάκοις κατέστελλεν,
ὥσπερ ἵππῳ τινὶ δυσηνίῳ, τῷ σώματι τὸν ἀπὸ τῆς νηστείας

---

215 τοίνυν F : om. cett. ‖ 216 διὸ : δι' οὗ A BD ‖ 217 καὶ[5] F :
om. cett. ‖ 218 πάντα γὰρ : ab his verbis man. rec. suppl. E ‖ 219
ἐγίνετο A H F : ἐγένετο cett. ‖ 219 ἐν ταῖς χερσὶ δὲ αὐτοῦ F ‖ 220
πάλιν : πᾶσα A ‖ 222 ὑπήκουε : ἐπήκουε B ἐπήκουσε A D ‖ 222
καθάπερ αὐτῷ τῷ δεσπότῃ om. A ‖ 223 ὃν : τοῦτον καὶ A F ‖ 223
ἐγίνετο : ἐγένετο A CG BD ‖ 223 καὶ] + ταῦτα F ‖ 223 εἰ : ἤπερ A ‖
224 δή ποτε] + καὶ F ‖ 224 οὕτως : οὗτος A E ‖ 227 ἐπελαμβάνετο
A ‖ 231-233 καὶ δεχόμενος — προσβολήν om. A B ‖ 235 Καὶ : ἀλλὰ BF.

n. Ps. 44, 14

1. Si Moïse commande à la nature, c'est à titre d'ami de Dieu.
2. Flavien.

est à l'intérieur[n]. » Il revenait donc portant le sceptre et c'est pourquoi il commandait non seulement aux hommes mais au ciel, à la terre, à la mer, à la nature des airs et des eaux, aux étangs, aux sources, aux fleuves. Tous ces éléments de l'univers étaient soumis à la volonté de Moïse et dans ses mains la création prenait une forme nouvelle ; comme une servante docile voyant arriver l'ami de son maître, tout lui obéissait et lui était soumis comme au maître lui-même[1].

C'est en tournant les yeux vers lui qu'il[2] avait un tel pouvoir, bien qu'il fût jeune, si jamais il a été jeune — quant à moi je ne le crois pas, tant sa pensée était celle d'un vieillard à cheveux blancs —, alors qu'il était à peine sorti des langes[3], mais bien qu'il fût jeune sous le rapport de l'âge, il s'empara de toute sagesse et, après avoir compris que notre nature est comme un sol qui ne produit qu'une folle végétation, il coupait facilement, comme avec une faux, les passions de son âme grâce à la raison inspirée par la piété[4], offrant au laboureur une terre débarrassée des mauvaises herbes pour y jeter la semence et, la recevant dans sa totalité, il l'enfouissait profondément pour qu'après avoir été plantée, elle ne soit pas exposée de nouveau à l'ardeur du soleil et qu'elle ne soit pas étouffée par les épines.

Eh bien ! c'est ainsi qu'il prit soin de son âme. Les soubresauts de la chair, il les contenait par le remède de la maîtrise de soi, imposant à son corps comme à un cheval indocile[5] le mors du jeûne et le retenant vigoureusement

3. Cf. Grégoire de Naziance, *Orat.* XLIII, ch. 23 (éd. Boulenger, p. 106).

4. Dans ce discours, Jean fait une large place à l'εὐσέβεια. Voir li. 155 et 198. D'autre part, dans toute son œuvre et en particulier dans la direction des âmes, Jean attachera une grande importance à l'exercice de la raison (voir *Lettres à Olympias*, SC 13 bis, Introd., p. 49-53), mais celui-ci se développe toujours sous le regard de Dieu, d'où l'importance de l'expression τῷ λόγῳ τῆς εὐσεβείας.

5. Cf. Grégoire de Nysse, *In Eccl.* V, *P G* 44, 692.

χαλινὸν ἐμβάλλων καὶ μέχρι τοσούτου τείνων ὀπίσω ὡς αὐτὰ
τῶν ἐπιθυμιῶν αἱμάξαι τὰ στόματα μετὰ τῆς προσηκούσης
240 φειδοῦς· οὔτε γὰρ κατέτεινε τὸ σῶμα, ὥστε μὴ συμποδισ-
θέντα τὸν ἵππον ἄχρηστον αὐτῷ γενέσθαι πρὸς τὴν διακονίαν,
οὔτε εἰς τὴν ἄγαν εὐεξίαν ἐμπεσεῖν ἠφίει, μή τοί γε πολυσαρκήσαντα πάλιν κατεξαναστῆναι τοῦ ἡνιοχοῦντος αὐτὸν
λογισμοῦ, ἀλλ᾽ ὁμοῦ καὶ τῆς ὑγιείας αὐτοῦ καὶ τῆς εὐταξίας
245 ἐπεμελεῖτο. Καὶ οὐχὶ νέος μὲν ὢν τοιοῦτος ἦν, ἐπειδὴ δὲ
παρῆλθε τὴν ἡλικίαν ἐκείνην καὶ τὴν πρόνοιαν ταύτην ἔλυσεν,
ἀλλὰ καὶ νῦν, ὅτε ὡς ἐν εὐδίῳ λιμένι τῷ γήρᾳ κάθηται, τῆς
αὐτῆς ἔχεται ἐπιμελείας πάλιν. Ἡ μὲν γὰρ νεότης, ἀγαπητέ,
πελάγει προσέοικε μαινομένῳ, κυμάτων ἀγρίων καὶ πνευ-
250 μάτων γέμοντι πονηρῶν· ἡ δὲ πολιὰ ὥσπερ εἰς λιμένα ἀκύ-
μαντον τὰς τῶν γεγηρακότων ὁρμίζει ψυχάς, παρέχουσα τῇ
παρὰ τῆς ἡλικίας ἐντρυφᾶν ἀσφαλείᾳ.

Ταύτης καὶ οὗτος ἀπολαύων νῦν καὶ ἐν τῷ λιμένι, ὡς
ἔφθην εἰπών, καθήμενος, τῶν ἐν μέσῳ πελάγει σαλευομένων

---

239 προσηκούσης] + μέντοι A CEGH ‖ 242 μή τοί γε : μή πως B
μήποτε F ὡς μή A ‖ 243 πολυσαρκήσαντα : πολυσαρκήσας Sav. in
cod. I ‖ 243 κατεξαναστῇ F ‖ 246 κατέλυσεν A ‖ 247 ὅτε ὡς : ὅπως
A ‖ 248 πάλιν om. A ‖ 251 ἀκάματον E ‖ 253 Ταύτης : ἧς A ‖ 253-
254 ὡς ἔφθην εἰπών om. A ‖ 254 σαλευόντων A F.

---

1. Cf. PLATON, *Phèdre* 246a-b et *Ad Olymp.* VIII (II), 5, 10.
2. Rapprocher de ce texte un passage du *De virginitate* de GRÉ-
GOIRE DE NYSSE, XXII, 2, *SC* 119, p. 518-521 et note 3, p. 521. Le
souci de garder le corps en bon état est commun au philosophe et
aux Pères, mais chacun envisage ce service à sa manière. Pour Platon,
le corps est au service de la philosophie, pour Grégoire, il est au service
de la contemplation de Dieu ; pour Jean, il est au service de l'activité
apostolique.
3. On remarquera combien la position de Jean est devenue mesurée
à l'égard de l'ascèse, en comparaison des mortifications qu'il s'était
imposées lors de son séjour dans la solitude. Voir *De sacerdotio*,
note 1 de la p. 324. Il n'est pas impossible que Flavien ait eu sur lui,
à ce propos, une influence décisive. Voir L. MEYER, *Saint Jean Chrysostome, maître de perfection chrétienne*, Paris 1933, p. 10-14. Jean
prêche désormais un idéal beaucoup plus compatible avec la situation
des chrétiens dans le monde. S'il présente la tempérance comme une

au point d'ensanglanter la bouche des passions[1], avec la modération qui s'imposait. En effet, il ne mortifia pas son corps au point que le cheval devînt incapable de rendre service[2] ; cependant il ne le laissait pas sombrer dans un trop grand bien-être au point de ne plus pouvoir le faire se lever à cause de son embonpoint, car c'était la raison qui tenait les rênes, mais il veillait à la fois à sa santé et à sa discipline[3]. Et il n'était pas tel seulement dans sa jeunesse, mais alors qu'il est arrivé à l'âge où nous le voyons et qu'il n'a plus de souci, encore maintenant où il se trouve dans un port tranquille grâce à son grand âge, il garde toujours la même vigilance. En effet, la jeunesse, mon ami, ressemble à une mer en furie, pleine de vagues sauvages et de vents dangereux[4], mais lorsque les cheveux blanchissent, c'est comme un port à l'abri des vagues, cela préserve l'âme de ceux qui ont vieilli, en leur offrant de jouir de la sécurité qui convient à leur âge.

Bien qu'il en profite actuellement, assis dans le port, comme je me suis efforcé de le dire, il ne prend pas moins part aux luttes[5] de ceux qui sont ballottés en pleine mer,

condition indispensable pour laisser à l'âme son libre exercice, il conseille pour la même raison de tenir compte des exigences légitimes du corps. Voir, par exemple, *In Act. apost. hom.* XXVII, 3, *P G* 60, 210 : « Ne méprisons pas notre âme à cause du corps, mais rendons-lui son aile légère, ses liens moins pesants ; nourrissons-la de réflexion personnelle, autant du moins qu'il est possible lorsque le corps est en bonne santé, qu'il est plein de force, qu'il est en joie et qu'il ne souffre pas. »

4. Le thème de la jeunesse victime de ses impulsions furieuses est un lieu commun de la morale grecque. Voir PLATON, *Leg.* 666 A, 691 C et ARISTOTE, *Rhet.* 2, 12.

5. L'adjectif ἐναγώνιος est emprunté à la tradition agonistique. PINDARE, *Néméenne* VI, v. 13 qualifie le jeune Alcidamas, vainqueur aux jeux, de παῖς ἐναγώνιος. Flavien était déjà âgé lorsque après la mort de Mélèce il fut porté à l'épiscopat par les fidèles d'Antioche partisans de l'orthodoxie. Jean admire son activité apostolique, alors qu'il pourrait jouir en paix de la retraite. Le thème est connu. Voir PLUTARQUE, *Moralia, An seni gerenda sit respublica*, éd. Bernardakis, vol. 5, p. 21-59.

255 οὐχ ἧττόν ἐστιν ἐναγώνιος· καὶ τοῦτον ἐδέξατο παρὰ τοῦ
Παύλου τὸν φόβον ὃς εἰς τὸν οὐρανὸν ἀναβὰς καὶ εἰς τὸν
μετ' ἐκεῖνον ἀναδραμὼν καὶ τρίτου πάλιν ἁψάμενος, ἔλεγε·
« Φοβοῦμαι μή πως ἄλλοις κηρύξας αὐτὸς ἀδόκιμος γένω-
μαι°. » Διὰ τοῦτο καὶ οὗτος ἐν διηνεκεῖ κατέστησεν ἑαυτὸν
260 φόβῳ, ἵνα διηνεκῶς ἐν τῷ θαρρεῖν ᾖ καὶ κάθηται ἐπὶ τῶν
οἰάκων, οὐκ ἀστέρων ἐπιτολὰς παρατηρῶν, οὐδὲ ὑφάλους καὶ
σπιλάδας, ἀλλὰ δαιμόνων ἐπαναστάσεις καὶ διαβόλου κακουργίας καὶ λογισμῶν μάχας καὶ κύκλῳ τὸ στρατόπεδον περιιών,
ἅπαντας ἐν ἀσφαλείᾳ καθίστησιν. Οὐ γὰρ ὅπως μὴ βαπτισ-
265 θείη τὸ σκάφος σκοπεῖ μόνον, ἀλλ' ὅπως μηδὲ τῶν ἐμπλεόν-
των τις πειραθείη θορύβου τινός, ἅπαντα πραγματεύεται.
Διὰ τοῦτον καὶ τὴν τούτου σοφίαν ἡμεῖς ἐξ οὐρίας πλέομεν
ἅπαντες, πλήρη τὰ ἱστία πετάσαντες τῆς νηός.

(4) Καίτοι γε ὅτε τὸν πρότερον πατέρα ἀπεβάλομεν ὃς καὶ
270 τοῦτον ἡμῖν ἐγέννησεν, ἐν ἀπορίᾳ τὰ ἡμέτερα ἦν. Διὸ καὶ
ἐλεεινῶς ἐθρηνοῦμεν ὡς οὐ προσδοκῶντες τὸν θρόνον τοῦτον
ἕτερον ἄνδρα τοιοῦτον δέξασθαι. Ἐπειδὴ δὲ οὗτος ἐφάνη καὶ
παρῆλθεν εἰς μέσον, πᾶσαν ἐκείνην τὴν ἀθυμίαν παρελθεῖν
ἐποίησεν ὥσπερ νέφος καὶ τὰ σκυθρωπὰ ἀπέκρυψεν ἅπαντα,
275 οὐ κατὰ μικρὸν ἐξαλείφων ἡμῖν τὸ πένθος, ἀλλ' οὕτως ἀθρόον

255 καὶ om. E ‖ 256 ὅς] + καίτοι F ‖ 256 ἀναβὰς] + τοῦτον A
‖ 256 εἰς A B : om. cett. ‖ 257 μετ' ἐκεῖνον : μετὰ τοῦτον A ‖ 257
διαδραμὼν F ‖ 257 τρίτου πάλιν : τοῦ τρίτου A F ‖ 258 Φοβοῦμαι
om. CEGH ‖ 258 αὐτὸς om. B D ‖ 259 καθέστηκεν A ‖ 260-261
τῶν οἰάκων : τὸν Ἰάκωβον E ‖ 263 τοῦ στρατοπέδου F ‖ 263 περιιών :
περισείων D.

(4) 272 διαδέξασθαι A ‖ 272 οὗτος] + πάλιν G.

o. I Cor. 9, 27

1. Cf. *II Cor.* 12, 2. A la suite de Paul, la pensée chrétienne distingue le ciel atmosphérique, c'est-à-dire les espaces élevés au-dessus
de la terre ; le ciel sidéral, c'est-à-dire celui où se meuvent les astres
et enfin celui où se trouve la demeure de Dieu. Voir CYRILLE DE JÉRU-
SALEM, *Catéchèse* XIV, 26, *P G* 33, 859, commentaire du verset de
Paul, et GRÉGOIRE DE NYSSE, *In Hexaemeron*, *P G* 44, 121 A.

dans un sentiment de crainte qu'il a hérité de Paul ; celui-ci
étant monté au ciel et étant passé de ce ciel à celui qui lui
succède, puis ayant atteint le troisième ciel[1], disait : « Je
crains, après avoir annoncé l'évangile aux autres, d'être
réprouvé[o]. » C'est pourquoi, lui aussi[2], il s'est maintenu dans une crainte continuelle, pour garder toujours
confiance[3] et il est assis au gouvernail observant sans cesse
non pas le lever des astres, ni les rochers cachés sous les
eaux, ni les écueils, mais les attaques des démons et les
entreprises du diable, les assauts des raisonnements[4] et,
faisant le tour de son armée, il maintient tout le monde en
sécurité ; car non seulement il veille à ce que l'embarcation
ne sombre pas, mais il fait tout pour que personne, parmi
ceux qui naviguent, n'éprouve quelque trouble. C'est à
cause de lui et de sa sagesse que nous naviguons tous par
bon vent, déployant les voiles de notre bateau[5].

(4) Et cependant, lorsque nous avons perdu le père que
nous avions auparavant et qui a engendré pour nous celui-
ci[6], nous étions dans l'incertitude. C'est pourquoi nous
nous lamentions douloureusement en pensant que nous ne
pouvions nous attendre à ce qu'un autre homme tel que lui
monte sur ce trône. Mais lorsqu'il est apparu et qu'il est
venu au milieu de nous, il fit se dissiper comme un nuage
tout notre chagrin, il fit disparaître toutes nos tristesses

2. Après avoir cité l'exemple de Paul, l'orateur revient à Flavien.

3. Ces deux notions de crainte et de confiance semblent s'exclure.
En réalité, Flavien peut se présenter à Dieu dans la confiance, parce
qu'il est attentif à ne pas l'offenser.

4. Le mot λόγισμος est ambigu. Il peut, comme li. 244, désigner
la raison qui gouverne et qui règne sur les passions, mais le plus souvent, il a une connotation péjorative, le sens d'un abus de raisonnement devant le mystère de Dieu, abus que Jean dénoncera bientôt
énergiquement dans les homélies *De incomprehensibili*, SC 28 bis,
Paris 1970.

5. Cf. *De sacerd*. III, 9, 9-27.

6. Il s'agit de la consécration de Flavien, l'évêque actuel, par
Mélèce, son prédécesseur. Jean sera invité à prononcer son éloge en
387 (*P G* 50, 515-520).

ὡς ἂν εἰ ὁ μακάριος αὐτὸς ἐκεῖνος ἀπὸ τῆς λάρνακος ἀναστάς,
ἐπὶ τὸν θρόνον ἀνέβη πάλιν τοῦτον. Ἀλλὰ γὰρ ἐλάθομεν
ἐπιθυμίᾳ πατρικῶν κατορθωμάτων πέρα τοῦ μέτρου τοὺς
λόγους ἐξάγοντες, οὐ τοῦ μέτρου τῶν τούτῳ κατωρθωμένων·
280 τούτων γὰρ οὐδέπω ἠρξάμεθα, ἀλλὰ τοῦ προσήκοντος ἡμῖν
τῇ νεότητι. Φέρε οὖν ὥσπερ εἰς λιμένα πάλιν τῇ σιγῇ τοὺς
λόγους ἀναπαύσωμεν. Ἀλλ' οὐκ ἐθέλουσιν ἀφίστασθαι, ἀλλὰ
δυσχεραίνουσι καὶ ἀγανακτοῦσι, πάντως ἐμπλησθῆναι τοῦ
λειμῶνος ἐπιθυμοῦντες. Ἀλλὰ τοῦτο ἀμήχανον, ὦ παῖδες.
285 Παυσώμεθα οὖν διώκοντες ἀκίχητα· ἀρκεῖ εἰς παραμυθίαν
ἡμῖν καὶ τὰ εἰρημένα· ἐπεὶ καὶ ἐπὶ τῶν μύρων τῶν πολυτελῶν,
οὐκ ἐὰν τὸν λέβητα χέῃ τις μόνον, ἀλλὰ κἂν ἄκρας τῆς ἐπιφανείας ἅψηται τοῖς δακτύλοις, τόν τε ἀέρα ἀνέχρωσε καὶ
τοὺς παρόντας τῆς εὐωδίας ἐνέπλησεν ἅπαντας· ὃ δὴ καὶ νῦν
290 γέγονεν, οὐ διὰ τὴν δύναμιν τῶν ἡμετέρων λόγων, ἀλλὰ διὰ
τὴν ἀρετὴν τῶν τούτου κατορθωμάτων.

Ἀπίωμεν οὖν, ἀπίωμεν εἰς εὐχὰς καταλύσαντες· δεηθῶμεν
ὥστε τὴν κοινὴν ἡμῶν μητέρα ἀσάλευτον μένειν καὶ ἀκίνητον
καὶ τὸν πατέρα τοῦτον, τὸν διδάσκαλον, τὸν ποιμένα, τὸν
295 κυβερνήτην, πρὸς μακροτέραν ἐξενεχθῆναι ζωήν. Εἴ τις ὑμῖν

---

277 πάλιν F : om. cett. ‖ 279 ἐξαγαγεῖν A ‖ 279 τοῦ om. A ‖ 280
οὐδέπω — τοῦ : οὐδὲ γευσόμεθα πολλὰ τοῦ μέτρου τοῦ A ‖ 280 ἡμῶν
A BD ‖ 281 τῇ νεότητι hic des. DF ‖ 281 πάλιν om. A ‖ 281 τὴν
σιγὴν A ‖ 281-282 τοὺς λόγους ante ὥσπερ transp. A ‖ 283 ἀγανακ-
τοῦσι] + τινες A ‖ 283 παντὸς A B ‖ 287 τις post ἐπιφανείας transp.
B ‖ 292 δεηθῶμεν : καὶ κοινῇ δεηθῶμεν ἅπαντες A ‖ 293 ὥστε om.
A ‖ 295 Εἴ : εἰ δὲ A.

---

1. Cf. De sacerd., note 1 de la p. 178.
2. Sur la paternité spirituelle de l'évêque (et du prêtre), voir De
sacerd. III, 6, et la note 4 de la p. 151.
3. Allusion aux discours que tient l'orateur et qui sont ici person-
nifiés ; ils agissent comme des êtres vivants qui se fâchent et veulent
se gorger de mots, à la manière d'animaux qui se gorgent d'herbes
variées dans la prairie, d'où l'emploi de λειμών qui, au figuré, peut
désigner un recueil de textes, une anthologie. Sur cet emploi du mot
dans ce sens, voir A. MÉHAT, Étude sur les « Stromates » de Clément

et non petit à petit, mais aussi rapidement que si le bienheureux[1] lui-même, s'étant relevé de son tombeau, montait de nouveau sur ce trône. Dans le désir de narrer les
grandes actions de notre père[2], nous ne nous sommes pas
aperçu que nous dépassions la mesure d'un discours et non
la mesure de ses vertus, car nous n'avons pas encore commencé à les raconter, mais la mesure qui convient à notre
jeunesse. Allons, mettons fin à notre discours par le silence,
comme si nous étions revenu au port. Voilà qu'ils refusent
d'être chassés ; ils se fâchent et s'emportent, voulant se
gorger jusqu'à satiété dans la prairie[3]. Mais cela est impossible, mes enfants[4]. Cessons donc de poursuivre l'insaisissable[5]. Ce que nous avons dit suffit à notre consolation. En
effet, quand il s'agit de parfums précieux, on ne se contente
pas de pencher le vase, on trempe ses doigts dans le liquide,
on renouvelle l'air et on imprègne de la bonne odeur tous
ceux qui sont présents[6]. C'est ce qui est arrivé, non par la
puissance de nos paroles, mais par la vertu de ses belles
actions.

Réfugions-nous donc, réfugions-nous dans la prière,
après avoir mis fin à notre discours[7] ; demandons avec
instances que notre mère commune[8] demeure à l'abri des
agitations et que celui qui est notre père, notre maître,
notre berger, notre pilote[9], continue à vivre longtemps.

d'Alexandrie (*Patristica sorbonensia* 7), Paris 1966, p. 142, commentaire du *VIe Stromate*, 2, 1, *GCS* 15, p. 422, 24 - 423, 6.

4. Jean s'adresse à ses discours comme à des enfants dont il peut
revendiquer la paternité.

5. Cf. *De sacerd.* note 1 de la p. 337.

6. Sur les parfums et les fards dans l'Antiquité, voir B. GRILLET,
Les femmes et les fards dans l'Antiquité grecque, Lyon 1975.

7. Le verbe s'emploie sans complément exprimé dans des expressions comme (τὸν πόλεμον) λύειν. Il semble qu'on peut tirer λόγους
du contexte.

8. L'Église.

9. Cette énumération caractérise les aspects divers du rôle de
l'évêque.

καὶ ἡμῶν λόγος — οὐ γὰρ δὴ μετὰ τῶν ἱερέων ἑαυτοὺς κατα
λέγειν τολμήσομεν, ἐπεὶ μηδὲ θέμις τὰ ἐκτρώματα μετὰ τῶν
ἀρτιοτόκων ἀριθμεῖν —, εἰ δέ τις ὑμῖν καὶ ἐμοῦ λόγος ὥσπερ
ἀμβλωθριδίου τινός, δεήθητε πολλὴν ἡμῖν ἄνωθεν γενέσθαι
300 τὴν ῥοπήν. Ἔδει μὲν γὰρ ἡμῖν καὶ πρότερον ἀσφαλείας ὅτε
καθ᾽ ἑαυτοὺς ἐζῶμεν τὸν ἀπράγμονα βίον· ἐπειδὴ δὲ εἰς μέσον
ἤχθημεν — τὸ δὲ πῶς παρίημι, εἴτε ἀνθρωπίνη σπουδῇ, εἴτε
χάριτι θείᾳ, οὐδὲν γὰρ ὑμῖν φιλονεικῶ, ἵνα μή τις καὶ εἰρω
νεύεσθαι φαίη —, πλὴν ἀλλ᾽ ἐπειδὴ ἤχθημεν καὶ τὸν ζυγὸν
305 τοῦτον ὑπέδυμεν τὸν ἰσχυρὸν καὶ βαρύν, πολλῶν ἡμῖν δεῖ
χειρῶν, μυρίων εὐχῶν, ὥστε δυνηθῆναι τὴν παρακαταθήκην
ἀποδοῦναι σώαν τῷ παρακαταθεμένῳ Δεσπότῃ κατὰ τὴν
ἡμέραν ἐκείνην, ὅταν οἱ τὰ τάλαντα πιστευθέντες καλῶνται
καὶ εἰσάγωνται καὶ τὰς εὐθύνας ὑπέχωσι. Δεήθητε τοίνυν μὴ
310 τῶν δεδεμένων ἡμᾶς γενέσθαι, μηδὲ τῶν εἰς τὸ σκότος ἐκβαλ
λομένων, ἀλλὰ τῶν δυναμένων συγγνώμης γοῦν μετρίας
τυχεῖν, χάριτι καὶ φιλανθρωπίᾳ τοῦ Κυρίου ἡμῶν Ἰησοῦ
Χριστοῦ ᾧ ἡ δόξα καὶ τὸ κράτος καὶ ἡ προσκύνησις εἰς τοὺς
αἰῶνας τῶν αἰώνων. Ἀμήν.

296 ἡμῶν A B : ἡμῖν cett. ‖ 296 ἡμῶν] + ὁ C ‖ 297 τολμήσομεν
CH B : τολμήσωμεν EG τολμῶμεν A ‖ 297 ἐπεὶ A C B : ἐπειδὴ cett.
‖ 298 τις] + οὖν A ‖ 298 ἐμοῦ : ἡμῶν A ‖ 300 μὲν om. A ‖ 303 ὑμῖν :
ἡμῖν E ‖ 303 ἵνα om. A ‖ 303 μή : μήτε A ‖ 305 καὶ βαρύν om. A ‖
311 ἀλλὰ τῶν δυναμένων om. A ‖ 311 γοῦν : οὖν B ‖ 313 ᾧ ἡ δόξα :
μεθ᾽ οὗ τῷ Πατρὶ δόξα A ‖ 313 καὶ τό πράτος — προσκύνησις : ἅμα
τῷ ἁγίῳ Πνεύματι νῦν καὶ ἀεὶ A om. B ‖ 313 καὶ ἡ προσκύνησις :
σὺν τῷ ἀνάρχῳ Θεῷ καὶ Πατρὶ ἅμα τῷ ἁγίῳ καὶ ζωοποίῳ Πνεύματι
νῦν καὶ ἀεὶ καὶ C.

1. Réminiscence de *I Cor.* 15, 8 où Paul emploie ἔκτρωμα pour se
désigner lui-même. Cf. *In cap. IV epist. ad Galatas hom.* IV, 2, *P G* 61,
660 où Jean unit, comme ici, les deux termes ἀμβλωθρίδιον et ἔκτρωμα.

2. Par les expressions καθ᾽ἑαυτόν, ἐφ᾽ἑαυτῷ ou ἑαυτοῦ, Jean désigne
la vie des solitaires. Cf. *De sacerd.* VI, 7 et 8.

3. Il semble qu'on ait ici un écho des remous et des intrigues suscités par les élections sacerdotales et que Jean a décrites dans le *De
sacerdotio* avec tant de clairvoyance (cf. III, 11).

4. Dans le *De sacerdotio*, le sacerdoce est présenté par Jean avec
toutes les exigences qu'il entraîne et ses redoutables responsabilités

S'il faut parler de nous — à peine oserons-nous, en effet, nous compter parmi les prêtres, puisqu'il n'est pas permis à un avorton de compter parmi les enfants bien constitués —, et si l'un d'entre vous veut bien tenir compte de moi comme d'une sorte d'être dégénéré[1], priez le ciel d'intervenir généreusement en notre faveur. Autrefois, lorsque nous menions une vie retirée en nous-même[2], à l'abri des soucis, nous avions besoin de sécurité ; maintenant que nous avons été entraîné au milieu du monde — je passe sous silence de quelle manière, si c'est par le zèle des hommes ou par la grâce de Dieu, je ne veux pas discuter avec vous, pour qu'on n'aille pas dire que j'use de faux-fuyants[3] —, eh bien ! donc, puisque nous avons reçu ce joug rude et pesant[4], nous avons besoin que beaucoup de mains s'élèvent pour la prière[5], afin de pouvoir rendre en bon état le dépôt dont le Maître nous a donné la garde, en ce grand jour[6] où ceux auxquels il a confié les talents[7] sont appelés et introduits et qu'ils rendent leurs comptes. Priez donc avec instance pour que nous ne soyons pas de ceux qui ont été chargés de chaînes, ni de ceux qui sont jetés dans les ténèbres[8], mais de ceux qui peuvent obtenir quelque pardon par la grâce de notre Seigneur Jésus-Christ auquel soient la gloire, la puissance et l'adoration pour les siècles des siècles. Amen.

d'où, en I, 3, 31, la comparaison qu'on trouve déjà ici avec le joug qu'on place sur la tête des bœufs.

5. C'est l'attitude rituelle de la prière dans l'A.T. (*III Rois* 8, 22 ; *II Macc.* 15, 21). Elle s'est perpétuée chez les chrétiens, comme en témoignent les nombreuses représentations d'orants et d'orantes dans l'art paléo-chrétien. Nous avons ici la preuve que cette attitude continue à être celle des chrétiens au IVe s. Elle est toujours en usage au Ve s., comme l'atteste la mosaïque de Yakto (450 env.) qui représente un personnage en prière à côté de la Grande église d'Antioche. Voir *Antioch on the Orontes, Publication of the Committee for the Excavations of Antioch and his vicinity*, Princeton, vol. I, 1932, p. 145.

6. Cf. *II Tim.* 1, 12.

7. Cf. *Matth.* 25, 14.

8. Cf. *Matth.* 25, 30. Voir aussi *Matth.* 22, 13.

INDEX DES CITATIONS SCRIPTURAIRES

Les chiffres romains renvoient aux parties du *De sacerdotio*, et les chiffres arabes qui les suivent précisent le chapitre et le numéro des lignes.

Le sigle *H.* accompagné de chiffres arabes renvoie à l'*Homélie*, avec l'indication des lignes.

ANCIEN TESTAMENT

NOUVEAU TESTAMENT

INDEX DES MOTS GRECS
du *De sacerdotio*

Nous n'avons retenu ici que les mots et expressions qui ont fait l'objet d'une note. Seuls ont été relevés les cas où ces mots sont utilisés dans le sens commenté. Des astérisques distinguent les textes dont la traduction est assortie de telles notes. Les parenthèses signalent un passage dont l'annotation intéresse également le mot considéré. Les références affectées de la lettre *S* en exposant renvoient à une citation scripturaire.

Un index complet des mots grecs du *De sacerdotio* formera le second volume des *Indices Chrysostomici* composés au L.A.S.L.A. de Liège et dont le premier volume a paru à Hildesheim (R.F.A.), chez G. Olms, dans la collection ΑΩ, en 1978.

ἀγέλη : ἀ. τοῦ Χριστοῦ I, 3, 19* ; II, 1, 30* ; 5, 16 ; III, 13, 4

ἁγιαστία III, 4, 32*

ἀγοραῖος III, 14, 20*

ἀθλητής : ἀ. τοῦ Χριστοῦ IV, 6, 35*

ἀθυμία I, 3, 43 ; 4, 108* ; II, 5, 22 ; III, 9, 13* ; 12, 65.72.74 ; 14, 31.45.51 ; IV, 6, 37 ; V, 4, 19 ; 5, 27 ; 8, 36.70 ; VI, 12, 75.89.98.99.119

ἀκολουθία III, 4, 7*

ἅλας : ἅλατι ἠρτυμένος IV, 8, 27[s] ; V, 2, 8*

ἄλογος V, 8, 1* ; VI, 9, 11.23.25. — τὰ ἄλογα II, 2, 13 ; 3, 22

ἀλουσία VI, 5, 11*

ἀλύω V, 4, 33 (var.)*

ἀναιρέω (rendre des oracles) III, 10, 272*

ἄνθρωπος : ἄ. ὤν III, 5, 2* ; V, 5, 30 ; VI, 10, 5

ἀξία (dignité, désignant le sacerdoce) III, 1, 25 ; 10, 51.76.107. 219 ; 11, 59 ; IV, 1, 124 ; VI, 11, 18. — voir ἀξίωμα

ἀξίωμα (dignité, désignant le sacerdoce) I, 3, 6 ; III, 1, 32 ; 5, 8* ; IV, 1, 58.70 ; VI, 4, 59 ; 11, 21

ἀπαγχονίζω III, 10, 142*

ἀπάτη I, 6, (14*).18.22.35.47 ; 7, 10.15.28.40.50.51 ; II, 1, 2.3

ἀπέρχομαι (mourir) I, 2, 51. — οἱ ἀπελθόντες (les morts) VI, 4, 25*

ἄπιστος : οἱ ἄπιστοι Ἰουδαῖοι IV, 1, 135*

ἁπλῶς I, 1, 7 ; 4, 65 ; II, 4, 12 ; 5, 72 ; 8, 7.18 ; III, 10, 135*.

INDEX DES MOTS GRECS
de la *Première Homélie*

Les mots groupés ici sont ceux dont le sens est donné en note (voir Index précédent).
Les chiffres renvoient aux lignes du texte grec.

ADDENDA ET CORRIGENDA

p. 89, li. 8 : entre « si » et « je faisais », ajouter « , préoccupé de ma réputation auprès des gens du dehors, »

p. 183, 2e alinéa, li. 4 : avant « ni la poix », ajouter « ni le bois sec, »

p. 113, li. 5 : après « du mal », ajouter « non par contrainte mais »

p. 187, 3e alinéa, li. 2 : au lieu de « l'autorité », lire « cette autorité »

p. 347, li. 6 : après « les honneurs », ajouter « et les louanges »

TABLE DES MATIÈRES

SOURCES CHRÉTIENNES

LISTE COMPLÈTE DE TOUS LES VOLUMES PARUS

N. B. — L'ordre suivant est celui de la date de parution (n° 1 en 1942), et il n'est pas tenu compte ici du classement en séries : grecque, latine, byzantine, orientale, textes monastiques d'Occident ; et série annexe : textes para-chrétiens.

Sauf indication contraire, chaque volume comporte le texte original, grec ou latin, souvent avec un apparat critique inédit.

La mention *bis* indique une seconde édition, parue ou en préparation. Quand cette seconde édition ne diffère de la première que par de menues corrections et des *Addenda et Corrigenda* ajoutés en appendice, la date est accompagnée de la mention « réimpression avec supplément ».

49 bis. Léon le Grand : **Sermons** (20-37), t. II. R. Dolle (1969).

50 bis. Jean Chrysostome : **Huit Catéchèses baptismales** inédites. A. Wenger (réimpr. avec suppl., 1970).

51. Syméon le Nouveau Théologien : **Chapitres théologiques, gnostiques et pratiques.** J. Darrouzès (1957).

52. Ambroise de Milan : **Sur S. Luc**, t. II. Livres VII-X, index. G. Tissot (1958).

53 bis. Hermas : **Le Pasteur.** R. Joly (réimpr. avec suppl., 1968).

54. Jean Cassien : **Conférences**, t. II. E. Pichery (réimpression 1966).

55. Eusèbe de Césarée : **Histoire ecclésiastique**, t. III. G. Bardy (réimpression 1967).

56. Athanase d'Alexandrie : **Deux apologies.** J. Szymusiak (1958).

57. Théodoret de Cyr : **Thérapeutique des maladies helléniques.** 2 vol. P. Canivet (1958).

58 bis. Denys l'Aréopagite : **La hiérarchie céleste.** G. Heil, R. Roques, M. de Gandillac (réimpr. avec suppl., 1970).

59. **Trois antiques rituels du baptême.** A. Salles. Trad. seule. *Épuisé.*

60. Aelred de Rievaulx : **Quand Jésus eut douze ans...** A. Hoste, J. Dubois (1958).

61 bis. Guillaume de Saint-Thierry : **Traité de la contemplation de Dieu.** J. Hourlier (réimpression, 1977).

62. Irénée de Lyon : **Démonstration de la prédication apostolique.** L. Froidevaux. Nouvelle trad. sur l'arménien. Trad. seule (réimpression 1971).

63. Richard de Saint-Victor : **La Trinité.** G. Salet (1959).

64. Jean Cassien : **Conférences**, t. III. E. Pichery (réimpr. 1971).

65. Gélase Ier : **Lettre contre les Lupercales et dix-huit messes du sacramentaire léonien.** G. Pomarès (1960).

66. Adam de Perseigne : **Lettres**, t. I. J. Bouvet (1960).

67. Origène : **Entretien avec Héraclide.** J. Scherer (1960).

68. Marius Victorinus : **Traités théologiques sur la Trinité.** P. Henry, P. Hadot. Tome I. Introd., texte critique, traduction (1960).

69. **Id.** — Tome II. Commentaire et tables (1960).

70. Clément d'Alexandrie : **Le Pédagogue**, t. I. H. I. Marrou, M. Harl (1960).

71. Origène : **Homélies sur Josué.** A. Jaubert (1960).

72. Amédée de Lausanne : **Huit homélies mariales.** G. Bavaud, J. Deshusses. A. Dumas (1960).

73. Eusèbe de Césarée : **Histoire ecclésiastique**, t. IV. Introd. générale de G. Bardy et tables de P. Périchon (réimpr. 1971).

74 bis. Léon le Grand : **Sermons** (38-64), t. III. R. Dolle. (1976).

75. S. Augustin : **Commentaire de la 1re Épître de S. Jean.** P. Agaësse (réimpression 1966).

76. Aelred de Rievaulx : **La vie de recluse.** Ch. Dumont (1961).

77. Defensor de Ligugé : **Le livre d'étincelles**, t. I. H. Rochais (1961).

78. Grégoire de Narek : **Le livre de prières.** I. Kéchichian. Trad. seule (1961).

79. Jean Chrysostome : **Sur la providence de Dieu.** A.-M. Malingrey (1961).

80. Jean Damascène : **Homélies sur la Nativité et la Dormition.** P. Voulet (1961).

81. Nicétas Stéthatos : **Opuscules et lettres.** J. Darrouzès (1961).

82. Guillaume de Saint-Thierry : **Exposé sur le Cantique des Cantiques.** J.-M. Déchanet (1962).

83. Didyme l'Aveugle : **Sur Zacharie.** Texte inédit. L. Doutreleau. Tome I. Introd. et livre I (1962).

84. **Id.** — Tome II. Livres II et III (1962).

120. ORIGÈNE : **Commentaire sur S. Jean.** C. Blanc. Tome I. Livres I-V (1966).

121. ÉPHREM DE NISIBE : **Commentaire de l'Évangile concordant ou Diatessaron.** L. Leloir. Trad. seule (1966).

122. SYMÉON LE NOUVEAU THÉOLOGIEN : **Traités théologiques et éthiques.** J. Darrouzès. Tome I. Théol. 1-3, Éth. 1-3 (1966).

123. MÉLITON DE SARDES : **Sur la Pâque (et fragments).** O. Perler (1966).

124. **Expositio totius mundi et gentium.** J. Rougé (1966).

125. JEAN CHRYSOSTOME: **La Virginité.** H. Musurillo, B. Grillet (1966).

126. CYRILLE DE JÉRUSALEM : **Catéchèses mystagogiques.** A. Piédagnel, P. Paris (1966).

127. GERTRUDE D'HELFTA : **Œuvres spirituelles.** Tome I. **Les Exercices.** J. Hourlier, A. Schmitt (1967).

128. ROMANOS LE MÉLODE : **Hymnes.** J. Grosdidier de Matons. Tome IV. Hymnes XXXII-XLV (1967).

129. SYMÉON LE NOUVEAU THÉOLOGIEN : **Traités théologiques et éthiques.** J. Darrouzès. Tome II. Éth. 4-15 (1967).

130. ISAAC DE L'ÉTOILE : **Sermons.** A. Hoste, G. Salet. Tome I. Introd. et Sermons 1-17 (1967).

131. RUPERT DE DEUTZ : **Les œuvres du Saint-Esprit.** J. Gribomont, É. de Solms. Tome I. Livres I et II (1967).

132. ORIGÈNE : **Contre Celse.** M. Borret. Tome I. Livres I et II (1967).

133. SULPICE SÉVÈRE : **Vie de S. Martin.** J. Fontaine. Tome I. Introd., texte et traduction (1967).

134. Id. — Tome II. Commentaire (1968).

135. Id. — Tome III. Commentaire (suite) (1969).

136. ORIGÈNE : **Contre Celse.** M. Borret. Tome II. Livres III et IV (1968).

137. ÉPHREM DE NISIBE : **Hymnes sur le Paradis.** F. Graffin, R. Lavenant (trad. seule) (1968).

138. JEAN CHRYSOSTOME : **A une jeune veuve. Sur le mariage unique.** B. Grillet, G. H. Ettlinger (1968).

139. GERTRUDE D'HELFTA : **Œuvres spirituelles.** Tome II. **Le Héraut.** Livres I et II. P. Doyère (1968).

140. RUFIN D'AQUILÉE : **Les bénédictions des Patriarches.** M. Simonetti, H. Rochais, P. Antin (1968).

141. COSMAS INDICOPLEUSTÈS : **Topographie chrétienne.** Tome I. Introduction et livres I-IV. W. Wolska-Conus (1968).

142. **Vie des Pères du Jura.** F. Martine (1968).

143. GERTRUDE D'HELFTA : **Œuvres spirituelles.** Tome III. **Le Héraut.** Livre III. P. Doyère (1968).

144. **Apocalypse syriaque de Baruch.** Tome I. Introduction et traduction. P. Bogaert (1969).

145. Id. — Tome II. Commentaire et tables (1969).

146. **Deux homélies anoméennes pour l'octave de Pâques.** J. Liebaert (1969).

147. ORIGÈNE : **Contre Celse.** M. Borret. Tome III. Livres V et VI (1969).

148. GRÉGOIRE LE THAUMATURGE : **Remerciement à Origène. — La lettre d'Origène à Grégoire.** H. Crouzel (1969).

149. GRÉGOIRE DE NAZIANZE : **La passion du Christ.** A. Tuilier (1969).

150. ORIGÈNE : **Contre Celse.** M. Borret. Tome IV. Livres VII et VIII (1969).

151. JEAN SCOT : **Homélie sur le Prologue de Jean.** É. Jeauneau (1969).

152. IRÉNÉE DE LYON : **Contre les hérésies,** livre V. A. Rousseau, L. Doutreleau, C. Mercier. Tome I. Introduction, notes justificatives et tables (1969).

153. Id. — Tome II. Texte et traduction (1969).

218. HYDACE : **Chronique.** Tome I. Introduction, texte critique, traduction. A. Tranoy (1975).

219. **Id.** — Tome II. Commentaire et Index. A. Tranoy (1975).

220. SALVIEN DE MARSEILLE : **Œuvres.** Tome II. G. Lagarrigue (1975).

221. GRÉGOIRE LE GRAND : **Morales sur Job.** Livres XV-XVI. A. Bocognano (1975).

222. ORIGÈNE : **Commentaire sur S. Jean.** Tome III. Livre XIII. C. Blanc (1975).

223. GUILLAUME DE SAINT-THIERRY : **Lettre aux Frères du Mont-Dieu (Lettre d'or).** J. Déchanet (1975).

224. **Actes de la Conférence de Carthage en 411.** Tome III. S. Lancel (1975).

225. DHUODA : **Manuel pour mon fils.** P. Riché, B. de Vregille et C. Mondésert (1975).

226. ORIGÈNE : **Philocalie 21-27 (Sur le libre arbitre).** É. Junod (1976).

227. ORIGÈNE : **Contre Celse.** Tome V. Introduction et Index. M. Borret (1976).

228. EUSÈBE DE CÉSARÉE : **Préparation évangélique, livres II-III.** É. des Places (1976).

229. PSEUDO-PHILON : **Les Antiquités Bibliques.** D. J. Harrington, C. Perrot, P. Bogaert, J. Cazeaux. Tome I. Introduction critique, texte et traduction (1976).

230. **Id.** — Tome II. Introduction littéraire, commentaire et index (1976).

231. CYRILLE D'ALEXANDRIE : **Dialogues sur la Trinité.** Tome I. Dial. I et II. G. M. de Durand (1976).

232. ORIGÈNE : **Homélies sur Jérémie.** P. Nautin et P. Husson. Tome I. Introduction et homélies I-XI (1976).

233. DIDYME L'AVEUGLE : **Sur la Genèse.** Tome I (Sur Genèse I-IV). P. Nautin et L. Doutreleau (1976).

234. THÉODORET DE CYR : **Histoire des moines de Syrie.** Tome I. Introduction et **Histoire Philothée** I-XIII. P. Canivet et A. Leroy-Molinghen (1977).

235. HILAIRE D'ARLES : **Vie de S. Honorat.** M. D. Valentin (1977).

236. **Rituel cathare.** Ch. Thouzellier (1977).

237. CYRILLE D'ALEXANDRIE : **Dialogues sur la Trinité.** Tome II. Dial. III-V. G. M. de Durand (1977).

238. ORIGÈNE : **Homélies sur Jérémie.** Tome II. Homélies XII-XX et homélies latines, index. P. Nautin et P. Husson (1977).

239. AMBROISE DE MILAN : **Apologie de David.** P. Hadot et M. Cordier (1977).

240. PIERRE DE CELLE : **L'école du cloître.** G. de Martel (1977).

241. **Conciles gaulois du IVᵉ siècle.** J. Gaudemet (1977).

242. S. JÉRÔME : **Commentaire sur S. Matthieu.** Tome I. Livres I et II. É. Bonnard (1978).

243. CÉSAIRE D'ARLES : **Sermons au peuple.** Tome II. Sermons 21-55. M.-J. Delage (1978).

244. DIDYME L'AVEUGLE : **Sur la Genèse.** Tome II (Sur Genèse V-XVII). Index. P. Nautin et L. Doutreleau (1978).

245. **Targum du Pentateuque.** Tome I : **Genèse.** R. Le Déaut et J. Robert. Trad. seule (1978).

246. CYRILLE D'ALEXANDRIE : **Dialogues sur la Trinité.** Tome III. Livres VI et VII, index. G. M. de Durand (1978).

247. GRÉGOIRE DE NAZIANZE : **Discours 1-3.** J. Bernardi (1978).

248. **La Doctrine des douze apôtres.** W. Rordorf et A. Tuilier (1978).

Hors série :

Directives pour la préparation des manuscrits (de « Sources Chrétiennes »). A demander au Secrétariat de « Sources Chrétiennes », 29, rue du Plat, 69002 Lyon.

La Règle de S. Benoît. VII. Commentaire doctrinal et spirituel. A. de Vogüé.

SOUS PRESSE

PSEUDO-MACAIRE : **Œuvres spirituelles,** t. I. V. Desprez.

Lettres des premiers Chartreux, t. II : les Chartreux de Portes. Par un Chartreux.

TERTULLIEN : **A son épouse.** C. Munier.

TERTULLIEN : **Contre les Valentiniens.** J.-C. Fredouille (2 volumes).

CLÉMENT D'ALEXANDRIE : **Stromate V.** A. Le Boulluec (2 volumes).

JEAN CHRYSOSTOME : **Homélies sur Ozias.** J. Dumortier.

ROMANOS LE MÉLODE : **Hymnes,** t. V. J. Grosdidier de Matons.

PROCHAINES PUBLICATIONS

IRÉNÉE DE LYON : **Contre les hérésies,** livre II. A. Rousseau et L. Doutreleau.

THÉODORET DE CYR : **Commentaire sur Isaïe.** J.-N. Guinot.

SOURCES CHRÉTIENNES

(1-271)

Également aux Éditions du Cerf :

LES ŒUVRES DE PHILON D'ALEXANDRIE

publiées sous la direction de

R. ARNALDEZ, C. MONDÉSERT, J. POUILLOUX.

Texte grec et traduction française.

ACHEVÉ D'IMPRIMER SUR LES
PRESSES DE L'IMPRIMERIE
DARANTIERE A DIJON-QUETIGNY,
LE QUINZE JUILLET M CM LXXX

Numéro d'édition 7253
Dépôt légal 3e trimestre 1980

N° ISBN 2-204-01610-1